Anatomy & Physiology
for the Prehospital Provider

응급구조사를 위한
해부생리학

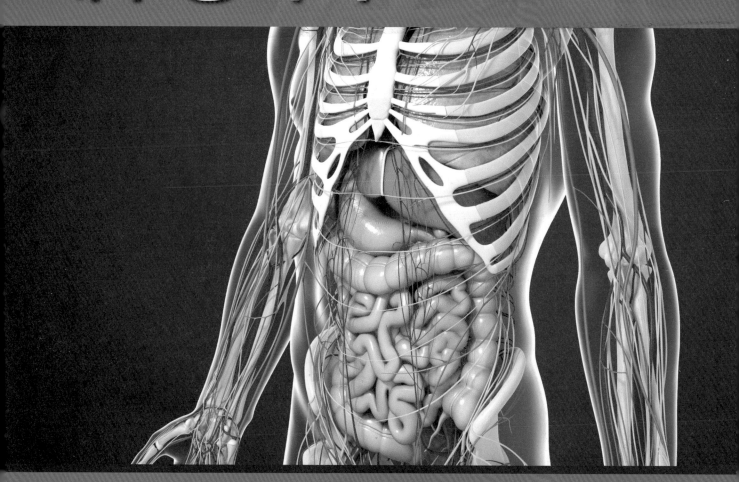

군자출판사

응급구조사를 위한 해부생리학

Anatomy & Physiology for the Prehospital Provider

첫째판 1쇄 인쇄 | 2015년 3월 6일
첫째판 1쇄 발행 | 2015년 3월 16일

지 은 이   Bob Elling, Kirsten M. Elling
옮 긴 이   박희진 외, (사)한국응급구조학회
발 행 인   장주연
출 판 기 획   이현진
편집디자인   박선미
표지디자인   전선아
발 행 처   군자출판사
　　　　　　등록 제4-139호(1991. 6. 24)
　　　　　　본사 (110-717) 서울특별시 종로구 창경궁로 117 (인의동 112-1) 동원빌딩 6층
　　　　　　전화 (02) 762-9194/5　　　팩스 (02) 764-0209
　　　　　　홈페이지 | www.koonja.co.kr

ORIGINAL ENGLISH LANGUAGE EDITION PUBLISHED BY
　　Jones & Bartlett Learning, LLC
　　5 Wall Street
　　Burlington, MA 01803
Anatomy & Physiology for the Prehospital Provider, American Academy of Orthopaedic Surgeons (AAOS),
Bob Elling, MPA, EMT-P, Kristen M. Elling, BS, REMT-P, ⓒ 2014 JONES 7 BARTLETT LEARNING, LLC.
ALL RIGHTS RESERVED.

ISBN 978-89-6278-964-5

정가 35,000원

머리말

응급구조학과 학생들이 전공과목을 학습하기 위해서는 해부학과 생리학, 그리고 병리학이나 약리학 등의 기초의학 관련과목을 이수하여야 합니다. 특히 인체의 해부학적 구조와 생리학적 기전을 학습하는 것은 보건의료관련학과 학생들의 기본이라고 할 수 있습니다.

본 교재는 미국정형외과학회(AAOS)에서 발간한 Prehospital Provider를 위한 해부생리학 교재로 인체의 system과 관련하여 상세한 그림을 제공하고 있으며, 응급처치와 관련된 증례연구를 수록하여 증례에 따른 문제와 답을 제시하였습니다. 또한 다른 기초의학 교재에서는 볼 수 없는 단원별 인체의 system과 관련된 '병태생리학', '임상에 유용한 정보' 등을 수록하여 응급구조사들이 현장에서 유용하게 석용할 수 있는 내용들을 곁들이고 있으며, AAOS에서 발간한 기본응급처치학이나 전문외상처치학 관련 타 교재들과도 연계성이 있도록 집필되었습니다.

각 단원 말미에는 요점정리를 하여 단원별 Keyword에 관해 해부생리학적인 내용을 간결하게 정리하였으며, 최근 해부생리학에서 복합적으로 사용하고 있는 명칭들은 신용어와 구용어를 함께 수록하여 용어에 대한 혼동을 최소화 하였고, 원서에 충실하게 번역하면서도 직역보다는 의역을 함으로써 학생들이 쉽게 이해할 수 있도록 편찬하였습니다.

그리고, 2016년도부터 새로 적용 예정인 '응급구조사 국가시험 출제기준 및 문항개발기준'에 부합되도록 집필함으로써, 응급구조학과 학생들에게 국가시험과 연계될 수 있는 교재로 편찬하였으므로 학생여러분들에게 많은 도움이 되리라 생각합니다.

방학 중 많이 바쁘신데도 불구하고 감수에 참여해 주신 교수님들과, 입사 초보생으로 최선을 다하는 모습을 보여준 군자출판사 미래창조기획부 이현진 선생님께도 감사 말씀을 드립니다.

2015년 3월 3일

감수자 대표 **박희진**

집필진

■ **감수위원**

박희진　서영대학교 응급구조학과

■ **감수자** (가나다순)

고재문	제주한라대학교 응급구조학과	박창열	전주비전대학교 응급구조학과
권혜란	광주보건대학교 응급구조학과	이경열	공주대학교 응급구조학과
김경완	순천청암대학교 응급구조학과	이상희	경북도립대학교 응급구조학과
김미숙	춘해보건대학교 응급구조학과	이인모	동남보건대학교 응급구조학과
김병우	한국교통대학교 응급구조학과	이창희	남서울대학교 응급구조학과
김지희	강원대학교 응급구조학과	정형근	을지대학교 응급구조학과
박대성	광주보건대학교 응급구조학과	최길순	동강대학교 응급구조학과
박인성	경일대학교 응급구조학과		

■ **공동감수자** (가나다순)

기은영	서정대학교 응급구조학과	이준호	대전대학교 응급구조학과
김정현	마산대학교 응급구조학과	이효철	호남대학교 응급구조학과
노상균	선문대학교 응급구조학과	조진만	대전보건대학교 응급구조학과
민경훈	우송대학교 응급구조학과	조현태	김해대학교 응급구조학과
박상섭	충청대학교 응급구조학과	지현경	백석대학교 응급구조학과
박재성	동주대학교 응급구조학과	한송이	서남대학교 응급구조학과
배성주	포항대학교 응급구조학과	함영림	대원대학교 응급구조학과
신상열	호원대학교 응급구조학과	현진숙	선린대학교 응급구조학과
안주영	성덕대학교 응급구조학과	황정연	건양대학교 응급구조학과
윤병길	충북보건과학대학교 응급구조학과		

요약차례

차례

감사의 글

AAOS
AMERICAN ACADEMY OF ORTHOPAEDIC SURGEONS

The American Academy of Orthopaedic Surgeons would like to acknowledge the reviewers of *Anatomy & Physiology for Prehospital Providers, Second Edition.*

Bruce Barry, RN, CEN, NREMT-P
Peak Paramedicine, LLC
Wilmington, New York

Lynn Browne-Wagner, MSN, RN
Northland Pioneer College
Show Low, Arizona

Amanda Creel, RN, BS, NRP
University of South Alabama
Mobile, Alabama

Kathleen Grote
Anne Arundel County Fire Department
Millersville, Maryland

Kevin Keen, AEMCA
Multi Agency Training Center: Hamilton Fire
Department
Hamilton, Ontario, Canada

Steven M. Kirschbaum, Paramedic
SwedishAmerican Health System
Rockford, Illinois

Mary Katherine Lockwood, PhD, AEMT, I/C
University of New Hampshire
Durham, New Hampshire

Vickie Martin, BA, NREMT-P, NCEE
Lancaster EMS
Millersville, Pennsylvania

Donna McHenry, MS, NREMT-P
University of New Mexico
Los Alamos, New Mexico

John E Mitchell, BS, MBA, PA(ASCP)^{CM}
Pitt Community College
Greenville, North Carolina

Daniel W. Murdock, BT, NREMT-P, CIC
SUNY Cobleskill Paramedic Program
Cobleskill, New York

Colt Patterson, FF, EMT-P, EMT-P I/C, Rescue Diver
Crossville Fire Department
Crossville, Tennessee

Jennifer Purdom, BS, FP-C
PHI Air Medical
Denton, Texas

Bryan L. Spangler, MHA, NREMT-P, EMSI, CMTE
Central Ohio Technical College
Newark, Ohio

Candice Thompson, BS, LAT, NREMT-P
Bulverde−Spring Branch EMS & the Centre for
Emergency Health Sciences
Spring Branch, Texas

Jackilyn E. Williams, RN, MSN, NRP
Portland Community College Paramedic Program
Portland, Oregon

인체 해부학과 생리학: 개요
Human Anatomy and Physiology: An Overview

학습목표

1. 해부학, 생리학, 병태생리학, 항상성에 대해 정의를 내린다.
2. 신체를 계통별로 분류하고 서술한다.
3. 해부학적 자세, 관상면, 횡단면, 시상면, 정중면에 대해 정의를 내린다.
4. 신체 각 부위의 위치를 서술하는 해부학적 용어를 올바르게 사용한다.
5. 기초 화학을 이해하고 해부학과 생리학의 학습에 필요한 화학적 개념을 정립한다.

■ 서론

해부학과 생리학은 의료 종사자 교육의 기본 요소이며 응급 의료종사자의 정확한 진료를 위해 요구되는 가장 중요한 의학적 지식이다. 처음 대면하는 환자의 증상을 이해하고 의심되는 질환의 진행과정을 예측하여 치료의 방향을 결정하는 일련의 과정에서 해부 생리학적 지식은 반드시 필요하고, 또한 의학 교육을 통해 배우게 될 개념들을 온전히 이해하기 위해서는 해부학과 생리학의 기초가 확실히 정립될 필요가 있다.

해부학(anatomy)은 생체의 구조와 구성에 대한 학문으로서, 신체내 기관을 연구하는 육안 해부학(gross anatomy)과 육안으로는 볼 수 없는 조직과 세포의 구성요소를 연구하는 현미경 해부학(microscopic anatomy)으로 분류된다. 생리학(physiology)은 신체의 기능과 과정에 대한 학문이다. 여러 신체의 계통(system)이 동시에 가동되면서 수많은 상호작용에 의해 인체는 효율적인 균형의 상태를 유지하게 되는데, 이를 항상성(homeostasis)이라고 한다. 병태생리학(pathophysiology)이란 질환(disease)이 있을 때 생체의 기능을 연구하는 학문이다. 신체가 더이상 항상성을 유지할 수 없을때, 질환이 발병할 수 있다. 질환의 원인을 규명하는 것은 응급의료진으로 하여금 합리적은 추론을 통한 초기 진단과 치료의 방향을 결정할 수 있도록 한다.

인체 해부학과 생리학의 학습은 몇 가지 방식으로 가능하다. 계통 해부학(systemic anatomy)이란 각각의 기관 계통(organ system)의 해부 생리학에 중점을 두는 반면, 국소 해부학(regional anatomy)은 특정 신체 부위에 대한 것이다. 본 교과서는 계통 해부학적 방식을 택하였으며, 인체의 다양한 운동의 유형을 정의하고 의학적으로 설명한다.

각 장(chapter)은 골격, 근육, 순환, 림프, 면역, 호흡, 신경, 위장관, 비뇨, 생식, 내분비 그리고 외피 계통을 각각 다루게 된다. 또한 중요한 구조들의 경우, 전반적인 계통적 설

증례 연구 ▶ Part 1

당신이 속한 구급차가 지역 술집에서 일어난 폭행사건 현장으로 출동하고 있다. 사고 현장 가까이 도착하니, 경찰은 이미 도착해 있다: 경찰은 당신에게 직접 현장으로 접근해도 안전하다고 알려준다. 당신은 우선 현장에 대한 평가를 완료한 후에 1차 평가(primary assessment)를 시작한다. 당신이 파악한 전반적인 인상은 몸통과 사지에 수많은 자상과 타박상이 있는 한 젊은 남자가 파울러 체위(Fowler's position)로 있다는 것이다. 일차 평가 완료후 당신은 즉각적은 생명의 위협은 없음을 발견한다. 당신이 빠른 외상 검사(rapid trauma exam)를 시작하는 동안, 당신의 동료는 재빨리 기저 활력징후(baseline vital signs)를 측정한다. 외상 검사 완료와 함께, 당신의 동료가 환자의 기저 활력징후 수치를 알려준다. 대부분의 출혈은 이미 멈추었다. 당신은 이러한 환자 평가 과정에서, 의료본부와 소통하고 병원 도착전 진료 기록(prehospital care report, PCR)에 환자의 상해를 기록하는 스스로의 역량이 해부학 용어에 대한 지식을 통해 크게 향상 되었음을 깨닫는다.

기록한 시간: 0분

외형	즉각적은 생명의 위협이 없는 젊은 남자
의식 수준	명료(사람, 시간, 날짜에 지남력이 있음)
기도	개방
호흡	정상적, 규칙적
순환	생명을 위협하는 외부 출혈 없음
맥박	96회/분, 규칙적
혈압	118/70 mmHg
호흡	20회/분
SpO₂	97%

1. 상해의 기전(mechanism of injury, MOI)과 일차 평가 결과를 근거로, 당신은 환자를 어떤 자세로 유지해야 합니까?

2. 빠른 외상 검사(rapid trauma exam) 중에 어느 신체 부위를 평가해야 합니까?

명과 더불어 육안 해부학, 현미경 해부학, 조직학적 해설을 추가하였다. 신체 계통이 개별적으로 그리고 하나의 단위로서 어떻게 기능하는지를 기술하였으며, 해부학과 생리학의 이해에 필수적인 화학의 기초 개념 또한 포함되어 있다.

임상에 유용한 정보

신체에 대한 연구는 수천년 동안 수행되어져 왔다. 신체 내부 작용 기전이 많이 알려져 있다고 해도, 오늘날에도 여전히 새로운 발견이 이루어진다. 연구자들은 종종 생리학, 특히 분자 생리학에 대한 새로운 정보를 발견하지만, 인간 생리학의 기본은 지난 수천년에 걸쳐서 아주 느리게 변할 뿐이다.

■ 신체 계통의 개요

인간의 몸은 일련의 부위, 체강(cavity), 조직, 장기 계통으로 구성된다. 구조적 관점에서 보면, 유기체(인체)는 수많은 작은 부속품, 즉 구성 요소들로 이루어 지며, 각각의 구성 요소들은 서로 연관되어 있다. 공부를 해나가면서, 원자, 분자, 고분자, 소기관, 세포, 조직, 장기, 장기 계통, 그리고 궁극적으로 생체(인체) 사이의 상호 관계를 이해할 수 있을 것이다 그림 1-1.

각각의 신체 계통에 대한 자세한 설명은 다음과 같다.

- 골격계: 206개의 뼈로 구성되어 있으며, 몸의 구조물들을 지지하고, 움직이며, 보호하는 필수적인 기능을 수행한다.
- 근육계: 근섬유(fiber)로 구성되며, 근섬유의 수축을 통해 운동이 일어난다. 세 가지 유형의 근육이 존재한다: 골격근(횡문근), 평활근, 심근.
- 순환계: 심장, 혈관, 혈

액으로 구성된다.
- 림프계: 림프액을 운반하는 수동적 순환 계통이다. 림프액이란 간질액(interstitial fluid) 또는 외세포액(extracellular fluid)으로부터 형성되어 주변 조직을 감싸고 있는 묽은 혈장(plasma)과 같은 용액을 일컫는다.
- 면역계: 림프계와 필수적으로 연계되어 있으며, 외부 물질과 질병 유발 인자에 대해 방어작용을 한다.
- 호흡기계: 호흡, 기체의 교환, 공기의 인체내 유입 등과 관련된 장기와 구조들을 포함한다.
- 신경계: 수의적, 불수의적 신체 활동의 조절을 도와주는 일련의 복합적 구조를 일컫는다.
- 위장관계: 음식의 섭취, 소화, 배설에 관여하는 구조와 장기들로 구성된다.
- 비뇨기계: 복잡한 여과 과정을 통해 혈액으로부터 노폐물을 제거하여 소변을 만든다.
- 생식기계: 유성생식(sexual reproduction)에 필요한 남성과 여성의 구조들을 의미한다.
- 내분비계: 신체 기능을 조절하는 단백질, 즉 호르몬(hormone)을 분비하는 샘(gland)으로 구성되며, 이러한 샘(gland)은 신체 전반에 걸쳐 분포되어 있다.
- 외피계: 피부, 손발톱, 모발, 땀샘, 피지샘을 포함한다. 각각의 신체 계통은 그림 1-2 에 도해로 설명되어 있다.

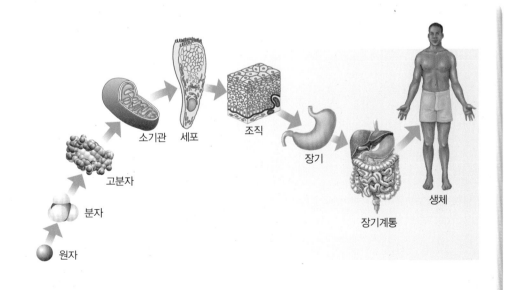

원자 · 분자 · 고분자 · 소기관 · 세포 · 조직 · 장기 · 장기계통 · 생체

그림 1-1 신체의 구조적 단계

출처: Adapted from Shier DN, Butler JL, Lewis R. *Hole's Essentials of Human Anatomy & Physiology*, 10th ed. New York, NY: McGraw Hill Higher Education; 2009.

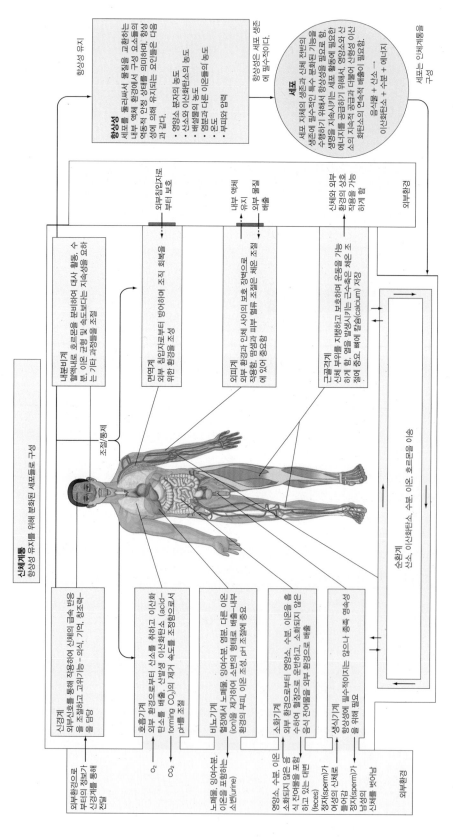

신체계통
항상성 유지를 위해 분화된 세포들로 구성

내분비계
혈액내로 호르몬을 분비하여 대사 활동, 수분, 이온 균형 및 속도보다는 지속성을 요하는 기타 과정들을 조절

신경계
외부환경으로부터 작용하여 신체의 급속 반응을 조절하고 있다가 기능 - 의식, 기억, 청조력을 담당

면역계
외부 침입자로부터 받아들여 조직 회복을 위한 환경을 조성

호흡기계
외부 환경으로부터 산소를 취하고 이산화탄소를 배출, 산발생 이산화탄소 (acid-forming CO₂)의 제거 속도를 조절함으로서 pH를 조절

외피계
외부 침입자로부터 받아들이며 신체와 외부 환경의 상호 작용함. 땀샘과 피부 혈류 조절을 체온 조절에 있어 중요함

비뇨기계
혈장에서 노폐물, 잉여수분, 염분 다른 이온(ion)을 제거하여 소변의 형태로 배출 - 내부 환경의 부피, 이온 조성, pH 조절에 중요

근골격계
신체 부위를 지탱하고 보호하며 운동을 가능하게 함. 열을 발생시키는 근수축을 체온 조절에 중요. 뼈에 칼슘(calcium) 저장

소화기계
외부 환경으로부터 영양소, 수분, 이온을 흡수하여 혈장으로 운반하고, 소화되지 않은 음식 잔여물을 외부 환경으로 배출

순환계
산소, 이산화탄소, 수분, 이온, 호르몬을 이송

생식기계
항상성에 필수적이지는 않으나 종족 영속성을 이어가기 위해 필요

외부환경으로
부터의 정보가 신경계를 통해 전달

항상성 유지

항상성
세포를 둘러싸서 물질들을 교환하는 내부 액체 환경에서 구성 요소들의 역동적 안정 상태를 의미하며, 항상성에 의해 유지되는 다음 것과 같다.
- 영양소 분자의 농도
- 산소와 이산화탄소의 농도
- 배설물의 농도
- 염분과 다른 이온들의 농도
- 온도
- 부피와 압력

항상성은 세포 생존에 필수적이다.

세포
세포 자체의 생존과 신체 전반의 생존에 필수적인 특수 분화된 기능을 수행하기 위해서 항상성을 필요로 함. 생명을 지속시키는 세포 활동에 필요한 에너지를 공급하기 위해서, 영양소와 산소의 지속적 공급과 더불어 산생성 이산화탄소의 연속적 배출이 필요함.

음식물 + 산소 →
이산화탄소 + 수분 + 에너지

세포는 인체계통을 구성

외부침입자로
부터 보호

내부 액체
유지
외부 물질 배출

신체와 외부
환경의 상호 작용이 가능하게 함

외부환경

조절통제

조절통제

O₂
CO₂

노폐물, 잉여수분, 이온을 포함하는 소변(urine)

영양소, 수분, 이온

소화되지 않은 음식 잔여물을 포함하고 있는 대변(feces)

정자(sperm)가 여성의 신체로 들어감

정자(sperm)가 남성의 신체를 벗어남

외부환경

그림 1-2 신체 계통

■ 국소 해부학

신체 표면에서 내부 구조의 지표가 되는 육안적으로 분명한 특징들을 볼 수 있다. 따라서 정확한 환자 평가를 위해서는 표면적 표지점, 즉 국소 해부학(topographic anatomy)을 식별할 수 있어야 한다. 따라서, 국소 해부학을 기술하는데 사용되는 용어는 인체가 해부학적 자세(anatomic position)로 있을 때를 기준으로 한다 그림 1-3 . 해부학적 자세에서, 환자는 당신을 바라보고 서서, 양팔을 벌리고, 손바닥이 앞을 향하게 한다. 방향을 지시하는 용어는 관찰자의 왼쪽, 오른쪽이 아니라, 환자의 왼쪽, 오른쪽을 기준점으로 삼는다.

■ 신체의 평면

환자가 상해를 입었을 때, 상해의 위치를 서술하기 위해서 해부학적 평면(anatomic plane)이 자주 사용된다. 예를 들면, 오른쪽 허벅지, 대퇴골 중앙 내측면 열상이 있는 환자와 같은 경우이다.

해부학적 평면(anatomic plane)이란 신체를 나누는 가상의 직선면으로, 관상면(frontal/coronal plane), 횡단면(transverse/axial plane), 시상면(sagittal/lateral plane) 을 포함한다 그림 1-4 . 정중면(midsagittal plane)은 시상면의 특수한 유형으로 신체를 좌, 우 균등하게 절반으로 나누는 평면을 일컫는다. 이러한 평면들은 3차원 구조를 명료하게 설명하는 기준이 되어 다양한 장기의 위치 및 상호관계의 구체적 기술을 가능하게 한다 표 1-1 .

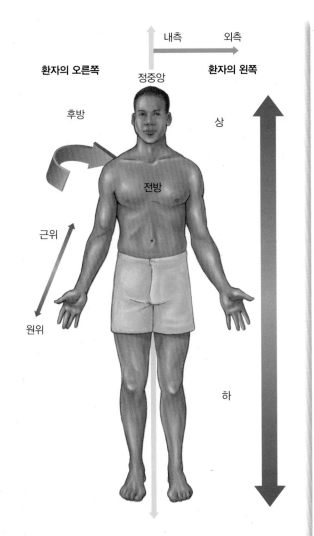

그림 1-3 해부학적 자세. 각 용어는 정중앙으로부터의 거리와 방향을 나타낸다.

표 1-1 ▶ 신체의 평면(Planes of the Body)

신체의 평면	설명
관상면	앞, 뒤
횡단면	꼭대기, 바닥
시상면	왼쪽, 오른쪽
정중면	왼쪽, 오른쪽 – 절반씩

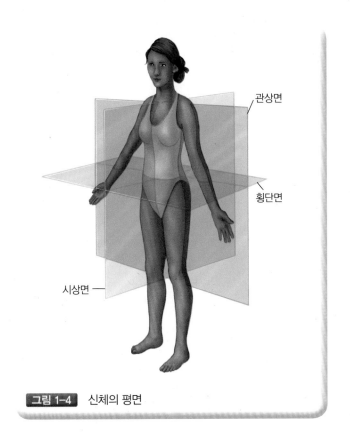

그림 1-4 신체의 평면

■ 지향적 용어

해부학에서 사용되는 지향적 용어(directional terms)는 신체 부위의 상대적 위치 및 가상의 해부학적 분할을 기술하는 단어들을 포함한다. 상해의 위치 또는 방사통(radiating pain)을 설명할때, 정확한 지향적 용어의 습득이 필요하다.

관상면, 횡단면, 시상면에 의한 신체의 분할을 기반으로 위치를 기술하는 용어는 보편적으로 사용된다. **표 1-2** 는 이런 용어들을 자세히 설명하고 있는데, 상/하, 내측/외측, 근위/원위, 표재/심부, 전방/후방 등을 포함한다.

신체 상부(superior)는 특정한 기준점으로부터 머리에 더 가까이 있는 구조를 지칭한다. 신체 하부(inferior)는 발에 더 가까이 있는 구조를 지칭한다. 내측(medial)이란 정중앙선 또는 내부 구조나 장기를 향하여 위치하는 것을 의미하는 반면, 외측(lateral)은 정중앙으로부터 멀어지며 위치하는 것을 가리킨다. 근위(proximal)와 원위(distal)는 어떤 두 개의 구조물의 사지에 대한 위치 관계를 묘사하는 용어로서, 근위는 몸통 가까이 혹은 몸통을 향하여 위치하는 것을 의미하고, 원위는 몸통으로부터 멀어져서 사지 말단부를 향하는 방향으로 위치하는 것을 말한다. 예를 들면, 무릎은 발목에 근위이고, 손목은 손가락에 근위이다; 발가락은 발목에 원위이고, 손목은 팔꿈치에 대해 원위이다. 전방(anterior)이란 복부 또는 몸의 앞쪽을 지칭하는 것으로, 전방의 다른 표현으로 배쪽/복측(ventral)이 있다. 후방(posterior)이란 척추 쪽 또는 손등을 포함한 몸의 뒤쪽을 지칭하는 것으로, 후방의 다른 표현은 등쪽(dorsal)이다.

관상면(frontal plane)은 머리부터 발끝까지 관통하며 몸을 전방과 후방으로 나눈다. 예를 들면, 유방 부위 통증은 흉벽의 전방(anterior) 혹은 복측(ventral) 부위에 위치하는 것으로 기술되는 반면, 엉덩이 부근 상해의 경우에는 후방(posterior) 또는 등쪽(dorsal)으로 기술된다.

횡단면(transverse plane)은 수평선에 평행하게 몸을 관통하는 평면을 지칭하는데, 횡단면이 반드시 통과해야만 하는 특정 부분이 있는 것은 아니다. 횡단면에서 머리쪽에 더 가까이 있는 부분은 반대쪽에 비해 상부(superior)에 있다고 하며, 반대로 발쪽에 더 가까운 부분은 하부(inferior)에 있다고 표현한다. 따라서, 유방부 상해는 배꼽(가능한 횡단면) 상부(superior)이고, 족부 통증은 배꼽 하부(inferior)로 설명할 수 있다.

표 1-2 ▶ 흔히 사용되는 지향적 용어	
용어	**정의**
Axillary	겨드랑이(액와)와 연관이 있는
Brachial	위팔(상완)과 연관이 있는
Buccal	뺨과 연관이 있는
Cardiac	심장과 연관이 있는
Cervical	목과 연관이 있는
Cranial	머리뼈(두개골)과 연관이 있는
Cutaneous	피부와 연관이 있는
Deltoid	어깨 근육과 연관이 있는
Femoral	허벅지와 연관이 있는
Gastric	위와 연관이 있는
Gluteal	엉덩이와 연관이 있는
Hepatic	간과 연관이 있는
Inguinal	샅굴부위(서혜부, 사타구니)와 연관이 있는
Lumbar	허리(늑골과 골반사이)와 연관이 있는
Mammary	젖(유방)과 연관이 있는
Nasal	코와 연관이 있는
Occipital	머리 뒤쪽 하부와 연관이 있는
Orbital	눈 주위 뼈와 연관이 있는
Parietal	머리 뒤쪽 상부와 연관이 있는
Patellar	무릎 전방[무릎뼈(슬개골)]과 연관이 있는
Pectoral	가슴부위(흉부)와 연관이 있는
Perineal	샅부위(회음부, 천골과 치골 사이)와 연관이 있는
Plantar	발바닥과 연관이 있는
Popliteal	무릎 뒤쪽과 연관이 있는
Pulmonary	폐와 연관이 있는
Renal	콩팥(신장)과 연관이 있는
Sacral	척추의 최하부와 연관이 있는
Temporal	머리뼈(두개골) 관자(측두)부와 연관이 있는
Umbilical	배꼽과 연관이 있는
Volar	발바닥 또는 손바닥과 연관이 있는

정중면(midsagittal plane)은 정중선(midline)이라고도 불리우는데, 관상면에 직각으로 배꼽을 관통하는 면으로서, 신체를 좌, 우 정확히 절반으로 나누게 된다. 앞서 설명한대로, 정중선에 가까운 구조를 내측이라하고, 정중선으로부터 멀어지는 구조를 외측이라 한다.

상해의 위치나 해부학적 기준점을 기술하기 위해 다양한 가상의 선이 사용될 수 있다. 정중선에 평행해서 빗장뼈(쇄골)의 중앙부를 수직으로 지나는 선을 쇄골중간선(midclavicular line)이라고 한다. 액와중간선(midaxillary line)은 겨드랑이(액와)부터 허리까지를 관통하는 수직선이다

그림 1-5. 겨드랑이(액와)중간선에서 약 1인치 전방으로 지나는 평행선을 전방겨드랑이선(전액와선, anterior axillary line)이라 하고, 액와중간선에서 약 1인치 뒤쪽 평행선을 후방겨드랑이선(후액와선, posterior axillary line)이라 한다.

배안(복강)의 구획은 사분역(quadrant)에 의해 기술한다. 배꼽에서 수직으로 교차하는 2개의 가상의 선이 있다고 하면, 복부는 4개의 명확한 사분역으로 나누어진다; 우상 사분역, 좌상 사분역, 우하 사분역, 좌하 사분역. 특정한 장기는 4개의 사분역중 하나에 위치하게 되고, 흔히 통증이나 상해는 특정 사분역에서 발생하는 것으로 기술된다 **그림 1-6**. 한 예로, 막창자꼬리(충수)돌기염의 전형적인 증상은 배꼽주위 통증이 시간이 지나면서 우하 사분역(RLQ)으로 이동하게 된다.

임상에 유용한 정보

흔히 폐 청진을 하는 부위는 유두 높이에서 전액와선이 통과하는 지점이다. 따라서, 이러한 가상의 선을 이해하는 응급의료 종사자는 어느 부위에 정확하게 청진기를 두어야 하는지 판단이 가능하다.

■ 움직임과 자세를 설명하는 용어

단순하게 물건을 잡는 것에서부터 매우 복잡한 발레나 무술 동작에 이르기까지 모든 움직임은 일련의 단순한 구성 요소들로 나누어지며 특정한 용어로 설명이 가능하다. 해부학적 자세를 기술하는 용어와 마찬가지로, 신체의 움직임을 설명할 때도 규정된 용어를 사용하게 되는데, 특히 상해의 발생 기전을 기술할때 매우 유용하다.

운동범위(range of motion: ROM)란 관절이 움직일 수 있는 최대의 거리를 의미한다. 해부학적 자세에서 사지 원위부를 몸통에 가까이 움직이는 것을 굴곡(flexion) 이라 한다. 즉, 팔꿈치 굴곡은 손을 어깨 가까이로, 무릎의 굴곡은 발을 엉덩이 가까이로 가져오게 되며, 손가락의 굴곡을 통해 손은 주먹을 쥘 수 있게 된다. 신전(extension)이란 신체 일부가 굴곡된 자세에서 해부학적 자세로 다시 돌아가는 과정에서 일어나는 움직임을 의미한다. 해부학적 자세에서 사지는 모두 신전된 상태이다. 환자가 바로누운(supine) 자세에서 발견된 경우, 환자 목의 자세는 몇 가지 경우가 가능하

증례 연구　▶ Part 2

환자가 등이나 목에 상해가 없으며 약간의 어지러움을 호소하는 것을 확인한 후, 당신은 환자를 바로누운 자세(supine) 로 눕히고 나머지 검사를 수행한다.

당신이 발견한 환자의 상해는 다음과 같다:

- 우측 아래팔(전완) 내측면에 심부 열상
- 우측 전방 가슴부위[(흉부) 유두 높이에서 빗장뼈(쇄골)중앙선으로부터 전방겨드랑이(액와)선까지]에 표재성 열상
- 복부 우상 사분역(RUQ)에 타박상
- 좌측 넙적다리부위(대퇴부) 중앙의 외측면에 타박상.

기록한 시간: 5분	
외형	다수의 베인 상처와 타박상
의식 수준	명료(사람, 시간, 날짜에 지남력이 있음)
기도	개방(open and clear)
호흡	정상, 규칙적
순환	피부 창백, 대부분의 출혈은 멈춤.

3. 왜 환자의 다리를 높여야 합니까?

4. 어느 신체 부위의 상해가 가장 흔히 간과될 수 있다고 생각합니까?

5. 발견된 상해의 위치를 고려할 때, 어떠한 상해가 잠재적으로 가장 심각할 수 있습니까?

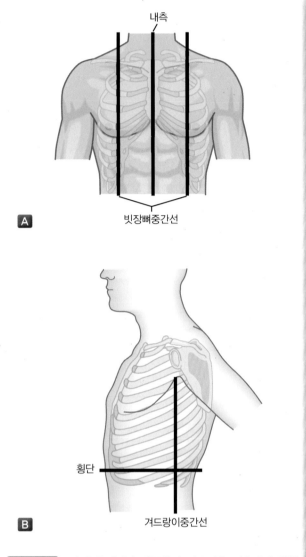

내측

빗장뼈중간선

A

횡단

겨드랑이중간선

B

그림 1-5 상해의 위치나 해부학적 기준점을 기술하기 위한 가상의 선. **A.** 빗장뼈(쇄골)중간선 **B.** 겨드랑이(액와)중간선

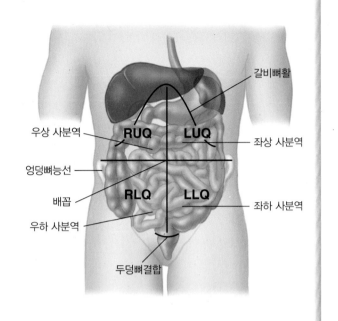

갈비뼈활

우상 사분역 **RUQ** **LUQ** 좌상 사분역

엉덩뼈능선

배꼽 **RLQ** **LLQ** 좌하 사분역

우하 사분역

두덩뼈결합

그림 1-6 배부위(복부)는 가상의 수직, 수평선에 의해 4개의 사분역으로 나누어진다.

다 **그림 1-7** .

상해의 기전을 나타내기 위해 종종 접두사 hyper(과다)를 굴절이나 신전 앞에 추가하기도 한다. Hyper(과다)는 특정 움직임을 위한 운동범위의 최대치에 이르거나 혹은 정상 범위를 초과하여 잠재적으로 상해에 이르렀다는 가능성을 내포하고 있다. 이는 임상 논문에서 뿐만 아니라 의료인 사이의 의사소통에서 흔히 사용된다. 과굴곡(hyperflexion)은 신체 일부가 최대치 혹은 정상 운동 범주를 벗어나서 굴절되었음을 지칭한다. 등의 과굴절 상해는 몸을 구부리는 동작에서 일어날 수 있다. 과신전(hyperextension)은 신체 일부가 최대치 혹은 정상 운동 범주를 벗어나서 신전 되었음

을 지칭한다. 과신전 상해는 손을 쭉 뻗은 상태로 넘어졌을 때 발생하는 노뼈(요골) 원위부(distal radius) 골절에서 볼 수 있다 **그림 1-8** . 또한, 발목의 상해는 회외(supination) 또는 회내(pronation)를 사용해서 기술할 수 있다.

내회전(internal rotation)은 사지를 정중앙선을 향하여 내측으로 회전하는 것을 의미한다. 발가락이 안쪽으로 회전할 때, 다리는 내회전된다. 외회전(external rotation)은 사지를 정중앙선에서 멀어지는 방향으로 회전하는 것을 의미한다. 상해를 당한 사지를 상해를 입지 않은 쪽과 비교해 보면, 회전 변형을 보이는 것을 종종 관찰할 수 있다. 엉덩관절(고관절)은 전방 또는 후방으로 전위(탈구)될 수 있다. 엉덩관절 전방 전위의 경우, 발은 외회전되고 넙다리뼈(대퇴)골두가 샅굴부위(서혜부)에서 만져진다. 보다 흔한 엉덩관절 후방 전위의 경우에는, 무릎과 발이 안쪽으로 굴절된다. 회전(rotation)이라는 용어는 척추에도 적용될 수 있는데, 척추가 축(axis)을 기준으로 뒤틀릴때 회전이 일어난다. 턱을 어깨 위에 두는 동작은 목뼈(경추)를 회전시킨다. 사지의 외전(abduction)은 정중선으로부터 멀어지는 방향으로 움직이는 것이고, 내전(adduction)은 반대로 정중선을 향하여 움직이는 것이다.

Courtesy of Rhonda Beck

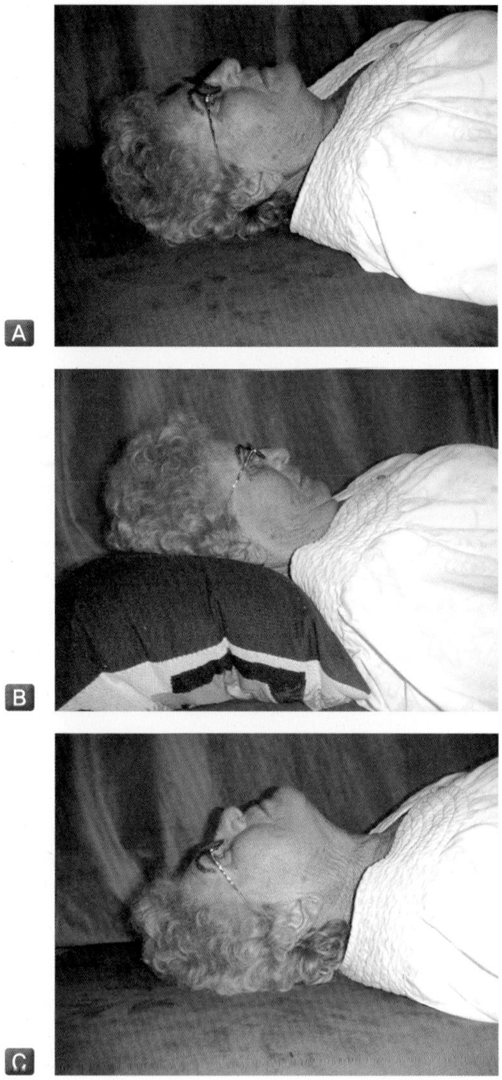

그림 1-7 바로누운 자세에서 발견된 환자에서 목의 자세. **A.** 중립. **B.** 굴절. **C.** 신전

© Wellcome Photo Library/Custom Medical Stock Photo

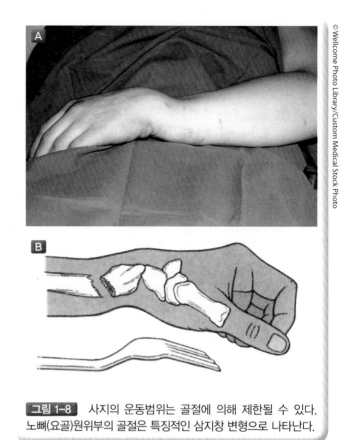

그림 1-8 사지의 운동범위는 골절에 의해 제한될 수 있다. 노뼈(요골)원위부의 골절은 특징적인 삼지창 변형으로 나타난다.

누운(recumbent) 자세는 환자가 누워있거나 뒤로 기대 있는 자세를 지칭한다. 얼굴이 위를 향하면 바로누운 자세(supine position)이고, 얼굴이 아래를 향하면 엎드린 자세(prone position)이다. 트렌델렌버그 자세(Trendelenburg position)는 바로누운(supine) 상태에서 머리가 다리보다 낮게 위치함을 말한다. 파울러 체위(Fowler's position)는 무릎을 구부리거나 일자로 편 상태에서 바로 앉아있는 자세를 가리킨다; 이 상태에서 상체를 약간 뒤로 기대고 있다면 세미파울러 자세(semi- Fowler's position)가 된다. 회복 자세(recovery position), 혹은 좌측면으로 누운자세(left lateral recumbent position)는 반응이 없는 환자에서 기도 유지를 돕기위해 사용된다. 목이나 등에 외상은 없으나 구강내 배액을 필요로 하는 환자의 경우는 반드시 회복 자세(recovery position) 로 두어야 한다 그림 1-9.

임상에 유용한 정보

대부분의 환자는 바로누운(supine) 자세 또는 파울러(Fowler's) 자세로 이송 되어야만 한다. 정상참작이 되는 경우(예를 들어, 몸을 찌르고 있는 물체가 있을때)를 제외하면, 절대로 엎드린(prone) 자세로 환자를 이송해서는 안되며, 특히 환자가 결박되어 있을 경우 엎드린 자세는 금기이다. 왜냐하면, 저산소증이나 질식으로 환자의 사망을 일으킬 수 있기 때문이다.

■ 기초 화학

화학의 기초를 이해하게 되면, 해부학과 생리학을 더 잘 이해할 수 있게 된다. 화학(chemistry)은 물질에 대한 연구이

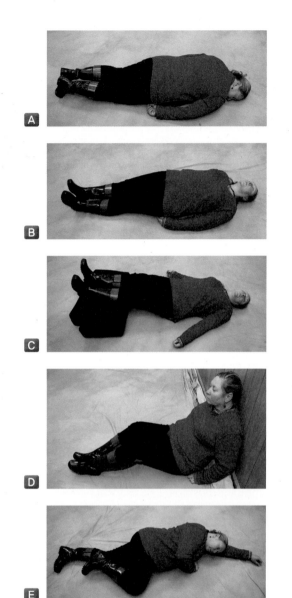

그림 1-9   해부학적 자세. **A.** 엎드린 자세. **B.** 바로누운 자세. **C.** 변형된 트렌델렌버그 자세. **D.** 파울러 자세. **E.** 회복 자세

특수한 경우에 알아두어야 할 점

영아와 어린이는 목을 과신전한 상태로 두어서는 안된다; 대신, 목을 단순히 신전하거나 중립인 상태로 두어야만 영아의 부드러운 기도가 꺾이는 것을 예방할 수 있다.

또한, 유아는 몸에 비해 머리가 상대적으로 크기 때문에, 유아의 기도를 확보하는 가장 쉬운 방법은 작은 수건을 어깨 뒤쪽에 놓는 것이다 그림 1-10 .

그림 1-10   유아의 어깨 뒤에 작은 수건을 두면, 목을 중립이나 신전된 상태로 유지할 수 있다.

며, 물질은 공간을 차지하고 질량을 가지는 모든 것으로 정의된다. 질량은 지구 중력에 의해 어떤 물체의 무게를 결정하는 물리적 특성이다. 원소(element)는 물질을 구성하는 기본 성분이다. 대부분의 생명체는 생존을 위해 대략 20개의 원소를 필요로 한다. 표 1-3 에서는 인체가 필요로 하는 주원소와 미량 원소를 나열했다.

원자(atom)는 원소를 구성하는 아주 작은 물질이다. 원자는 원소의 가장 작은 완전한 구성요소이며 다양한 크기,

무게, 서로 다른 원자간 상호작용을 가지고 있다. 생명체와 무생명체의 특성은 그들이 가지고 있는 원자의 종류와 그 원자들의 결합과 상호 작용에 의해 결정된다. 따라서, 화학 결합에 의해 원자는 유사하지 않은 다른 원자와 결합할 수 있다.

■ 원자 구조

원자는 분자보다 작은 입자로 구성된다. 각각의 원자는 양자(proton), 중성자(neutron), 전자(electron)로 구성된다. 양자와 중성자는 크기와 질량이 유사하지만, 양자는 양전하를 가지는 반면, 중성자는 전기적으로 중성이다. 전자는 음전하를 가진다. 원자의 질량은 대개는 핵 내부의 양자와 중성자의 수에 의해 결정된다. 인체와 같은 큰 물체의 질량은 모든 원자의 질량의 합이다 그림 1-12 .

전자는 빠른 속도로 원자의 핵 궤도를 돌면서 구형의 전자 구름을 형성한다. 정상적으로 원자는 핵 내부에 동일한

표 1-3 ▶ 인체의 원소

주원소(전체의 99.9%)	인체내 비율(%)
산소(O)	65
탄소(C)	18.5
수소(H)	9.5
질소(N)	3.2
칼슘(Ca)	1.5
인(P)	1
칼륨(K)	0.4
황(S)	0.3
염소(Cl)	0.2
나트륨(Na)	0.2
마그네슘(Mg)	0.1
미량 원소(전체의 0.1%)	
크롬(C_2)	–
코발트(Co)	–
구리(Cu)	–
불소(F)	–
요오드(I)	–
철(Fe)	–
망간(Mn)	–
아연(Zn)	–

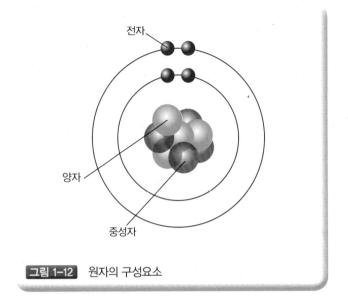

그림 1-12   원자의 구성요소

수의 양자와 전자를 가지고 있다. 원자 핵내 양자의 수를 원자 번호(atomic number)라고 부른다. 따라서, 가장 단순한 원자인 수소(H)는 한 개의 양자를 가지므로 원자 번호는 1 이다. 반면, 12개의 양자를 가진 마그네슘의 원자 번호는 12 가 된다.

원자량(atomic weight)은 핵 내부의 양자와 중성자의 개수와 동일하다. 예를 들어, 산소는 8개의 양자와 8개의 중성자를 가지므로 산소의 원자량은 16이다. 동위 원소(isotope) 는 원자내 여러개의 핵(nuclei)이 같은 수의 양자와 다른 수의 중성자를 가지고 있을 때를 지칭한다. 동위 원소는 방사능이 있을 수도 있고 없을 수도 있다. 방사능(radioactivity) 이란 불안정한 원자핵으로 인해 방사선(radiation)이라고

임상에 유용한 정보

정상적으로 환자가 서있거나 앉아있을 때 목정맥(경정맥)은 뚜렷하게 보이지 않는다. 그러나, 바로누운 자세에서는 목정맥은 혈액으로 채워지게 된다.

바로누운 자세가 아닐 때에 보이는 목정맥 확장 (jugular vein distention, JVD)은 혈액이 우측 심장으로 되돌아가는데 어려움이 있음을 나타내는 징후로서 심막압전, 긴장기흉, 우측 심부전등이 가능한 원인이다. 내과적 환자의 경우, 관례적으로 세미파울러체위에서 목정맥확장 여부를 평가한다 **그림 1-11** .

일반적으로, 외상 환자는 바로누운 자세에서 움직일 수 없으므로, 목정맥확장을 평가하는 것이 정확하지 않을 수 있다.

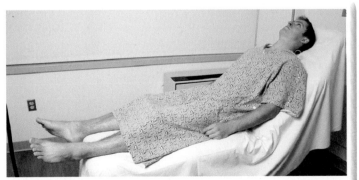

그림 1-11   내과적 환자는 세미파울러체위에서 목정맥 확장의 여부를 평가한다. 이 체위에서는 심각한 내과적 문제가 있지 않는 한, 목정맥은 확장되어 보이지 않는다.

알려진 에너지 입자의 방출을 의미한다.

특정 유형의 동위원소(방사성 동위원소: radioisotope)는 원자보다 작은 입자 혹은 측정가능한 양의 방사선을 자발적으로 방출한다. 이러한 방사선 방출 과정을 방사성 붕괴(radioactive decay)라고 한다. 강력한 방사성 동위원소는 분자, 세포, 살아있는 조직을 파괴할 수 있으므로 위험하다. 약한 방사성 동위원소는 내부 장기의 구조적, 기능적 특성을 진단하는 목적으로 사용된다. 방사선은 세 가지 흔한 형태(알파, 베타, 감마) 중 하나의 형태로 발생한다. 감마 방사선이 가장 침투성이 좋은 유형으로, 엑스레이 방사선과 유사하다.

■ 분자

분자(molecule)는 원자간 공유결합(원자들 사이 전자의 공유)으로 구성된 화학 구조를 의미한다. 동일 원소의 두 개의 원자가 결합할때, 그 원소의 분자가 생성된다(수소 분자, 산소 분자, 질소 분자).

■ 화학 결합

원자는 전자간 상호 작용에 의한 화학 결합(chemical bonds)을 이용하여 다른 원자와 결합할 수 있다. 이러한 과정 중에 원자는 전자를 얻거나, 잃거나, 공유하게 된다. 화학적으로 비활성 상태의 원자를 불활성 원자(inert atom)라고 하는데, 헬륨은 불활성 원자로 이루어진 화학물질의 예이다. 전자를 얻거나 잃은 원자를 이온(ion)이라고 하며, 이러한 원자, 즉 이온은 전기적으로 극성을 띠는데, 나트륨이 한 예이다.

이온 결합

이온들 사이에서 이온 결합(Ionic Bonds)이 형성된다. 양극성(+)을 띠는 이온을 양이온(cation)이라 하고, 음극성(−)을 띠는 이온을 음이온(anion)이라 한다. 서로 상반되는 극성의 이온들은 서로를 끌어당겨 이온 결합을 만든다. 이것은 결정체와 같은 집합체를 형성하는 화학 결합이다. 예를 들면, 나트륨이 염소와 이온 결합을 통해 염화 나트륨(식용 소금)을 만드는 것이다.

공유 결합

일부 원자는 바깥쪽의 전자를 함께 공유하며 결합한다(공유 결합, Covalent bond). 원자는 전자를 얻지도 잃지도 않으며, 각각의 원자는 안정된 형태에 도달한다. 이러한 공유 결합의 예는 두 개의 수소 원자가 결합하여 수소 분자를 형성하는 경우이다 그림 1-13.

한 쌍의 전자를 공유하면 한 개의 공유 결합이 만들어지고, 두 쌍의 전자를 공유하면, 이중 공유 결합이 만들어진다. 일부 원자는 삼중 공유 결합까지도 만들 수 있다. 전자를 동등하게 공유하지 않는 일부 공유 결합의 경우에는 불균등한 극성 분포를 보이는 극성분자(polar molecule)가 형성된다. 극성 분자는 동일한 개수의 양자와 전자를 가지고 있기는 하지만, 한 쪽 끝은 약간 양성이고 다른 쪽 끝은 약간 음성을 띤다. 이러한 극성분자의 예는 수소 원자와 산소 원자에 의해 만들어지는 물분자를 들 수 있다.

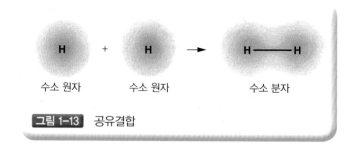

수소 원자   수소 원자   수소 분자

그림 1-13 공유결합

증례 연구 ▶ Part 3

환자의 이송을 준비하면서, 당신은 환자를 좌측면으로 누인 자세(left lateral recumbent position)를 취하게 한다. 왜냐하면, 환자는 더이상의 어지러움을 호소하지 않고, 지금은 메스꺼움을 호소하기 때문이다. 편안하게 해부학적 용어를 사용하는 것은 병원 도착전 진료 기록(PCR)을 완성하고 병원에 환자의 상해를 설명할 때 도움이 될 것이다.

6. 상해를 입은 사지에서 어떤 부분이 평가되어야만 합니까?

7. 환자의 통증과 상해 부위를 서술하기 위해서는 어떠한 지식이 필요합니까?

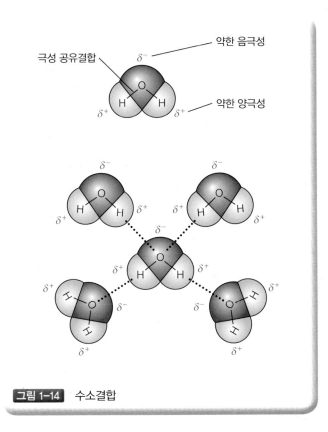

극성 공유결합

약한 음극성 δ^-

약한 양극성

그림 1-14   수소결합

한 극성분자의 양성 수소 말단이 또다른 극성분자의 음성 질소 또는 산소 말단을 끌어당길 때 이를 수소결합(hydrogen bond)이라 한다 **그림 1-14**. 이러한 결합은 체온에서 약하며, 물에서 얼음으로 그리고 다시 물로 형태가 변화될 수 있다. 하나의 큰 분자 내부의 다양한 부위의 극성을 띠는 부분 사이에 수소결합이 형성되며, 이는 단백질과 핵산의 구조에 중요하다.

다양하게 결합하는 원자로 구성된 분자를 화합물(compound)이라 부른다. 화합물의 예로는 물(수소와 산소의 화합물), 설탕, 베이킹소다, 주류에 사용되는 알코올, 천연 가스, 대부분의 의약품 등이 있다. 하나의 화합물 분자는 원자의 특정한 형태와 양을 가지고 있다. 예를 들면, 물은 두 개의 수소 원자와 한 개의 산소 원자로 구성된다. 두 개의 수소원자가 두 개의 산소 원자와 결합하게 되면, 물분자가 아니라 과산화수소가 만들어진다.

한 분자내에서 원자의 수와 형태는 분자식으로 표현된다. 물 분자식은 H_2O이며, 이는 두 개의 수소원자와 한 개의 산소원자를 의미있게 나타낸다. 구조식은 분자내에서 원자가 어떤 방식으로 결합하고 배열되는지를 명시하기위해

사용된다. 단일 결합은 단일선으로 이중 결합은 이중선으로 표시한다. 삼차원 모델에서 구조식을 표현할 때는 다양한 색상을 사용해서 다양한 유형의 원자를 나타낸다.

■ 화학 반응의 유형

생리학을 공부할 때, 네 가지 유형의 화학 반응(합성, 분해, 교환, 가역 반응)을 이해할 필요가 있다.

합성 반응

화학 반응은 원자, 분자, 이온 간의 결합을 변화시켜 새로운 화학적 결합물을 생성하는 것을 말한다. 합성 반응이란 두 개 이상의 반응물(원자)이 결합하여 더욱 복잡한 구조, 즉 반응의 산물을 만드는 것으로서, 수소분자와 산소분자로부터 물이 만들어지는 과정이 합성 반응의 한 예이다. 합성 과정에서는 항상 반응물(원자 또는 분자)의 새로운 화학 결합이 일어나게 된다. 또한, 합성은 에너지를 필요로 하며, 조직의 성장과 회복에 중요하다.

합성은 다음과 같은 기호로 표현된다: A + B ⟶ AB

분해 반응

분해 반응(decomposition reactions)이란 반응물 분자 내부의 결합이 깨져서 더 단순한 형태의 원자, 분자, 또는 이온을 생성하는 화학 반응을 일컫는다. 예를 들면, 보통 우리가 먹는 음식은 당, 단백질, 지방 분자를 포함하고 있는데, 이런 분자들은 크기가 너무 크고 구조가 너무 복잡하여, 인체내로 흡수되어 사용될 수가 없다. 따라서, 소화관에서 일어나는 분해 반응을 통해서 더 작은 조각들로 나뉘어진 다음에, 인체내 흡수가 가능하게 된다.

분해 반응은 다음과 같은 기호로 표현된다:

AB ⟶ A+B

교환 반응

교환반응(exchange reactions)이란 반응 분자의 일부가 뒤섞여서 새로운 반응 산물을 생성하는 것으로, 산과 염기의 반응을 통해 물과 소금이 만들어지는 과정이 교환 반응의 한 예이다.

교환 반응은 다음과 같은 기호로 표현된다:

AB + CD ⟶ AD + CB

가역 반응

가역 반응(reversible reactions)이란 반응 산물이 원래의 반응물로 다시 변하는 화학 반응을 일컫는다. 또한, 반응물과 산물의 상대적 비율과 가용 에너지의 양에 따라서, 가역 반응은 반대의 방향으로도 진행될 수 있다.

$$A + B \rightleftarrows AB, \quad AB \rightleftarrows A + B$$

대부분의 생물학적으로 중요한 반응은 가역적이다.

■ 효소

효소(enzymes)는 화학 반응에 필요한 활성화 에너지(activation energy)를 낮춰줌으로서 반응을 촉진시킨다. 활성화 에너지란 화학 반응이 일어나기 위해서 반드시 넘어서야 하는 최소한의 에너지이다. 따라서, 화학 반응을 가능하게 하는 효소는 촉매제(catalyst)라고 불리는 물질군에 속하게 되는데, 촉매제란 스스로는 소비되거나 영구적으로 변화되지 않으면서 화학 반응을 가속화하는 화합물을 지칭한다. 가역적 효소 반응은 다음과 같이 표기된다:

$$\overset{\text{효소}}{A + B \rightleftarrows AB}$$

■ 산, 염기, pH 척도

전해질(electrolyte)이란 물속에서 이온을 해리하는 물질을 말한다. 전해질이 물에 용해되면, 물분자의 음극과 양극은 이온을 분리시켜 물분자와의 상호작용을 일으킨다. 결과적으로, 용액은 전기적 극성을 띠는 입자(즉, 이온)를 포함하게 되므로 전기를 전도하게 된다. 산(acid)은 물 속에서 수소 이온을 해리하는 전해질로서, 수소이온과 염소이온으로 구성된 염산을 예로 들 수 있다. 염기(base)는 수소이온과 결합하는 이온을 해리하는 전해질이며, 나트륨, 산소, 수소이온으로 구성된 수산화나트륨이 한 예이다. 체액내 수소이온과 수산화물 이온의 농도는 화학반응에 매우 큰 영향을 끼치며, 이러한 반응은 혈압과 분당 호흡수와 같은 특정한 생리적 기능을 조절한다.

수소이온 농도는 pH 값으로 측정된다. 체액내 수소이온 농도는 매우 중요하며, 용액내 용질의 양(moles/ liter)을 계산하는 수학식으로 표기한다. 용액의 pH는 산성과 알칼리성 정도로 정해진다. pH 척도는 0부터 14까지 분포하며, 척도상의 중앙점 7은 동일한 수의 수소이온과 수산화물 이온을 가지게 된다. 순수한 물의 pH는 7이고, 이 중앙점을 중성(산성도 아니고 염기성도 아닌)이라 한다. pH가 7 미만은 산성으로, 수소이온이 수산화물 이온보다 많음을 의미한다. 반면, pH 7 초과는 염기성(알칼리성)으로, 수산화물 이온이 수소이온보다 많음을 뜻한다.

혈액의 pH는 보통 7.35에서 7.45 사이로 유지된다. 혈액내 pH의 비정상적으로 큰 변동은 세포와 조직을 파괴하고, 단백질의 형태를 변화시켜, 세포기능의 변형을 초래한다. 산성증(acidosis)이란 혈중 pH 7.35 미만의 생리적으로 비정상적 상태를 의미한다. 만약, pH가 7 이하로 내려가게 될 경우, 혼수상태에 빠질 수 있다. 반대로, 알칼리 증(alkalosis)이란 혈중 pH가 7.45보다 높은 경우를 의미한다. 만약, pH가 7.8 이상으로 오르게 된다면, 골격근의 지속적이고 통제 불가능한 수축을 유발할 수 있다.

pH변화에 저항하는 화학물을 완충제(buffer)라고 한다. 완충제는 수소이온이 과다할 때는 수소이온과 결합하고, 수소이온이 감소된 경우에는 수소이온을 해리한다. **그림 1-15** 는 다양한 산과 염기의 pH 값을 보여주고 있다.

■ 세포의 화학적 구성

화학물질은 기본적으로 유기질과 무기질로 나누어진다. 유기(organic) 화학물은 반드시 탄소와 수소를 포함하고. 대부분의 경우 산소도 포함하는 물질을 말한다. 반면, 무기(inorganic) 화학물은 이러한 원소들을 포함하지 않는다. 무기물은 물속에서 이온을 방출하므로 전해질이라고도 불린다. 유기물은 대부분 물에서도 용해되기는 하지만, 알코올과 에테르에서 훨씬 잘 용해된다. 물에 용해되는 유기물의 경우 대개는 이온을 방출하지 않으므로 비전해질로 분류된다.

■ 무기물

체세포내 무기물(inorganic substances)은 산소, 이산화탄소, 소금으로 알려져있는 화합물, 그리고 물을 포함한다. 물은 인체내에서 가장 많은 화합물로 체중의 거의 2/3를 차지한다. 물에 녹는 물질을 총칭하여 용질(solute)이라 칭한다. 물에 녹는 용질은 더 작은 입자로 분해될수록 상호반응

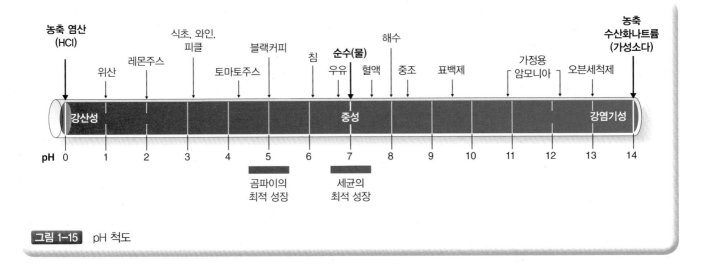

그림 1-15 pH 척도

이 더 용이하게 일어나기 때문에, 대부분의 대사반응은 물 속에서 이루어진다. 혈액내 수분은 생명유지에 필수적인 산소, 염분, 당, 비타민등의 물질을 소화기, 호흡기, 세포를 통해 운반한다.

산소는 호흡기관을 통해 인체내로 유입되어 혈액을 따라 이송된다. 적혈구는 가장 많은 양의 산소에 결합하여 산소를 운반한다. 세포 내부의 세포소기관(organelle)은 산소를 소모하여 포도당(glucose)과 같은 영양소로부터 에너지를 생산하며, 생산된 에너지는 세포 대사 활동을 촉진한다. 이산화탄소는 대사과정에서 에너지가 방출될 때 부산물로 생성되는 무기물로서, 폐에서 호흡을 통해 배출된다.

염분은 빈대 진하를 가신 이온의 결합물로서 조직내에 액체상태로 많이 존재한다. 인체가 필요로 하는 대부분의 이온은 염분(나트륨과 염소를 포함), 칼슘, 마그네슘, 인, 탄산염, 중탄산염, 칼륨, 황에서 공급된다. 염분의 이온은 세포 내외로 물질의 수송, 근수축, 신경전도에 중요한 역할을 한다.

■ 유기물

유기물(organic substances)은 탄수화물, 지질, 단백질, 핵산을 포함한다. 대부분의 유기 분자는 공유 결합으로 연결된 긴 줄의 탄소원자로 구성된다. 대개의 경우 탄소 원자는 수소원자나 산소원자와 추가로 공유 결합을 형성하며, 드물게는 질소, 인, 황 등의 다른 원소와도 공유 결합을 형성할 수 있다.

탄수화물

탄수화물(carbohydrates)은 체세포가 필요로하는 대부분의 에너지를 공급하고 세포 구조의 형성을 돕는다. 탄수화물 분자는 탄소, 수소, 산소 분자로 구성된다. 탄수화물내 탄소 원자로 이루어진 탄소 사슬(carbon chain)은 탄수화물의 유형에 따라 다양한 형태로 존재한다. 짧은 탄소 골격을 지닌 탄수화물을 당(sugar)이라고 한다.

단당(simple sugar)은 단당류(monosaccharide)라고도 불리우며 6개의 탄소 원자, 12개의 수소 원자, 6개의 산소 원자($C_6H_{12}O_6$)로 되어있다. 포도당(glucose), 과당(fructose), 갈락토오스(galactose), 리보오스(ribose), 디옥시리보오스(deoxyribose) 등이 단당류에 속한다. 리보오스와 디옥시리보오스는 5개의 탄소원자를 가진다는 점에서 다른 단당류와 구별된다. 복합당질은 자당(sucrose, 설탕)과 젖당(lactose), 유당 등이며 이들 중 일부는 이당류(disaccharide)이다. 복합당질의 또다른 유형은 식물성 전분과 같은 다당류(polysaccharide)로서 다수의 단당이 결합하여 만들어진다. 인간과 동물은 당원(glycogen)이라 불리는 다당류를 합성한다.

지질

지질(lipid)은 물에 녹지 않으나 다른 지질, 기름, 에테르(ether), 클로르포름(chloroform)등 또는 알코올로 용해될 수 있다. 지방, 인지질(phospholipid), 스테로이드와 같이 매우 중요한 세포 기능을 지닌 다양한 종류의 복합물이 지질에 속한다. 이 중, 지방은 가장 흔한 유형의 지질이다. 탄수화물과 마찬가지로 지방분자 또한 탄소, 수소, 산소를 포함하지만, 탄수화물에 비해 훨씬 적은 수의 산소 원자를 가지고 있다.

지방산(fatty acid)과 글리세롤(glycerol)은 지방 분자의 구성 단위이다. 하나의 지방 분자는 한 개의 글리세롤 분자와 세 개의 지방산 분자가 결합하여 만들어진다. 이 지방 분자를 트리글리세리드(triglyceride)라고 하며, 지질의 하위 범주로 지방과 기름이 여기에 속한다. 세 개의 탄소로 구성된 알코올, 즉 하나의 글리세롤 분자가 응축되어 생성된 트리글리세리드는 다양한 포화 지방산(saturated fatty acid)과 불포화 지방산(unsaturated fatty acid)의 조합을 가지고 있다. 대부분 포화 지방산으로 구성되면 포화 지방(saturated fat), 대부분이 불포화 지방산이면 불포화 지방(unsaturated fat)이라 부른다.

포화 지방이란 탄소 원자가 가능한 최대의 수소 원자와 결합한 경우, 즉 수소 원자로 포화된 상태임을 의미한다. 반면, 이중 결합만으로 구성된 지방산 분자는 불포화 상태라고 한다. 지방산 분자가 많은 수의 이중 결합 탄소 원자를 가지고 있는 경우는 고도 불포화(polyunsaturated) 상태이다.

지방 분자와 유사하게, 한 개의 인지질(phospholipid)은 한 개의 글리세롤과 결합된 지방산 사슬(fatty acid chain)로 구성된다. 인지질은 구조적으로 당지질(glycolipid)과 연관되어 있다. 인간의 세포는 주로 지방산으로부터 인지질과 당지질을 합성할 수 있다. 인지질은 수용성의 인산염(phosphate)과 지용성의 지방산(fatty acid)으로 구성되며, 세포 구성에 중요한 역할을 한다.

커다란 지질 분자인 스테로이드(steroid)는 특징적인 탄소 골격을 가지고 있으며, 모든 스테로이드 분자의 기본 구조(세 개의 6-carbon rings 와 한 개의 5-carbon ring의 결합)는 동일하다. 콜레스테롤(cholesterol), 에스트로겐(estrogen), 프로게스테론(progesterone), 테스토스테론(testosterone), 코티졸(cortisol), 에스트라디올(estradiol) 등이 스테로이드에 속한다.

단백질

단백질(Proteins)은 인체내 가장 풍부한 유기 화합물이며, 여러 측면에서 가장 중요하다고 볼 수 있다. 인체 구조 및 기능, 에너지, 효소 기능, 항체 면역, 호르몬 등의 다양한 기능에서 단백질은 반드시 필요하다. 세포 표면에서, 일부 단백질은 탄수화물과 결합하여 당단백(glycoprotein)이 되는데, 이를 통해 세포는 특정 분자와의 결합이 가능하게 된다.

인체 내에는 200,000개 이상의 다양한 형태의 단백질이 존재한다. 항체(antibody)는 외부 물질을 감지하여 파괴하는 단백질이다. 모든 단백질은 탄소, 수소, 산소, 질소 원자와 함께 소량의 황 원자를 포함한다. 이 중 질소 원자는 반드시 단백질의 구성에 포함된다. 인체와 대부분의 생물체에 존재하는 단백질은 22개의 아미노산(amino acid)으로 이루어지며, 아미노산의 펩티드 결합(peptide bond)에 의해 형성된 단백질 분자를 펩티드(peptide)라고 한다.

교원질(collagen)은 인대와 결합조직을 구성하는 구조 단백질이고, 케라틴(keratin)은 피부에서의 수분 손실을 막는 기능을 한다. 더 활동성이 있는 단백질로는 항체(antibody), 효소(enzyme) 등이 있다. 세포막 단백질은 특정 분자에 대한 수용체와 운반체로서 작용하기도 한다.

핵산

핵산(nucleic acids)은 유전정보를 전달하고 세포내 구조를 형성하는 거대분자(macromolecule)로서 탄소, 수소, 산소, 질소, 인으로 구성된다. 핵산은 세포 내 분자 단계에서 정보를 저장하고 처리한다. 핵산에는 두 가지 유형—디옥시리보핵산(deoxyribonucleic acid: DNA), 리보핵산(ribonucleic acid: RNA)—이 있으며 모든 생명체, 세포, 바이러스에서 발견된다.

세포내 DNA는 머리색, 눈동자 색, 혈액형 등과 같은 유전적 특징을 결정한다. DNA는 인체내 구조와 기능의 모든 면에 영향을 주고, 단백질 합성에 필요한 정보를 암호화한다. 구조 단백질의 합성을 통해서, DNA는 인체의 형태와

증례 연구 ▶ Part 4

환자를 병원으로 이송하는 중에 당신은 환자의 재평가를 수행한다. 산소 전달, 출혈에 대한 처치, 상처 치료가 적합하게 이루어지고 있는지 평가한다. 해부학적 정의와 해부학적 자세에 대한 지식은 이 환자의 평가와 처치의 중요한 부분이다.

물리적 특성을 지배한다.

몇 가지 형태의 RNA는 서로 상호작용을 하면서, DNA에서 제공되는 정보를 이용하여 특정 단백질을 합성한다. RNA는 DNA와 중요한 구조적 특징에 의해 구별된다; 하나의 RNA 분자는 한 개 사슬의 뉴클레오티드(nucleotide)로 구성되는 반면, 하나의 DNA 분자는 한 쌍의 뉴클레오티드 사슬로 구성된다 그림 1-16 .

인간 세포는 세 가지 유형의 RNA를 가지고 있다.

- 전령 RNA(mRNA)
- 운반 RNA(tRNA)
- 리보솜 RNA(rRNA)

두 개의 DNA 가닥은 이중 나선(double helix)으로 꼬여 있는 구조로, 나선형 계단과 비슷한 모양을 보인다.

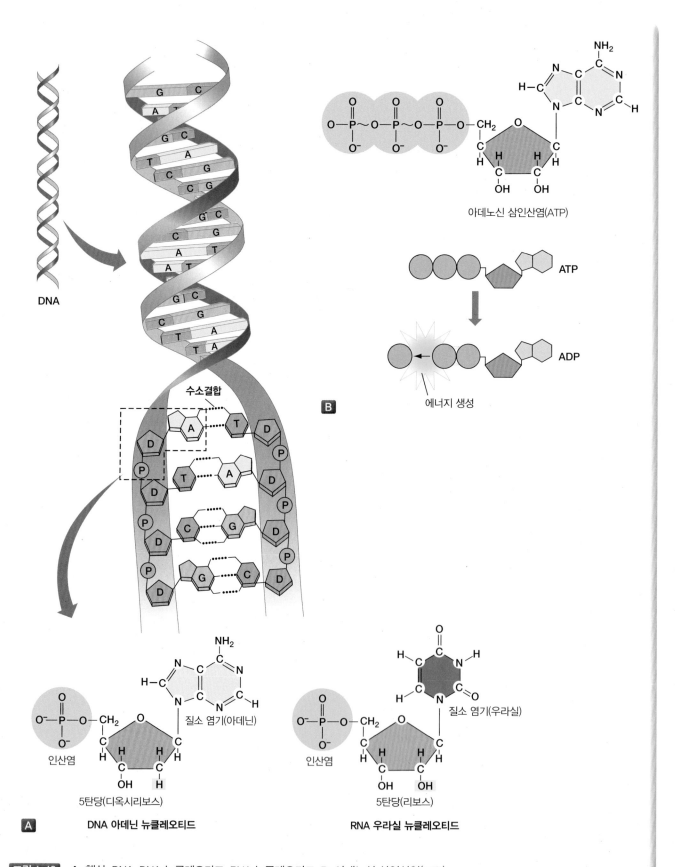

아데노신 삼인산염(ATP)

에너지 생성

질소 염기(아데닌)

인산염

5탄당(디옥시리보스)

DNA 아데닌 뉴클레오티드

질소 염기(우라실)

인산염

5탄당(리보스)

RNA 우라실 뉴클레오티드

수소결합

DNA

그림 1-16 **A.** 핵산, DNA, DNA 뉴클레오티드, RNA 뉴클레오티드. **B.** 아데노신 삼인산염(ATP)

자율학습

■ 요점 정리

- 해부학과 생리학에 대한 계통적 접근을 제시한다.
- 국소해부학(topographic anatomy)에서는 신체의 특정 부분을 설명하기 위해 체표면과 해부학적 자세와의 연관성을 기술한다.
- 가상의 평면(관상면, 횡단면, 시상면, 정중면)은 신체에서 어느 위치에 있는지를 서술할 때 기준이 되는 면이다.
- 해부학적 자세(anatomic position)란 환자가 당신을 바라보고 서서, 양팔을 벌리고, 손바닥이 앞을 향하는 자세이다.
- 전방, 후방, 상, 하 등의 용어는 상해나 비정상 징후의 정확한 위치를 설명하기위해 사용된다.
- 관절 주위 신체부위의 움직임은 신전, 굴곡, 회전, 외전, 내전등의 용어로 기술할 수 있다.
- 육안 해부학(gross anatomy)은 육안으로 식별되는 신체 부위에 대한 해부학이다.
- 현미경 해부학(microscopic anatomy)은 현미경으로만 식별되는 부위를 다루는 해부학이다.
- 화학은 물질의 조성, 화학물의 상호 반응을 설명한다. 인체는 화학물로 구성된다.
- 원소는 원자(atom)로 구성되며, 원자는 단위 원소의 가장 작고 완전한 구성 단위이다.
- 원자(atom)는 핵을 둘러싸는 하나 이상의 전자로 구성되며, 핵은 하나 이상의 양자(proton)와 대개는 하나 이상의 중성자(neutron)로 구성된다.
- 전자(electron)는 음성, 양자는 양성, 중성자는 무극성이다.
- 원자가 결합할 때, 전자를 획득하거나 잃거나, 공유하게 된다.
- 세포내 유기물은 탄수화물, 지질, 단백질, 핵산 등이다.
- DNA와 RNA를 포함하는 핵산은 유전 정보를 지니고 있거나, 세포내 구조물을 형성한다.
- 의학용어는 표준화되어 있으며, 정확한 용어의 사용은 응급의료 종사자가 현장에서 문서로 기록을 할때 매우 중요하다.

■ 증례 연구 정답

1. 상해의 기전(mechanism of injury, MOI)과 일차 평가 결과를 근거로, 당신은 환자를 어떤 자세로 유지해야 합니까?
   답: 잠재적으로 중요한 상해 기전(MOI)과 일차 평가상 즉각적인 생명의 위협이 없다는 사실을 근거로 할때, 척추 손상의 가능성이 없다고 확실히 결론 내려지기 이전까지는, 환자가 파울러체위를 유지하는 동안 반드시 환사의 머리와 목을 도수로 안정화 해야만 한다.

2. 빠른 외상 검사(rapid trauma exam) 중에 어느 신체 부위를 평가해야 합니까?
   답: 외상 검사(truma exam)는 신속하게 머리부터 발끝까지 신체 검사를 수행하여, 머리나 목, 전방 흉부, 복부, 골반, 사지, 후방 체표면에 상해 여부를 판단하는 것을 말한다. 일부에서는 이를 "빠른 외상 검사(rapid trauma exam)"라고 칭한다.

3. 왜 환자의 다리를 높여야 합니까?
   답: 트렌델렌버그 체위(환자를 바로누인 상태에서 하지를 높이고 머리는 낮춘 자세)는 현재는 논란의 여부가 있다. 대부분의 프로토콜은 트렌델렌버그 체위를 권장하지 않고 있는데, 이는 효율성에 대한 부족한 근거 및 두개내압의 상승 가능성에 대한 우려 때문이다.

4. 어느 신체 부위의 상해가 가장 흔히 간과될 수 있다고 생각합니까?
   답: 후방 체표면의 상해가 흔히 간과된다. 환자가 척주교정판에 고정되어 바로누운 자세에서, 후면에 대한 시진없이 치료가 시작되는 경우가 종종 발생한다.

5. 발견된 상해의 위치를 고려할 때, 어떠한 상해가 잠재적으로 가장 심각할 수 있습니까?
   답: 복부 우상 사분역(RUQ)의 타박상은 심각한 내부 출혈의 가능성을 암시한다.(안면부 외상은 뇌손상

의 가능성을 내포할 수 도 있다.)

6. 상해를 입은 사지에서 어떤 부분을 평가해야만 합니까?

답: 변형, 타박상, 찰과상, 자창, 화상, 압통, 열상, 부종 등의 여부를 평가해야 한다. 또한 원위부 맥박, 운동신경과 감각신경 기능, 운동범위를 확인할 필요가 있다.

7. 환자의 통증과 상해 부위를 기술하기 위해서는 어떠한 지식이 필요합니까?

답: 의료종사자는 국소해부학에 대한 이해가 반드시 필요하다. 이것은 신체의 자세와 움직임을 일률적으로 표준화해서 기술하는 용어를 습득함을 의미한다.

세포
Cell

학습목표

1. 인체 계통의 기능 및 구조에 대한 이해와 현장에서 흔히 보는 환자의 상태와의 관련성을 논의한다.

2. 세포의 두 가지 통상적인 분류를 명명하고 설명한다.

3. 세포의 세 가지 기본 부위를 명명하고 설명한다.

4. 세포막의 기능을 설명한다.

5. 세포막 분자의 배열에 대해 설명한다.

6. 세포막 단백질의 다섯 가지 기능을 설명한다.

7. 세포막 투과성의 다양한 유형을 설명한다.

8. 세포 수송 체계인 확산, 삼투, 촉진 확산 및 능동 수송에 대해 정의를 내리고, 체내 역할을 설명한다.

9. 핵과 염색체의 기능을 설명한다.

10. 세포질을 설명하고, 세포질내 세포 기관관 시토졸의 역할을 설명한다.

11. 세포막이 어떻게 세포질의 조성을 조절하는지 설명한다.

12. 세포분열과 감수분열에 대해 설명하고 각각의 중요성을 설명한다.

13. 네 가지 유형의 조직과 각 유형의 일반적 특성을 설명한다.

14. 상피조직과 결합조직의 기능을 설명하고 기관계의 기능과의 연관성을 설명한다.

15. 결합 조직막을 설명한다.

16. 근조직의 세 가지 유형과 각 유형들 사이의 기본적인 차이점을 설명한다.

17. 신경조직의 기능을 설명한다.

18. 신경조직으로 구성된 기관을 열거한다.

19. 신체의 기관계를 명명한다.

20. 몸안과 그 막을 나열하고, 각 몸안에 속하는 장기의 예를 든다.

21. 몸안과 그 막을 열거하고, 각 몸안 내 조직의 예를 든다.

22. 복부의 사분역에 대해 설명하고 각 사분역의 기관 이름을 설명한다.

■ 서론

세포(cell)는 인체의 기본이다. 아메바와 같은 전체 유기체는 단 하나의 세포로 이루어진다. 인간의 경우, 하나의 세포들의 그룹이 모여 복잡한 계통을 형성한다. 일부 세포는 머리카락을 만들고, 다른 세포는 기억의 저장에 관여하며, 또 다른 세포들은 당신이 이 책을 읽고 있는 동안 눈을 움직임을 돕는다. 각각의 세포는 원형질(또는 세포질)이라 불리우는 무색 물질의 아주 작은 덩어리이다. 원형질(protoplasm)이란 세포내 구조물(세포소체 organelles)을 지탱하고, 영양소, 신호 전달 분자, 아데노신삼인산(ATP) 등 다양한 물질의 내세포 수송을 위한 매개체를 공급하는 점액성 구조를 말한다.

같은 역할을 하는 세포들은 서로 가까이 모여 조직(tissue)을 이룬다. 조직의 유형과 세포의 구성 요소에 대해서는 이 장에서 자세히 다루게 된다. 서로 연관된 역할을 수행하는 조직의 무리를 기관(organ)이라고 한다. 함께 작용하는 일련의 기관들은 계통을 이루게 되는데, 이 장에서 자세히 다루어지게 될 것이다. 호흡계통, 신경계통, 뼈대계통과 같은 기관계의 기능을 소개하고, 각 계통별 자세한 사항은 나중에 각 장에서 설명될 것이다.

항상성(정상 체내 환경의 안정성)의 붕괴는 세포 단계부터 기관계, 더 나아가 유기체 전부에 이르기까지 나쁜 영향을 끼칠수 있다. 간단히 말하면, 신체는 언제나 적당한 양의 수분과 미네랄을 필요로 하며, 너무 덥거나, 너무 춥거나, 너무 산성이거나, 너무 염기성인 상태를 좋아하지 않는다.

■ 세포의 구조

인체는 크게 두 가지 유형의 세포로 구성된다; 성세포와 체세포. 성세포(sex cells, 유아세포, 생식세포)는 남성의 정자

증례 연구 ▶ Part 1

당신이 속한 구조대는 해당 도시의 연례 마라톤대회(42,165 Km)에서 대기중이다. 대략 18,000명의 선수가 이 대회를 위해 수 개월동안 훈련해 왔다. 당신이 동료에게 연평균 기온보다 20도 더 높고 매우 습한 날이라고 말하고 있는 와중에, 결승선 부근의 의료진 텐트로 한 여성이 휘청거리며 들어온다. 당신이 판단하기에 현장은 지속적으로 안전해 보이며, 환자에 대한 대략적 인상은 당신을 향해 비틀거리며 다가오고 있는 한 여성이다. 그녀는 어지러움을 호소하고, 이는 주호소 증상(chief complaint)이다.

일차평가에서 환자에 대한 유일한 즉각적 위험은 의식을 잃을 가능성이므로, 당신은 재빨리 그녀를 트렌델렌버그 체위로 눕힌다. 왜냐하면, 당신이 속한 응급의료체계는 일부 환자군에 대해서는 아직도 트렌델렌버그 체위를 권장하고 있기 때문이다. 다음으로, 환자에게 비재호흡 마스크(nonrebreathing mask)를 씌운 후, 산소공급 속도를 15 L/min로 설정한다. 다음 단계로, 당신의 동료가 재빨리 기저 활력징후를 측정하는 동안, 당신은 병력(history)을 문진하고 이차 환자평가를 수행한다

기록한 시간: 0분	
외형	피부가 축축하고 창백한, 젊고 마른 성인 여자
의식 수준	명료(사람, 시간, 날짜에 지남력이 있음)
기도	개방
호흡	빠르고 얕은 호흡
순환	창백하고 매우 축축한 피부
맥박	120회/분, 약하고 불규칙하며 때때로 추가적 맥박을 보임
혈압	96/66 mHg
호흡	24회/분, 얕은 호흡
SpO₂	96%

1. 현장 평가와 일차 평가 결과를 근거로, 당신은 환자를 어떤 자세로 유지해야 합니까?

2. 일차 평가에서 어느 기관계가 비정상적 소견을 보입니까?

또는 여성의 난세포(난자)이다. 체세포(somatic cells, "몸"을 의미하는 "soma"에서 유래) 성세포를 제외한 인체내 다른 모든 세포를 포함한다. 이 장에서는 체세포에 초점을 맞추고 있다.

세포에는 기본이 되는 세 부위가 있다(세포막, 핵과 세포질). 세포막은 세포, 핵, 다양한 세포 소기관 및 세포질을 둘러싼다. 세포의 유전 정보를 포함하는 핵은 세포의 활동을 통제한다. 세포질은 세포 내부를 채워 그 형태를 유지한다. 세포소기관은 현미경으로 관찰되는 특수화된 세포 구조로서 특수한 기능들을 수행한다 그림 2-1 .

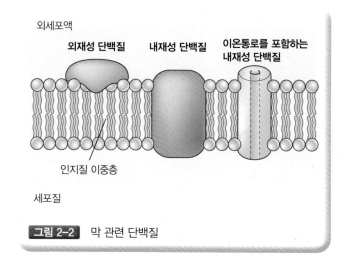

그림 2-2   막 관련 단백질

■ 세포막

세포막(원형질막 plasma membrane)은 세포 안팎으로 물질의 이동을 통제한다. 세포 밖 물질을 외세포성(extracellular), 세포 안쪽 물질을 내세포성(intracellular)이라고 지칭한다. 정렬된 분자들이 하나의 완전한 조합을 이루고 있는 세포막은 언제든지 세포의 필요에 따라 확연한 구조의 변형이 가능하다. 분자를 구성하는 원자는 더 작은 입자인 양자(proton), 전자(electron), 중성자(neutron)로 이루어진다. 세포막은 세포의 움직임을 돕는 동시에, 세포외 구간과 세포내 구간 사이의 선택적인 소통을 허용한다. 세포막은 세포에 형태를 부여하고, 세포의 생물학적 활동의 대부분이 전달되는 부위이다. 세포막내 분자는 세포 밖 신호를 감지하여 내부로 전달하는 경로를 형성한다. 세포막은 세포들을 부착시켜 세포의 조직 생성을 돕는다. 개개의 세포막은 극도로 얇고 섬세하며 다양한 정도로 늘어날 수 있다. 세포막 표면에는 대개 아주 작은 주름이 있는데, 이는 표면적의 증대를 돕는다. 세포막은 선택적으로 투과성 또는 반투과성(semipermeable)이다. 반투막(semipermeable membrane)은 특정 원소만을 선별적으로 통과시키는데, 특정한 물질만 개개의 세포로 들어가거나 나올 수 있다(선택투과성 selective permeability).

지질과 단백질은 세포막의 인지질 이중 층을 구성하는 주요 물질이다 그림 2-2 . 인산 부분이 외측 표면을, 지방산 부분이 내측 표면을 구성한다. 산소와 이산화탄소 처럼 지질에 용해되는 물질은 이러한 이중층을 쉽게 통과한다. 반면, 아미노산, 단백질, 핵산, 특정 이온, 당과 같은 물질들은 이중 층을 통과할 수 없다. 내측 세포막에 있는 콜레스테롤은 막의 안정성 유지를 돕는다. 단백질은 특정 분자의 세포 안팎으로의 출입을 위한 출입구, 즉 통로(channel)로서 작용하여, 인지질 이중층을 교란시킨다. 이런 세포막 단백질은 다양한 기능을 수행하며, 몸의 구조와 기능에 필수적이다. 세포벽, 다양한 막, 결합조직, 근육 등의 구조들은 주로 단백질이다. 이러한

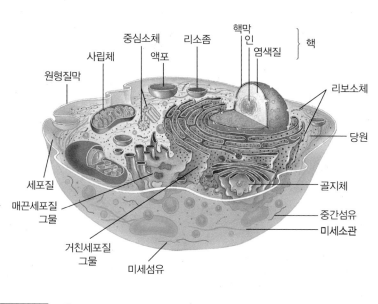

그림 2-1   세포

단백질은 세포들 사이에서 다양한 기능을 수행한다; 분자의 수송체(transporter, 촉진 능동 수송), 신호 수용체(signal receptor, 에피네프린 같은 약물과 인체 화학물에 대한 결합 부위), 이온통로(ion channel, 나트륨같은 전기적 극성을 띤 분자의 이동 통로).

임상에 유용한 정보

막(membrane)은 한 장의 상피와 그 아래의 결합조직으로 구성된다. 점액 (mucus fluid) 또는 장액 (serous fluid)은 막의 수분을 유지하는데, 흔히 이를 점액막 또는 장액막 이라고 부른다. 점액은 막 내부 조직에 윤활작용 뿐만 아니라 외부 물질을 막내에 가둠으로서 면역 기능을 돕는다. 점액막은 관상 기관, 구강, 비강, 부비동, 호흡기관 및 비뇨기관의 내측 벽을 따라 분포한다.

병태생리학

안정 상태에서, 나트륨은 세포 내부보다 외부에 더 많이 분포하고, 칼륨의 분포는 이와 반대이다. 나트륨–칼륨 이온교환 펌프(Sodium–potassium exchange pump)는 능동수송을 통해서 나트륨을 세포 밖으로, 칼륨을 세포 안으로 이동시키는 기전이다. 디지탈리스(digitalis)와 같은 특정 약물은 심장내 나트륨–칼륨 이온교환 펌프의 작용에 영향을 미친다. 독성 용량의 칼륨은 세포 밖에 비정상적으로 높은 농도로 축적되어 고칼륨혈증에 이르게 되고, 이는 심박장애(dysrhythmia), 즉 생명을 위협하는 수준의 불규칙한 심장 박동을 유발한다.

병태생리학

세포막은 대부분 지방으로 이루어진다. 화학적으로, 지방 화합물은 중성(전기적 극성을 띠지 않는)이다. 전해질(나트륨, 칼륨)은 수성(전기적 극성을 띠는) 이다. "물과 기름은 섞이지 않는다"는 잘 알려진 원칙대로, 지방은 기름에 용해되지만, 물에는 용해되지 않는다. 따라서, 전기적 극성을 띠는 분자가 세포막을 통해 유입되기 위해서는 일종의 특별한 경로를 필요로 하게된다. 전해질의 이동을 위해서 세포는 다양한 형태의 수송 통로, 즉 이온통로(ion channel)를 가지고 있다. 리도카인(lidocaine)과 같은 국소마취제, 아미오다론(amiodarone)과 같은 항부정맥제는 이온통로를 차단하여 약효를 발휘한다. 급성 심장사의 위험이 있는 유전적 QT 연장 증후군(prolonged QT syndrome)의 대부분은 이온통로 단백질의 유전적 이상으로 설명될 수 있다. 영아 돌연사 증후군(sudden infant death syndrome, SIDS)의 약 2%는 나트륨 통로 단백질의 유전적 이상에 기인한다고 알려져 있다.

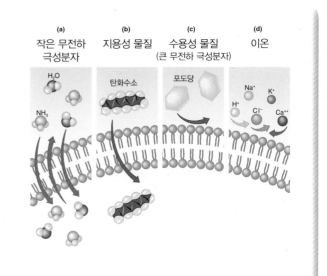

그림 2-3 선택적 투과막은 특정 분자만을 통과시켜서 항상성을 유지한다.

■ 세포막의 투과성

세포막은 선택적 투과성이 있어, 일부 물질은 통과할 수 있으나 다른 물질은 통과할 수 없다 **그림 2-3**. 물질들이 세포에 들어오고 나가는 기전에 대한 정확한 이해는 수액 투여와 관련하여 중요하다.

선택투과성(selective permeability)은 내세포 환경과 외세포 환경 사이의 정상 농도차가 유지될 수 있도록 한다. 선택적 투과막에 의한 외세포와 내세포의 분리는 항상성의 유지를 돕는다. 다양한 효소, 당 분자, 전해질은 자유로이 세포 안팎을 출입한다. 전해질(electrolyte)은 혈액에 용해되고 염기 또는 산성 물질로 구성된 화학물로서, 물과 같은 용매에 용해될 때 이온 전도체가 된다.

확산, 삼투, 촉진확산, 능동수송 등의 몇 가지 기전을 통해서 물질은 세포벽을 통과할 수 있다 **그림 2-4**.

■ **확산(Diffusion)** 분자와 이온과 같은 세포 입자는 물 속에 존재하여 용액을 만든다. 물은 다른 물질 즉, 용질을 녹이는 가장 흔한 용매이다. 확산이란 용질이 고농도에서 저농도로 이동하여 가용 공간내에서 입자의 균등한 분포를 생성하는 과정을 말한다. 막을 통한 확산의 정도는 막의 투과성과 농도 기울기에 의해 결정되며, 여기서 농도 경사(concentration gradient)란 막 양 쪽 물질의 농도차를 말한다. 작은 분자는 큰 분자보다 더 쉽게

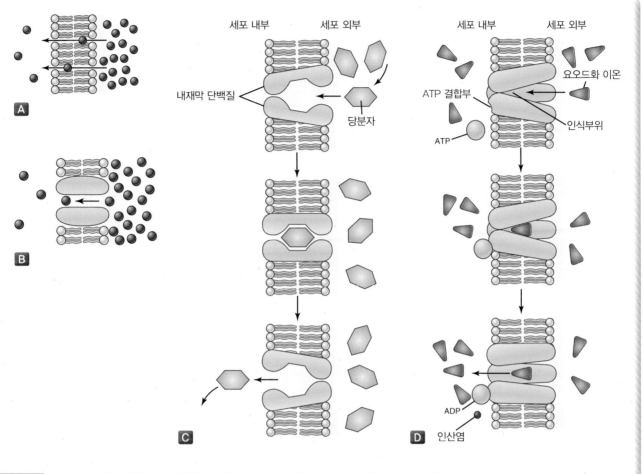

세포 내부   세포 외부   세포 내부   세포 외부

내재막 단백질

당분자

ATP 결합부   요오드화 이온

ATP   인식부위

ADP

인산염

그림 2-4   세포벽을 통한 물질 수송의 방법. **A.** 단순 확산. **B.** 단백질 기공을 통한 확산. **C.** 촉진 확산. **D.** 능동수송

확산되고, 수용성 분자는 진한 점성 용액보다 더 빠르게 확산된다. 산소와 같은 다수의 세포 영양소가 확산에 의해 세포내로 들어간다.

- **삼투(Osmosis)** 삼투는 선택적 반투막을 통해서 용질의 농도가 낮은 곳으로부터 높은 곳으로 용매의 이동이 일어나는 과정이다. 이때, 막은 용매에 대해 투과성이 있으나, 용질에 대해서는 투과성이 없다. 일반적으로 용매의 이동은 막의 양측 용질의 농도가 평형에 도달할 때까지 지속된다.

    삼투압(osmotic pressure)은 삼투현상에 의한 막을 통한 물의 이동 정도를 측정하는 것이다. 너무 많은 물이 세포 밖으로 빠져 나오게 되면, 세포는 비정상적으로 줄어들게 되는데, 이를 가리켜 톱날꼴(crenation) 현상이라 한다. 반대로 너무 많은 물이 세포 내로 들어가면,

세포는 팽창하여 파열되는데, 이 과정은 용해(lysis)라고 한다.

- **촉진 확산(facilitated diffusion)** 촉진 확산이란 운반체분자(carrier molecule)에 의한, 고농도에서 저농도로 세포 안팎 물질의 이동과정을 말한다. 에너지를 필요로 하지 않는다; 운반되는 분자의 수는 그 분자의 농도에 직접적으로 비례한다.

- **능동 수송(active transport)** 능동 수송은 농도와 기울기에 역행한 물질의 이동을 말한다. 능동 수송은 에너지와 운반체(carrier)를 필요로 하며 일반적 확산과 반대 방향으로 일어나는 수송과정이다. 포도당과 아미노산은 능동 수송에 의해 체내로 흡수된다. 때때로, 능동 수송 기전은 한 물질을 다른 물질로 교환하기도 한다. 세포내이입(endocytosis)과 외포작용(exocytosis)은 세포의 에너

지를 이용하여, 세포막의 통과 없이 물질을 세포 안팎으로 이동시킨다. 세포내이입(endocytosis)이란 세포막 융합 소포에 의한 물질의 세포내 흡수 과정이다. 세포막은 흡수할 물질을 완전히 에워싸서 세포내부로 집어삼킨다. 이러한 세포내이입 과정에 의해 고체입자를 흡수할 경우, 포식작용(phagocytosis, "세포 섭취"를 의미) 이라고 한다. 포식세포(phagocyte)는 미생물이나 이물질을 삼키는 세포이다. 감염에 대항하는 백혈구(WBC)가 세균이나 이물질을 삼키는 과정에서 주로 포식작용이 일어난다. 특정 질병 상태에서는 이러한 세포들이 포식능력을 상실하게 되고, 생명을 위협하는 감염이 발생한다. 액체의 세포내이입, 즉 "세포 흡음"을 포액작용(pinocytosis)라고 한다. 외포작용(exocytosis)은 세포내 분비물을 외부로 방출하는 과정이다. 이러한 분비물은 소포(vesicle)내에 축적되어 세포막으로 이동한다. 소포는 세포막과 결합 또는 융합되고, 소포내 내용물은 세포 밖으로 제거된다. 이러한 외포작용의 예는 이자의 소화효소 분비, 침샘의 점액 분비, 젖샘의 모유 분비 등이 있다.

병태생리학

혈청 삼투질농도라는 용어는 고삼투성고혈당성비케톤성혼수(HHNC)와 관련이 있다.

이것은 케톤체의 혈중값이 정상일 때 일어나는 당뇨성혼수로, 세포외액이 고삼투성이어서 세포내액이 탈수되어 일어난다. 흔히 고삼투성액을 과다 투여한 경우에 일어난다. 스트로우처럼 맑은 혈청은 혈장에서 고체성분을 분리하고 남은 액체이다. 혈당과 나트륨농도가 비정상적으로 상승하면 혈청의 삼투압은 증가할 것이다. 고삼투성고혈당성비케톤성혼수는 고혈당 결과 인슐린결핍으로 인한 당뇨응급이다.

병태생리학

대부분의 세포내외를 들락거리는 포도당의 이동은 촉진확산의 원리에 의해 일어난다. 포도당이 세포내에 축적될수록 고농도로 되며, 세포외의 농도도 상승한 후 멈추게 된다. 따라서 포도당이 세포내로 유입되면 재빨리 다른 분자로 전환된다. 당 전환이 이루어지지 못하면 여러 유형의 쇼크가 발생하며, 세포내에서 고혈당이나 저혈당 증상이 나타나게 된다.

■ 핵

핵(nucleus)은 세포 내에서 가장 크고 뚜렷한 구조이다. 핵은 세포 기능을 통제하는 중심으로 작용한다. 세포는 세포 활동을 조절하는 유전 물질, 즉 디옥시리보핵산(DNA)을 가지고 있다. 단 하나의 핵은 인체내 10^5개 단백질의 합성을 총괄하는데 필요한 모든 정보를 저장한다. 세포는 핵 없이는 스스로 회복하는 능력이 없으므로, 3~4개월 내에 분해될 것이다. 핵은 세포 구조나 기능을 결정하는 단백질을 합성하는데 필요한 유전적 지침을 가지고 있다. 이러한 지침들은 염색체 내에 저장되며, 염색체는 DNA와 유전 정보에 접근하고 통제하는 다양한 단백질들로 구성된다. 여러개의 핵을 가진 뼈대근 세포와 핵이 없는 적혈구를 제외한 대부분의 세포는 단 하나의 핵으로 이루어진다.

세포의 핵은 대개 둥근 모양이고, 이중의 핵막(nuclear envelope, 내측, 외측 지질막 구조)으로 둘러싸여 있다. 핵막은 또한 안쪽에 단백질 층이 있어 특정 분자의 핵 외부 방출을 가능하게 한다. 핵 내부에는 핵형질(nucleoplasm)이라 불리는 액체가 다음의 구조물들을 지지하고 있다.

■ 핵소체(nucleolus)는 막이 없으며, 대부분 리보핵산(RNA)과 단백질 분자로 구성된다. 리보소체(ribosome)는 핵소체 내에서 생성되어 세포질로 이동하게 된다.

■ 느슨하게 감겨있는 DNA와 단백질 섬유로 이루어진 염색질(chromatin)은 압축되어 염색체(chromosome)를 형성한다. DNA는 단백질 합성을 조절하고, 세포 분열이 시작될때 염색질 섬유는 단단하게 감겨서 염색체가 된다.

임상에 유용한 정보

최근 의학 발전의 많은 부분은 염색체 내 DNA에 저장된 유전 암호(genetic code)를 중심으로 이루어졌다. 본질적으로, 유전자는 다양한 단백질을 코드하는 DNA 분자로 이루어진다. DNA내 유전 정보를 기반으로 특정 단백질을 합성하는 과정은 아주 놀라우며 매우 복잡하다. 그 과정을 간단히 설명하면 다음과 같다.

- 유전자는 DNA, 즉 각각의 단백질에 대한 유전 정보를 가지고 있다.
- DNA를 주형(template)으로 이용하여, 전령RNA(messenger RNA: mRNA)가 핵 내에서 만들어진다, 즉 전사된다(transcription).
- 전령RNA(mRNA)는 핵에서 원형질로 이동하여, 한 무리의 리보소체에 부착된다(polyribosome complex).
- 또다른 형태의 RNA인 전달RNA(transfer RNA: tRNA)는 아미노산을 리보소체로 운반한다.
- 전령RNA(mRNA)의 정보를 지표로 이용, 리보소체는 아미노산을 사슬의 형태로 조합하여 단백질(폴리펩티드 polypeptide)을 생성한다. 이 과정을 RNA 유전암호해독(translation)이라고 한다.
- 단백질은 리보소체로부터 떨어져 나와서 골지체로 이송된다.
- 골지체에서, 단백질은 "포장되고" 최종 생화학적 수정을 거친 후에 기능을 수행할 수 있게 된다.
- 요약하면, DNA는 mRNA로 전사되고(transcription), mRNA는 유전암호해독 과정을 거쳐 단백질이 된다(translation).

■ 세포질

세포질(cytoplasm)은 세포막과 핵 사이에 있는 모든 세포내 내용물을 함유하는 물질이다. 세포질은 화학반응이 일어나는 바탕질로서 작용한다. 세포질은 세포 부피의 대부분을 차지하며, 세포소기관을 지지하는 젤과 같은 물질이다. 세포소기관은 세포 생존과 정상 기능을 유지하기 위한 대부분의 과제를 수행한다. 세포질은 대개는 투명하고, 드문드문 "작은 입자들"이 산재되어 있는데, 이를 높은 확대율로 관찰하면 막성 망구조, 단백질 골조, 세포골격 등이 포함되어 있음을 알 수 있다. 세포질은 세포소기관(핵은 제외)과 세포액으로 구성된다.

세포소기관

세포소기관(organelles)은 인체 작용에 필요한 기능들을 수행하는 세포내 구조물들을 지칭한다. 각각의 세포소기관은 세포의 구조, 성장, 유지, 대사에 관련된 특정 과제를 수행한다. 세포소기관들은 협동적이고 조직적으로 작용하여, 세포의 생명을 유지한다. 다음의 구성물들이 세포소기관에 포함된다.

- 중심소체(centrioles)는 방추체(spindle apparatus), 방추사(spindle fiber), 미세관(microtubule)의 형성에 중요하며, 세포 분열 과정에 필수적이다. 세포 분열 동안, 중심소체는 DNA 가닥 이동에 필요한 방추형 구조물을 형성한다.
- 섬모(cilia)와 편모(flagella)는 특정 세포 표면으로부터 연장된 구조물이다. 머리카락 같은 섬모는 쓸어내는 듯한 조화된 움직임으로 조직 표면위의 액체를 이동시킨다. 이러한 섬모는 호흡기관과 생식기관의 내측면을 덮고 있는 세포들에서 발견된다. 기관과 기관지에서 섬모의 움직임은 한 층의 점액을 폐 하부로부터 목구멍으로 지속적으로 이동시킨다. 흡연은 이러한 섬모의 운동을 마비시켜, 폐 내부에 이물질의 축적을 야기한다. 편모는 섬모보다 길고, 흔히 단 한가닥의 편모로 존재한다. 예를 들면, 정자 세포의 "꼬리"가 단일 편모이다. 비정상 편모를 가진 정자는 여성의 질을 통해 나아가서 수정을 위해 자궁에 도달할 수 없으므로, 남성 불임의 한 원인이 된다.
- 리보소체(ribosome)는 리보핵산(RNA)과 단백질로 구성된다. RNA는 세포 활동의 조절을 담당한다. 리보소체는 세포 다른 부위의 RNA와 상호작용을 통해 아미노산을 결합하여 단백질을 형성한다. 이러한 상호작용은 단백질과 지방이 만들어지는 세포질 내에 넓게 퍼져있는 망상 구조물인 세포질그물(endoplasmic reticulum)에서 일어난다.
- 세포질그물(endoplasmic reticulum, ER)은 세관, 소포, 낭의 망상 구조이다. 거친세포질그물(rough endoplasmic reticulum)은 단백질 형성에 관여한다. 매끈세포질그물(smooth endoplasmic reticulum)은 세포막에서 볼 수 있듯이, 지질(지방)의 형성에 관여한다.
- 골지체(golgi apparatus) 또는 골지복합체(golgi com-

plex)는 세포 핵 부근에 위치한다. 골지체는 다양한 탄수화물(당), 효소와 같은 복잡한 단백질 분자의 형성에 관여한다.

- **리소좀(lysosome)**은 소화 효소를 함유하는 막결합 소포이다. 이러한 효소는 세포내 소화계로 작용하여, 박테리아처럼 세포내로 들어온 유기물 잔해를 분해한다.
- 리소좀과 유사한 **과산화소체(peroxisome)**는 간에서 높은 농도로 발견되며 알코올과 같은 독소를 중화한다.
- **사립체(mitochondria)**는 작은 막대기 모양 또는 구형의 세포소기관이다. 사립체는 세포의 대사중심으로 작용하고 아데노신삼인산(ATP)을 생산한다. ATP는 체내 모든 화학반응을 위한 주요 에너지원으로, 에너지의 저장과 운송을 위한 주요 분자이다.
- 핵은 두 가지 유형의 유전 물질을 가지고 있다. 염색체 내에 존재하는 **디옥시리보핵산(DNA)**은 분열하지 않는 세포에서 길고 가느다란 형태로, 뚜렷한 구조로 식별될 수 없다. 대신, DNA는 핵 염색질이라 불리우는 작은 알갱이들의 망상구조로 나타난다. RNA는 핵소체(nucleoli)라고 불리우는 구형의 핵내 구조안에 존재한다. 핵은 핵막에 의해 둘러싸여 있고, 핵 자체는 세포질 내부에 박혀있다.

임상에 유용한 정보

세포 대사의 핵심 개념은 단순하다: 숨을 쉴때, 산소를 들이킨다. 다양한 대사 과정을 통해 산소, 물, 영양소 분자(예, 포도당)들이 대사되어 ATP와 열의 형태로 에너지를 생산한다. 물과 이산화탄소 또한 부산물로서 생성된다. 믿기 힘들겠지만, 심장 단독으로 대략 35 kg의 ATP를 날마다 소모한다.

세포액

세포액(cytosol)은 세포질의 액체 부분으로, 대부분을 차지하는 수분과 더불어 포도당, 아미노산, 지방산, 이온, 지질, 아데노신삼인산(ATP), 배설물 등을 포함하고 있다. 세포액은 세포 생존을 위해 필요한 수많은 화학 반응이 일어나는 장소이다. 세포질의 일부분은 원심분리에 의해 제거될 수 없다.

병태생리학

나트륨과 칼륨은 혈액내 가장 중요한 두 가지 전해질이다. 대부분의 체내 칼륨은 세포 내부의 액체, 즉 **세포내액(intracellular fluid, ICF)**에 존재한다. 반대로, 체내 나트륨의 대부분은 세포 외부의 액체, 즉 **세포외액(extracellular fluid, ECF)**에 있다. 액체와 전해질 둘 다 ICF와 ECF 사이를 이동할 수 있으며, 이는 많은 요소들에 의해 좌우된다. ECF 내에 비정상적 나트륨 또는 칼륨 농도는 생명을 위협하는 상태를 초래할 수 있다. 나트륨 또는 칼륨의 측정 수치는 정상이거나 높거나 낮을 수 있다. 전해질 이상의 가장 흔한 원인은 탈수, 수분과잉, 약물 등에 의한 체액 균형의 이상이다. 이러한 이상 소견을 인지하여 신속히 치료하지 않을 경우, 환자에게 심각한 손상을 가져올 수 있다.

저나트륨혈증(hyponatremia)은 혈액 내 나트륨 수치가 비정상적으로 낮은 경우이다. 반대로, 비정상적으로 높은 혈액내 나트륨 수치는 **고나트륨혈증(hypernatremia)**이라고 한다. 두 상태 모두 의식의 변화, 발작, 혼수 상태까지도 이르게 할 수 있다. 비정상적으로 상승된 혈중 칼륨 농도, 즉 **고칼륨혈증(hyperkalemia)**은 신부전이나 특정 약물의 합병증으로 비교적 흔히 볼 수 있다. 치료되지 않은 고칼륨혈증은 심전도의 이상을 초래하여, 부정맥과 심한 경우 심정지까지도 일으킬 수 있다. 유사하게, **저칼륨혈증** 또한 심장에 영향을 끼쳐, 생명을 위협하는 심율동 장애를 초래할 수 있다.

■ 세포 분열

수많은 세포들이 살아 있는 동안 활발히 분열한다. 다른 세포들은 죽고 새로운 세포로 대체된다. 이러한 세포 재생의 지속적 과정을 **재형성(remodeling)**이라 부르며, 정상적 생명의 과정이다. 간기(interphase)는 세포 분열을 준비하는 과정을 지칭한다. 간기 동안, 세포는 막, 리소좀, 사립체, 리보소체를 복제하여, 새로운 물질을 생산한다. 또한 세포는 자신의 유전 물질을 대체한다. 세포 분열에는 두 가지 유형이 있다: 감수분열(meiosis), 유사분열/세포질분열(mitosis/cytokinesis). **감수분열(meiosis)**은 성숙한 정자와 난자를 생산하는 경우에만 일어나는 특수한 형태의 세포 분열이다. 정상적으로, 세포는 46개의 염색체를 포함한다. 감수분열은 난자와 정자에서 염색체의 수를 46개에서 23개로 절반으로 줄임으로서, 난자와 정자가 결합하여 생성된 수정란은 정상적으로 46개의 염색체를 가지게 된다.

체내 나머지 부위에서는, 세포의 수가 유사분열(mitosis, 세포내 핵의 분열)과 세포질분열(cytokinesis, 세포내 세포질의 분열)에 의해 증가된다. 정자와 난자를 제외한 모든 세포는 유사분열을 따른다. 핵의 분열이 정확하게 일어나야만, 새로운 세포에 의한 DNA 정보의 정확한 복제가 가능하다 그림 2-5 . 유사분열 중에, 핵과 원형질(세포소기관 포함)의 분열은 다음의 네 단계로 일어난다: 전기(prophase), 중기(metaphase), 후기(anaphase), 말기(telophase).

첫 단계인 전기에, 두 쌍의 새로운 중심소체가 세포 반대편 말단으로 이동한다. 두번째 중기에, 중심소체들 사이의 중심부(적도면) 가까이에 염색체가 배열되고, 방사상 섬유가 부착된다. 세 번째 후기에서는 각 염색체의 동원체 부위가 서로 떨어지면서 개개의 염색체가 되어 세포의 반대쪽 끝을 향하여 각각 이동한다. 마지막 단계인 말기에서, 염색체는 양쪽 극 부위에 도달하게 되고, 새로운 핵막이 형성된다.

세포질분열(cytokinesis)은 후기 동안 시작되는데, 이 때 세포막이 세포 중앙부를 따라 조여오게 된다. 이 과정은 말기까지 지속되어 세포질이 나누어진다. 새로이 생성된 두 개의 핵은 분리되고, 세포소기관의 거의 절반이 각각의 새로운 세포에 분배된다.

■ 조직의 유형

함께 작용하는 한 무리의 세포를 조직(tissue)이라고 한다. 조직에는 네 가지 유형이 있다: 상피조직, 결합조직, 근조직, 신경조직.

■ 상피 조직

상피 조직(epithelial tissues)은 체표면(예를 들면, 피부)과 내부 장기의 내측면(예를 들면, 쓸개)을 덮고 있고 샘(신체 전반을 통한 분비와 흡수)을 구성한다. 대부분의 상피 조직은 바닥막(기저막)을 가지고 있는데, 바닥막(basement membrane) 이란 위에 덮고있는 조직을 고정해주는 비세포 층이다. 상피 조직은 세포 층의 개수와 상피세포의 모양에 따라 분류된다. 세포의 모양은 편평한 층의 세포(편평상피, squamous epithelium), 여러 줄의 정사각형모양 세포(입방상피 , cuboidal epithelium), 여러 줄의 길고 얇은 세포(원주상피 , columnar epithelium) 등이 있다. 여러 유형의 상피세포와 뚜렷이 다른 기능은 표 2-1 에 비교되어 있다.

단층상피(simple epithelium)는 바닥막과 맞닿아 있는 한층의 상피세포로 구성된다. 중층상피(stratified epithe-

---

증례 연구 ▶ Part 2

SAMPLE 문진 이후, 당신은 그녀가 마라톤 경주 이전에 충분히 수분섭취를 하지 않았으며 경주 도중 물을 마시기 위해 여러번 멈추지 않았다는 사실을 알게 된다. 그녀는 속이 불편해서 물을 많이 마시지 않았다고 한다. 그녀는 의학적으로 중요한 과거력이 없고, 약물에 대한 알레르기도 없으며, 계절성 알레르기만을 위해 항히스타민을 복용한다.

기록한 시간: 5분	
외형	여전히 매우 창백함
의식 수준	명료(사람, 시간, 날짜에 지남력이 있음)
기도	여전히 개방
호흡	변화 없음
순환	여전히 창백함, 외부 출혈 없음

3. 이 환자에서 탈수의 병태생리학적 기전은 무엇입니까?

4. 이 환자에서 어떠한 전해질 이상을 고려해야만 합니까?

5. 당신은 다음으로 어디에 중점을 두고 이차 검진을 수행해야 합니까?

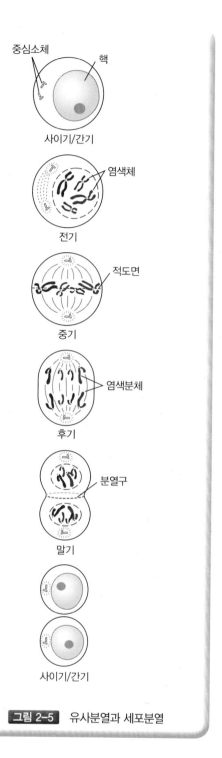

중심소체

핵

사이기/간기

염색체

전기

적도면

중기

염색분체

후기

분열구

말기

사이기/간기

그림 2-5　유사분열과 세포분열

표 2-1 ▶ 상피 세포의 유형

유형	위치	기능
단층편평상피	허파꽈리, 모세혈관 벽, 림프와 혈관의 내측 벽	확산, 여과, 삼투, 외피막
단층입방상피	난소 표면, 콩팥 세관 내측 벽, 특정 샘의 내측 벽	흡수, 분비
단층원주상피	창자, 위, 자궁의 내측 벽	흡수, 보호, 분비
거짓중층 원주상피	호흡기 내측 벽	점액의 이동, 보호, 분비
중층편평상피	피부의 바깥 쪽 층, 항문관, 입안, 목구멍, 질의 내측면	보호
중층입방상피	유선관, 이자, 침샘, 땀샘의 내측 벽	보호
중층원주상피	남성 요도의 일부, 인두의 일부	보호, 분비
이행상피	내측 방광, 요관의 내측 벽, 요도의 일부	팽창성, 보호
샘상피	내분비샘, 침샘, 땀샘	분비

루어지는데, 기관(organ)이 늘어날 때 입방에서 편평으로 세포의 모양이 변하게 된다 **그림 2-6** .

임상에 유용한 정보

이행상피세포는 방광처럼 팽창할 수 있는 몸안의 내측의 면을 덮고 있다. 방광이 소변으로 가득차서 방광 벽이 늘어날 때, 이행상피세포는 입방형에서 편평형으로 모양이 변하게 된다.

■ 결합조직

결합조직(connective tissues)은 다른 유형의 조직을 서로 결합시킨다. 결합조직은 물리적 성질에 따라 분류되는데, 세 가지 일반적인 범주는 고유결합조직, 지지결합조직, 유동결합조직이다 **그림 2-7** .

- 고유결합조직(connective tissue proper)은 다양한 유형의 세포와 시럽과 같은 기질에 외세포 섬유를 지닌 결합조직으로, 치밀결합조직과 성긴결합조직으로 나누어진다. 치밀결합조직은 많은 수의 콜라겐 섬유를 포함해서 하얀색으로 보이고, 성긴결합조직은 지방조직, 윤문상조직, 세망결합조직을 포함한다. 지방조직은 피부 아래, 근육 사이, 콩팥 주변, 눈 뒤쪽, 복부 특정 막, 심장 표면, 일부 관절 주위에 분포한다. 윤문상조직은 피부를 기저

lium)는 한 층 이상의 상피세포로 이루어지는데, 이중 단 한 층만이 바닥막과 접하고 있다. 거짓중층상피(pseudostratified epithelium)는 다양한 높이를 가진 한층의 상피세포를 포함한다. 모든 세포가 바닥막에 부착되어 있지만, 일부만 자유 표면까지 도달하여 중층의 모양을 보이게 된다. 이행상피(transitional epithelium)는 여러 층의 중층 세포로 이

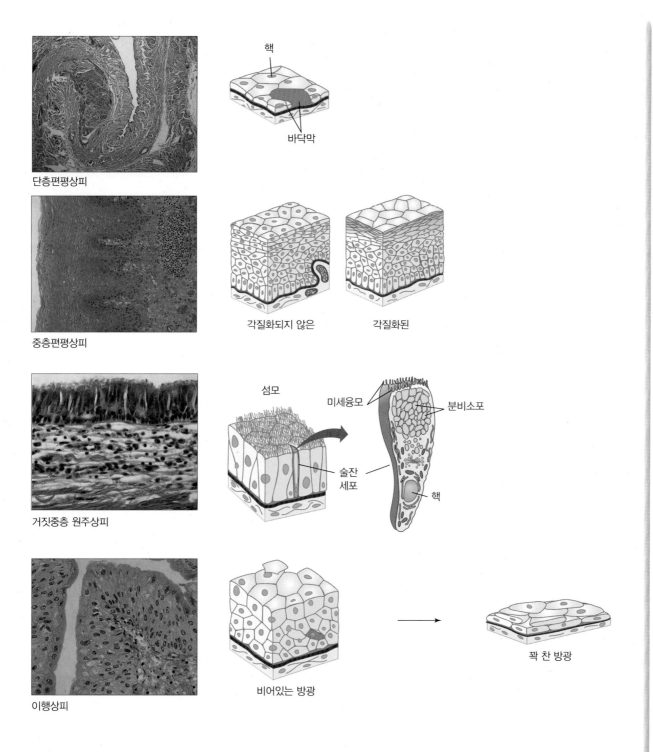

핵

바닥막

단층편평상피

각질화되지 않은   각질화된

중층편평상피

섬모

미세융모   분비소포

술잔
세포

핵

거짓중층 원주상피

미세융모   분비소포

비어있는 방광   꽉 찬 방광

이행상피

그림 2-6   상피세포의 조직적 배열과 표면의 변형

기관에 결속시키고, 근육 사이 공간을 채운다. 그물결합
조직은 지라와 간 등 내부장기 안 쪽 골격을 생성하는
것을 돕는다.

■ 지지결합조직(supporting connective tissue)은 세포 구
성이 다양하지 않고, 더욱 촘촘하게 들어선 섬유로 구성
된 기질을 지니는 점에서 고유결합조직과 구별된다. 지지

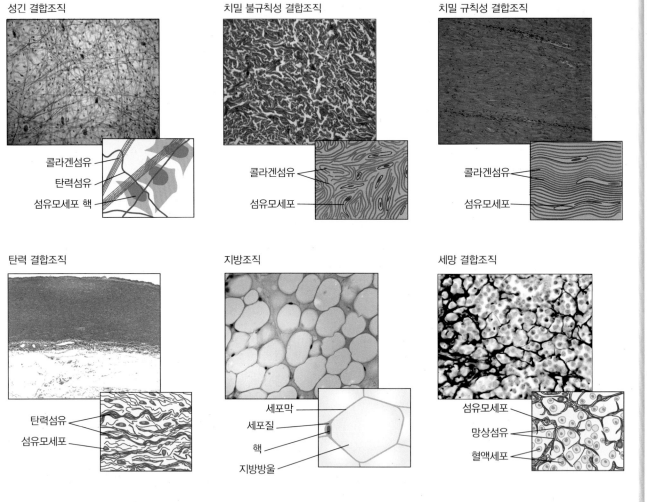

성긴 결합조직

치밀 불규칙성 결합조직

치밀 규칙성 결합조직

콜라겐섬유
탄력섬유
섬유모세포 핵

콜라겐섬유
섬유모세포

콜라겐섬유
섬유모세포

탄력 결합조직

지방조직

세망 결합조직

탄력섬유
섬유모세포

세포막
세포질
핵
지방방울

섬유모세포
망상섬유
혈액세포

그림 2-7 결합조직의 유형

결합조직은 연조직을 보호하고 체중의 거의 대부분을 견딘다. 두 유형의 지지결합조직은 연골과 뼈이다. 연골은 풍부한 섬유를 지닌 젤리같은 기질을 포함하고 있는 단단한 결합조직이다. 연골은 다양한 기저 조직과 뼈에 부착되어 지지하고, 골격을 이룬다. 뼈는 높은 미네랄 함유량의 가장 단단한 결합조직이다. 뼈조직은 몸의 골격을 정립하고, 근육에 부착되어 중요 구조물들을 지지한다.

■ 유동결합조직(fluid connective tissue)은 용해된 단백질을 포함한 수분 기질에 떠 있는 특징적인 세포들로 구성되며, 두 가지 유형—혈액 또는 림프—이 있다. 이러한 조직은 내부 체세포와 외부환경과 물질을 교환하는 다른 세포 사이에서 물질 수송을 통해서, 안정적인 내부환경을 유지한다. 혈액의 구성 요소 들(적혈구, 백혈구, 혈

소판)은 혈장이라는 액체 외세포 기질에 떠 있는데, 이 혈장과 구성요소들이 함께 혈액을 조성한다. 대부분의 혈액세포는 적골수에서 만들어진다. 림프는 간질액이 림프관으로 들어가서 형성되는데, 림프관은 다시 림프를 심혈관계로 돌아오게 한다.

■ **근조직**

근조직(muscle tissues)은 항상 결합조직에 의해 둘러싸여 있다. 근육은 뼈대계통을 덮고 있으며, 구조와 기능에 의해 분류된다. 구조적으로, 근조직은 현미경상 띠모양과 줄무늬가 보이는 가로무늬근(striated, 골격근, 심근)이거나, 민무늬근(평활근, smooth)이다 **그림 2-8**.

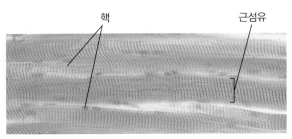

핵   근섬유

A

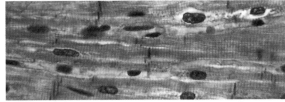

B

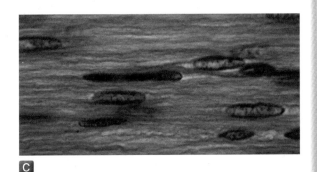

C

그림 2-8   근조직의 유형. **A.** 골격근. **B.** 심근. **C.** 평활근

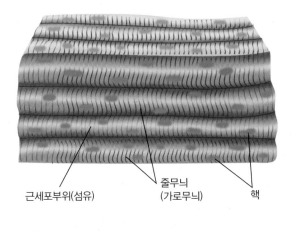

근세포부위(섬유)   줄무늬   핵
(가로무늬)

그림 2-9   줄무늬(가로무늬)의 골격근

■ 뼈대근 조직(skeletal muscle tissue)은 의식적 노력에 의해 조절되는 근육에서 발견되므로 맘대로근이라고도 한다. 뼈대근은 뼈에 부착되며, 가로무늬라고 불리우는 밝고 어두운 반점을 가진 긴 실 모양의 세포로 구성된다 **그림 2-9**. 뼈대근 조직은 머리, 몸통, 사지를 움직여서 모든 수의적 운동을 가능하게 한다.

■ 심근 조직(cardiac muscle tissue/myocardium)은 심장벽의 두꺼운 수축성 중간층을 지칭한다. 심근의 수축성 조직은 특징적인 근조직의 교차 줄무늬를 지닌 근섬유로 구성된다. 심근은 골격근에 비해 적은 결합조직을 포함한다. 심근은 불수의적이고 심장의 대부분을 구성한다. 심근은 규칙적 수축을 위해 박동조율기(pacemaker) 세포(전도계의 조직 결절)에 의존한다. 특정 조건하에서 각 심장 조직은 전기충격을 생산할 능력을 가지고 있다.

이러한 특성을 자발성이라고 하는데, 저산소증이나 전해질 불균형 등에 의해 야기된다. 이런 상태는 주로 전도계 세포에 영향을 주지만, 전지충격을 생산하는 다른 심장세포에도 영향을 줄 수 있다.

■ 민무늬근 조직(smooth muscle tissue)은 수의적 조절이 불가능한 근육에서 길쭉한 방추형 세포로 구성된다. 평활근, 불수의근 또는 민무늬근이라고도 불린다. 민무늬근은 세포분열을 하기 때문에, 상해를 입은 후 재생된다. 민무늬근 조직은 장과 위장같은 속빈장기를 구성하고, 대개의 경우 의식적 노력에 의해 통제될 수 없다. 음식물을 소화기관을 통해 이동시키고, 방광을 비우며, 혈관을 수축한다.

■ 신경조직

신경조직(nervous tissues)은 한 부위에서 다른 부위로 전기충격의 전도에 특화되어 있다. 신경조직은 두 가지 기본 세포유형을 포함한다: (1) 신경세포, (2) 신경아교 또는 아교세포(neuroglia or glial cell)라고 집합적으로 지칭되는 몇 가지 종류의 지지세포. 신경조직은 뇌, 척수, 뇌신경, 말초신경에서 발견된다.

말초신경은 뇌와 척수로부터 연장되어 척추 사이를 빠져나가 다양한 부위로 분포하는 모든 신경들을 포함한다. 신경세포는 신경조직의 주요 전도세포로서, 다양한 몸의 기능을 조정, 통합, 조절한다.

신경세포에서는 두 가지 돌출구조—축삭과 축삭돌기—가 뻗어나간다. 가지돌기(dendrite)는 다른 신경세포의 축삭으로부터 전기 충격을 받아서 세포체로 전도한다. 축삭(axon)은 전형적으로 전기 충격을 세포체로부터 멀어지는 방향으로 전도한다. 하나의 신경세포는 단 하나의 축삭과 여러 개의 축삭돌기를 가진다 그림 2-10.

축삭 세포체 축삭돌기

A

병태생리학

세포들 사이의 소통은 인체기능에 필수적이다. 다양한 전령과 전달물이 세포를 따라 이동하여 정보를 운반한다. 이러한 과정의 잘 알려진 예는 신경에서 근육으로 전달되는 수축 자극이다. 화학적으로, 이 과정은 신경 시냅스를 통한 신경전달물질의 이동에 의해 일어나며, 근육의 탈분극을 유발한다. 탈분극이란 세포 내부와 외부 사이 전위가 휴지기 전위로부터 변화됨을 의미하며, 세포 안팎으로 나트륨, 칼륨, 칼슘 이동의 결과로 일어난다. 이런 이온들의 이동은 해부학적으로 입증된 통로를 통해 일어난다. 세포는 흔히 G-단백질을 이용하여 소통하는데, 이는 방출되는 중간체 화합물이다. G-단백질은 수용체에 결합하여 세포가 "이차 전령"으로 불리는 또다른 화학물질을 생산하도록 한다. 이차 전령은 최종 표적세포(작동세포)가 특정 과제를 수행할 수 있도록 지시한다.

이자에 칼륨 통로는 인슐린 분비를 조절하는 반면, 심장에 다른 유형의 칼륨 통로는 정상 심장 리듬을 유지한다. 이러한 심장 칼륨 통로의 비정상적 기능은 부정맥의 원인이 되어 돌연사를 유발할 수도 있다. G-단백질과 함께 중추신경계의 칼륨 통로는 다양한 수용체 부위에서 신경 충격의 전달에 중요한 역할을 한다. 이러한 중추신경계 이온통로의 결핍은 몇 가지 드문 유전질환과 관계된다.

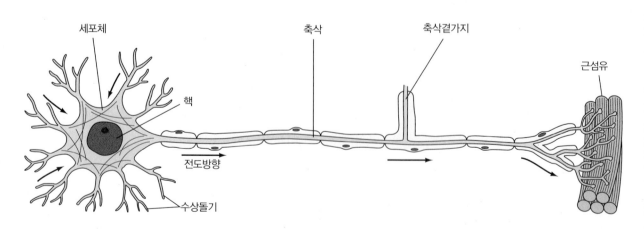

세포체 핵 축삭 축삭곁가지 근섬유

전도방향 수상돌기

B

그림 2-10 신경세포. A. 중추신경계에 존재하는 다극신경세포의 세포체와 축삭돌기의 전자현미경 사진. B. 축삭을 따라서 곁가지가 분지할 수 있다. 축삭이 끝날 때, 여러 번 갈라져서 개개의 근섬유에 도달한다.

■ 기관

다양한 조직들이 <u>기관</u>에서 함께 작용하여 기능을 수행한다. 이러한 구성 요소들은 함께 작용하여 순환계의 동맥과 정맥을 통해 혈액을 내보낸다. 피부, 즉 외피는 네 가지 유형의 조직을 포함하고, 인체내 가장 큰 기관이다. 피부는 열을 보존하고, 체액의 손실(탈수)을 방지하며, 감염을 유발하는 박테리아의 침투를 막는다. 다른 기관들로는 간, 비장, 이자, 소화기, 생식기, 특수감각기 등이 있다. 이러한 기관들은 다음 장에서 별도로 다루어 질 것이다.

■ 기관계

하나의 <u>기관계</u>(organ systems) 내에서, 기관들은 함께 작용하여 항상성을 유지한다. 인체의 기관계는 골격계, 근육계, 호흡계, 순환계, 림프계, 신경계, 외피계, 소화기계, 내분비계, 비뇨기계, 생식계를 포함한다 **그림 2-11**.

다양한 기관계통이 합쳐져서 유기체(organism)를 형성한다. 인체는 매우 복잡한 구조로, 상호 의존적인 기관과 기관계로 구성된다. 각 기관계의 해부학과 생리학은 이 후에 더 자세히 다루어진다.

■ 인체부위

신체는 몇 가지 부위로 나누어진다. <u>부속부</u>(Appendicular region)는 사지와 그 부착 부위인 <u>이음부위</u>(girdle)를 포함한다. 팔은 위팔, 아래팔, 손목, 손으로 구성되고, 어깨이음구조(shoulder girdle)에서 몸에 부착된다. 어깨 아래쪽 부위인 겨드랑이는 <u>액와</u>(axilla)라고 지칭한다. 팔꿈치를 구부릴때 만곡부위를 <u>아래팔앞쪽오목</u>(antecubital fossa)이라고 한다. 다리는 허벅지, 종아리, 발목, 발로 구성되고, 엉덩관절 즉 골반이음구조(pelvic girdle)에서 몸에 부착된다. 무릎 뒤쪽 공간을 <u>오금오목</u>(Popliteal fossa)이라고 한다.

<u>축부</u>(axial region)는 머리, 목, 몸통을 포함하는, 다시 말하면 뼈이음부위와 팔, 다리를 제외한 인체 부위를 칭한다. 두피는 얼굴과 귀를 제외한 머리의 피부층으로 머리카락으로 덮여있다. 두피는 외표면으로부터 안쪽으로 다섯 개의 층—피부, 피하조직, 근육, 성긴결합조직, 뼈막—으로 이루어진다 **그림 2-12**. 두피는 혈관이 많이 분포되어, 베인 상처가 나면 쉽게 출혈되는 경향이 있다. 뇌척수막의 세 층 — 경질막, 거미막, 연질막—은 머리뼈 안 쪽에서 뇌를 보호한다. 머리뼈안 바깥쪽으로 모든 뼈를 덮고 있는 막을 뼈막(periosteum)이라고 부른다.

뇌를 지니고 있는 <u>머리뼈</u>는 두 개의 주요 부위—머리뼈와 얼굴뼈—로 구성된다. 머리뼈내 뼈들은 봉합(suture)이라 부르는 특수 관절에서 서로 결합된다. 숫구멍 또는 <u>천문</u>(fontanelle)이라 부르는 섬유화 조직은 분만 시 연화되어 팽창하며, 봉합을 서로 연결한다 **그림 2-13**. 천문을 통해 느껴지는 조직은 두피층과 뇌를 덮고있는 두꺼운 막이다. 정상 조건하에서, 뇌는 천문을 통해 느껴지지 않는다. 생후 18개월경에 이르면, 봉합은 굳어지고 천문은 닫히는 것이 정상이다.

목에는 세 가지 주요 삼각이 있다: 앞목삼각, 목동맥삼각, 뒤목삼각. 앞목삼각은 목빗근, 목의 전방 정중선, 아래턱뼈의 하부 경계선으로 둘러 싸인 부위이다. 목동맥삼각은 앞목삼각 내부에 위치하며, 목동맥과 내목정맥을 포함한다. 후방삼각은 목빗근의 뒤쪽부분부터 목의 후방 정중선과 기저 머리뼈까지이며, 림프절, 팔신경얼기, 척수 부신경, 빗장뼈아래정맥의 일부를 포함한다. 몸통은 가슴, 배, 골반으로 구분된다 **그림 2-14**. 흔히, 앞쪽 가슴부위는 뒤쪽 가슴부위와 분리하여 다루어진다.

■ 몸안

<u>몸안</u>(body cavities)은 기관과 기관계가 들어 있는 인체 내 빈 공간이다. 머리뼈과 척주에는 뇌와 척수가 들어있다. <u>머리안</u>은 반구형의 상부, 뼈로 된 바닥부, 안쪽의 텅빈 공간으로 이루어지며, 뇌가 들어있다. 머리안에서 연결된 <u>척수안</u>은 척주를 따라 아래로 내려간다. 척수는 빈 척주안에 위치한다. 뇌와 척수는 신경계와 특수 감각계의 일부이다.

근육성 횡격막은 몸통을 가슴안과 배안으로 나눈다 **그림 2-15**.

몸안의 안쪽면은 특수한 형태의 얇은 결합조직인 <u>장막</u>에 의해 덮여있다. 각각의 장막은 두 개의 부분으로 이루어진다. 장막의 <u>벽측 부위</u>는 몸안의 벽 안쪽을 덮고 있으며, <u>내장 부위</u>는 내부 장기를 덮고 있다. 장막은 내장막과 벽쪽막 사이 공간을 채우는 액체를 분비한다. 막과 액체는 내부 장기를 마찰로부터 보호한다. 윤활액의 양은 특정 몸안의

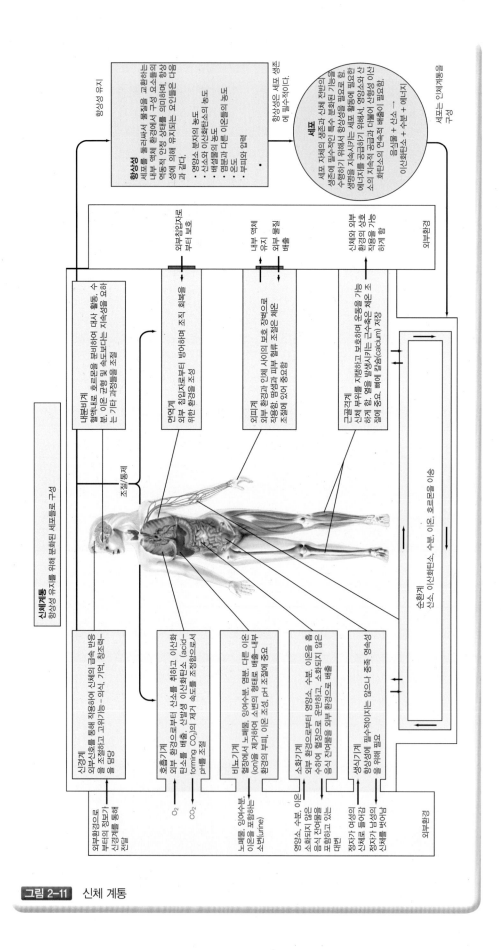

그림 2-11 신체 계통

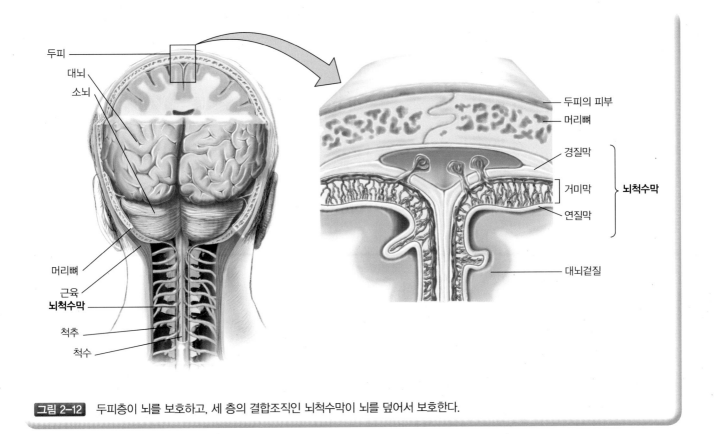

그림 2-12 두피층이 뇌를 보호하고, 세 층의 결합조직인 뇌척수막이 뇌를 덮어서 보호한다.

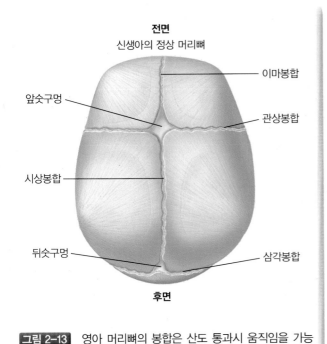

그림 2-13 영아 머리뼈의 봉합은 산도 통과시 움직임을 가능하게 한다.

유형에 따라 다르다.

가슴안은 가슴우리, 목의 기저부, 가로막(횡격막)에 의해 둘러싸인 공간이다. 가슴안에는 심장과 허파를 포함한 심혈관계와 호흡기계의 주요 기관이 들어있다. 허파는 가슴막이라 불리는 장막에 의해 둘러싸여 있다. 허파가슴막과 벽쪽 가슴막 사이의 공간은 가슴막공간이라고 한다. 정상적으로, 가슴막안은 단지 잠재적 공간으로, 소량의 윤활액인 가슴막액만이 들어있다.

세로칸은 양측 폐 사이의 넓은 공간이다. 세로칸에는 심장, 대혈관, 식도 일부, 기도, 주기관지가 들어있다. 심장은 심낭막이라는 장막에 의해 둘러싸여 있다. 심낭막의 두 층 사이의 잠재적 공간은 심낭이라고 한다. 가슴안과 마찬가지로, 심낭에도 소량의 윤활액만이 들어있다. 심장을 둘러싸고 있는 부위는 심장막공간이라고 지칭한다.

배안은 가로막(횡격막)에서 골반상협부까지 이어지는 공간이다. 척추와 배벽이 후방과 전방으로 배안의 경계를 이룬다. 배벽 내측면은 복막이라고 불리는 장막에 의해 덮여있다. 배부위 기관은 장간막(복부에 두겹으로 접힌 막성 조직)을 통해 배벽에 부착되고 혈액을 공급받는다. 배꼽에서 교차하는 두 개의 가상의 수직선에 의해, 복부는 사분역—RUQ, RLQ, LUQ, LLQ—으로 나누어 진다.

복막뒤공간이란 벽측복막 뒤쪽으로 위치하는 구역으로, 복막뒤장기—이자, 콩팥, 샘창자, 주요 혈관—가 들어있다.

배의 하부는 골반안이다. 골반안에는 비뇨기, 생식기, 위장관계의 일부가 들어있다. 골반이음구조는 엉덩뼈, 궁둥뼈, 꼬리뼈, 두덩뼈, 엉치뼈 로서 골반안을 지탱한다. 이러한 뼈들은 내부 골반 장기를 보호하기도 한다.

병태생리학

외상이나 선천적 기형으로 인해 공기가슴증(가슴막안에 비정상적인 공기의 축적)이 발생할 수 있다. 엄격히 말하자면, 가슴안내에 공기는 양에 상관없이 공기가슴증이라 할 수 있다. 임상적으로는, 작은 공기가슴증은 병원에서 영상 검사 없이는 뚜렷하지 않을 수 있다. 중요한 것은 공기가슴증의 크기가 아니라 환자의 증상이라는 점을 명심해야 한다. 해부학적으로 작은 공기가슴증도 긴장성공기가슴증(tension pneumothorax)을 일으킬 수 있다. 긴장성공기가슴증이란 가슴안에 지속적인 공기의 축적으로 가슴부위 압력이 증가하여 생명에 위협을 주는 상태를 말한다.

병태생리학

심낭내 액체의 비정상적 축적을 심낭삼출이라고 한다. 가끔, 특히 외상 후에, 액체가 심낭내에 급속히 축적되어 심장내 혈액의 유입을 방해하고 일회박출량을 제한한다. 그리하여 심장이 적절한 순환을 유지할 수 없게 되면, 생명을 위협하는 상태인 심낭압전이 발생하게 된다.

병태생리학

가슴막안 비정상적 액체의 축적은 가슴막삼출이라고 한다. 가슴막삼출의 네 가지 가장 흔한 원인은 심부전, 감염, 악성종양, 외상이다. 각각의 경우에, 액체의 내용물은 기저 질환의 과정을 반영한다. 예를 들어, 외상 후 축적된 액체는 대개는 혈액으로 혈흉이라고 불린다. 영상 검사 없이 가슴막삼출을 입증하는 것은 불가능하지는 않더라도 매우 어렵다. 임상적으로, 대량 삼출액이 있으면, 가슴부 청진상 숨소리가 줄어들고 타진상 둔탁음이 나타나는데, 이러한 소견은 폐렴이나 혈흉과 같은 다른 흔한 상태에서도 볼 수 있다.

증례 연구 ▶ Part 3

신체검사상, 환자의 의식 상태와 ABS는 여전히 안정적이다. 폐 청진상 깨끗하고, 심박수는 감소하였지만 여전히 불규칙한 상태로, 빈맥과 심방조기수축 소견을 나타내고 있다. 당신은 환자의 혈압을 재고, 맥박산소측정법으로 산소 포화도(Spo₂)를 측정한다. 혈당 수치는 90 mg/dL로 정상 범주에 속한다.

환자는 누워있는 동안 어지러운 증상은 줄었지만, 이제는 오한이 들기 시작하고 다리에 근육경련을 느끼고 있다고 말한다.

기록한 시간: 10분	
외형	얼굴색이 약간 돌아오고 있음
의식 수준	명료(사람, 시간, 날짜에 지남력이 있음)
기도	개방
호흡	명백한 위험은 없음
순환	창백하지만, 수건으로 닦은 후에 건조하게 유지
맥박	110회/분, 주기외박동은 감소
혈압	100/66 mmHg
호흡	20회/분, 규칙적
SpO₂	98%

6. 체액 손실의 일부를 보충하기 위해서, 어떤 용액을 주입해야만 합니까?

7. 환자의 명백한 탈수증상 때문에, 정상 범주에서 벗어날 가능성이 가장 큰 혈액내 전해질 두 종류는 무엇입니까?

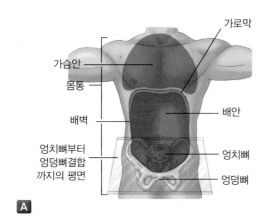

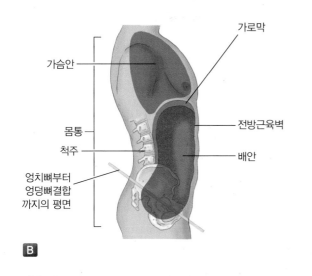

그림 2-14 가슴, 배, 골반안. **A.** 전면도. **B.** 후면도

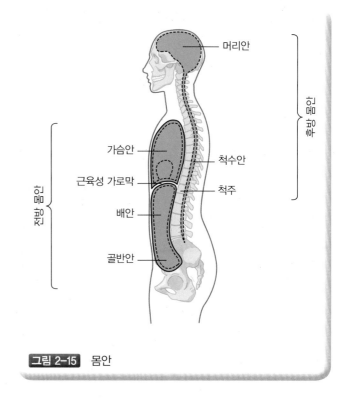

그림 2-15 몸안

- 대기 중 산소 농도의 감소(일산화탄소 중독)
- 혈색소 기능의 손실(일산화탄소 중독)
- 적혈구 수의 감소(출혈)
- 호흡기계 또는 순환기계의 질환(만성 폐쇄성 폐질환)
- 시토크롬(산소를 ATP로 전환하는 사립체 단백질)의 손실(시안화물 중독)

저산소증이 세포에 유해한 영향을 끼치지만, 손상이 단지 거기서 멈추지는 않는다. 몇 초 이상 저산소증에 노출된 세포는 매개체를 생산하여 부근 또는 멀리 떨어진 부위에 손상을 입히게 된다. 그 결과, 매개체는 더 많은 세포에 손상을 입히고, 저산소증이 더 심해지며, 더 많은 매개체가 생산되는 일련의 양성되먹임 순환이 일어난다. 따라서, 광범위하고 잠재적으로 치명적인 조직 손상이 발생한다.

■ 세포 손상

세포 손상(cellular injury)은 다양한 원인에 의해 일어날 수 있다; 저산소증(산소 결핍), 허혈(혈액공급의 부족), 화학적 손상, 감염에 의한 손상, 면역(과민증)에 의한 손상, 물리적 손상(기계적 손상), 염증성 손상.

세포 손상과 사망의 징후는 손상된 세포의 수와 유형에 따라 다르게 나타난다.

■ 저산소증

저산소증(hypoxia)은 흔하고(종종 치명적인) 세포 손상의 한 원인으로, 다음의 경우들에 발생한다.

■ 화학적 손상

독극물, 납, 일산화탄소, 에탄올, 약제 등의 다양한 화학물질이 세포를 손상시키고 결국은 파괴할 수 있다. 흔한 독극물로는 시안화물과 제초제가 있다. 시안화물은 사립체에서 산화인산화를 차단하고 산소의 대사를 저해하여 세포 저산소증을 유발한다. 제초제는 아세틸콜린에스테르 분해효소를 차단하여, 신경 충격의 전달을 방해한다.

■ 감염에 의한 손상

감염에 의한 세포 손상은 박테리아, 진균, 바이러스의 침입에 의해 일어난다. 박테리아는 세포에 직접 작용하거나 독소를 생산하여 손상을 일으킨다. 바이러스는 염증반응을 유도하여 세포손상에 이르게 하고, 환자의 증상이 발현된다.

■ 면역과 염증성 손상

염증은 박테리아의 침입없이 일어날 수 있는 보호 반응이다. 감염은 세포나 조직 손상을 초래하는 미생물의 침입으로, 이는 염증 반응에 이르게 된다. 면역계는 박테리아나 바이러스와 같은 외부 유기체를 공격하고 제거하는 방어기전에 의해 신체를 보호한다.

세포막은 면역/ 염증 과정의 구성요소들—포식세포(림프구, 대식세포), 히스타민, 항체, 림포카인 등—과 직접 접촉하여 손상될 수 있다. 세포막이 변형될 때, 칼륨은 세포 밖으로 세어나오고 물은 세포 안으로 흘러들어간다. 그 결과 세포의 팽창이 일어나고 핵막, 세포소기관의 막, 세포막은 모두 파열되어, 세포사에 이를 수 있다. 세포 팽창과 막 파열의 정도는 면역과 염증 반응의 정도에 의해 결정된다.

■ 추가 요인

유전적 요인, 영양 불균형, 물리적 요인 또한 세포 손상과 세포사를 유발할 수 있다. 유전적 요인으로는 다운증후군과 같은 염색체 질환이 있다. 인체에서 비정상 유전자의 발현은 두 가지 방법에 의해 일어난다: (1) 감수분열 동안 유전자의 돌연변이 (2) 유전.

좋은 영양상태는 건강을 유지하고 세포가 질병에 맞서 싸울 수 있도록 돕는다. 세포와 유기체에 손상을 입힐 수 있는 영양학적 질환의 예로는 비만, 영양부족, 비타민 과다 또는 결핍, 무기질 과다 또는 결핍 등이 있다. 이러한 상태의 결과, 신체 성장의 변형, 정신적/지적 장애, 심지어 사망까지 이를 수 있다.

열, 추위, 방사선 등의 물리적 요인은 세포 손상을 일으킬 수 있다. 화상, 동상, 병, 종양 등을 예로 들 수 있다. 세포 손상의 정도는 해당 요인의 강도와 노출 기간에 의해 결정된다.

증례 연구 ▶ Part 4

이 환자의 적절한 처치는 산소 공급, 심박동 감시, 정맥내 수액 투여, 적절한 체위 유지, 병원으로 신속한 이송을 포함한다.

■ 요점 정리

- 세포는 인체의 기본이다.
- 하나의 세포는 원형질 또는 세포질이라 불리우는 무색 물질의 작은 덩어리이다.
- 세포막은 지질 이중층으로 구성되며, 이는 내세포 물질과 외세포 물질을 분리한다.
- 세포막의 투과성은 선택성이 있어서, 일부 물질만을 통과시킨다.
- 물질이 세포를 통과하는 방법으로는 확산, 삼투, 여과, 능동수송 등이 있다.
- 세포소기관은 원형질에 의해 지지되는 세포 내부 구조물들을 지칭한다.
- 세포핵은 세포의 신경 중추이고 DNA를 가지고 있다.
- 미세소관은 세포의 다양한 요소를 구성하고 세포의 움직임을 가능하게 하는 속이 빈 실같은 모양의 구조이다(편모, 섬모).
- 감수분열은 정자와 난자를 생산하는 특수화된 세포 분열이다.
- 조직은 상피, 결합, 근육, 신경 조직으로 분류되며, 각 유형은 특정 기능을 수행한다.
- 유사분열은 세포 핵의 분열이고, 세포질분열은 세포질의 분열이다. 난자와 정자를 제외한 모든 세포는 유사분열을 따른다.
- 기관이란 특정 기능을 위해 함께 작용하는 다양한 유형의 조직들을 일컫는다.
- 기관계는 공통의 목적을 가진 기관의 집단이다.
- 몸안은 기관과 기관계를 포함하는 텅 빈 공간이다.
- 세포 손상은 다양한 원인—저산소증, 화학적 손상, 감염 손상, 염증에 의한 손상—에 의해 초래될 수 있다.

■ 증례 연구 정답

1. 현장 평가와 일차 평가 결과를 근거로, 당신은 환자를 어떤 자세로 유지해야 합니까?

   답: 현장에 대한 평가는 마라톤 대회가 비정상적으로 따뜻한 기온과 높은 습도에서 개최되고 있다는 사실이다. 일차평가상, 비틀거리며 어지러움을 호소하는 창백하고 축축해 보이는 35세 여성으로 활력 징후 상 수치는 쇼크(shock) 소견을 보인다. 상기 환자의 주호소증상의 가장 가능한 원인은 과도한 수분 손실로 인한 쇼크이며, 부가적인 간접 원인들로는 심장의 문제, 저혈당, 열노출 등을 고려할 수 있다.

2. 일차 평가에서 어느 기관계가 비정상적 소견을 보입니까?

   답: 순환계, 근육계, 외피계

3. 이 환자에서 탈수의 병태생리학적 기전은 무엇입니까?

   답: 부적절한 수분 섭취와 따뜻한 기온의 영향으로, 땀을 통한 과도한 염분과 수분의 손실이다. 부적절한 수분과 전해질의 섭취와 과도한 땀배출은 탈수에 의한 저혈량쇼크(hypovolemic shock)를 일으킬 수 있다.

   수분은 외세포액 구획을 벗어나지만, 내세포 수분의 일부는 삼투현상에 의해 외세포 구획으로 들어와서, 외세포액과 내세포액의 삼투압을 동일하게 유지시킨다. 이 결과가 탈수이다.

4. 이 환자에서 어떠한 전해질 이상을 고려해야만 합니까?

   답: 과도한 염분의 손실인 저나트륨혈증(hyponatremia)으로, 근무력, 어지러움, 두통, 저혈압, 빈맥, 쇼크 등의 심각한 증상을 초래할 수 있다. 심각한 나트륨 손실은 혼동, 혼미, 혼수를 일으킬 수 있다. 또한 칼륨과 포도당의 이상도 고려해야 한다.

5. 당신은 다음으로 어디에 중점을 두고 이차 검진을 수행해야 합니까?

   답: 전해질 이상의 가장 흔한 원인은 체액 균형의 이상(탈수, 수분과다 등)과 약물의 복용이다. 이러한 이상을 인지하여 신속히 치료하지 못할 경우 환자에게 심각한 결과를 초래할 수 있다.

   환자의 정신상태, 기도, 호흡, 순환 등을 지속적으로 재평가하고, 심전도와 혈당을 측정하고, 활력징후를 연속적으로 확인한다. 정신상태의 변화, 심율동장애, 오심, 구토 등의 가능성을 경계해야 한다.

6. 체액 손실의 일부를 보충하기 위해서, 어떤 용액을 주입해야만 합니까?

답: 등장액(0.9% 생리식염수)이 적합하다. 등장액은 세포 및 체액과 동일한 삼투압을 가지므로, 세포가 수축하거나 팽창하지 않는다.

7. 환자의 명백한 탈수증상 때문에, 정상 범주에서 벗어날 가능성이 가장 큰 혈액내 전해질 두 종류는 무엇입니까?

답: 체액 균형과 연관된 전해질 이상의 가장 흔한 원인 중 하나는 환자의 탈수이다. 탈수와 수분과다의 경우에 고려해야할 두 가지 중요한 전해질은 나트륨과 칼륨이다.

뼈대계통
The Skeletal System

학습목표

1. 뼈대의 기능을 설명한다.
2. 뼈가 어떻게 분류되는지 설명하고, 각각의 예를 든다.
3. 관절이 어떻게 분류되는지 설명한다; 각각의 예를 들고, 가능한 운동을 기술한다.
4. 배아의 뼈대가 뼈로 대체되는 방식을 서술한다.
5. 뼈 성장에 필요한 영양소를 서술한다.
6. 뼈 성장과 유지에 관련된 호르몬을 명시한다.
7. 뼈를 위한 운동의 의미와 중요성을 설명한다.
8. 뼈대의 두 가지 주요한 세부구조를 말하고, 각 구조에 속한 뼈를 나열한다

Skidplate: © Photodisc; Cells © ImageSource/age fotostock

■ 서론

뼈대(골격)는 인체에 형태를 부여한다. 뼈대계통(골격계)은 206개의 뼈로 구성되고, 몸의 구조들을 지지, 운동, 보호하는 필수적 기능을 수행한다. 몸을 지탱하는 뼈대는 뼈와 결합조직—연골, 힘줄, 인대—으로 구성된다. 인체내 거의 모든 근육은 뼈에 부착되어 있다. 근수축은 관절에서 뼈의 움직임에 의해 일어난다. 뼈대 구조는 체내 가장 중요한 기관을 보호한다; 머리뼈는 뇌를 감싸고, 가슴우리(흉곽)내에는 심장, 폐, 가슴세로칸(종격)이 있다. 최종적으로, 뼈대계통은 혈액세포와 혈소판의 생성, 필수 무기질인 칼슘의 혈청 농도 조절 등과 같은 몇 가지 중요한 대사 기능을 수행한다.

특수한 경우에 알아두어야 할 점

골절은 노령인구에서 흔한데, 이는 골밀도 감소로 인해 뼈가 약해지기 때문이다.

■ 연골, 힘줄, 인대

연골, 힘줄, 인대는 중요한 결합조직으로 뼈와 함께 작용하여 뼈대의 틀을 지탱한다. 윤기나는 결합조직인 연골은 투명한 점성 관절액(윤활액)에 의해 부드럽게 유지된다. 윤활액은 관절의 윤활막에서 분비되어, 뼈가 자유롭게 움직일 수 있는 매끄러운 표면을 만들어준다. 이러한 윤활작용 뿐만 아니라, 윤활액은 감염에 저항하는 백혈구를 가지고 있고, 뼈를 덮고있는 연골에 영양을 공급한다. 윤활액은 관절

증례 연구　▶ Part 1

　당신과 동료는 지붕 작업을 하던 집주인이 진입로로 추락했다는 어느 공동주택으로부터의 호출에 대응한다. 한 이웃이 그가 소리치는 것을 듣고 나서 보니, 그는 이층 높이 지붕에서 미끄러 떨어지며 발이 땅에 먼저 닿고 있었다. 그 이웃이 진술하기를, 그는 머리를 부딪쳤으나 의식을 잃지는 않았다. 현장에 도착해보니, 안전하다고 판단된다. 일반적 인상은 남자가 심각한 통증을 호소하고, 다리에서 출혈이 있었다. 체액이 있으므로, 당신은 신중하게 표준 예방조치를 취한다.

　일차검진 결과, 유일한 즉각적 생명에 위협은 종아리 개방골절의 출혈이다. 당신은 직접 압박과 붕대를 이용해서, 출혈을 쉽게 막을 수 있다. 목고정장치(cervical collar)를 착용시키고, 비재호흡마스크를 15 L/min으로 맞추어 씌운다. 당신은 현장 경찰관에게 환자의 머리와 목의 도수 안정화의 유지를 보조하도록 부탁하고, 그동안 신속한 외상 검진을 시작할 준비를 한다. 상해기전(MOI)이 심각하고 환자가 통증을 호소하므로, 당신은 환자를 우선순위에 두고, 당신의 동료는 추가적 구조대의 현장 투입을 요청한다.

　당신의 동료는 첫 번째 기본 활력징후를 측정한다.

기록한 시간: 0분	
외형	다리 외상으로 명백한 통증을 호소하는 중년 남성
의식 수준	명료(사람, 시간, 날짜에 지남력이 있음)
기도	개방
호흡	정상
순환	창백하고 축축한 피부, 양 다리에서 출혈
맥박	110회/분, 약함
혈압	112/70 mmHg
호흡	20회/분, 규칙적
SpO$_2$	96%

1. 이 환자에서 가능한 뼈대계통 상해는 무엇입니까?
2. 환자 평가에서 당신의 다음 단계는 무엇입니까? 일차 평가에서 어느 계통이 비정상적 소견을 보입니까?

주머니(뼈를 둘러싸는 결합조직 주머니)와 뼈 사이 공간인 관절안에 존재한다. 몇 가지 유형의 연골이 있는데, 이 중 유리연골이 관절에서 가장 흔한 유형이다. 연골막이라 불리는 결합조직 이중층이 연골을 둘러싸고 있다.

힘줄은 흰색 치밀결합조직의 질긴 띠 구조로 골막과 연결되어 있다. 골막이란 관절면을 제외한 모든 뼈를 덮는 이중층의 막이다. 힘줄은 근육을 뼈에 연결한다. 인대는 뼈를 함께 결합시키는 질긴 흰색 조직의 띠이다. 힘줄과 인대는 빽빽히 들어찬 콜라겐 섬유와 꼬인 줄 모양의 단백질로 구성된다. 인대의 콜라겐 미세섬유는 흔히 힘줄에서 보다는 덜 치밀하다. 보통 인대는 힘줄보다 편평해서 판상의 조직을 형성한다. 뼈 말단이 부분적 또는 일시적으로 탈구되어, 주변 인대가 부분적으로 늘어나거나 찢어질 때 염좌가 발생한다. 염좌 후에, 관절면은 대개는 정상 정렬로 되돌아간다.

근육이 수축할때, 힘줄이 뼈를 당겨서 관절(두 개 이상의 뼈가 합쳐지는 지점)에서 움직임이 운동을 일어나게 한다. 근육긴장, 근육결림은 근육이 늘어나거나 찢어질 때 발생하며, 주변 연조직의 통증, 부종, 멍을 동반한다. 근육긴장에서 인대나 관절의 손상은 발생하지 않는다. 염좌와 근육긴장은 중증도와 검진상 소견에 따라 등급이 나뉜다 표 3-1.

■ 뼈의 분류

뼈는 모양에 따라 분류된다 그림 3-1. 긴뼈(장골)는 너비보다 길이가 더 길고, 상지와 하지의 대부분의 뼈를 포함한다(넙다리뼈, 정강뼈, 종아리뼈, 자뼈, 노뼈, 위팔뼈). 짧은뼈(단골)는 대략 넓이와 길이가 비슷하고, 흔히 입방형 또는 원형이다(손목과 발의 뼈). 넙적뼈(편평골)는 상대적으로 얇고 편평하다(머리뼈 일부, 갈비뼈, 복장뼈, 어깨뼈).

뼈대(골격)는 몸통인 뼈몸통(골간), 말단인 뼈끝(골단),

표 3-1 ▶ 근육긴장과 염좌의 유형

근육긴장등급(GradeStrains)	손상의 정도	임상소견과 예후
Grade I	최소 손상	부종없는 압통 좌상이나 만져지는 결함이 없음 능동적 수축과 수동적 이완 시 통증 예후 양호하고 장애는 경미함
Grade II	중증도 손상	부종을 동반한 압통 경도-중증도 좌상 수동적 운동과 능동운동시도 시 통증 관절 운동범위 제한 예후는 대개 양호하고 장애는 경미하지만, 긴 재활을 필요로 함
Grade III	근육, 힘줄의 완전한 파열	부종을 동반한 극심한 압통 만져지는 결함 근 기능의 완전한 손실 수동적 이완 시 통증의 증대 없음(신경 섬유의 완전한 파열) 예후는 다양(수술을 요할 수도 있음) 장기적인 재활을 필요로 함
염좌(Sprains)		
Grade I	최소 손상	부종없는 압통 좌상은 없음 능동적, 수동적 운동범위는 통증을 동반 예후는 양호하고, 관절의 불안정이나 기능손실은 예상되지 않음
Grade II	중증도 손상	중증도의 부종과 좌상 압통이 심하고, grade I에 비해 더 넓은 범위의 압통 운동범위는 제한되고, 심한 통증을 동반 관절의 불안정과 기능 손실이 일어날 수 있음
Grade III	인대의 완전한 파열	심한 부종과 좌상 운동범위의 비정상적 증대(인대의 완전 파열 때문)를 동반한 구조적 불안정성 수동적 운동범위 시 통증은 낮은 grade보다 경미할 수 있음(신경섬유의 완전한 파열) 수술을 요하는 심각한 구조적 손상 가능성

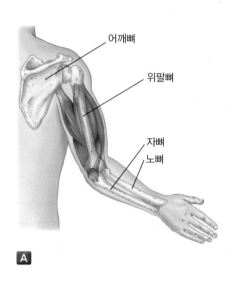

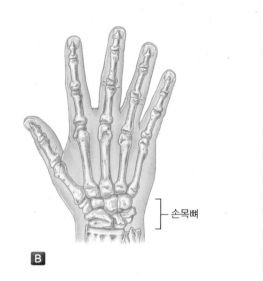

그림 3-1 뼈는 모양에 따라 분류된다. **A.** 어깨뼈는 넙적뼈이고, 위팔뼈, 자뼈, 노뼈는 긴뼈이다. **B.** 손목뼈는 짧은뼈이다.

그리고 성장판(성장기에 뼈 길이성장의 주요부위)으로 구성 된다 **그림 3-2**. 성장판은 뼈대 성장 말기에 닫히고, 일부 성 인 뼈에 성장흔을 남긴다. 성장판은 뼈끝 옆에 위치한다. 골 간단은 뼈몸통과 뼈끝 사이에 나팔모양 부위이다. 이중층의 결합조직으로 이루어진 골막은 뼈의 바깥쪽 표면을 덮고 있 고, 골내막은 안쪽 표면을 덮고 있다.

대부분의 뼈의 몸통에는 골수를 가지고 있는 골수강이 있다. 성인에서, 대부분 팔다리 긴뼈의 골수는 지방조직을 함유하여 황색골수라고 불린다. 몸통뼈대(축골격)와 뼈이음 구조의 뼈에는 적색골수가 있는데, 여기서 대부분의 적혈구 가 만들어진다.

두 가지 주요 유형의 뼈는 치밀뼈와 해면뼈이다. 치밀뼈 는 공간이 거의 없이 대부분 단단하다; 해면뼈는 잔기둥이 라 불리는 뼈기둥의 그물조직으로 이루어진다. 잔기둥은 하 중의 방향을 따라 배열되어, 긴뼈의 체중지지 능력을 증대 시킨다.

혈관은 일반적으로 잔기둥을 뚫고 들어가지 않으므로, 해면뼈는 소관을 통해 영양소를 공급받는다. 그러나, 혈관 은 치밀뼈를 직접 뚫고 들어간다. 층판은 골원 또는 하버스 계라고 불리는 단위 내에서 혈관 주변을 따라 배열된다. 하 버스관의 혈관은 관통관이라 불리는 일련의 혈관에 의해 서 로 연결된다 **그림 3-3**.

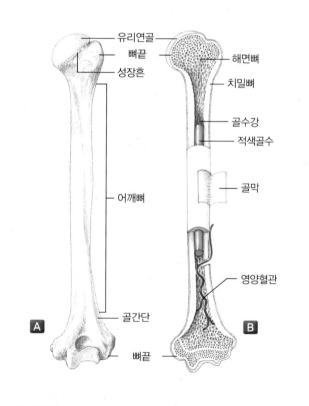

그림 3-2 긴뼈의 구성요소. **A.** 위팔뼈 그림. 긴 몸통과 이완 된 말단부에 주목. **B.** 치밀뼈, 해면뼈, 골수를 보여주는 위팔뼈의 종단면

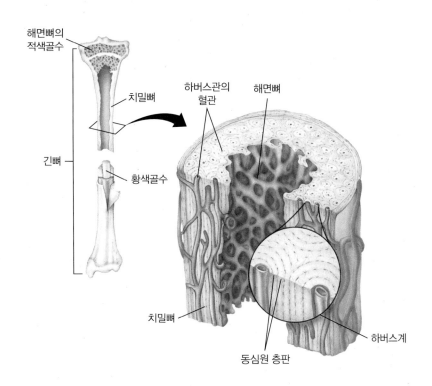

해면뼈의
적색골수

치밀뼈

긴뼈

황색골수

하버스관의
혈관

해면뼈

치밀뼈

동심원 층판

하버스계

그림 3-3 뼈의 몸통(골간); 세 가지 단계로 보여짐. 뼈의 몸통은 빽빽하고 치밀하여, 뼈를 강하게 만든다. 뼈끝과 긴뼈(장골) 내 골강의 내부면은 해면 구조로, 개방된 격자무늬 구역이다. 뼈끝에 격자를 채우고 있는 적색골수 내에서 혈액세포가 만들어진다. 원형 삽화는 동심원 층판을 가진 하버스계를 확장해서 보여준다. 황색골수는 긴뼈 몸통의 골강을 채우고 있다.

뼈는 두 가지 방식으로 성장한다: 부가성장(뼈의 표면에서 새로운 뼈의 형성), 또는 연골내성장(성장판에서 연골이 성장하여 결국에는 뼈로 대체됨). 사람이 성장하면서, 오래된 뼈는 파골세포에 의해 제거되고 새로운 뼈는 골모세포에 의해 침전되어 뼈의 모양이 변하게 되는데, 이 과정을 뼈재형성이라고 한다.

임상에 유용한 정보

특정 약물에 대한 부작용(예, 비스테로이드성 소염제 NSAIDs) 또는 항암 화학요법을 받는 환자에서 골수 억제나 골수 기능장애가 발생할 수 있다. 이런 환자들의 경우, 골수에서 생산되는 세포 수의 감소로 인한 빈혈, 감염에 저항하는 백혈구 수의 감소에 의한 감염에 취약성, 혈소판 수의 감소에 따른 내부/외부 출혈 경향 등의 증상이 나타날 수 있다.

■ 관절

관절은 뼈 사이의 집합부로 작용하고 구조와 기능에서 매우 다양하다 **그림 3-4**. 관절은 운동의 방식과 관절내 뼈를 결합시키는 조직의 유형에 따라 분류된다.

관절은 움직일 수 없는(부동관절), 약간 움직일 수 있는(불전동관절), 자유롭게 움직일 수 있는(가동관절)로 분류된다. 또한, 관절 내 조직의 유형에 따라서도 분류될 수 있다; 섬유관절, 연골관절, 윤활관절. **표 3-2**는 관절의 기능적 분류를 보여준다.

인체 내 230개 관절을 요약하면 다음과 같다.

- **섬유관절** 서로 근접한 뼈 사이에 위치하여 얇고 치밀한 결합조직에 의해 연결된다. 섬유관절의 예는 머리뼈의 편평한 뼈 사이의 봉합이다. 대부분의 섬유관절에서 움직임은 일어나지 않으므로 부동관절로 분류된다. 제한된 움직임이 가능한 관절(불전동관절)의 예는 정강뼈 먼쪽 부위와 종아리뼈 사이 관절이다.

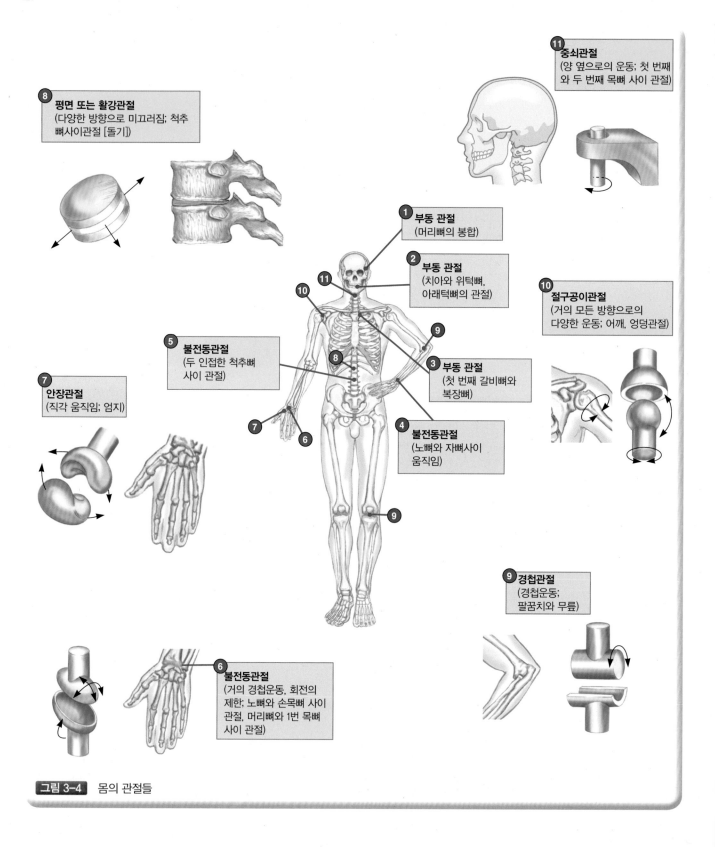

⑧ 평면 또는 활강관절
(다양한 방향으로 미끄러짐; 척추 뼈사이관절 [돌기])

⑪ 중쇠관절
(양 옆으로의 운동; 첫 번째 와 두 번째 목뼈 사이 관절)

① 부동 관절
(머리뼈의 봉합)

② 부동 관절
(치아와 위턱뼈, 아래턱뼈의 관절)

⑩ 절구공이관절
(거의 모든 방향으로의 다양한 운동; 어깨, 엉덩관절)

⑤ 불전동관절
(두 인접한 척추뼈 사이 관절)

⑦ 안장관절
(직각 움직임; 엄지)

③ 부동 관절
(첫 번째 갈비뼈와 복장뼈)

④ 불전동관절
(노뼈와 자뼈사이 움직임)

⑨ 경첩관절
(경첩운동; 팔꿈치와 무릎)

⑥ 불전동관절
(거의 경첩운동, 회전의 제한; 노뼈와 손목뼈 사이 관절, 머리뼈와 1번 목뼈 사이 관절)

그림 3-4 몸의 관절들

- **연골관절** 유리연골 또는 섬유연골에 의해 연결되는 관절로, 척추뼈를 분리하는 관절이 속한다. 각각의 척추사이원반(추간판)은 연골관절의 예로서, 경미한 유동성을 지닌다.

표 3-2 ▶ 관절의 기능적 분류

유형	설명	예
불전동관절		
섬유: 봉합	섬유성 연결과 교합돌기	머리뼈 뼈 사이
섬유: 못박이관절	섬유성 연결과 이틀돌기내 삽입	치아와 턱 사이
연골: 유리연골결합	연골판 삽입	뼈끝 연골
골 유합	관절의 형태를 단단한 뼈로 전환	머리뼈 일부, 뼈끝선
가동관절		
섬유: 인대결합	인대의 연결	정강뼈와 종아리뼈(비골) 사이
연골: 섬유연골결합	섬유연골 패드를 통한 연결	두덩뼈(치골)와 골반 사이; 척추뼈 사이
부동관절		
윤활	윤활액을 지닌 관절주머니내 복합 관절	다수; 운동범위에 따라 세부 분류
주축	한 평면에서의 움직임	팔꿈치, 발목
이축	두 평면에서의 움직임	갈비뼈, 허리
삼축	세 평면에서의 움직임	어깨, 엉덩관절

■ **윤활관절** 자유로운 움직임이 가능하고(가동관절), 다른 유형보다 더 복잡하다. 바깥층의 인대(관절주머니)와 내층의 윤활막을 포함하며, 윤활막은 관절을 부드럽게 해주는 윤활액을 분비한다. 일부 윤활관절은 반달연골이라 불리는 충격을 흡수하는 섬유연골 패드를 가지고 있다. 또한 액체로 차있는 주머니(윤활주머니)가 있기도 하는데, 이 윤활주머니는 대개 힘줄과 밑에있는 뼈 돌출부 사이에 위치한다(무릎이나 팔꿈치).

윤활관절은 다음과 같이 분류된다.
■ **절구관절** 관절과 엉덩관절(고관절)
■ **융기(타원)관절** 손허리뼈와 손가락뼈 사이
■ **활강(평면)관절** 손목과 발목
■ **경첩관절** 팔꿈치와 마디뼈
■ **중쇠관절** 노뼈 몸쪽부위와 자뼈 사이
■ 안장관절 손목뼈와 엄지의 손허리뼈 사이

병태생리학

윤활주머니염은 비교적 흔한 윤활주머니의 염증이다. 그러나, 윤활주머니와 관절 내 액체는 박테리아로 감염될 수 있고, 이는 항생제 치료와 잠재적으로 외과적 수술을 위해 입원치료를 요한다. 가장 흔한 어깨 질환은 견봉하낭염과 연관된 극상건염이다. 견봉하낭은 어깨관절의 바로 위쪽, 견봉돌기 아래에 위치한다. 극상건은 윤활주머니 바닥 아래쪽을 지난다. 힘줄의 염증(건염)은 위쪽을 덮고 있는 윤활주머니에도 동시에 염증을 일으켜, 심한 어깨통증이 발생하고 잠재적으로 장애를 남길 수 있다.

동결견(유착관절주머니염)에서는 어깨관절에서 상지를 움직이는 능력이 감소하는데, 외상의 과거력이 있는 40세 이상 성인에서 가장 흔히 발생한다. 또한 두갈래근과 회전근띠(회전근개)의 건염은 위쪽을 덮고있는 어깨 윤활주머니를 자극할 수 있다. 동결견과 건염 모두, 과도한 반흔 조직이 위팔뼈 몸쪽부위와 관절오목과 관절면에서 형성되어, 어깨관절 주변 운동을 제한한다. 환자들은 종종 이로인한 통증과 뻣뻣함을 호소하며 병원을 찾게되지만, 이런 증상의 발현은 이미 운동범위 손실이 많이 진행된 후에 나타난다. 이 시점에서, 통증은 잠을 설칠 정도로 심할 수 있다. 운동의 제약을 예방하는 것이 최선의 치료이며, 이를 위해서는 비교적 가벼운 어깨 부상의 경우 부동화 기간을 최소화하고, 조기 팔꿈관절 운동을 장려해야 한다(특히, 노령 환자의 경우). 종종 노령 환자에서, 다친 팔을 장기간 팔걸이에 고정하여 어깨운동을 제한한 경우, 동결건이 발생할 수 있다. 어깨관절에 스테로이드 주입으로 일부 효과가 있을 수 있지만, 이 질환의 진행 과정은 아주 다양하다. 동결건은 수개월 후에 호전될 수도 있지만, 장애를 남기거나 영구적인 운동의 제약을 가져올 수도 있다.

외상으로 인한 어깨관절 인대의 파열로 위팔뼈머리(상완골두)가 관절오목 전방, 후방, 하방을 향해 미끄러져 나올 때, 어깨 탈구가 발생한다. 넘어져서 생기는 전방탈구가 가장 흔한 유형이다. 어깨탈구는 응급의료에서 볼 수 있는 가장 흔한 관절탈구 중 하나이며, 합병증을 동반할 수 있으므로, 신속한 진단과 치료가 필수적이다. 어깨관절은 매우 자유로운 움직임이 가능하지만, 본질적으로 불안정하다. 관절오목(관절와)는 상대적으로 얕다. 회전근건과 위팔두갈래근 긴갈래는 전–상 탈구를 예방한다. 하지만, 회전근개는 하부로 연장되지 않으므로, 오직 관절주머니인대가 위팔뼈머리를 잡아주게

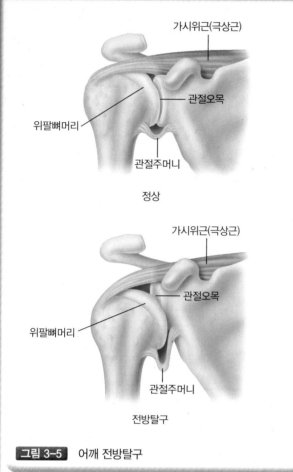

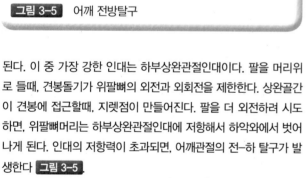

가시위근(극상근)

관절오목

위팔뼈머리

관절주머니

정상

가시위근(극상근)

관절오목

위팔뼈머리

관절주머니

전방탈구

그림 3-5 어깨 전방탈구

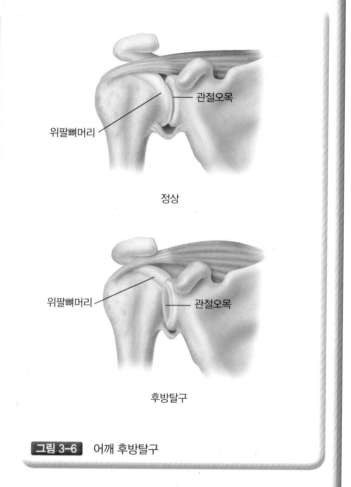

관절오목

위팔뼈머리

정상

위팔뼈머리

관절오목

후방탈구

그림 3-6 어깨 후방탈구

된다. 이 중 가장 강한 인대는 하부상완관절인대이다. 팔을 머리위로 들때, 견봉돌기가 위팔뼈의 외전과 외회전을 제한한다. 상완골간이 견봉에 접근할때, 지렛점이 만들어진다. 팔을 더 외전하려 시도하면, 위팔뼈머리는 하부상완관절인대에 저항해서 하악와에서 벗어나게 된다. 인대의 저항력이 초과되면, 어깨관절의 전-하 탈구가 발생한다 **그림 3-5**.

전방 어깨탈구의 전형적 매커니즘은 회전근개에 심한 압박을 가하는데, 특히 극상건, 관절테, 관절주머니, 안정화 인대, 위팔뼈머리 등에 심한 긴장을 준다. 겨드랑이를 지나는 신경혈관구조에도 부가적인 압박이 가해진다.

후방탈구의 결과, 위팔뼈머리가 뒤쪽으로 탈구된다. 후방탈구에서, 전방에 놓인 어깨밑근(견갑하근)과 힘줄은 위팔뼈머리에 심한

압박을 가하게 되고, 결과적으로 임상진찰 소견상 외회전이 뚜렷이 줄어든 위팔뼈머리의 외회전을 볼 수 있다. 일반적 상해의 기전은 내회전과 내전이다. 직접적인 물리적 힘 에 의해서도 후방탈구가 생길 수 있다 **그림 3-6**. 때로는 발작의 결과 후방전위가 발생하기도 한다. 후방탈구는 전방탈구에 비해 훨씬 드물다.

전방 또는 후방 어깨 탈구와 연관된 합병증으로는 혈관 손상, 신경 손상, 재발, 진단을 놓친 경우, 탈구 관절증(관절염) 등이 있다. 비수술적 치료의 표준—재활을 동반 또는 재활 없이 고정—으로 치료받은 젊은 환자에서 재발성 탈구의 발생률이 높다. 전방탈구가 후방탈구에 비해 재발률이 높다. 운동 중 탈구된 젊은 남자 환자의 재발률은 90%에 달하므로, 젊은 환자들은 재발 방지를 위해 종종 수술을 필요로 한다. 연령이 높을 수록 재발의 위험은 낮다.

■ 뼈의 성장과 발달

뼈는 혈액 공급을 필요로하는 세포를 가진 살아있는 물질이다. 자궁내에서 수정후 처음 6주 동안 뼈가 형성되기 시작한다. 막내골화는 시트같은 모양의 결합조직 층 사이에서 시작된다. 막내 뼈의 예는 머리뼈의 넓고 편평한 뼈이다. 향후 뼈가 성장할 부위에서 분화되지 않은 결합조직이 형성될 때, 막내 뼈가 발달되기 시작한다. 뼈를 생성하는 세포(골모세포)가 성장하면서, 주변으로 뼈 기질이 침전된다. 외세포 기질이 골모세포를 둘러싸게 되면, 골세포라고 지칭한다. 주변 막 조직은 골막을 형성하기 시작한다. 골막 내부에서, 골모세포는 새로운 해면뼈 위로 치밀뼈 층을 형성한다.

연골내뼈는 연골 덩어리로 시작되어 결국에는 뼈조직으로 대체된다. 이런한 뼈는 앞으로 성장할 뼈와 유사한 모양의 유리연골에서 발달한다 그림 3-7. 처음에는 빠르게 성장하고, 모양이 변화되기 시작한다. 해면뼈가 원래 연골을 대체하기 시작할 때, 일차골화중심이 생성되어, 뼈조직이 말단을 향해 바깥쪽으로 성장한다. 결국, 이차골화중심이 뼈 끝에서 나타나게 되고, 더 많은 해면뼈를 형성한다.

태아 발달 첫 6주 동안, 뼈대계통은 연골로 되어있다. 태아기와 소아기 전반에 걸쳐서, 뼈의 크기가 대단히 증가한

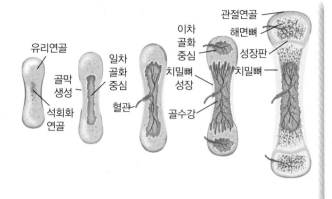

그림 3-8 연골내뼈 발달의 주요 단계

출처: Adapted from Shier, D. N., Butler, J. L., and Lewis, R. *Hole's Essentials of Human Anatomy & Physiology*, 10th ed. New York, NY. McGraw-Hill Higher Education, 2009.

다 그림 3-8. 뼈성장은 청소년기를 통해 지속된다. 다른 조직을 뼈로 대체하는 과정을 뼈되기(골화)라고 하는데, 이 과정에서 칼슘염이 침전된다.

골형성이란 뼈의 형성이다. 긴뼈는 처음에 유리연골에서 형성되고, 나중에 골조직으로 대체되어 치밀뼈가 된다. 이 과정은 긴뼈의 몸통에서 시작되고 뼈끝에서 끝난다. 이러한 골형성 과정을 연골내골화라고 한다.

넙적뼈는 이러한 방식으로 형성되지 않는다. 넙적뼈는 결합조직막에서 성장하여 해면뼈로 대체되고, 다시 치밀뼈로 대체된다. 이러한 과정을 막내골화라고 한다.

뼈가 성장할때, 뼈몸통(골간)과 뼈끝(골단)은 성장판이라 불리는 구조에서 만나게 된다. 성장판은 네 개의 연골 층으로 이루어진다: 예비연골, 증식연골, 비대연골, 석회화기질. 긴뼈의 성장은 영양 상태와 성장호르몬(hGH)을 포함한 몇 가지 호르몬에 의존한다. 성장호르몬은 연골세포와 골세포가 복제되어 세포간 기질을 축적하도록 유도하고, 또한 기질내 무기질의 침전을 촉진하여, 골격의 성장 속도를 증가시킨다. 성장호르몬은 근육의 성장 또한 촉진한다. 긴뼈의 성장에 관여하는 다른 호르몬으로는 갑상선호르몬, 에스트로겐, 테스토스테론 등이 있다. 성장판이 한번 닫히게 되면, 긴뼈는 더 이상 성장하지 않는다 그림 3-9. 뼈의 길이 증가는 넓이의 증가에 의해 균형이 맞추어진다. 체내에서 뼈모세포(골모세포)와 뼈파괴세포(파골세포) 활동의 균형이 이루어져, 뼈는 균등하고 균형있게 성장하게 된다.

뼈의 발달, 성장, 복구는 영양, 호르몬, 운동에 영향을 받는다. 또한 뼈는 무기질, 특히 칼슘의 저장 부위이고, 혈액 세

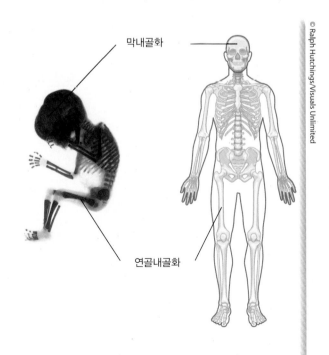

그림 3-7 막내골화로 넙적뼈가 발달한다. 연골내골화로 긴뼈가 생성된다.

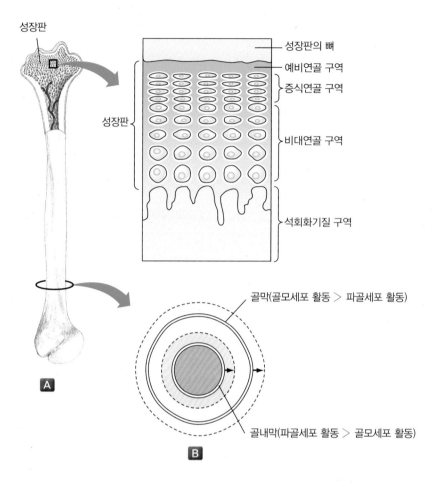

성장판

성장판의 뼈
예비연골 구역
증식연골 구역

성장판

비대연골 구역

석회화기질 구역

A

골막(골모세포 활동 > 파골세포 활동)

골내막(파골세포 활동 > 골모세포 활동)

B

그림 3-9 **A.** 길이성장은 성장판이 닫히는 사춘기까지 성장판에서 일어난다. **B.** 직경의 성장은 골막과 골내막에서 골모세포와 파골세포 활동비율의 변화를 수반한다.

포와 혈소판의 생성에 역할을 한다. 뼈는 칼슘과 인산염을 함유하는 무기질 화합물인 수산화인회석과 콜라겐으로 이루어진다. 뼈에서 콜라겐섬유는 콘크리트 건축물에서 철근과 같은 역할로, 뼈에 유연성 있는 강도를 부여한다. 뼈의 무기질 성분은 체중을 지지하는 힘을 제공하는 건축물의 콘크리트 같은 역할을 한다. 필요한 양의 무기질이 없는 뼈는 매우 유연하다; 충분한 콜라겐이 없는 뼈는 아주 부러지기 쉽다. 비타민D는 소장에서 칼슘의 흡수에 필요하다. 비타민D가 없으면, 칼슘은 잘 흡수되지 않으므로, 뼈가 약해지고 변형을 가져올 수도 있다. 뇌하수체에서 분비되는 성장호르몬은 성장판에서 세포분열은 촉진하고, 성호르몬은 이러한 성장판의 골화를 자극한다. 운동은 뼈를 자극해서 두껍고 강하게 만든다. 신체활동이 줄어들고 장기간 앉아서 지내게 되면, 뼈 두께가 줄어든다. 칼슘이 풍부한 음식, 비타민D, 운동은 모두 뼈 건강을 유지하고 뼈엉성증(골다공증)을 예방한다.

특히 폐경기 여성에서 체중부하운동과 더불어 에스트로겐, 칼슘수치를 효율적으로 유지하는 것은 골밀도 저하와 골다공증을 늦추는 중요한 요인이다.

■ 골절

골절은 뼈가 부러진 것이다. 더 정확히 표현하면 뼈의 연속성의 단절이다. 뼈가 골절될 때, 손상된 혈관에서 나온 혈액은 혈괴를 형성한다. 수일 이내에, 섬유모세포는 단백질과 콜라겐을 분비하여, 골절부 사이에 결합조직의 망을 형성한다. 연골모세포는 그물 내에서 연골을 생성한다. 회복 부위에서는 골절부 주변으로 삼출액과 결합조직의 덩어리인 가골이 형성되고, 치유 과정동안 뼈로 전환된다. 이때, 주변 정상 뼈의 골모세포가 여기로 들어와서, 해면뼈 잔기둥을 형성한다. 시간이 지나면서 뼈 재형성이 일어나고 해면뼈는 치밀뼈로 대체된다. 이 시점에서 치유가 완료되는데, 대개는 상해 4~6주 이후로, 골절 부위와 중증도에 따라 다르다.

골절은 폐쇄 또는 개방골절로 분류된다. 폐쇄골절은 골절부 말단이 피부를 뚫고 나오지 않은 골절이다. 개방골절은 골절부를 덮는 피부가 관통될 때 발생한다. 개방골절은 내부에서 외부로 일어날 수도 있고(골절부 말단이 피부를 뚫고 나올 때), 또는 외부에서 내부로 발생할 수도 있다(어떤 물체가 피부를 관통해서 이차적으로 아래쪽 뼈의 골절을 일으키는 경우). 또한 골절은 뼈가 정상 위치에서 벗어났는지 여부에 따라 분류되기도 한다; 비전위골절 vs. 전위골절 그림 3-10. 개방골절은 감염에 취약하여 반드시 외과적으로 죽은 조직을 제거해야 한다.

의료진은 특정 유형의 골절을 기술하기 위해 다음의 특수한 용어들을 사용한다 그림 3-11.

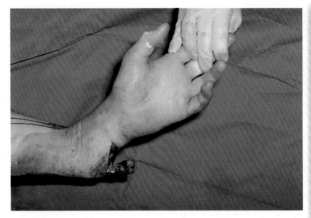

© Medical-on-Line/Alamy Images

그림 3-10　개방골절에서 뼈 말단부가 피부를 뚫고 나옴

■ 생나무(불완전굴곡)골절: 뼈 몸통중간까지만 가로지르

증례 연구　▶ Part 2

신속한 검진을 수행하는 동안, 다음의 중요한 소견을 발견한다.

■ 머리: 환자는 머리에 명백한 외상을 입지 않았다.

■ 목: 목에 뚜렷한 외상은 발견되지 않지만, 환자는 목뼈에 통증과 동통을 호소한다.

■ 가슴부위: 청진상 숨소리는 양 폐에 동일하고, 갈비뼈과 복장뼈에 통증이나 압통이 없다.

■ 배부위: 사분역 검진상 통증이 유발되지 않는다.

■ 골반: 뚜렷한 부종이나 변형은 없지만, 환자는 골반이음구조에 통증을 호소한다.

■ 팔다리: 양측 하지에 개방골절이 있다. 상지에는 찰과상이 있으나, 더 심각한 외상의 증거는 없다. 팔다리 모두에서, 먼쪽부위 맥박, 운동신경기능, 감각신경기능이 정상이다.

■ 등과 볼기부위: 최소한의 움직임으로 조심스럽게 검사한 결과, 허리뼈 부위 압통을 제외하고는 변형 소견은 보이지 않는다.

추가 응급구조대가 도착해서 환자 이송을 도울 인력이 많아졌다. 환자 외상의 중증도와 출혈로 인한 쇼크 가능성 때문에 당신과 팀은 환자의 다리에 조심스럽게 부목을 댄 후, 환자를 척추교정판 위로 옮긴다. 환자는 심한 통증을 호소하지만 의식은 명료하다. 당신이 병원으로 이동하는 동안 당신의 동료는 두 개의 직경이 넓은 정맥주사선을 통한 수액공급을 준비중이다.

기록한 시간: 5분	
외형	여전히 심한 통증
의식 수준	명료(사람, 시간, 날짜에 지남력이 있음)
기도	개방, 확보됨
호흡	정상
순환	여전히 매우 창백하고 축축한 피부, 양 다리에서 출혈은 지혈됨

3. 척추의 구성요소를 서술한다.

4. 이 환자의 잠재적인 척추 상해는 무엇입니까?

는 불완전골절이지만, 심하게 각진 부위를 만든다; 소아에서 생긴다.

- 분쇄골절: 뼈가 두 개 이상의 조각으로 부러지는 골절이다.
- 병적골절: 골다공증이나 악성종양 환자에서 처럼, 최소한의 힘에 의해서 약하거나 질환이 있는 뼈가 부러지는 골절이다.
- 뼈끝골절: 소아의 뼈 성장부에서 발생하는 골절로, 성장에 이상을 초래할 수 있다.
- 경사골절: 뼈를 가로질러 사선으로 부러지는 골절. 대개는 뼈에 예각의 타격이 가해질 때 발생한다.
- 가로골절: 뼈에 직선으로 가로질러 발생하는 골절. 대개는 직접적 가격이나 장시간 달리기에 의한 피로골절의 결과 발생한다.
- 나선형골절: 비트는 힘에 의해 일어나는 골절로, 뼈주위와 뼈를 관통해서 경사골절의 원인이 된다. 아주 어린 소아에서 신체적 학대와 연관되는 경우도 있다.
- 불완전골절: 완전히 뼈를 관통하지 않는 골절; 비전위 부분 골절이다.

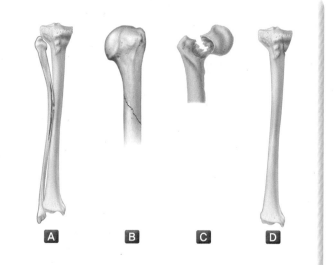

그림 3-11 골절을 기술하는 특수용어들. A. 생나무골절. B. 경사골절. C. 병적골절. D. 불완전골절

병태생리학

대부분의 골절이 별탈없이 치유되지만, 합병증은 발생할 수 있다. 골절의 직접적 결과인 합병증으로는 감염, 골수염, 골괴사, 부정유합 등이 있다. 감염은 개방골절 또는 외과적 치료를 받은 폐쇄골절 후에 일어날 수 있다. 골수염은 뼈에 발생한 감염이다. 적정 기간 후에도 골절이 치유되지 않는 경우, 지연유합, 불유합과 관련된 합병증이 생길 수 있다. 골괴사는 부적절한 혈액공급으로 인해 뼈 일부가 죽는 경우이다. 불유합은 뼈가 불완전한 정렬로 치유된 상태이다.

골절의 직접적 결과라기보다는 관련 손상에 의해 발생한 합병증으로는 주요 혈관, 신경, 내부장기, 힘줄 등의 손상, 외상후 관절염, 지방색전증 등이 있다.

임상에 유용한 정보

개방골절에서 뾰족한 뼈 말단이 피부를 뚫고 나온 경우, 지혈이 필요하다. 이러한 상해의 치료과정에서 혈액 노출에 대한 표준 예방조치 뿐만 아니라, 날카롭고 뾰죽한 뼈 말단부에 의해 외상을 입지 않도록 응급의료인은 신중을 기해야만 한다.

병태생리학

골절 이외에도 뼈에는 다양한 질환이 존재한다.

비정상적 뼈의 성장은 거인증(뼈의 과다성장 상태), 또는 왜소증(비정상적으로 작은 뼈)일 수 있다. 불완전골생성증은 뼈 성장에 필요한 콜라겐이 부족한 유전질환으로, 뼈가 부러지기 쉬워 골절이 자주 생긴다. 골수염은 대개의 경우 박테리아(가장 흔히, 황색포도구균, *Staphylococcus aureus*)에 의한 뼈 감염이다.

뼈의 종양은 일차성(뼈조직 자체에서 발생)이거나, 전이성(다른 부위에서 기원)이다. 뼈로 전이되는 가장 흔한 종양은 유방암, 전립선암, 폐암이다.

골연화증은 칼슘부족으로인해 뼈가 비정상적으로 부드러운 상태이다. 골연화증의 원인으로는 부적절한 영양, 비타민D 결핍(구루병), 장내에서 칼슘과 인이 흡수되지 않는 상태 등이 있다. 골다공증은 뼈조직의 실제 양이 감소하는 질환으로, 폐경후 여성에서 가장 흔하고, 장시간 앉아있거나 거동하지 않는 사람, 장기간 스테로이드치료를 받는 환자 등에서 발생한다. 골절은(특히 엉덩관절과 척추 골절) 뼈엉성증(골다공증) 환자에서 흔하다.

나이가 들어가면서 골 조직이 점차 감소한다. 대부분의 경우, 이 과정은 느리고 점진적이다. 골조직은 30세와 40세 사이에서 소실되기 시작해서, 이후 평생 지속된다. 그러나, 골손실의 정도는 사람에 따라 차이가 심해서, 골손실의 징후를 보이지 않는 일부 노인들도 있다. 몇 가지 요인들이 노화에 따른 골질량의 소실과 성장기 골질량의 형성 모두에 영향을 준다. 골밀도 감소의 가장 중요한 요인은 여성호르몬(에스트로겐)의 소실이다. 흡연, 운동부족, 칼슘섭취부족 또한 골밀도를 감소시킨다.

■ 뼈대계통 조직

뼈대(골격)는 두 주요 부분으로 나뉜다: 몸통뼈대(축골격) 그림 3-12 와 팔다리뼈대(사지골격).

　가운데귀(중이)의 뼈를 포함해서 인체 내에는 206개 뼈가 있다.

■ 몸통뼈대

몸통뼈대(축골격)은 머리, 목, 몸통을 지탱하고 보호한다. 머리뼈, 설골(혀와 그 근육을 지탱하는 한 개의 뼈), 척주, 가슴우리가 몸통뼈대(축골격)에 포함된다.

머리뼈

머리뼈(두개골)는 세개의 해부학적 그룹에 속하는 28개의 뼈로 이루어진다. 이들은 머리뼈, 얼굴뼈, 귓속뼈로 분류된

다. 머리뼈는 8개의 뼈로, 얼굴은 14개의 뼈로 이루어진다. 6개의 귓속뼈는 청각에서 기능하고 관자뼈 강내에 깊숙히 위치한다. 머리뼈가 함께 맞물리는 선을 봉합이라 부른다. 머리뼈 내에서 유일하게 움직일 수 있는 뼈는 아래턱뼈이고, 이 뼈는 인대에 의해 머리뼈에 부착된다. 머리뼈는 뇌를 품어서 보호한다. 머리뼈 내에 공기로 차있는 공간인 코곁굴(부비동)은 소리의 공명을 돕고, 머리뼈 무게를 줄여준다.

그림 3-13 은 머리뼈와 그 뼈들을 다양한 측면에서 보여준다. 머리의 뼈들은 다음과 같다.

- 이마뼈(전두골): 눈 위쪽 머리뼈 전방을 형성하는 뼈로, 각 안와는 안와상공 또는 안와상절흔을 가진다. 혈관과 신경이 이 구조를 통과하여 이마 조직으로 분포한다. 이마뼈는 눈 중앙부 위쪽으로 두개의 전두동을 포함한다.
- 마루뼈(두정골): 이마뼈 뒤쪽으로 머리뼈 양 옆에 위치한다. 두 개의 마루뼈가 머리뼈의 양 측면과 지붕을 형

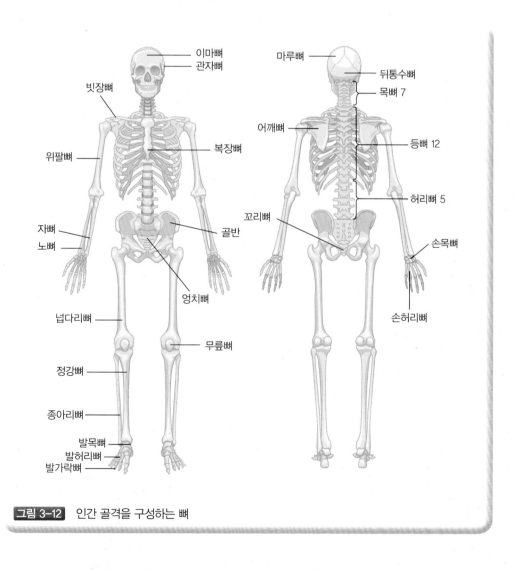

이마뼈
관자뼈
빗장뼈
위팔뼈
복장뼈
자뼈
노뼈
골반
엉치뼈
넙다리뼈
무릎뼈
정강뼈
종아리뼈
발목뼈
발허리뼈
발가락뼈

마루뼈
뒤통수뼈
목뼈 7
어깨뼈
등뼈 12
허리뼈 5
꼬리뼈
손목뼈
손허리뼈

그림 3-12 　인간 골격을 구성하는 뼈

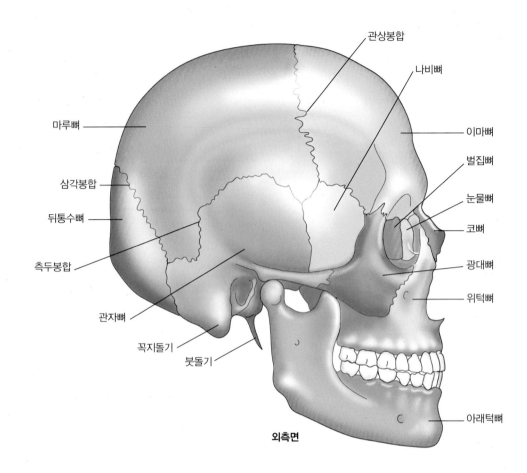

관상봉합
나비뼈
이마뼈
벌집뼈
눈물뼈
코뼈
광대뼈
위턱뼈
아래턱뼈

마루뼈
삼각봉합
뒤통수뼈
측두봉합
관자뼈
꼭지돌기
붓돌기

외측면

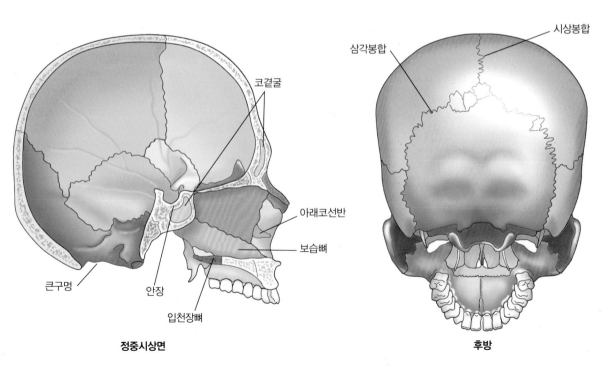

코곁굴
아래코선반
보습뼈

큰구멍
안장
입천장뼈

정중시상면

삼각봉합
시상봉합

후방

그림 3-13　머리뼈

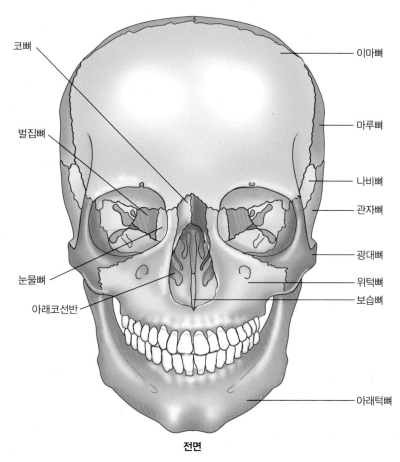

코뼈
벌집뼈
눈물뼈
아래코선반

이마뼈
마루뼈
나비뼈
관자뼈
광대뼈
위턱뼈
보습뼈

아래턱뼈

전면

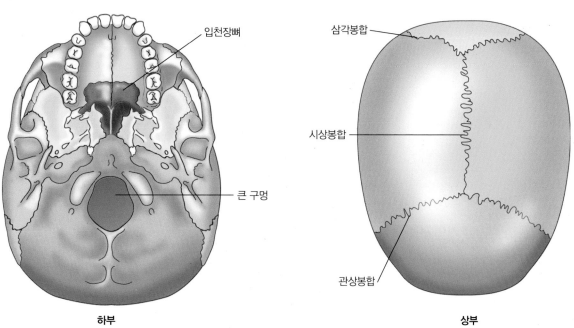

입천장뼈

큰 구멍

하부

삼각봉합

시상봉합

관상봉합

상부

그림 3-13 머리뼈 (계속)

성하고, 시상봉합을 따라 중앙에서 합쳐진다. 이마뼈와 관상봉합에서 만난다.

- 뒤통수뼈(후두골): 삼각봉합에서 마루뼈와 만나면서, 머리뼈 후방과 기저부를 형성한다. 후두골 아래쪽에 큰구멍(대공)에서 대뇌의 신경섬유가 통과해서 척수로 내려간다. 큰구멍 양 옆, 둥근 모양의 후두관절융기는 첫번째 척추뼈와 관절면에서 접한다.

- 관자뼈(측두골): 두 개의 관자뼈는 머리뼈 측면에서 측두봉합을 따라 마루뼈와 만나고, 머리뼈 측면과 기저부를 형성한다. 외이도는 각 관자뼈를 통해서 소골(중이에 있는 세개의 작은 뼈: 망치뼈, 모루뼈, 등자뼈)에 이르고, 속귀(내이) 구조까지 도달한다. 하악와는 아래턱뼈와 관절면을 이루는 움푹 들어간 부위이다. 각 외이도 아래쪽 두 개의 돌출부위(유돌기와 붓돌기)는 부착점이 된다. 유돌기는 특정 목근육에 부착되고, 붓돌기는 혀와 인두 근육에 부착된다. 광대돌기는 관자뼈에서 튀어나와 광대뼈와 만나서, 뺨의 형성을 돕는다.

- 나비뼈(접형골): 머리뼈의 기저부 일부, 머리뼈 양 측면, 안와의 바닥과 양 측면을 형성한다. 나비뼈(접형골)의 안으로 들어간 부위는 안장을 형성하고, 여기에 뇌하수체가 들어있다. 또한 두 개의 나비뼈동굴(접형동)이 나비뼈 내부에 있다.

- 벌집뼈(사골): 나비뼈(접형골) 앞쪽 위치하며, 코안 양 측면에 덩어리를 형성하여, 코안의 지붕 일부를 형성하는 얇은 체판과 만난다. 수평골인 체판은 수많은 구멍이 뚫려있고, 이 구멍을 통해 코안의 후각신경섬유가 통과한다. 체판 사이에서, 삼각형 돌기(볏돌기)는 뇌막에 부착된다. 벌집뼈의 일부는 뇌기저부의 일부, 눈확(안와)의 벽, 비강의 벽을 형성한다. 수직판은 비중격의 대부분을 형성한다. 위코선반과 중간코선반은 수직판을 향해 안쪽으로 튀어나와 있고, 외측 사골은 수많은 사골동을 포함한다. 얼굴 골격은 다음의 14개 뼈로 구성된다.

- 위턱뼈(상악골): 두 개의 뼈가 상악, 앞쪽 입천장(경구개), 눈확의 바닥, 비강의 측면과 바닥을 형성한다. 위턱뼈는 머리뼈내 가장 큰 동굴(sinus)인 상악치아 소켓과 상악동을 가지고 있다. 인체가 성장하면서, 위턱뼈의 입천장돌기들도 함께 성장하고 융합되어 전방 경구개를 이룬다. 치조돌기와 함께 치조궁이 형성되고, 치아는 치밀결합조직에 의해 치조궁에 결합한다.

- 광대뼈(관골): 두 개의 광대뼈는 눈 아래 뺨의 튀어나온 부분과 안와 외측벽 및 바닥을 형성한다. 관자돌기(측두돌기)는 광대뼈에서 연장되어 관궁을 형성한다.

- 코뼈(비골): 양 옆으로 놓여진 두 개의 길고 얇은 뼈로, 정중선에서 융합되어 코 능선을 형성한다.

- 보습뼈(서골): 코안 정중선에서 볼 수 있는 얇고 편평한 뼈. 사골과 만나서 비중격을 형성한다.

- 아래코선반(하비갑개): 비강외측 벽에 부착된 두루마리 모양의 두 개의 뼈. 코안 점막을 지탱한다.

- 눈물뼈: 위턱뼈와 사골 사이 안와 내측 벽에 위치한 두 개의 얇은 구조.

- 입천장뼈(구개골): 위턱굴 뒤에 위치한 두 개의 L자 모양 입천장뼈는 후방 단단입천장(경구개), 코안(비강)의 바닥 및 외측벽을 형성한다.

- 아래턱뼈(하악골): 편자모양의 뼈로, 양측 말단부는 위쪽을 향해 튀어나온 아래턱뼈융기와 갈고리돌기를 가지고 있다. 관자뼈와 관절면에서 접하고, 저작근에 부착부를 제공한다. 휘어진 치조궁에는 하악치아 소켓이 있다. 안면 골격에서 유일하게 움직일 수 있는 뼈이다.

영아에서 머리뼈는 숫구멍(부드러운 부위)의 섬유막에 의해 연결되어, 약간의 모양 변화가 가능하다. 출생시, 머리뼈는 약간 눌려져서 산도의 통과를 원활하게 한다. 머리뼈가 골화되고 뼈가 함께 성장하면서 결국 숫구멍은 닫힌다. 영아의 머리뼈는 성인에 비해 골절이 쉽게 되지 않는다. 앞쪽과 뒤쪽, 두 개의 숫구멍이 있다. 앞쪽 큰숫구멍은 18개월에, 뒤쪽 작은숫구멍(소천문)은 2개월에 닫힌다.

병태생리학

배틀징후는 귀 뒤쪽, 꼭지돌기 위에 멍을 지칭한다. 외상환자에서 배틀징후는 머리뼈 기저부 골절의 가능성을 의미한다. 머리뼈 기저부 골절은 정확한 진단을 위해 CT 스캔 등의 특수 검사를 필요로 한다. 그러나, 배틀징후가 없다고 해서 두개 기저부 골절의 가능성을 배제하는 것은 아니다.

병태생리학

체판이 골절되면, 뇌척수액(CSF)이 코로 새어나오게 된다. 뇌척수액은 뇌와 척수를 담가서 수압에 의한 완충작용을 하는 액체이다. 코에서 흐르는 투명하고 물같은 액체는 뇌척수액의 누출을 암시한다.

턱관절(TMJ)은 관자뼈와 아래턱뼈 후방 융기 사이 관절로서 턱의 움직임을 가능하게 한다. 턱관절 증후군은 턱의 통증과 씹고 말하는데 어려움을 특징으로 하는 비정상 상태이다. 치아 부정교합이 턱관절증후군의 일차적 원인이지만, 복합적 요인들(두부 외상, 전신 질환, 스트레스등)이 원인이 될 수 있다. 유전적 또는 후천적 소인으로 인해서, 턱관절의 뼈와 연부조직의 근원적인 변형이 생길 수 있다.

턱관절증후군 환자들은 관절과 그 주변으로 통증을 호소하고, 또한 등이나 어깨로도 방사통이 생길 수 있다. 흔히, 통증은 두통을 일으킬 정도로 심하고, 관절 주변으로 딱소리/ 펑소리가 나거나, 비벼서 문지르는 듯한 촉감(비빔소리)을 느낄 수 있고, 씹기근육(저작근)의 경련(입벌림장애)으로 말하고 씹는데 어려움이 있을 수 있다. 또한, 귀에서 울리는 소리가 나고(이명), 어지러움을 느끼는 경우도 있다.

항상 성공적인 단 하나의 치료법은 없다. 특히 외상환자에서는 물리치료가 도움이 된다. 스트레스 관리와 더불어, 부정교합을 조정하고 이갈이를 예방하기 위한 구강내 장치가 대부분의 환자에서 도움이 된다. 수술은 마지막 수단이다.

부비동염은 비교적 흔한 코곁굴(부비동)의 염증이다. 두통과 콧물 증상의 단순 상기도 감염에서부터 잠재적으로 생명을 위협하는 뇌감염까지, 감염의 정도와 감염된 동굴 (sinus) 종류에 따라 다양한 범위의 중증도를 보인다.

척추

인체 골격의 수직축은 머리뼈부터 골반까지 이어진 척주(등뼈)에 의해 형성된다. 24개의 척추뼈로 구성된 척추는 완충 역할을 하는 연골로 이루어진 척추사이원반에 의해 분리되고, 인대에 의해 연결된다 **그림 3-14**. 각각의 척추뼈는 드럼 모양의 몸통뼈가 전방부를 구성한다. 각 척추뼈 사이에는 섬유연골 덩어리인 척추사이원반(추간판)이 있으며, 척추사이원반은 섬유륜(바깥쪽 섬유화 고리)과 속질핵(내부의 젤라틴 같은 물질)으로 구성된다 **그림 3-15**.

척주는 머리와 몸통을 지탱하고, 또한 척수를 보호한다. 척수는 척추뼈에 구멍들에 의해 형성된 척추관을 통과한다. 척주 맨 아래에서, 일부 척추뼈가 융합되어 엉치뼈(엉치뼈,

증례 연구 ▶ Part 3

병원으로 이송 중 측정된 일련의 활력징후는 보상성 쇼크에 부합되고, 팔다리의 재평가에서 먼쪽부위 맥박, 운동기능, 감각기능이 여전히 온전히 존재한다. 구급차가 도로에 튀어나온 부분을 지날 때마다, 환자는 울며 고통을 호소한다. 환자는 허리와 엉덩관절에 통증이 매우 심하다고 말한다. 엉덩관절과 하지의 추가 검사상에서, 뚜렷한 부종이나 변형, 다리의 단축이나 회전은 관찰되지 않는다. 당신의 동료 구급대원이 환자의 혈압을 고려한 진통제 투여를 상의한다.

기록한 시간: 10분	
외형	진정되기 시작함
의식 수준	명료(사람, 시간, 날짜에 지남력이 있음)
기도	개방
호흡	정상, 규칙적
순환	출혈은 지혈됨
맥박	100회/분, 더 강해짐
혈압	110/70 nnHg
호흡	20회/분, 규칙적
SpO$_2$	98%

5. 골반이음구조를 구성하는 뼈를 설명하고, 골반 외상과 관련된 잠재적 손상에 대해 기술한다.

6. 엉덩관절을 구성하는 뼈를 설명하고, 엉덩관절과 연관되어 가능한 손상을 서술한다.

7. 이 환자의 신체 검진에서 발견된 근골격계 상해 중, 잠재적으로 가장 심각한 손상은 무엇입니까?

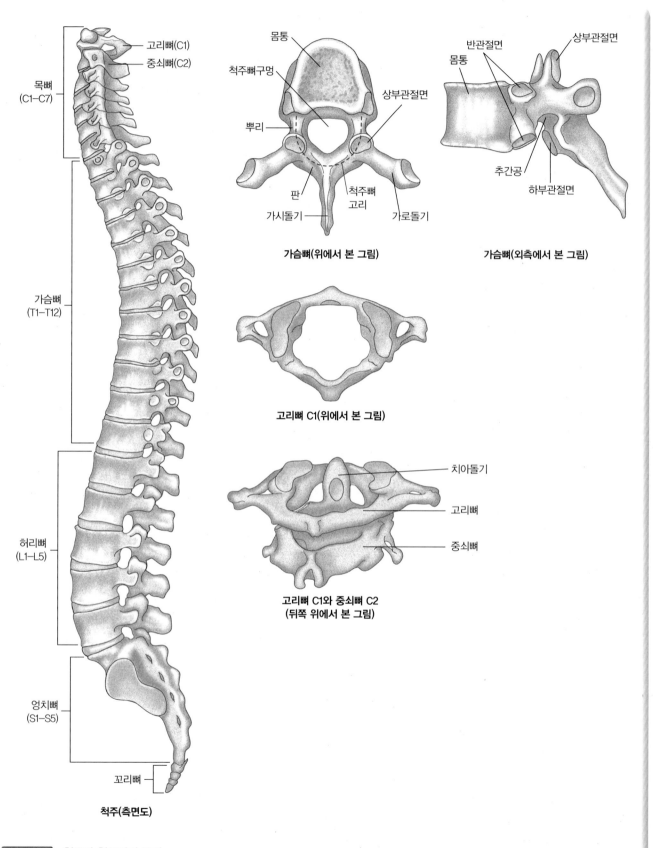

목뼈
(C1–C7)

고리뼈(C1)
중쇠뼈(C2)

가슴뼈
(T1–T12)

허리뼈
(L1–L5)

엉치뼈
(S1–S5)

꼬리뼈

척주(측면도)

몸통
척주뼈구멍
뿌리
판
가시돌기
상부관절면
척주뼈
고리
가로돌기

가슴뼈(위에서 본 그림)

반관절면
몸통
상부관절면
추간공
하부관절면

가슴뼈(외측에서 본 그림)

고리뼈 C1(위에서 본 그림)

치아돌기
고리뼈
중쇠뼈

**고리뼈 C1와 중쇠뼈 C2
(뒤쪽 위에서 본 그림)**

그림 3-14 척주와 척주뼈의 특징

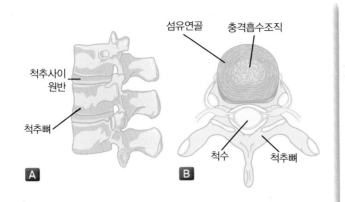

그림 3-15 A. 척추뼈와 척추사이원반(추간판). B. 척추사이원반의 가로면으로, 섬유연골의 섬유륜과 충격을 흡수하는 속질핵을 보여준다.

골반의 일부분)와 꼬리뼈(미골)를 형성한다.

두 개의 짧은 줄기(뿌리)가 각각의 드럼 모양 척추뼈에서 돌출되고, 두 개의 판은 융합되어 가시돌기가 된다. 이러한 구조물들이 합쳐져서 척추뼈구멍 주위로 척추뼈고리를 형성하고, 척추뼈구멍을 통해 척수가 지나간다. 가로돌기는 척추뼈 몸통 양쪽에서 뒤쪽 외측을 향해 돌출되어, 인대와 근육이 부착된다. 물렁뼈(연골)가 덮고 있는 상부와 하부 관절돌기가 위쪽과 아래쪽을 향해 돌출되어, 척추뼈를 위/아래로 연결한다. 인접한 척추뼈 연결 사이의 절흔으로 구멍(추간공)이 만들어지고, 이 추간공을 통해 척수신경이 지난다.

척추를 구성하는 척추뼈를 맨 위쪽에서부터 순서대로 나열하면 다음과 같다.

- 목뼈(경추): 목을 구성하는 일곱 개의 구조로, 특징적인 가로돌기와 뇌로 가는 동맥이 통과하는 가로구멍을 가지고 있다. 제2목뼈에서 제5목뼈까지의 포크 모양의 가시돌기는 근육의 부착부위이다. 고리뼈(제1목뼈)는 후두골 관절융기(후두과)와 접하는 두 개의 콩팥모양 관절면을 가지고 머리를 지탱한다. 중쇠뼈(제2목뼈)는 고리뼈의 고리 안으로 튀어나온 치아돌기를 가지고 있다. 머리를 양 옆으로 회전할때, 고리뼈가 치아돌기를 중심으로 회전한다.

- 가슴뼈(흉추): 12개의 구조는 목뼈보다 크고, 아래쪽으로 경사진 가로돌기는 갈비뼈와 관절을 이룬다. 가슴뼈는 아래로 내려갈수록 크기가 커져서, 증가하는 체중부

하를 견디게 된다.

- 허리뼈(요추): 허리의 다섯 개 구조는 가슴뼈보다도 크고, 체중을 더 많이 지탱한다.

- 엉치뼈(천골): 다섯 개의 척추뼈가 융합된 삼각형의 구조물은 척주의 기저부를 형성한다. 바깥쪽을 향해 돌출된 결절 능선에는 구멍들(뒤천골구멍)이 줄지어 있고, 이 구멍을 신경과 혈관이 통과한다. 천골관은 지속되어 엉치뼈틈새(천골열공)에 이르고, 여기서 네 쌍의 앞천골구멍을 통해 신경과 혈관이 지난다.

- 꼬리뼈(미골): 척주의 가장 아랫 부분으로 네 개의 융합된 척추뼈로 이루어진다. 꼬리뼈는 인대에 의해 엉치뼈틈새(천골열공)에 부착된다.

가슴우리

가슴우리(흉곽)는 12쌍의 갈비뼈(늑골, 후방으로 가슴뼈에 연결), 가슴뼈(흉골), 갈비뼈를 전방에서 복장뼈에 부착하는 갈비연골(늑연골)로 구성된다 **그림 3-16** . 가슴우리는 팔이음뼈와 팔을 지탱한다. 가슴우리는 또한 흉강과 상부 복강 안의 내부장기를 보호한다.

- 복장뼈(흉골): 가슴뼈라고도 하며, 가슴우리의 전방 중앙에 위치한다. 자루, 몸통, 칼돌기로 구성되며, 자루는 빗장뼈(쇄골)에 부착된다.

- 갈비뼈(늑골): 한 쌍의 갈비뼈는 12개 가슴뼈 중 하나에 부착된다(모두 합해서 24). 첫 번째 일곱 쌍은 갈비연골에 의해 복장뼈에 부착되는 진늑골(척추흉골늑골)이다. 마지막 다섯 쌍은 가성늑골(연골이 복장뼈에 직접 도달하지 않음)이다. 위쪽 세 쌍의 가성늑골은 일곱 번째 진늑골의 연골과 합쳐진다. 마지막 두 쌍의 가성늑골은 연골을 통해 복장뼈에 전혀 부착되지 않으므로, 부유 늑골(척추늑골)이라 불린다. 갈비뼈는 휘어져서 끝쪽이 확장되므로(머리), 관절면을 통해 복장뼈에 부착될 수 있다. 척추뼈의 가로돌기는 갈비뼈 머리 가까이 있는 결절과 관절결합을 이룬다.

특수한 경우에 알아두어야 할 점

척추사이원반은 나이가 들면서 눌린다. 정상 노화 과정으로 척추체 사이 공간이 감소하면서, 전체 신장이 줄어들게 된다.

외상, 노화, 급성/만성 근골격계 긴장, 다양한 질환들이 척추에 발생한다. 압박골절은 대개 추락하면서 몸통이 앞으로 심하게 구부러질 때 발생한다. 가해진 힘으로 척추체 전방이 무너지고, 영상검사상 쐐기모양으로 나타난다. 골다공증과 같은 심각한 기저질환을 가진 환자에서는, 최소한의 외상으로도 이러한 손상이 일어날 수 있다. 압박골절은 흔히 퇴행성 척추사이원반 질환 또한 동반한다. 가슴뼈(흉추) 하부와 허리뼈(요추) 상부에서 가장 흔하게 발생하며, 신경학적 결손은 드물다. 대부분의 압박골절은 휴식, 진통제, 가끔 보조기 사용등으로 호전되지만, 일부 환자는 적절한 통증 조절을 위해 보다 적극적인 중재적 시술을 요하기도 한다.

퇴행성 척추사이원반 질환은 진행형의 관절염으로, 섬유륜이 만성적으로 압박을 받을 때 발생한다. 속질핵 내 수분량이 감소하여, 젤과 같은 특성이 줄어든다. 이러한 변화들은 척추체와 연결 인대의 상호관계를 방해하게 된다. 결과적으로, 자극을 받는 뼈는 뼈곁돌기를 만든다. 근본적으로, 뼈곁돌기는 자극에 반응해서 생긴 "뼈흉터"를 의미한다. 외상과 같은, 국소적 퇴행성 척추사이원반 질환은 단지 외상 부위에서만 발현된다. 목뼈, 요천추, 또는 양쪽 모두의 보다 전반적인 질환은 특별한 상해(외상)의 과거력이 없는 환자에서 더 흔하다. 증상이 없는 40세 이상의 환자의 등 방사선 사진에서 뼈곁돌기는 흔히 보인다. 많은 건강한 환자가 등의 비정상 방사선 소견을 가지기 때문에, 외상환자의 비정상 소견은 이미 존재했을 가능성이 높다. 그러므로, 주어진 방사선 검사상 소견이 외상의 결과로 발생한 것인지 여부를 결정하는데 있어서, 단순방사선 사진은 도움이 되지 않을 수도 있다. 대부분의 퇴행성 척추사이원반 질환 환자의 치료는 운동과 비스테로이드성 소염제(NSAIDs)로 충분

하고, 수술의 적응증이 되는 경우는 아주 드물다.

척추사이원반 탈출은 섬유륜의 파열로 속질핵 전부 또는 일부가 새어나오는 경우 발생한다. 탈출 또는 파열이 후방외측으로 일어날 때 가장 흔히 문제가 되는데, 젤라틴 물질이 이 부위에 있는 신경근을 압박하기 때문이다. 그러나, 척추사이원반 둘레로 어디에서나 탈출이 생길 수 있다. 증상의 정도와 유형은 탈출의 위치에 의해 결정된다; 95%는 L4−5 또는 L5−S1에서 발생한다. 때로는 신경근이 직접 자극되지만, 직접적인 신경의 압박이나 자극이 없는 경우가 흔하다. 부근 인대와 근육이 자극되어, 염증 물질을 분비하고 조직을 자극하므로 통증이 생긴다고 설명된다. 중앙 척추사이원반 탈출은 속질핵이 척추관으로 바로 튀어나올 경우 발생한다. 심각한 경우에는, 척수 하부를 압박하여 장과 방광 조절기능의 영구적 손실을 유발할 수도 있다. 장기능 또는 방광기능의 손실은 즉각적인 외과적 자문의 필요성을 암시한다.

초기 치료는 휴식과 진통제이다. 난치성 통증, 장 또는 방광 기능 저하, 또는 진행되는 신경학적 결손이 없는 환자에서, 수술은 거의 필요하지 않다.

해부학적으로, 부푼 척추사이원반은 척추사이원반 탈출과는 다르다. 섬유륜이 파열되면 척추사이원반 탈출이 생긴다; 부푼 척추사이원반에서 섬유륜은 온전하지만, 척추사이원반 둘레가 부풀어 팽창한다. 최근 자료에 의하면, 부푼 척추사이원반과 척추사이원반 탈출은 증상이 없는 사람들의 MRI에서도 많이 보이고, 따라서 "정상 범주"로 볼 수도 있다. 척추사이원반 탈출은 허리뼈(요추)에서 가장 흔하지만, 목뼈에서도 많이 발생한다.

허리뼈(요추) 곡선이 지나치게 심한 경우, 척추전만증이라고 한다. 지나치게 오목한 가슴뼈(흉추) 곡선은 척추후만증이라고 한다. 척추측만은 관상면에서 비정상적인 척추 곡선을 가리키는데, 흔히 척추후만과 같은 시상면에서의 비정상 만곡을 동반한다.

늑연골염은 가슴부위 앞쪽 늑연골의 염증이다. 늑연골염은 비교적 흔하고 흉통의 양성 원인이지만, 심근경색과 폐색전증과 같은 심각한 질환과 반드시 감별되어야 한다.

심폐소생술시 양 손을 두는 위치의 지표로, 하부 갈비뼈와 복장뼈의 결합부가 사용된다. 손의 위치를 나타내는 또다른 표현으로 "유두 사이 복장뼈 위에"가 있다.

■ 팔다리뼈대

팔다리뼈대(사지골격)는 팔과 다리, 그리고 팔다리를 몸통뼈대(축골격)에 부착하는 뼈를 포함한다. 팔다리뼈대(사지골격)에는 팔이음뼈, 팔, 다리이음뼈, 다리가 포함된다.

팔이음뼈

팔이음뼈는 어깨이음구조라고도 하며, 양쪽 빗장뼈와 어깨

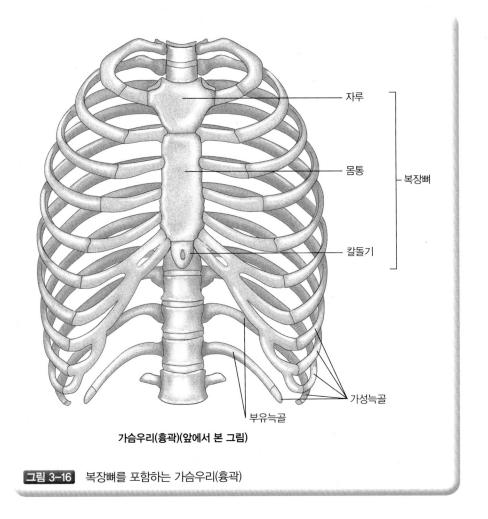

가슴우리(흉곽)(앞에서 본 그림)

그림 3-16   복장뼈를 포함하는 가슴우리(흉곽)

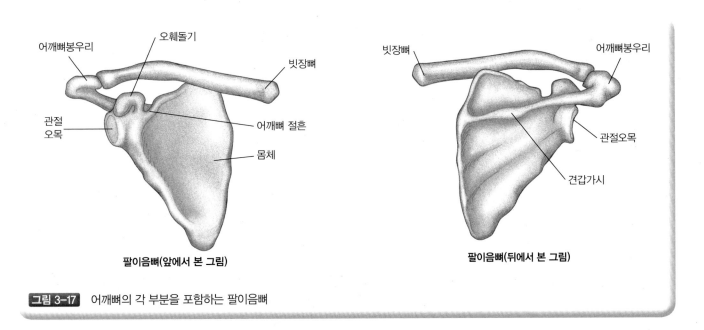

팔이음뼈(앞에서 본 그림)   팔이음뼈(뒤에서 본 그림)

그림 3-17   어깨뼈의 각 부분을 포함하는 팔이음뼈

뼈(견갑골)로 구성된다 **그림 3-17** . 이 구조들은 팔의 움직임을 돕는다. 팔이음뼈는 뒤쪽 양 어깨뼈 사이로 열려있는 불완전한 고리모양이다. 복장뼈는 팔이음뼈에 속한 뼈들을 앞쪽에서 분리한다. 팔이음뼈는 팔을 지탱하고, 팔을 움직이는 근육들이 기원하는 부위이다.

- 빗장뼈(쇄골): 길쭉한 S자 막대기와 같은 모양이다. 복장뼈 자루와 어깨뼈 사이를 수평으로 지나는 목 기저부에 위치한다. 빗장뼈는 어깨뼈와 함께 어깨를 제 위치에 유지하고, 팔. 가슴, 등으로 가는 근육의 기시부를 제공한다.

- 어깨뼈(견갑골): 등 상부 양 쪽에 삼각형 모양의 뼈이다. 어깨뼈는 견갑가시에 의해 나뉘고, 견갑가시는 <u>어깨뼈봉우리</u>(어깨의 가장 높은 부위)와 부리돌기(오훼돌기)로 이어진다. 견봉돌기는 팔과 가슴 근육의 부착부위이고, 오훼돌기도 유사한 부착부를 제공한다. <u>관절오목(관절와)</u>은 위팔뼈머리와 관절면을 이루는 움푹 파인 부위이다.

상지

상지의 뼈는 위팔, 아래팔, 손의 뼈들을 포함한다. 근육의 부착부이면서 상지 각 부위를 움직이는 기능을 한다. 상지를 구성하는 뼈는 다음과 같다 **그림 3-18** .

- <u>위팔뼈(상완골)</u>: 어깨뼈부터 팔꿈치까지 이어진다. 관절오목에 들어맞는 매끄러운 머리는 근육 부착 지점인 두 개의 결절을 가지고 있다. 위팔뼈 하부에 두 개의 매끄러운 융기는 자뼈, 노뼈와 관절면을 이룬다. 위팔뼈 근위부에 좁게 꺼진 부위는 해부학적 목이 된다. 먼쪽부위에서, 위관절융기는 팔꿈치 근육과 인대에 부착된다. 팔꿈치오목은 위팔뼈 후면에 움푹들어간 부위로, 팔꿈치에서 팔이 곧게 펴질 때 자뼈의 팔꿈치돌기를 받아들이는 부위이다. 위팔뼈 하부 말단에, 두 개의 부드러운 융기는 팔꿈치 관절에서 노뼈, 자뼈와 관절을 이룬다.

- <u>노뼈(요골)</u>: 아래팔뼈(전완)의 엄지손가락 쪽에 위치하는 뼈로, 팔꿈치부터 손목까지 연장되며, 손이 회전할때 자뼈와 교차한다. 노뼈의 상부 말단은 위팔뼈 및 자뼈의 절흔과 관절을 이룬다. 노뼈조면으로 불리는 돌기는 위팔두갈래근(상완이두근)의 부착부이다. 노뼈 먼쪽부위 붓돌기(경상돌기)는 손목 인대의 부착부가 된다.

- <u>자뼈(척골)</u>: 노뼈보다 길고, 위팔뼈 말단과 겹치며, 근위부 말단에 도르래패임은 위팔뼈와 관절을 이룬다. 도르래패임 양쪽에 팔꿈치머리와 갈고리돌기는 근육의 부착부이다. 자뼈의 먼쪽부위 말단에는 노뼈의 절흔과 관절

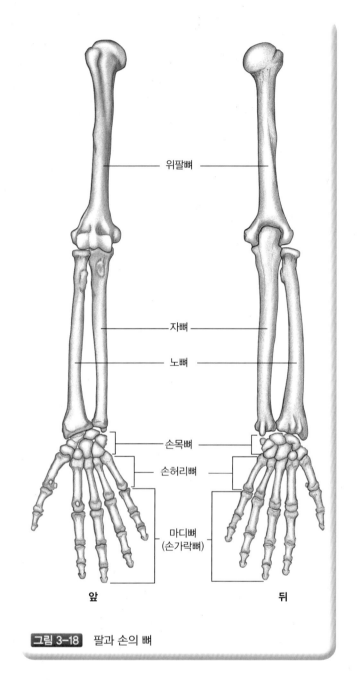

위팔뼈

자뼈

노뼈

손목뼈

손허리뼈

마디뼈
(손가락뼈)

앞   뒤

그림 3-18 팔과 손의 뼈

을 이루는 머리가 있다. 섬유연골판으로 손목의 삼각골과 연결된다.

- 손: 손목, 손바닥, 손가락으로 구성된다. 손목은 <u>손목뼈(수근골)</u>라 불리는 8개의 뼈를 포함하는데, 이들은 한 줄에 4개씩, 두 줄로 배열된다. 손목뼈는 노뼈, 자뼈, 손허리뼈와 관절을 이룬다. <u>손허리뼈(중수골)</u>라 불리는 5개의 뼈는 손바닥을 이룬다. 손허리뼈의 둥근 먼쪽부위는 주먹결절(knuckle)을 형성하고, 엄지부터 시작해서 1에서 5까지 번호를 매긴다. 손허리뼈는 손목뼈, 마디뼈(손가락뼈)와 관절을 이룬다. 엄지를 제외한 모든 손가락은

세개의 마디뼈(첫, 중간, 끝)를 가진다. 엄지는 유일하게 중간뼈가 없이 2개의 마디뼈를 가진다.

병태생리학

견봉쇄골분리는 견봉쇄골관절의 네 개 인대중 어느 하나가 부분적 또는 완전히 파열될 때 발생한다. 부분 파열에서는 무거운 물체가 팔을 아래쪽으로 잡아당기지 않는 한 육안적 변형이 관찰되지는 않는다. 이 경우에, 방사선 검사상, 일시적으로 넓어진 관절이 관찰된다. 네 개 인대 모두가 심하게 손상된 완전 파열의 경우, 빗장뼈가 견봉 위에 놓이게 되고, 어깨 부위에 육안적 변형이 관찰된다.

병태생리학

팔꿈치머리 윤활주머니염은 팔꿈치머리돌기 후방을 덮고있는 윤활주머니의 염증으로 통증이 심한 상태이다. 정상적으로, 윤활주머니에는 팔꿈치 관절의 운동을 원활히 해주는 소량의 액체가 들어있다. 일차 윤활주머니 감염은 팔꿈치 부위가 더러운 표면에 마모될 때 발생하는데, 특히 팔이 구부러진 상태에서 윤활주머니 위의 피부가 팽팽하게 얇아진 경우에 흔하다. 상처를 통해 윤활주머니로 들어간 박테리아는 윤활액에서 생존하게 된다.

일반적으로, 팔꿈치머리 윤활주머니염은 그 원인에 관계 없이 치료에 잘 반응한다. 재발성, 난치성 부종은 비감염성 원인으로 발생하는데, 실질적 변형을 일으킨다기 보다는 불편한 증상이 지속되고 윤활액의 빈번한 흡인을 필요로 한다.

병태생리학

테니스 팔꿈증으로 더 잘 알려진 상과염은, 아래팔의 굴곡근(내상과) 또는 신전근(외상과) 기시부의 염증과 통증이다. 외상과에서 더 흔히 발생하고, 반복되는 굴곡과 신전으로 인한 자극이 원인이다. 근육 힘줄의 가벼운 파열이 종종 동반된다. 임상적으로, 환자는 점진적으로 발생한 환부의 뻐근한 통증을 호소하고, 환부 근육을 사용할 때 통증은 더 심해진다. 손을 회전하고 움켜잡을 때(병을 여는 것), 통증은 악화되어 아래팔로 방사된다. 침범된 상과 위로 압력을 가하면 심한 통증이 유발된다. 방사선 검사상 소견은 대개 정상이다.

통증을 유발하는 운동을 피해야 한다. 또한, 열, 초음파 등의 물리치료와 비스테로이드성 소염제(NSAIDs)는 증상 완화에 도움이 된다. 병변내 스테로이드 주사는 장기간 통증완화 효과가 있지만, 완전한 회복까지 수개월동안 반복해야 할 수 있다. 일부 환자들은 보조기나 석고붕대로 효과를 보기도 한다. 수술은 난치성인 경우에만 적용된다.

골반이음구조

두 개의 엉덩이뼈는 서로 관절을 이루고 엉치뼈(천골)와도 관절을 이루어, 골반이음구조(다리이음뼈)를 구성한다 **그림 3-19**. 골반이음구조는 하지를 몸통뼈대(축골격)에 부착한다. 엉치뼈, 꼬리뼈, 골반이음구조가 함께 골반을 형성한다.

여성의 골반은 대개의 경우 모든 직경이 남성보다 넓다. 골반이음구조는 몸통, 하지, 방광, 대장, 생식기를 지탱하고

병태생리학

손목굴내에 구조, 특히 정중신경의 자극으로 인해 손목굴증후군(CTS)이라는 통증이 심한 상태가 발생한다. 손목굴의 부종과 염증이 굽힘근지지띠와 굽힘힘줄 사이 정중신경을 압박할때, CTS가 발생한다. CTS는 50% 환자에서 양측성이고, 30세와 60세 사이 여성에서 가장 흔하다.

CTS에는 다양한 원인이 있지만, 반복적인 손의 운동(컴퓨터 키보드, 요리, 뜨개질, 나사돌리개 사용, 잡초 다듬는 기계 사용, 페인트 칠하기)이, 특히 노동자 산재배상 측면에서 가장 흔한 원인이다. CTS와 관련있는 다른 의학적 상태로는 갑상선하증, 류마티스 관절염, 통풍 관절염, 임신(특히 임신3기), 비타민B$_6$ 결핍, 골절 치유 합병증(부정유합된 콜리스골절), 감염, 종양, 당뇨병 등이 있다.

임상적으로, 환자는 점차적으로 악화되고 주로 밤에 발생하는 손목과 손의 통증을 호소한다. 통증은 아래팔과 팔꿈치, 어깨까지도 방사되어 발생할 수 있다. 신체검진상 엄지두덩의 퇴화는 말기에 보이는 소견이다. 티넬 징후(손목굴에서 정중신경을 두드려 통증과 손저림을 유발) 또는 팔렌씨 검사(1분여 동안 손등과 손등을 마주하는 양측 손목 굴절 상태에서 증상 유발)가 양성일 수 있다; 그러나, 두 징후 모두 신뢰할 만 한 것은 아니다.

치료는 가능한한 원인을 제거하는 것이다. 손목의 극단적 자세를 피하고, 직종에 특화된 손목보조기를 착용하고, 비스테로이드성 소염제를 복용하도록 환자에게 교육한다. 손목굴내에 직접 스테로이드 주사는 많은 환자에서 일시적인 증상의 호전을 가져온다. 많은 경우에, 비수술적 치료만으로 증상과 징후가 호전된다. 비수술적 치료에 반응하지 않는 심각한 증상(손의 통증과 약화)의 경우, 가로손목굴인대를 잘라주는 수술로 증상의 완화를 가져올 수 있다. 전형적으로, 수술 후 증상의 호전까지 수주에서 수개월이 소요된다. 운동기능은 가장 늦게 돌아온다.

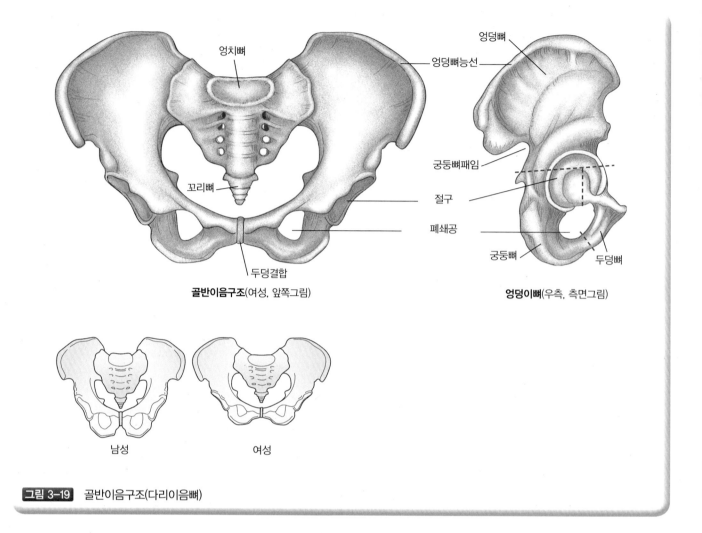

엉치뼈

엉덩뼈
엉덩뼈능선

꼬리뼈

궁둥뼈패임
절구
폐쇄공
궁둥뼈
두덩뼈

두덩결합

골반이음구조(여성, 앞쪽그림)

엉덩이뼈(우측, 측면그림)

남성   여성

그림 3-19   골반이음구조(다리이음뼈)

보호하며 관절을 형성한다. 엉덩이뼈의 세 부분(엉덩뼈, 궁둥뼈, 두덩뼈)가 융합된 절구는 넙다리뼈(대퇴골)의 둥근 머리와 관절을 이룬다.

- 엉덩뼈(장골): 볼기뼈(관골)의 가장 큰 부분으로, 골반의 융기를 형성한다. 융기의 모서리를 엉덩뼈능선이라고 한다. 엉덩뼈(장골)는 엉치엉덩관절(천장관절)에서 엉치뼈와 연결된다. 엉덩뼈에서 돌출부는 인대와 근육의 부착부가 된다.

- 궁둥뼈(좌골): 볼기뼈(관골)의 가장 하부로, L자 모양이다. 궁둥뼈는 앉아있을 때 체중을 지탱한다. 궁둥뼈결절은 아래쪽 후방을 향한다.

- 두덩뼈(치골): 볼기뼈(관골)의 앞 부분으로 두덩활을 형성한다. 두 개의 두덩뼈는 두덩결합에서 연결되고, 두덩결합의 위쪽 모서리(골반 가장자리)는 하부골반과 상부골반을 분리한다. 큰 구멍인 폐쇄공은 두덩뼈와 궁둥뼈 사이에 위치한다.

병태생리학

사실상 엉덩관절 골절은 절구의 관절면 또는 그 부근에서 넙다리뼈 근위부 골절로서, 침범된 넙다리뼈의 구조에 따라 분류된다. 대퇴골두와 전자부 사이 골절을 넙다리뼈 경부골절이라고 지칭하고, 골두하, 중경부, 하경부 아형을 포함한다. 전자 사이 골절은 전자간골절이고, 소전자 아래쪽을 지나는 골절은 전자하골절이다 그림 3-20 .

미국에서 매년 350,000명의 환자가 엉덩관절 골절로 입원한다. 엉덩관절 골절의 대략 70%는 여성에서 발생한다. 대부분이 노인 환자이고 심장질환, 골다공증, 치매 등의 기저질환을 동반하므로, 결과적으로 장애를 남기는 경우가 흔하다. 엉덩관절 골절을 입은 노령환자에서 모든 원인으로 인한 치사율은 상해후 첫해에 25%에 달한다. 치료는 골절된 넙다리뼈 근위부 위치에 따라 달라진다.

엉덩관절 탈구는 추락 또는 교통사고시 무릎이 계기판과 충돌한 경우 가장 흔히 발생한다. 충돌의 힘은 후방쪽에 있는 엉덩관절로 전달되어, 후방 탈구를 일으킨다. 이에 비해 전방 탈구는 흔하지 않다.

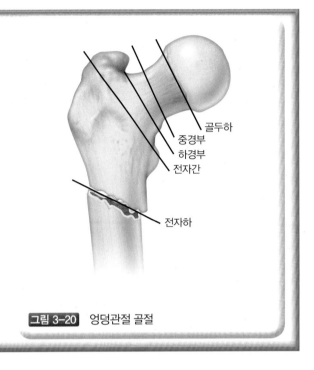

골두하
중경부
하경부
전자간
전자하

그림 3-20 엉덩관절 골절

병태생리학

골반골절은 심각한 외상을 당할 때 종종 발생한다. 다발성 외상을 입은 무의식 환자에서, 달리 입증되기 전까지는, 반드시 골반골절을 의심해야 한다. 뼈가 전위된 골절에서 뼈 조각이 방광이나 요도에 손상을 줄 수 있으므로, 병원에서 소변검사를 시행하여 혈액의 유무를 반드시 확인해야 한다. 이론적으로 골반 고리의 단절은 서로 반대 쪽에 위치한 골반 고리상의 두 지점에 골절이나 탈구가 있을 경우에만 발생 가능하다. 골반골절을 입은 환자는 신경 손상, 출혈성 쇼크, 방광 또는 요도 파열, 직장 또는 질 손상등의 수많은 심각한 합병증이 발생할 위험이 높다. 엉치뼈골절은 흔히 간과되는데, 엉치뼈신경 손상은 직장괄약근의 긴장도에 영향을 줄 수 있다. 골반골절 환자에서, 직장 괄약근 긴장도와 하지의 전체 신경기능을 반드시 평가해야 한다.

골반골절 후에 출혈이 흔하고, 때로는 생명을 위협할 수 있다.

골절이 두덩뼈결합을 침범할 때, 방광과 요도 손상이 있을 수 있다. 방광 또는 요도의 손상으로 혈뇨, 요도구에 출혈, 배뇨장애 또는 배뇨불능이 나타날 수 있다. 요도관이 쉽게 방광으로 들어가지 않을 경우, 이러한 상해의 가능성을 의심해야 한다. 골반 고리와 절구 골절로 응급실에 도착한 모든 환자에서, 직장과 질 검사는 반드시 시행되어야 한다.

하지

하지는 허벅지, 종아리, 발의 뼈로 구성된다 그림 3-21 .

- 넙다리뼈(대퇴골): 허벅지는 엉덩관절(고관절)부터 무릎까지 이어지는 팔다리의 한 부분으로, 인체내 가장 긴 뼈인 넙다리뼈를 포함한다. 넙다리뼈의 다양한 돌기들은 다리와 볼기부위 근육들의 부착부가 된다. 대퇴골두에 패인 지점에 대퇴골두 인대가 부착된다. 대퇴골두 바로 아래가 협착부이고, 큰 돌기인 외전자와 내측의 내전자에 근육이 부착된다. 무릎뼈(슬개골)는 넙다리뼈와 관절을 이루고, 무릎 위를 통과하는 힘줄내에 위치한다. 넙다리뼈는 바깥관절융기와 안쪽관절융기를 통해 정강뼈와 관절을 형성한다.

- 정강뼈(경골): 두 개의 종아리뼈중 더 큰 정강이뼈로, 내측면에 위치한다. 근위부에서, 정강뼈조면은 슬개인대가 부착되는 돌기이다. 정강뼈 먼쪽부위 말단에는 인대가 부착되는 내측으로 융기된 부위(내측복사)가 있다. 정강뼈 외측면에 함몰된 부위는 종아리뼈와 관절을 이룬다.

- 종아리뼈(비골): 정강뼈 외측에 위치한 가느다란 뼈로, 무릎관절에 포함되지 않고, 체중을 지탱하지 않는다. 정강뼈에는 약간 두꺼워진 부위인, 근위부 머리와 먼쪽부

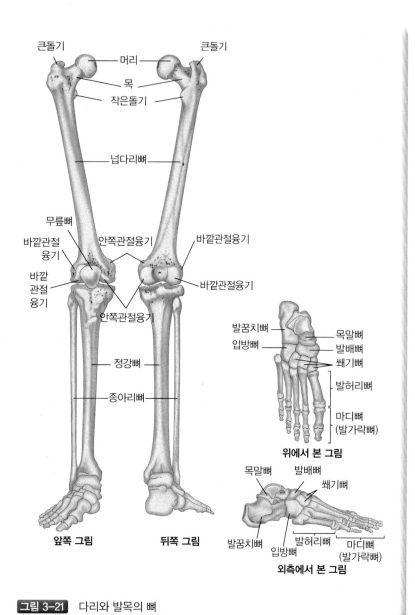

큰돌기
머리
큰돌기
목
작은돌기
넙다리뼈
무릎뼈
바깥관절 융기
안쪽관절융기
바깥관절융기
바깥 관절 융기
바깥관절융기
안쪽관절융기
정강뼈
종아리뼈
앞쪽 그림
뒤쪽 그림

발꿈치뼈
입방뼈
목말뼈
발배뼈
쐐기뼈
발허리뼈
마디뼈
(발가락뼈)
위에서 본 그림

목말뼈
발배뼈
쐐기뼈
발꿈치뼈
입방뼈
발허리뼈
마디뼈
(발가락뼈)
외측에서 본 그림

그림 3-21 다리와 발목의 뼈

위 외측복사가 있다. 종아리뼈는 무릎과 발목 주위에 안전성을 유지하는 필수적 역할을 수행한다.

■ 발: 발목, 발등, 발가락을 포함한다. 발목은 발목뼈(족근골)이라 불리는 7개의 뼈로 구성되는데, 이러한 발목뼈의 배열은 종아리뼈와 연결부위에서 목말뼈(거골)의 자유로운 움직임을 가능하게 한다. 발목뼈는 정강뼈와 종아리뼈를 발에 연결하고, 단단히 결합되어 한 덩어리로 목말뼈를 지탱한다. 가장 큰 발목뼈는 발꿈치뼈(종골)로서, 체중을 지탱하고 발을 움직이는 근육의 부착부위가 된다. 발등은 발허리뼈(중족골)라 불리는 5개의 뼈로 구성되는데, 내측에서 외측으로 1부터 5까지 번호를 매긴다. 발가락뼈는 손가락뼈와 유사하고, 발허리뼈를 따라 정렬된다. 2개의 마디를 가지는 엄지발가락을 제외하고, 각 발가락은 3개의 마디를 가진다.

병태생리학

정강뼈 고평부는 내상과와 외상과 및 그 사이를 포함하는 해부학적 구역이다. 정강뼈 고평부 골절은 매우 심각해서 외과적 수술을 요할 수 있다.

병태생리학

비틀리는 상해로 발목 염좌가 생길 수 있다. 발목 염좌는 대개 강력한 발의 내번(안쪽으로 뒤집음)으로 발생하고, 인대나 힘줄의 부분 또는 전체 파열을 일으킨다.

병태생리학

무릎뼈(슬개골) 연골연화증은 연골이 부드러워지고 해어지는 것을 지칭하는 것으로, 무릎뼈 후방 관절면에서 흔히 발생한다. 증상이 없는 경우도 있지만, 일부 환자들(특히, 젊은 성인)은 무릎의 통증을 호소한다. 전형적으로, 무릎뼈 아래 또는 부근에서 통증이 느껴지고, 계단을 오를때, 쪼그려 앉을 때, 장시간 앉아있은 후에 통증이 심해진다. 가끔, 연골연화증이 양측성이어서 다른 연골 질환들과 혼동될 수 있다. 방사선 검사 소견은 대개 정상이고, 마찰음의 정도와 증상/통증의 중증도 사이에 상관관계는 없다. 대부분의 환자에서, 온열, 비스테로이드성 소염제, 넙다리네갈래근(대퇴사두근) 운동 등의 비수술적 치료가 효과적이다. 수술은 난치성 사례에만 시행하며 결과는 다양하다.

무릎뼈 탈구는 십대와 젊은 운동선수에서 흔히 발생한다. 탈구는 재발성일 수 있고, 취약한 사람들에서는 무릎의 경미한 회전만으로도 탈구가 생길 수 있다. 무릎뼈는 대개 외측으로 전위되고, 무릎이 약간 굴곡된 상태로 고정되는 심각한 변형이 일어난다 그림 3-22. 이런 유형의 상해는 통증이 매우 심하다. 치료는 그 자세로 팔다리에 부목을 대고 진통제를 투여한다.

무릎 연골과 인대의 손상은 비교적 흔하다. C자 모양의 외측과 내측 반월상연골은 넙다리뼈와 정강뼈 사이에서 완충작용을 한다. 전방과 후방 십자인대는 무릎이 앞, 뒤로 비정상적으로 움직이는 것을 방지한다. 내측과 외측 측부인대는 비정상적인 좌우 운동을 제한하여 관절을 안정화한다.

발이 체중을 지탱하고 땅을 디디고 있는 상태에서 무릎이 회전될때, 내측 반월상연골이 손상될 수 있다. 반월상연골은 부분적으로 또는 완

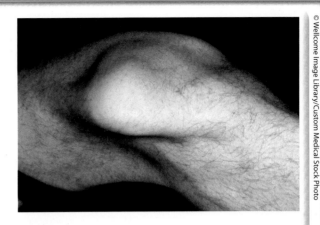

그림 3-22 무릎뼈는 무릎 외측으로 전위되고, 무릎은 중간 정도 굴곡되어 있는 전형적인 무릎뼈 탈구의 모양

전히 파열될 수 있다. 흔히, 펑하고 터지거나 찢어지는 감각을 느낀후에 한 부위에 특정할 수 없는 심한 통증이 발생한다. 급성 손상 이후에 환자는 간헐적으로 손상된 무릎이 잠기거나, 힘이 빠지거나, 붓는 증상을 호소한다. 계단을 걸을때와 쪼그려 앉을 때, 통증이 있다. 시간이 지나면서 통증은 국소화 된다. 맥머레이 시험이 양성일 수 있다(무릎을 굽힌 상태에서 다리를 부드럽게 좌우로 회전하고 구부릴 때, 다친 연골 위로 째각하거나 펑하는 소리를 느끼는 것을 의미한다). MR를 이용해서 진단하지만 위음성이나 위양성 결과도 있을 수 있다.

병태생리학

족저근막염은 족저근막(종골부터 각 발가락 첫마디뼈까지 이어지는 결합조직의 질긴 띠)의 자극이다. 족저근막은 족궁을 지탱하는 조직이다. 반복적인 긴장은 족저근막의 자극과 염증을 유발하여, 발 내측 또는 외측면으로 방사되는 발꿈치 통증이 발생한다. 족저근막염은 흔히 양측성이다. 또한 발꿈치 통증은 강직성 척추염, 류마토이드 관절염, 통풍의 초기 징후일 수도 있다. 환자 검진상, 발꿈치 바닥에 압통이 있고,

발등굽힘시 통증이 유발된다. 방사선 검사는 종종 정상이지만, 종골극(발꿈치뼈돌기)이 보이기도 한다. 발꿈치뼈돌기는 만성 자극으로 인해, 족저근막 부착부에 "뼈 상흔"이 과다성장한 것이다. 치료는 신발내 보조기, 비스테로이드성 소염제, 스트레칭이고, 대개의 경우 치료에 대한 반응은 좋다.

증례 연구 ▶ Part 4

병원으로 이송하는 동안 환자의 의식은 명료하게 유지되고, 혈압도 안정적으로 유지되고 있다. 당신의 동료 응급구조사는 의료 본부로부터 진통제 일회 투여 허가를 받는다. 진통제 투여는 이송 중 환자의 상태를 편하게 하는데 큰 도움이 되었다.

■ 요점 정리

- 뼈대계통은 몸의 기본 뼈대가 되어 몸을 지탱한다. 뼈대계통 조직으로는 뼈, 연골, 힘줄, 인대가 있다.
- 연골은 반짝거리는 결합조직으로, 뼈가 자유롭게 움직일 수 있는 매끄러운 표면을 만들어준다.
- 힘줄은 근육을 뼈에 연결하고, 밀집된 콜라겐 섬유로 구성된다.
- 인대는 관절에서 뼈를 상호 결합시키는 질긴 흰색 조직의 띠이다.
- 두 개의 긴뼈가 접하는 지점에서 관절이 형성된다.
- 관절은 불전동, 가동, 부동 관절로 분류된다.
- 관절은 또한 내부 조직의 종류에 따라서도 분류될 수 있다; 섬유관절, 연골관절, 윤활관절.
- 뼈는 내부장기를 보호하고, 근육의 도움으로 움직임을 가능하게 한다.
- 뼈는 모양에 따라 분류된다(예, 긴뼈, 짧은뼈, 넙적뼈). 두 가지 주요 유형의 뼈가 있다: 치밀뼈(대부분 단단함)와 해면뼈(잔기둥이라 불리는 그물의 뼈조각으로 구성).
- 임상적으로 골절은 폐쇄 또는 개방형이다. 폐쇄골절은 골절부 말단이 피부를 뚫고 나오지 않은 골절이다. 개방골절은 골절부를 덮는 피부가 관통될 때 발생한다.
- 뼈대는 두 주요 부분으로 나뉜다: 몸통뼈대(축골격)와 팔다리뼈대(사지골격).
- 몸통뼈대는 몸통의 길이 부분이다.
- 머리뼈, 목뿔뼈, 척주, 가슴우리가 몸통뼈대에 포함된다.
- 머리뼈는 28개의 서로 단단히 맞물린 뼈로 이루어진다. 이들은 머리뼈, 얼굴뼈, 귓속뼈로 분류된다.
- 얼굴 뼈대는 위턱뼈, 광대뼈, 종아리뼈, 보습뼈, 아래코선반, 눈물뼈, 입천장뼈, 아래턱뼈를 포함한다.
- 척추는 5개 구획으로 이루어진다: 목뼈, 가슴뼈, 허리뼈, 엉치뼈, 꼬리뼈.
- 몸통뼈대의 나머지는 가슴우리이다. 12쌍의 갈비뼈가 있다. 10쌍은 직/간접적으로 갈비연골에 의해 복장뼈에 부착되고, 마지막 두 쌍은 부유 늑골이다.
- 복장뼈는 세 부분—자루, 몸통, 칼돌기—으로 나뉜다.
- 팔다리뼈대는 팔과 다리, 그리고 팔다리를 몸통뼈대에 부착하는 뼈를 포함한다.
- 팔다리뼈대에는 팔이음뼈, 팔, 다리이음뼈, 다리가 포함된다.
- 팔이음뼈는 양쪽 빗장뼈와 어깨뼈로 구성된다.
- 어깨관절은 절구공이 관절이다.
- 상지는 위팔, 아래팔, 손을 포함한다. 위팔뼈는 위팔에, 노뼈와 자뼈는 아래팔에 있다. 손과 손목은 손목뼈, 손허리뼈, 손가락 마디뼈로 이루어진다.
- 다리이음뼈는 하지의 부착 부위이고, 엉덩뼈, 궁둥뼈, 두덩뼈로 구성된다. 엉덩관절은 절구공이 관절이다.
- 하지는 허벅지, 종아리, 발의 뼈로 구성된다. 넙다리뼈는 허벅지에, 정강뼈와 종아리뼈는 종아리에 있다. 발은 발목뼈, 발허리뼈, 발가락 마디뼈로 구성된다. 무릎관절은 전통적으로 경첩관절로 분류되고 특이하게도 인대가 관절 내부에 있다.
- 목말뼈는 정강뼈 및 종아리뼈와 관절을 이루어 발목관절을 형성한다. 발꿈치뼈는 목말뼈 외측 하부에 위치하며 서있는 자세를 지탱한다.

■ 증례 연구 정답

1. 이 환자에서 가능한 뼈대계통 손상은 무엇입니까?
   답: 상해기전(MOI)은 2층에서 추락하여 양 발로 착지한 것이다. 따라서, 잠재적 상해는 발과 발목에서 시작된다. 추락의 에너지가 몸 위쪽으로 전달되면서 다른 뼈대계통(무릎, 엉덩관절, 골반, 척추)의 손상도 발생할 수 있다.

2. 환자 평가에서 당신의 다음 단계는 무엇입니까?
   답: 재빨리 문진하고 빠른외상검사를 수행하는 동안, 머리와 목의 도수고정을 유지해야만 한다. 수많은 뼈대계통 손상 가능성을 고려할 때, 환자를 긴척추고정판에 고정하기 전까지는 환자를 바로누운 자세로 유지해야만 한다.

3. 척추의 구성요소를 서술한다.

답: 척추는 24개의 척추뼈로 구성되고, 5개의 구획으로 분류된다: 목뼈, 가슴뼈, 허리뼈, 엉치뼈, 꼬리뼈. 엉치뼈와 꼬리뼈는 함께 융합되어, 후골반과 꼬리뼈를 형성한다. 각각의 척추뼈는 척추뼈구멍, 가로돌기(횡돌기), 가시돌기, 척추사이원반으로 구성된다.

4. 이 환자의 잠재적인 척추 손상은 무엇입니까?

답: 외상에 의한 손상은 목뼈와 허리뼈에서 가장 흔히 발생한다. 추락으로 인한 척추의 잠재적 손상으로는 압박골절, 척추사이원반탈출, 섬유륜팽창 등이 있다. 압박골절에서 가해진 힘은 척추뼈 몸통 전방의 붕괴를 일으켜, 영상검사상 쐐기모양 소견을 나타낸다. 척추사이원반탈출의 경우, 섬유륜이 찢어진 부위에서 수액의 일부 또는 전부가 세어나온다. 섬유륜팽창에서 척추사이원반이 부풀지만, 파열이나 누출은 없다. 이 모든 손상은 척수나 신경근을 압박하여 다른 손상을 일으킬 수 있다.

5. 골반이음구조(pelvic girdle)를 구성하는 뼈를 설명하고, 골반 외상과 관련된 잠재적 손상에 대해 기술한다.

답: 골반이음구조는 엉덩뼈, 궁둥뼈, 두덩뼈, 엉치뼈, 꼬리뼈로 구성되는 하지의 부착부이다. 심각한 외상이 있어야 골반 골절이 발생하므로, 골반 골절을 입은 환자는 많은 심각한 합병증—신경 손상, 출혈성 쇼크, 방광 또는 요도 파열, 직장 또는 질 손상—을 동반할 가능성이 높다.

6. 엉덩관절을 구성하는 뼈를 설명하고, 엉덩관절과 연관되어 가능한 손상을 서술한다.

답: 엉덩관절은 비구와 대퇴골두로 이루어진 절구공이 관절이다. 골절과 탈구가 엉덩관절에서 발생할 수 있다. 엉덩관절 골절은 대부분 대퇴 근위부 혹은 비구와 관절면에서의 골절이다. 탈구는 전방이나 후방으로 일어날 수 있다.

7. 이 환자의 신체 검진에서 발견된 근골격계 손상 중에서, 잠재적으로 가장 심각한 손상은 무엇입니까?

답: 상해의 기전(MOI) 및 통증과 압통으로 볼 때, 환자는 골반 손상을 입었을 것이다. 골반 손상은 잠재적으로 가장 심각한 상해로, 신경 손상, 출혈성 쇼크, 방광 또는 요도 파열, 직장 또는 질 손상 등을 동반할 수 있다. 매우 심각한 골반 골절을 입은 환자의 절반 가까이에서 요천추신경의 손상이 보고된다. 골반 골절 후 출혈의 경우, 상당량의 혈액 손실로 인해 생명을 위협할 수 있다. 출혈성 쇼크는 골반 골절후 사망한 많은 환자의 사인이다.

근뼈대계
The Musculoskeletal System

학습목표

1. 근육세포, 힘줄, 뼈의 측면에서 근육 구조를 설명한다.
2. 신경근이음부에 대해 서술하고, 각 부위의 기능을 설명한다.
3. 근육원섬유마디의 구조를 서술한다.
4. 근 수축의 미세섬유 슬라이딩 이론을 설명한다.
5. 이온과 전하의 측면에서 분극, 탈분극, 재분극을 설명한다.
6. 근 수축을 위한 에너지원들을 언급한다.
7. 헤모글로빈, 미오글로빈, 산소 부채, 젖산의 중요성을 설명한다.
8. 길항근육과 상승근육의 차이를 설명한다.
9. 인체의 주요 근육과 그들의 기능을 서술한다.

■ 서론

인체는 잘 설계된 장치이고, 근뼈대계(근골격계)는 인체의 형태, 직립자세, 움직임을 유지한다. 근뼈대계라는 용어는 뼈와 수의근을 지칭한다. 근뼈대계는 또한 중요한 내부 장기를 보호한다. 근육은 섬유로 구성되고, 섬유의 수축을 통해 움직임이 일어난다. 인체에는 세 가지 유형의 근육이 있다: 뼈대근육(골격근), 민무늬근육(평활근), 심장근육(심근). 근육은 몸의 움직임을 유발하는 조직의 한 유형이다. 근육조직에 대한 이해는 임상 진료에 매우 중요하다. 환자가 부상당한 운동선수이거나, 자동차사고 피해자이거나, 또는 과민성 심장근육에 의한 제어되지 않는 빈맥을 가지는 경우이건 간에 당신은 근육의 작용 기전에 대해 숙지할 필요가 있다.

■ 뼈대근육

뼈대근육(골격계의 뼈에 부착해서 붙여진 이름)은 인체의 주요한 근육량을 구성한다. 뼈대근육은 뇌에 의해 의식적으로 조절되기 때문에 수의근이라고도 불린다 **그림 4-1**. 인체에는 350개 이상의 뼈대근육이 있다.

손을 흔들거나 걷기 등의 인체의 움직임은 뼈대근육의 수축 또는 이완의 결과이다. 대부분 특정 운동은 몇 가지 근육이 동시에 수축하고 이완하는 결과이다. 개개의 뼈대근육은 섬유 결합조직 층인 근막에 의해 제 위치에 고정되고, 다른 뼈대근육과 분리된다.

■ 결합조직막

근막은 모든 근육을 둘러싸고, 각 근육 말단을 지나서는 끈 모양의 힘줄을 형성하기도 한다. 힘줄 섬유는 뼈 섬유와 서로 얽혀서 근육을 뼈에 부착한다. 뼈 또는 다른 근육의 막에 부착되는 넓은 섬유막을 널힘줄이라고 한다.

뼈대근육은 한 층의 결합조직인 근육바깥막에 의해 단단히 둘러싸여 있다. 근육은 또 다른 층인 근육다발막에 의해 작은 구획들로 분리된다.

이러한 구획 안쪽에는 결합조직에 의해 함께 묶인 뼈대근육 세포 다발인 근육 다발이 있고, 이것은 근육섬유의 구성 요소들 중 하나를 이룬다. 이러한 층들은 얇은막(근육속막)을 형성한다. 뼈대근육들을 감싸고 분리하는 여러 층의 결합조직은 독립적 움직임의 상당 부분을 허용한다.

> **병태생리학**
>
> 힘줄 열상(특히 손에서)은 적절히 치료되지 않으면 장기간의 장애를 초래할 수 있다. 힘줄이 완전히 절단된 경우가 아니라면, 환자는 대개 손가락 운동의 일부를 유지한다. 평가자는 단순한 운동 자체 보다는 운동에 저항할 때 통증을 반드시 검사해야 한다. 힘줄이 부분적으로 파열되거나 찢어진 경우, 운동이 가능하지만 운동에 저항해서 통증이 유발된다. 만약 일부만 찢어진 힘줄이 진단되지 않아서 손이 부적절하게 고정되면, 완전 파열로 진행될 수 있다. 이런 상황에서 재건이 지연되면 외과적 수술은 훨씬 더 복잡해지고 치료결과는 좋지 않다.

> **병태생리학**
>
> 정중신경은 손목굴에 결합조직의 강한 띠를 통과해서 지난다. 내분비 질환, 임신, 과한 손목 사용 등은 정중신경의 자극과 압박을 주어 손목굴증후군으로 진행될 수 있다. 손목굴증후군은 직업성 장애 소송의 흔한 원인이다.

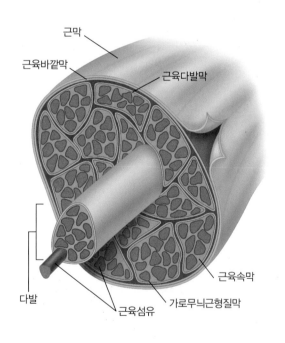

근막
근육바깥막
근육다발막
근육속막
다발
근육섬유
가로무늬근형질막

그림 4-1 뼈대근육

■ 뼈대근육 섬유의 구조

자극에 반응해서 수축하고, 자극이 멈출 때 이완하는 하나의 세포를 뼈대근육섬유라고 한다. 이 섬유는 가늘고 둥그런 말단부를 가진 긴 원통형 모양이다. 여러 개의 작은 타원형 사립체, 핵과, 그리고 세포질(근형질) 위로 세포막(가로무늬근형질막)이 놓여있다. 가로무늬근형질막은 실모양의 수많은 근육원섬유가 서로 평행으로 배열되어 구성된다.

근육원섬유는 미오신으로 구성된 두꺼운 단백질 미세섬유와 대부분 액틴으로 구성된 가는 단백질 미세섬유를 가지고 있다 그림 4-2 . 이러한 미세섬유의 배열은 가로무늬(뼈대근육 섬유의 색깔띠가 교차되는 부위)로 나타난다. 각 근육섬유에서 보이는 가로무늬 단위의 반복적 양상을 근육원섬유마디라고 한다. 기본적으로 근육은 근육원섬유마디의 집합이라고 볼 수 있다.

뼈대근육섬유의 가로무늬 양상에는 두 가지 주요한 부위가 있다. 밝은 띠(I띠)는 Z선에 부착된 액틴의 가는 미세섬유로 이루어진다. 어두운 띠(A띠)는 액틴의 가는 미세섬유와 겹쳐지는 미오신의 두꺼운 미세섬유로 구성된다. 두꺼운 미세섬유의 중앙부(H구역)와 미세섬유를 제자리에 고정하는 단백질로 이루어진 두꺼운 부위(M선)가 함께 존재한다. 그림 4-2 에서 보여지듯이 근육원섬유마디는 하나의 Z선에서 또다른 Z선까지 이어진다.

근육섬유의 근형질 내부에는 개개의 근육원섬유를 감싸는 망상의 통로가 있다 그림 4-3 . 이러한 막성 경로는 근형질세망을 형성한다. 가로세관은 근육섬유 안쪽으로 연장되어 지나가는 또 다른 막성 통로이다. 가로세관은 근육섬유 바깥쪽으로 열려있고 외세포액을 가지고 있다. 액틴과 미오신 미세섬유가 겹치는 지점 가까이에서 각 세관은 수조라고 불리는 팽창된 구조물들 사이에 놓여있다. 자극이 되면 근형질세망과 가로세관은 함께 근수축을 활성화시킨다.

증례 연구 ▶ **Part 1**

당신이 속한 구조대는 지방 축구 토너먼트 경기가 열리고 있는 지역 고등학교에서 대기중이다. 지난 4시간 동안 네 경기가 동시에 진행되었고, 앞으로도 2시간이 남았다. 갑자기 4번 경기장에서 소동이 있고, 부상을 당해 경기장에 누워있는 한 소녀를 당신은 발견한다. 목격자 진술에 의하면, 그녀는 공을 따라 뛰다가 방향을 틀던 중 갑자기 멈추었다고 한다. 당신이 판단하기에 현장은 안전하고, 환자의 일반적 소견은 오른쪽 무릎이 굴절되고 부어오른 한 소녀이다. 환자는 머리를 부딪치거나 의식을 잃지는 않았다. 그녀는 울면서 통증을 호소하고 있고, 무릎을 붙잡으려고 애쓰고 있다.

당신은 표준예방조치를 취하고, 즉각적인 생명의 위협이 없다고 판단한다. 신체검진 상, 척추와 머리를 포함한 무릎 외 다른 부위에는 외상이 보이지 않는다. 환자가 말하기를, 오른쪽 무릎에서 퍽하는 소리를 들었으며, 지금은 그 무릎관절이 불안정해서 오른쪽 다리에는 체중을 지탱할 수 없다고 한다.

기록한 시간: 0분

외형	부어오른 무릎에 통증이 있는 청소년기 여성
의식 수준	명료(사람, 시간, 날짜에 지남력이 있음)
기도	개방
호흡	정상
순환	상해 원위부로 정상 맥박 감지됨. 땀이 나며 붉어진 얼굴
맥박	90회/분, 규칙적
혈압	110/70 mmHg
호흡	22회/분, 규칙적
SpO₂	98%

1. 무릎과 같은 관절의 기능에 어떤 유형의 근육이 관여합니까?
2. 무릎 주변에 분포하는 근육 유형의 일차적 기능은 무엇입니까?

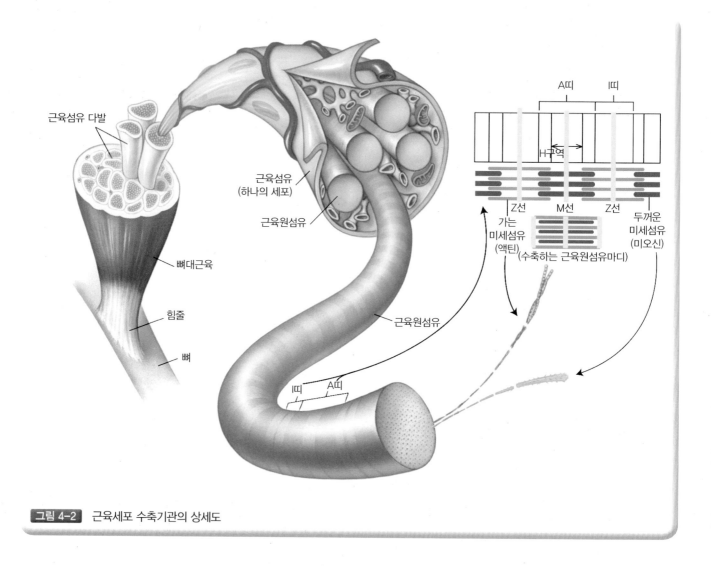

근육섬유 다발

근육섬유
(하나의 세포)

근육원섬유

뼈대근육

힘줄

뼈

근육원섬유

I띠   A띠

A띠   I띠

H구역

Z선   M선   Z선

가는
미세섬유
(액틴)   (수축하는 근육원섬유마디)   두꺼운
미세섬유
(미오신)

그림 4-2   근육세포 수축기관의 상세도

■ 신경학적 구조

신경세포는 신경 자극을 전도한다. 운동신경세포는 뼈대근
육을 포함하는 효과기들을 조정한다. 각각의 뼈대근육 섬유
는 운동신경세포 축삭에 기능적으로 연결되어, 뇌 또는 척
수에서 바깥쪽으로 나아간다. 개개의 기능적 연결을 시냅스
라고 한다. 시냅스에서 신경세포는 신경전달물질을 분비하
여 다른 세포들과 소통한다. 뼈대근육 섬유는 운동신경세포
에 의해 자극될 때 대부분 수축한다.

신경근이음부는 운동신경세포와 근육섬유 사이의 연결
이다 **그림 4-4**. 운동종말판은 특수 근육섬유막에 의해 형성
된다. 운동종말판에는 사립체와 핵이 풍부하고, 매우 여러
번 접혀진 가로무늬근형질막을 가지고 있다.

운동신경세포는 분지하여 근육섬유막 오목으로 향한다.

이러한 원위부 말단에 세포질에는 신경전달물질을 함유한
아주 작은 시냅스 소포와 사립체가 많이 분포한다. 자극을
받은 소포는 운동신경세포와 운동종말판 사이의 시냅스틈
새로 신경전달물질을 분비하여, 근수축을 유발한다.

병태생리학

특정 유형의 신경가스와 제초제 성분은 아세틸콜린에스테라아
제에 결합하여 그 기능을 억제한다. 따라서, 아세틸콜린이 시냅
스틈새에서 분해되지 않고 지속적으로 근육섬유를 자극하여, 강
직마비에 이르게 된다. 여기서 강직마비란, 근육이 자발적으로
흥분되지만 이완될수는 없는, 즉 수의적 자극에 반응하지 못하
는 마비상태를 말한다.

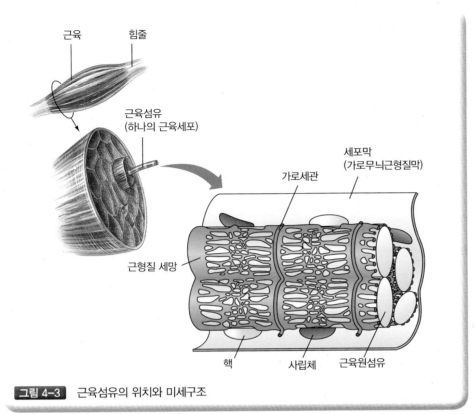

근육
힘줄
근육섬유
(하나의 근육세포)
세포막
(가로무늬근형질막)
가로세관
근형질 세망
핵
사립체
근육원섬유

그림 4-3 근육섬유의 위치와 미세구조

■ 운동단위

대부분의 근육섬유에는 단 하나의 운동종말판이 있지만, 운동신경세포 축삭이 무수히 분지하여 운동신경세포와 다양한 근육섬유를 연결한다. 자극이 전달될 때, 연결된 모든 근육섬유는 동시에 수축한다. 따라서 운동단위는 운동신경세포와 그 세포가 조정하는 모든 근육섬유로 구성된다 **그림 4-5**.

■ 뼈대근육의 수축

세포소기관과 분자가 미오신을 액틴에 결합하여 견인 동작을 일으킬 때, 뼈대근육이 수축하게 된다. 액틴과 미오신

미세섬유가 미끄러지면서 근육섬유를 수축시키고 그 부착부위를 견인할 때, 근육원섬유가 움직이게 된다.

필요한 화학물질

미오신 분자는 외부로 돌출되는 구형의 연결교를 가진 두 개의 단백질 띠로 구성된다. 수많은 미오신 분자의 집단은 미오신(굵은) 미세섬유를 형성한다.

구형의 액틴 분자는 미오신 연결교 결합부위를 가지고 있다. 수많은 액틴 분자의 집단은 이중으로 꼬여서 (나선) 액틴 (가느다란) 미세섬유를 형성하는데, 이는 트로포닌 및 트로포미오신 단백질을 포함하고 있다 **그림 4-6**.

트로포미오신 단백질 가닥은 액틴-미오신 상호작용을 방해한다. 트로포닌 분자의 소단위는 트로포미오신에 결합하여 트로포닌-트로포미오신 복합체를 형성한다. 또 다른 소단위는 G액틴에 결합하여 복합체를 제자리에 고정한다. 세 번째 소단위는 칼슘이온에 결합하는 수용체이다. 근육이 휴식할 때, 세포 내 칼슘농도는 매우 낮고 그 결합부위는 비어있다. 트로포닌-트로포미오신 복합체의 위치가 변하여 활성부위를 F액틴에 노출해야만, 수축이 일어날 수 있다. 칼슘이온이 트로포닌 분자 수용체에 결합할 때, 이러

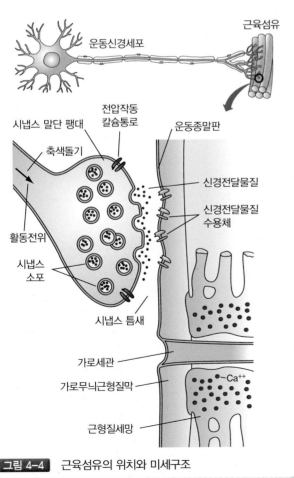

운동신경세포
근육섬유
시냅스 말단 팽대
전압작동 칼슘통로
운동종말판
축색돌기
신경전달물질
신경전달물질 수용체
활동전위
시냅스 소포
시냅스 틈새
가로세관
가로무늬근형질막
Ca⁺⁺
근형질세망

그림 4-4 근육섬유의 위치와 미세구조

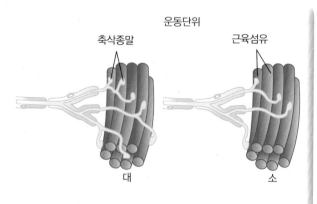

운동단위
축삭종말 근육섬유

대 소

그림 4-5 운동단위는 하나의 운동신경세포와 그 신경이 분포하는 모든 근육섬유로 구성된다.

한 위치 변화가 일어난다. 이 결합은 액틴 분자 구조에 변화를 유도하여, 액틴과 미오신의 상호작용이 일어나고, 트로포닌-트로포미오신 복합체가 형성되어 근수축이 발생한다.

뼈대근육의 기능적 단위는 근육원섬유마디이다. 근육원섬유마디가 뼈대근육 내에서 짧아질 때, 뼈대근육이 수축한다. 이것은 연결교가 액틴의 가는미세섬유를 당김으로서 발생한다. 굵고 가는 미세섬유가 서로 미끄러지면서 근육원섬유마디의 양 끝에서 중심을 향해 이동할 때, 근육원섬유마디가 짧아지는 모양 때문에 <u>미세섬유 슬라이딩 모델</u>이라고 불린다.

미오신 미세섬유의 구형 부분에는 아데노신삼인산효소(ATPase)가 있다. 이 효소는 아데노신삼인산(ATP)의 아데노신이인산(ADP)과 인산염으로의 분해를 촉진하여, 에너지를 발생한다. 미오신 연결교는 액틴에 결합하여 미세 신경섬유를 당기면서, "위로 젖혀진" 자세를 취한다. 견인이 발생한 후에, 연결교는 액틴에서 풀려지고, ATP는 분해된다. 에너지원으로 충분한 ATP가 있는 한, 이 순환은 반복되고 근육 자극이 일어난다.

수축 자극

뼈대근육의 수축을 일으키는 신경자극은 운동신경세포를 통해 전달된다. 이러한 자극을 또한 활동전위라고 하며, 신경계에서 한 세포에서 또 다른 세포로 전달되어 연달아서 사슬내 세포를 '흥분'시킨다. 활동전위에 반응하여 세포가 활성화되는 과정을 <u>탈분극</u>이라고 한다. 세포가 휴지기에 있을 때, 이온은 세포 안팎으로 능동수송되어 세포막에 전기화학적 기울기를 형성하게 되는데, 이를 <u>분극</u>이라고 한다.

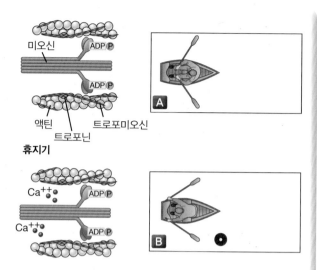

미오신

액틴 트로포미오신
트로포닌

휴지기 A

Step 1: 활동전위 B

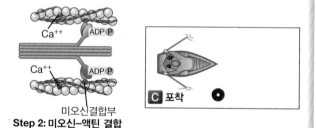

미오신결합부
Step 2: 미오신-액틴 결합 C 포착

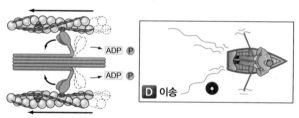

Step 3: 동력행정 D 이송

Step 4: ATP 결합과 액틴-미오신 분리 E 분리

Step 5: ATP 분해 F 회복

그림 4-6 미세섬유 슬라이딩 이론: 근육섬유의 수축 기전

신경전달물질이 분비되어 세포가 활성화되면, 세포벽 단백질이 신속히 열리고 이온이 급속히 유입되어 세포벽 양쪽에 전하를 균등하게 만든다. 이렇게 전하가 균등할 때, 세포는 탈분극되고 단백질 통로는 닫힌다. 이어서 재분극 과정이 시작되어 전기화학적 기울기가 다시 형성되면 세포는 또 다시 "흥분"된다.

뼈대근육이 수축되도록 자극하는 신경전달물질은 아세틸콜린이다. 운동신경세포의 세포질에서 합성되어 아세틸콜린은 운동신경세포 축삭과 운동종말판 사이 시냅스틈으로 분비된다. 이후 아세틸콜린은 신속히 확산되고 근육섬유막에 특정 단백질 수용체와 결합하여 나트륨의 투과성을 증대시킨다. 이러한 전하를 띤 입자들은 근육 자극을 활성화해서 근육섬유막 위 여러 방향으로 통과하도록 한다.

근육형질세망은 높은 칼슘이온 농도를 가지고 있으며, 칼슘 투과도가 더욱 높아지면서 근육 자극에 반응한다. 칼슘은 세포질로 분비되어 트로포닌에 결합하고 수축 주기를 시작하여 트로포닌과 트로포미오신 상호작용을 통한 액틴과 미오신 미세섬유 사이의 연결이 형성된다. 또한 근육 수축은 ATP를 필요로 하고 아세틸콜린이 분비되는 동안 지속된다.

근육 이완은 아세틸콜린에스테라아제 효소에 의한 아세틸콜린의 분해에 의해 일어난다. 이 효소는 단 하나의 신경 자극이 근육섬유를 지속적으로 자극하는 것을 방지한다. 자극이 멈추면, 칼슘이온은 다시 근형질세망으로 수송되고, 액틴과 미오신 연결은 끊어져서 근육이 이완된다.

에너지원

근수축은 유형에 관계없이 에너지를 필요로한다. 근육섬유는 단기간 수축에만 충분한 ATP를 가지고 있다. 근육이 활동 중일 때, 세포 내 존재하는 ATP 분자를 이용해서 새로운 ATP를 재생산해야만 한다. 크레아틴인산은 고에너지 인산결합을 통해 이러한 과정을 가능하게 한다. 근육섬유 내에서 크레아틴인산은 ATP 보다 4배에서 6배 더 많이 존재하지만, 직접적으로 에너지를 공급하지는 않는다. 대신 사립체의 초과 에너지를 인산결합에 저장한다.

ATP가 분해할 때, 크레아틴인산의 에너지가 ADP분자로 전달되어 ADP를 다시 ATP로 전환한다. 근육이 활동 중일때 크레아틴인산 저장고는 급속히 소진되므로, 근육은 포도당의 세포 호흡을 ATP 합성의 에너지로 이용한다.

산소이용과 산소부채

산소는 사립체에서 포도당 분해에 필요하다. 적혈구는 헤모글로빈(혈색소) 분자에 결합된 산소를 운반한다. 헤모글로빈은 혈액을 붉은색으로 만드는 색소이다. 미오글로빈 색소는 근육에서 합성되어 뼈대근육이 적갈색을 띠게 만든다. 미오글로빈은 산소와 결합하고, 또한 근수축 동안 지속적인 혈액공급의 필요를 줄이기 위해 일시적으로 산소를 저장한다.

뼈대근육이 일이분 이상 사용될 때, 에너지를 위한 무산소호흡이 필요하다. 무산소호흡의 한 유형에서 포도당은 해당작용에 의해 분해되어 피루브산을 생성하고, 피루브산은 젖산으로 전환된다. 젖산은 근육 내 축적되지만 종종 혈액 내로 확산되어 간에 도달하면 다시 포도당으로 전환될 수 있다.

격렬한 운동을 할 때, 산소는 대부분 ATP 합성을 위해 사용된다. 젖산이 증가함에 따라 산소 부채가 발생한다. 산소 부채는 젖산을 포도당으로 전환하기 위해 간세포가 필요로하는 산소의 양과 ATP 및 크레아틴인산 수치를 회복하기 위해 근육세포가 필요로하는 산소의 양을 의미한다.

젖산이 포도당으로 전환되기까지 수시간이 소요될 수 있다. 운동의 정도가 변화하면 근육의 대사 활동이 변하게 된다. 운동량의 증가는 근육의 해당작용 능력을 증가시킨다. 유산소운동은 근육의 산소호흡 능력을 증가시킨다.

근육피로

장시간의 운동은 근육이 더 이상 수축할 수 없는 상태를 만들 수 있다. 이러한 상태를 피로라고 하는데, 근혈류 공급의 차단과 때로는 운동신경세포 축삭에서 아세틸콜린 결핍에 의해서도 발생할 수 있다. 젖산의 축적은 근피로의 흔한 원인이다. 젖산이 pH 수치를 낮출수록, 근육섬유가 자극에 반응하는 능력이 점차적으로 감소된다. 근육이 피로하면, 지속적인 불수의적 수축, 즉 근육경련이 나타난다. 완전히 이해되지는 않지만, 근육섬유와 운동신경세포를 둘러싸는 외세포액의 변화에 의해 근육경련이 야기된다고 보여진다.

열 생산

세포 호흡에서 방출되는 대부분의 에너지는 열이 된다. 근육이 체질량의 상당부분을 차지하기 때문에, 근육조직은 상당량의 열을 발생한다. 근육에서 발생한 열을 다른 인체 조직으로 수송하는 혈액에 의해 체온이 부분적으로 유지된다.

근육 반응

근육연축(muscle twitch)을 "보는" 근전도를 사용해서 근수축을 관찰할 수 있으며, 반응의 다양한 강도와 주기를 유발하는 전기적 신호를 필요로 한다. 특정강도의 자극(역치 자극)이 가해지기 이전까지는 근육섬유가 반응하지 않는다. 활동전위가 발생되면 근육섬유를 따라 자극이 퍼지고 칼슘이 방출되어 연결교 결합을 활성화시킨다. 이는 수축을 일으킨다.

한 섬유의 자극에 대한 수축성 반응을 연축이라고 하며, 수축기와 그 뒤를 잇는 이완기로 구성된다. 근전도는 이러한 일련의 양상을 기록한다. 자극 시간과 수축 시작 사이의 짧은 지체기를 잠복기라고 하며, 2 milliseconds(2천분의 1초) 이하로 지속된다. 근전도 결과는 수축에 참여하는 모든 근육섬유들의 연축의 합이다. 연축에는 두 가지 유형이 있다: 피로에 저항하는 느린 연축, 피로하기 쉬운 빠른 연축.

개개의 연축의 힘은 누적과정을 통해 합해진다. 수축이 지속되고 전혀 이완되지 않을 경우, 강직성 수축 또는 강직 상태라고 한다. 고강도 자극은 많은 운동단위를 활성화할 수 있다(활성운동단위증가 recruitment).

뼈대근육의 활동

뼈대근육이 부착하는 관절의 유형과 부착부의 위치에 따라 뼈대근육 고유의 운동이 일어난다. 근육이 쉬고있는 듯 보일 때에도, 근육섬유에서는 여전히 일정부분 지속적인 수축이 진행되고 있는데 이를 근육긴장이라고 한다.

기시와 부착

대개 뼈대근육의 한쪽 끝은 가동관절에서 상대적으로 불가동 부위(기시)에 부착된다. 다른쪽 끝은 그 쪽 관절의 가동 부위(부착)에 연결된다. 수축이 일어날 때 부착은 기시를 향해 당겨진다. 위팔두갈래근의 경우처럼, 한 개 이상의 기시 혹은 부착이 있을 수 있다. 위팔두갈래근이 수축할 때, 기시를 향해 당겨진 부착은 팔꿈치에서 아래팔(전완)의 굴곡과

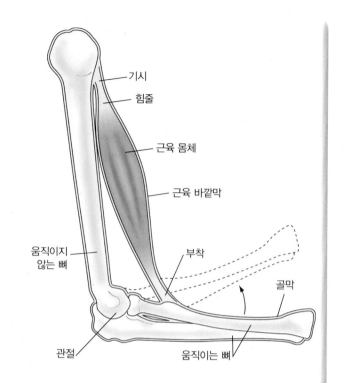

그림 4-7 근육의 부분들. 보여진 근육의 실제 기시는 어깨뼈에 있다. 위팔뼈에 기시는 명확성을 위해 표시되었다.

회외를 일으킨다 **그림 4-7**.

근육의 머리는 기시에 가장 가까운 부위이다. 굴곡이란 한 관절의 각도가 줄어드는 것을 말한다; 예를 들면, 팔꿈치에서 구부러지는 아래팔의 운동이다. 신전이란 한 관절의 각도가 증가하는 것을 말한다; 예를 들면, 팔꿈치가 펴지는 아래팔의 운동이다.

뼈대근육 상호작용

대부분 뼈대근육은 그룹을 지어 작용하고, 더불어 신경계는 근육들이 의도한 기능을 수행하도록 자극한다. 필요한 운동의 대부분을 수행하는 근육을 견인차 혹은 작용제라고 한다. 견인차와 협력하여 그 운동을 더욱 효과적으로 만드는 근육들은 상승제이다. 아래팔을 굽힐 때를 예로 들면, 작용제는 이두근, 상승제는 상완근이다.

다른 근육들은 견인차에 길항제로 작용한다. 길항제는 반대 방향으로의 운동을 일으킨다. 위의 예에서, 삼두근은 이두근의 길항제가 된다. 견인차가 수축하는 동안 길항제가 이완할 때, 원활한 인체의 운동이 가능하다. 다양한 운동을 조정하기 위해서 근육들은 함께 또는 서로 반대로 작용한다.

■ 민무늬근육

민무늬근육(평활근) 세포는 뼈대근육 세포보다 작고 방추형으로 단 하나의 핵을 가지고 있다. 민무늬근육 세포는 뼈대근육 세포에 비해서 적은 양의 액틴과 미오신 근육미세섬유를 가지고 있다. 민무늬근육의 근육미세섬유는 근육원섬유마디로 구성되지 않으므로 민무늬근육은 민무늬근이 된다.

민무늬근육의 두 가지 유형은 내장민무늬근육과 다단위성 민무늬근육이다. 내장민무늬근육이 둘 중 더 흔하고 소화관, 생식관, 비뇨관의 층을 이루는 여러장의 근육으로 구성된다. 무수한 전도 부위, 즉 틈새이음이 개개의 세포들을 서로 연결하기 때문에 전기화학적 신호는 한 세포에서 다른 세포로 신속히 전달된다. 활동전위의 신속한 전달로 인해 다수의 민무늬근육층은 하나의 단위로서 기능하는 경향이 있다. 때때로, 이러한 방식의 근수축을 기능적 융합체라고 지칭한다.

다단위성 민무늬근육은 여러장의 근육(혈관벽), 근육의 작은 다발(눈의 홍채), 또는 단세포(비장 피막)의 형태로 이루어진다. 이 유형의 민무늬근육에는 틈새이음이 거의 없다; 신경에 의해 자극된 개개의 세포는 독립적 단위로 수축한다. 따라서, 수축의 속도는 내장민무늬근육에 비해 다소 느리다.

자율신경계가 민무늬근육에 분포한다. 자율신경계는 의식의 통제하에 있지 않기 때문에, 민무늬근육은 불수의근이다. 뼈대근육과는 다르게 민무늬근육에는 근육형질세망이 거의 없다. 수축에 필요한 칼슘은 주위 액체(외세포액)에서 세포로 확산되어 들어온다. 칼슘은 내세포질 단백질, 칼모듈린에 결합해서 근수축을 일으킨다. 액틴과 미오신 미세섬유가 실제로 연결교를 형성하는지 여부는 알려져있지 않다. 일반적으로, 민무늬근육의 수축은 뼈대근육보다는 느린 속도로 일어난다.

자율신경계의 전기화학적 자극 뿐만 아니라, 다양한 호르몬이 민무늬근육 수축에 영향을 준다. 예를 들면, 옥시토신 호르몬은 자궁 민무늬근육의 수축을 자극한다.

증례 연구 ▶ Part 2

당신이 보기에 환자는 무릎관절을 지지하는 인대에 손상을 입은 것으로 의심된다. 환자와 그녀의 아버지(외상을 입은 바로 직후부터 환자 옆에 계속 있었다.)에게 환자의 병력에 대해 문진한 결과, 환자는 체중이 49 kg인 14살 소녀이고, SAMPLE 병력은 다음과 같다.

- 징후와 증상(Signs and symptoms): 상해를 입은 다리에 부종, 통증, 압통, 그리고 통증으로 인한 이차적인 원위부 근육 약화.
- 약물에 대한 알레르기(Allergies to medications): 없음.
- 목용숭인 약(Medications taken): 이부프로펜, 비타민C.
- 관련된 과거력(Past pertinent medical history): 알파인 스키 타다가 오른쪽 무릎 부상, 스케이트보드 타던 중 오른쪽 손목 골절.
- 마지막으로 음식/액체 섭취(Last food/ fluid intake): 지난 휴식시간에 오렌지 몇 조각을 제외하고는 아침식사 이후로 음식섭취 없었음.
- 발생전 상황(Events prior to onset): 급격한 감속과 우측 무릎의 회전을 동반한 비접촉성 손상..

기록한 시간: 5분	
외형	여전히 통증이 있지만 진정되고 있는 중
의식 수준	명료(사람, 시간, 날짜에 지남력이 있음)
기도	개방
호흡	20회/분, 규칙적
순환	피부색은 돌아오고 있지만, 여전히 땀을 흘림

3. 힘줄에 더하여 무릎과 그 주위에 어떤 구조들이 손상되었을 가능성이 있습니까?

4. 이런 상황에서 가장 흔한 무릎 손상의 유형은 무엇입니까?

5. 이 손상의 치료에 있어 우려되는 점은 무엇입니까?

■ 심장근육

심장근육(심근)은 뼈대근육처럼 가로무늬근이고, 근육세포
는 단 하나의 핵을 가지고 있다. 사이원반은 활동전위를 한
세포에서 다른 세포로 통과시키는 심장근육 내 가지섬유이
다. 활동전위(전기화학적 신호 혹은 자극)가 발생하기 위해
서는 자극에 반응하도록 대기하고 있는 휴지기 세포인 분극
세포가 필요하다. 분극된 세포의 탈분극을 위해서는 최소한
의 에너지가 필요하다. 탈분극은 이온통로를 개방하여 나트
륨의 급속한 세포 내 유입을 일으킨다. 충분한 나트륨이 세
포 내로 유입되면, 활동전위가 발생하여 주변 세포들을 자
극한다. 재분극은 탈분극 이후의 회복기이다. 재분극 단계
에서 나트륨은 능동수송을 통해 세포를 떠나고, 세포는 다
시 분극 상태로 돌아와서 다음 자극을 기다린다.

　　심장근육은 내인성 자발성을 가지고 있는데, 이는 스스
로 전기적 활동을 발생시킬 수 있는 능력이 있음을 의미한
다. 나트륨과 칼슘의 세포막을 통한 유입은 심장근육의 탈
분극을 일으킨다. 특정 조건하에서는 (전해질 이상, 나트륨/
칼륨/칼슘 이상, 저산소증), 심장 내 어느 세포나 과민해지
고, 따라서 주기외수축(extrasystole)을 일으킬 수 있다. 주
기외수축은 심방세동보다 앞서 일어날 수 있다.

■ 근육 해부학

근육의 그룹과 그 위치 및 기능을 학습하는 것은 매우 중요
하다. 근육의 이름은 흔히 그 근육의 크기, 모양, 위치, 작
용, 부착부의 개수, 섬유의 방향 등을 묘사한다. 예를 들어,
"pectoralis"는 라틴어로 "흉부"를 의미한다. 흉벽의 주요 근
육은 pectoralis major 큰가슴근(대흉근)이다. "angina"는 통
증을 의미하므로, angina pectoralis는 "흉부에 통증"이다.
라틴어로 Brevis는 "짧은", longus는 "긴"이라는 뜻이다. Ad-
ductor brevis muscle 짧은모음근은 허벅지를 모으는 (내전
하는) 짧은 근육이다. 이 근육의 상승제 중의 하나인 adduc-
tor longus 긴모음근은 같은 역할을 수행하는 긴 근육이다.

　　그리스어로 deltoid는 "삼각형의"란 뜻이다. Deltoid
muscle(어깨세모근)은 위팔과 어깨의 큰 삼각형 근육이다.
라틴어로 rectus는 "직선의"라는 뜻이므로, 복부의 직선 근
육은 rectus abdominis 배곧은근(복직근)이다. 목빗근은 가

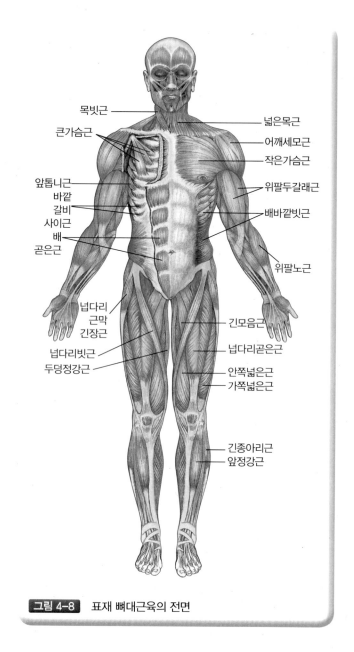

목빗근
큰가슴근
앞톱니근
바깥
갈비
사이근
배
곧은근
넙다리
근막
긴장근
넙다리빗근
두덩정강근

넓은목근
어깨세모근
작은가슴근
위팔두갈래근
배바깥빗근
위팔노근
긴모음근
넙다리곧은근
안쪽넓은근
가쪽넓은근
긴종아리근
앞정강근

그림 4-8　　표재 뼈대근육의 전면

습뼈(흉골)에서 기시해서, 빗장뼈(쇄골) 위를 지나서, 유돌
기에 부착된다. 위팔두갈래근은 두 개의 머리를 가진다. 표
재 뼈대근육의 전면과 후면 그림은 **그림 4-8** 과 **그림 4-9** 에
서 다루고 있다.

■ 머리, 몸통, 상지

머리

머리를 움직이는 근육은 머리뼈의 전면, 후면, 외측면에 위치
한다. 일반적으로 이 근육들은 목뼈 상부에서 기시하여, 머리
뼈—가장 흔히 뒤통수뼈—에 부착한다 **그림 4-10** . 신경지배

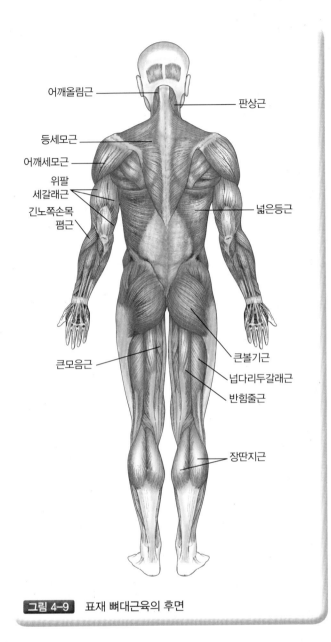

그림 4-11

6개의 근육이 안구에 부착되어 안구가 눈확(안와) 내부에서 여러 방향으로 회전할 수 있도록 한다. 동안신경이 이 근육들에 분포한다. 양 안구 근육의 움직임은 조화를 이루어 양쪽 눈의 운동은 동시적으로 일어난다.

씹기근육(저작근)은 5번 뇌신경에 의해 지배된다. 관자근과 깨물근(교근)은 아래턱뼈를 올리고 뒤로당긴다. 외측과 내측 날개근은 이와 반대로 작용하여, 아래턱뼈를 누른다. 또한, 혀에 있는 몇개의 근육들이 음식을 씹고, 말을 할 때 매우 중요하다 그림 4-12.

연하(삼키기)는 입천장, 인두, 후두의 조화로운 수축을 필요로 하는 복잡한 과정이다. 이러한 근육들의 대부분은 되돌이후두신경에 의해 지배된다.

병태생리학

편타손상은 급작스러운 굴곡 또는 신전에 의해 통증 및 기타 상해를 유발하는 목의 손상이다. 전형적으로 자동차 후방 추돌의 결과, 목뼈의 과신전-과굴곡 손상이 발생한다. 환자는 목과 머리의 통증을 호소하고, 팔을 따라 내려가는 방사통이 있을 수 있다. 때로는 교감신경계 자극이 수반되므로 어지러움, 흐려보임, 안구뒤쪽 통증이 나타날 수 있다. 골절, 탈구, 신경학적 손상이 없는 상태에서, 증상은 대개 6주에서 8주 내에 호전되고, 장기간 장애는 드물다.

병태생리학

벨마비는 외상 또는 감염에 의한 얼굴신경의 기능 이상이다. 환자는 이환 부위 얼굴의 근육을 움직일 수 없게되어, 말할 때와 미소지을 때 입술이 아래로 쳐진다. 벨마비로 인한 가장 심각한 문제는 눈이 감기지 않는 것(눈꺼풀이 내려오지 않음)과 눈깜박반사(blinking reflex)가 소실되는 점이다. 눈을 보호하기 위해서 인공 누액을 넣어주거나 눈꺼풀을 닫아서 테이프로 붙인다. 대부분의 환자에서 신경기능은 수주 내에(적어도 어느 정도까지는) 돌아온다.

병태생리학

후두경련 (후두 근육의 경련)은 심각한 알레르기 반응 후에 발생한다. 부종이 심한 경우, 공기가 기도 내로 유입되는 통로가 막힐 수 있다. 즉시 처치하지 않으면 저산소증에 의한 뇌손상 내지 사망에 이를 수 있다.

그림 4-9 표재 뼈대근육의 후면

는 경부신경근 C1, C2와 척수 부신경에 의해 이루어진다.

전방에 위치하여 긴머리근과 머리곧은근은 머리를 회전하고 굴곡한다. 수많은 후방 근육들이 머리의 회전과 신전을 보조한다. 외측으로 목빗근은 머리를 회전하고 신전하며, 앞머리곧은근은 머리를 외전한다.

얼굴

얼굴의 근육들은 표재성으로 피부에 부착된다. 얼굴 근육은 다양한 얼굴뼈에서 기시하고, 한 근육을 제외한 모든 근육이 7번 뇌신경(얼굴신경)에 의해 지배된다. 예외적으로, 위눈꺼풀올림근은 3번 뇌신경(동안신경)에 의해 지배된다

(그림 4-9 라벨: 어깨올림근, 판상근, 등세모근, 어깨세모근, 위팔, 세갈래근, 긴노쪽손목, 폄근, 넓은등근, 큰모음근, 큰볼기근, 넙다리두갈래근, 반힘줄근, 장딴지근)

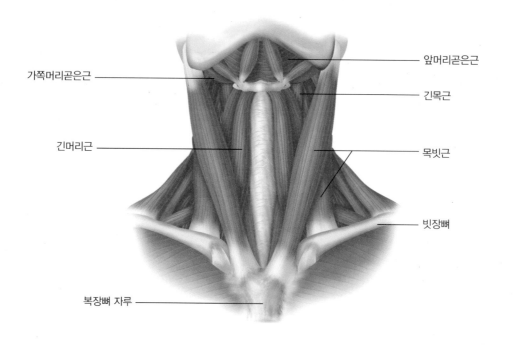

가쪽머리곧은근

긴머리근

복장뼈 자루

앞머리곧은근

긴목근

목빗근

빗장뼈

그림 4-10 머리를 움직이는 근육

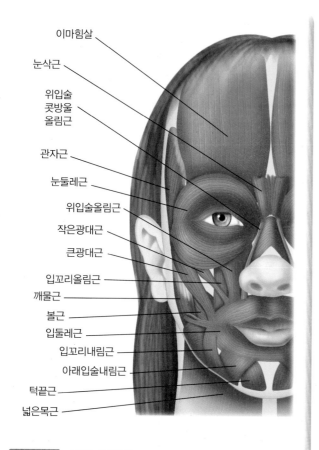

이마힘살

눈삭근

위입술
콧방울
올림근

관자근

눈둘레근

위입술올림근

작은광대근

큰광대근

입꼬리올림근

깨물근

볼근

입둘레근

입꼬리내림근

아래입술내림근

턱끝근

넓은목근

그림 4-11   얼굴표정근육

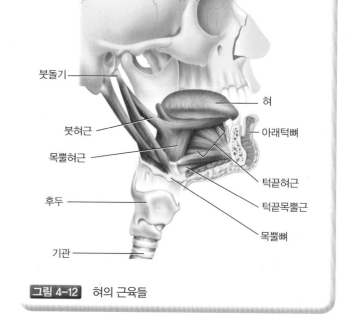

붓돌기

붓혀근

목뿔혀근

후두

기관

혀

아래턱뼈

턱끝혀근

턱끝목뿔근

목뿔뼈

그림 4-12   혀의 근육들

임상적으로, 동안신경 기능을 평가할 때, 환자에게 눈을 여러 방향으로 움직여보도록 한다 – 좌, 우, 상, 하, 그리고 45도 각도 조합(예, 위에서 오른쪽으로, 아래에서 왼쪽으로). 이러한 눈의 움직임들을 <u>외안운동</u>이라고 한다. 동안운동을 평가하는 가장 쉬운 방법은, 환자가 검사자의 손가락 끝이나 손전등을 눈으로 따라 가도록 하는 것이다. 정상적으로, 양안이 한 방향에서 동일하게 움직여야 한다.

어깨와 등

후방 가슴 근육들은 등근육의 첫 번째 층을 형성한다. 등세모근(승모근), 어깨세모근(삼각근), 마름근(능형근), 넓은등근(광배근) 등이 여기에 속한다. 이들 모두 가슴 위쪽과 어깨이음구조의 운동에 관여한다 그림 4-8 , 그림 4-9 .

두 유형의 근육들이 척추를 움직인다: 심부 근육과 표재성 근육. 심부 근육은 척추뼈에서 기시해서 척추뼈로 부착된다; 반면, 표재성 근육은 척추뼈에서 기시해서 갈비뼈에 부착된다. 이런 근육들은 흔히 등근육이라고 불린다. 근육의 위치에 따라 다양한 척수신경이 등근육에 분포한다.

통칭해서, 척주세움근은 표재성 등근육의 가장 큰 무리를 이룬다. 이는 다시 세 그룹으로 분류된다: 엉덩이갈비근, 가장긴근, 가시근. 가장긴근은 등에서 가장 큰 근육량과 힘을 가지고 있다.

등의 심부 근육은 가시사이근육(모든 척추뼈의 가시돌기를 연결); 가로돌기사이근(가로돌기를 연결); 뭇갈래근(척추 기립과 회전을 도움); 회선근(가시돌기와 가로돌기 사이 고랑에 깊이 위치하여, 척주를 신전하고 반대방향으로 회전함); 반가시근(척추 회전을 도움)을 포함한다.

가장 작은 심부 등근육 중 하나에만 손상이 있어도 연축(spasm)이 발생할 수 있고, 한 번 시작되면 주변 조직으로 퍼져나가는 경향이 있다. 근육연축에서 염증이 흔하다. 이러한 상태는 진통제, 소염제, 항연축제(근이완제)의 조합으로 치료한다. 이부프로펜같은 비스테로이드성 소염제가 등의 통증과 연축에 가장 흔히 사용된다. 심한 근육연축의 병원전 치료는, 각 지역 프로토콜에 따라 다르기는 하지만, 진통제(몰핀)와 근이완제(디아제팜)를 함께 사용한다.

응급구조사는 흔히 등하부 염좌와 긴장을 경험하는데, 이는 대부분 반복적으로 들어올리는 동작으로 허리근육, 힘줄, 인대에 무리를 주기 때문에 발생한다. 염좌와 긴장은 때로는 무거운 물체를 들어올리는 단 한 번의 시도만으로도 발생할 수 있고, 물건을 들어올리는 잘못된 자세나 방법에 의해서도 일어난다. 특이한 위치와 자세로 발견된 환자를 들어서 이송해야하는 경우, 응급구조사는 반드시 올바른 방식을 사용하여 상해를 방지해야 한다.

등하부 염좌 및 긴장에 의한 통증은 때로는 쓰리고 쑤시는 국소적인 통증이다. 통증은 흔히 심한 편이고, 허리를 돌리거나 물건을 집기위해 허리를 구부릴 때 날카로운 통증이 발생하기도 한다. 반듯하게 바로 누워서 열 또는 냉찜질을 하면 증상이 호전되기도 한다. 등연축 자체에 의한 통증은 다리로 방사하지 않고, 마비 또는 약화를 유발하지도 않는다. 통증은 수일 또는 그 이상 지속될 수 있다.

흉부

숨을 쉬는 동안 주요한 움직임은 <u>가로막(횡격막)</u>의 수축에 의해 일어난다. 가로막이란 흉강 기저부에 편평한 반구형 근육으로, 가로막신경이 분포한다. 따라서, 가로막신경의 손상은 호흡장애를 유발할 수 있다. 호흡에 관여하는 다른 근육들은 <u>목갈비근</u>(사각근, 들숨 시 첫 번째와 두 번째 갈비뼈를 들어올림)과 바깥갈비사이근, 속갈비사이근이다 그림 4-13 .

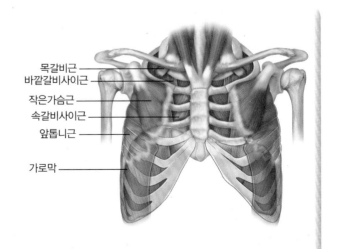

목갈비근
바깥갈비사이근
작은가슴근
속갈비사이근
앞톱니근
가로막

그림 4-13 호흡근육

병태생리학

가로막신경의 자극으로, 가로막의 갑작스럽고 예측할 수 없는 수축이 일어나는 것이 딸꾹질이다.

복부

얇은층과 깊은층의 근육으로 이루어진 복부 근육은 척추를 굴곡하고 회전한다. 백색선이라고 부르는 힘줄 영역이 정중선에 위치한다. 근육들은 골반뼈와 갈비뼈에서 기시하고 부착된다. 복부 근육에는 척수신경이 분포한다.

상지

위팔의 근육이 수축할 때, 6개 근육 그룹들이 어깨뼈를 몸통에 단단히 고정한다. 모두 상부 척추와 갈비뼈에서 기시하여 어깨뼈의 다양한 부위에 부착된다. 등세모근을 제외한 모든 근육은 척수신경에 의해 지배된다. 등세모근에는 11번 뇌신경인 척수 부신경이 분포한다.

큰가슴근과 넓은등근은 팔을 가슴우리에 부착한다. 회전근개는 4개의 특수한 신경의 그룹으로 위팔뼈 근위부 위로 띠를 형성하고 위팔뼈를 어깨뼈에 부착하며 위팔의 회전을 돕는다.

다른 수많은 근육들이 팔의 운동에 관여한다. 주요 굴근으로는 어깨세모근과 위팔두갈래근이 있다. 위팔세갈래근과 어깨세모근은 팔의 신전을 주로 담당한다. 외전, 내전, 외회전, 내회전은 위팔 세갈래근과 어깨세모근 및 다른 몇 개 보조근의 작용으로 일어난다 그림 4-14 .

아래팔에서 작용하는 근육들은 위에서 언급한 위팔의 근육과 아래팔의 내재근을 포함한다. 팔꿉치근은 신전 상태에서 팔꿉치를 안정시킨다; 위팔노근은 팔꿉치를 굴전한다. 네모엎침근과 원엎침근은 전완을 회내(Pronation), 손뒤침근은 아래팔을 회외(supination) 한다.

손, 손목, 손가락의 운동은 주로 아래팔의 근육에 의해 매개된다. 이들은 신근(신전을 일으키는 근육 그룹)과 굴근(수축시 굴곡을 일으키는 근육 그룹)으로 나뉜다. 예를 들면, 얕은손가락굽힘근은 손가락의 굴곡을 유발한다. 원칙적으로 신근은 팔꿉치 외측면에서 기시하고, 굴근은 팔꿉치 내측면에서 기시한다 그림 4-15 .

또한 움직임은 손의 내재근에 의해서도 영향을 받는다;

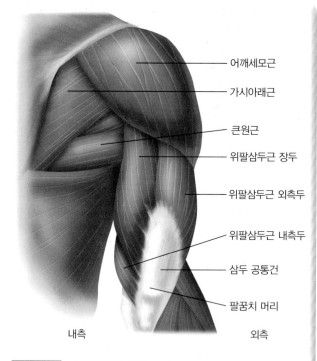

	어깨세모근
	가시아래근
	큰원근
	위팔삼두근 장두
	위팔삼두근 외측두
	위팔삼두근 내측두
	삼두 공통건
	팔꿉치 머리

내측　　　　　　　　　　외측

그림 4-14　상완근육의 뒤쪽 그림

벌레근, 골간근, 엄지두덩과 새끼두덩의 근육들. 이러한 작은 근육들은 손 내부에만 위치한다 그림 4-16 . 손과 손가락을 움직이는 모든 근육은 정중신경, 척골신경, 요골신경에 의해 지배된다.

병태생리학

회전근개 손상은 어깨통증의 흔한 원인으로, 노화에 따른 힘줄의 퇴행 및 반복적 외상에 의해 발생한다. 힘줄이 약해지면서, 어깨관절을 덮고 있는 윤활낭이 두꺼워지고 만성적 염증이 생긴다. 완전 파열은 때로는 스포츠 경기 도중 발생하지만(무거운 중량을 들어올리거나 손을 뻗은 상태에서 넘어지는 등), 훨씬 흔히는 만성적 퇴행의 결과 일어난다. 환자는 전형적으로 어깨 위 통증과 압통을 호소하고, 팔을 외전할 때 증상이 악화된다. 힘줄의 완전 파열이 없는 경우에는 일부 근력은 유지된다. 파열되면, 심한 근력 약화와 다양한 정도의 통증이 흔히 동반된다. 방사선 검사는 대부분 정상이고, MRI가 완전파열과 부분파열의 감별진단에 도움이 된다. 회전근개의 긴장 및 힘줄염은 휴식과 비스테로이드성 소염제 치료에 잘 반응한다. 파열은 외과적 재건술을 필요로 할 수 있다.

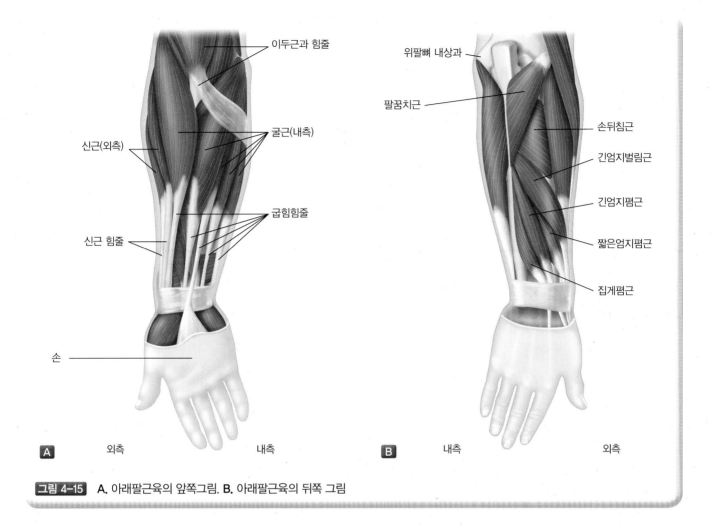

그림 4-15 **A.** 아래팔근육의 앞쪽그림. **B.** 아래팔근육의 뒤쪽 그림

A (왼쪽 그림)
- 이두근과 힘줄
- 굴근(내측)
- 신근(외측)
- 굽힘힘줄
- 신근 힘줄
- 손
- 외측 / 내측

B (오른쪽 그림)
- 위팔뼈 내상과
- 팔꿈치근
- 손뒤침근
- 긴엄지벌림근
- 긴엄지폄근
- 짧은엄지폄근
- 집게폄근
- 내측 / 외측

병태생리학

이두근 힘줄염은 40세 이상 성인에서 어깨통증의 흔한 원인이다; 그러나, 손으로 던지는 동작을 반복하는 젊은 운동선수에서도 발생할 수 있다. 공통분모는 이두근고랑에서 이두근 힘줄과 힘줄집의 염증이다. 환자는 어깨 전방외측면으로 통증이 있고, 종종 통증은 팔을 따라 아래로 방사된다. 위팔뼈 이두근고랑에 촉진시 압통이 있고, 예르가손 검사는 양성이다[저항에 반해서 아래팔을 뒤칠때(회외) 이두근고랑에 통증]. 방사선검사는 대부분 정상이다. 치료는 휴식, 온열, ROM 운동, 비스테로이드성 소염제로 이루어진다. 때때로, 어깨 부위에 스테로이드를 주사하기도 한다. 외과적 수술은 마지막 방책이다.

■ 골반, 하지

골반저부와 회음부

꼬리근과 항문거근이 골반저부를 형성한다. 이 근육들 아래 부위가 회음부이다. 비뇨생식계(비뇨생식부위) 구조들은 앞쪽에 놓이고, 항문(항문부위) 구조들은 뒤쪽에 놓인다.

　망울해면체근은 남성에서 요도를 수축하고 발기를 돕는다; 여성에서는, 음핵의 발기가 일어난다. 항문관의 구멍은 바깥항문조임근에 의해 닫힌채로 유지된다; 반면, 요도괄약근은 요도를 수축한다 그림 4-17.

하지

엉덩이 근육은 고관절에서 허벅지의 움직임을 일으킨다. 이 근육들 대부분은 골반에서 기시하여 넙다리뼈에 부착된다. 다양한 요추 및 천추신경이 이 부위에 분포한다.

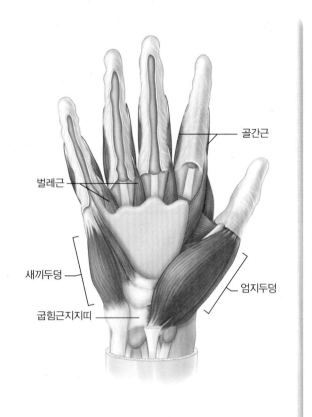

그림 4-16 손의 근육

골간근

벌레근

새끼두덩

굽힘근지지띠

엄지두덩

엉덩관절 굴곡은 엉덩이 허리근이 수축할 때 일어난다. 후방 외측으로, 볼기근(큰볼기근, 중볼기근, 작은볼기근)과 넙다리근막긴장근이 엉덩관절을 신전하고 회전한다. 또한, 쌍동이근, 폐쇄근, 엉덩이구멍근, 넙다리네갈래근 등의 심부 근육들이 엉덩관절의 굴곡 및 회전을 일으킨다. 짧은모음근, 긴모음근, 큰모음근, 두정정강근, 치골근 등의 내측 구획 내 근육들은 허벅지를 굴곡하고 내회전한다 **그림 4-18**.

무릎관절의 운동은 허벅지의 2개 구획(근막으로 둘러싸인 해부학적 공간)에 위치한 일련의 근육들에 의해 영향을 받는다. 전방 구획에는 넙다리네갈래근과 넙다리빗근이 있다. 넙다리네갈래근이 수축할 때, 일차적으로 무릎이 신전된다(넙다리네갈래근 일부는 또한 엉덩관절을 교차하므로, 이차적 기능은 엉덩관절의 굴곡이다). 넙다리빗근은 인체 내 가장 긴 근육이고, 수축 시 무릎과 엉덩관절을 굴곡한다. 후방 구획에 넙다리두갈래근(대퇴이두근)은 무릎의 굴곡 및 외회전, 엉덩관절의 신전을 담당한다. 반막모양근과 반힘줄근은 무릎을 굴곡하고 내회전 시킨다. 넙다리두갈래근, 반막모양근, 반힘줄근을 합쳐서 넙다리뒤근육 (hamstrings)이라고 칭한다.

종아리의 근육들은 발목과 발에 작용한다. 이 근육들은

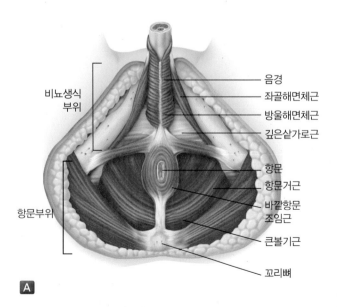

비뇨생식부위

항문부위

음경
좌골해면체근
방울해면체근
깊은샅가로근

항문
항문거근
바깥항문조임근

큰볼기근

꼬리뼈

A

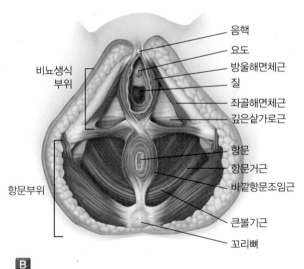

비뇨생식부위

항문부위

음핵
요도
방울해면체근
질
좌골해면체근
깊은샅가로근

항문
항문거근
바깥항문조임근

큰볼기근

꼬리뼈

B

그림 4-17 **A.** 남성 회음부. **B.** 여성 회음부

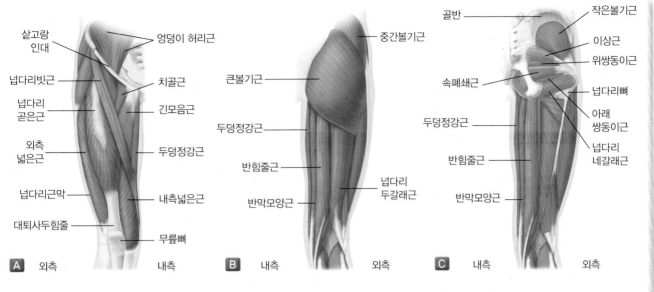

그림 4-18 A. 엉덩이와 허벅지 근육의 앞쪽 그림. B. 엉덩이와 허벅지 근육의 뒤쪽 표재부 그림. C. 엉덩이와 허벅지 근육의 뒤쪽 심부 그림

전형적으로 정강뼈(경골)와 종아리뼈(비골)에서 기시하여, 발에 부착된다 **그림 4-19**. 좌골신경의 최종 분지인 경골신경과 비골신경이 이 근육들에 분포한다.

해부학적 그리고 기능적으로, 종아리는 네 개의 구획을 포함한다: 전방 구획, 얕은 후방 구획, 심부 후방 구획, 외측 구획. 전방 구획은 발목과 발가락을 신전하는(즉, 발등굽힘) 근육들을 포함한다. 얕은 후방 구획은 장딴지근(비복근), 장딴지빗근, 가자미근을 포함하는데, 이 표재성 근육들은 발

목을 굽힌다(발바닥쪽굽힘). 아킬레스건은 이러한 근육들을 발꿈치뼈에 부착하는 강한 힘줄이다. 심부 후방 구획은 발가락을 굽히고, 발과 발목을 내번하는 근육들을 포함한다. 외측 구획에는 발을 일차적으로 외번하는 근육들이 있다.

발의 내재근들은 발 내부에 위치하여, 손의 내재근과 유사한 방식으로 배열된다. 이 근육들은 발가락의 굴곡, 신전, 외전, 및 내전을 담당한다 **그림 4-20**.

증례 연구   Part 3

이제, 당신과 대원들은 손상 부위에 조심스럽게 부목을 대고 부종 완화를 위해 얼음찜질을 하면서 병원으로 이송을 준비한다. 환자는 의식이 명료하고, 아버지와 얘기 중이다. 당신이 환자를 들것으로 옮기자, 현장에 모든 학부모와 관중들이 박수를 친다. 그녀는 도움에 감사하면서도 부상에 대해 걱정스러운 듯 보인다.

기록한 시간: 10분	
외형	부목을 댄 후에 통증이 감소함.
의식 수준	명료(사람, 시간, 날짜에 지남력이 있음)
기도	개방
호흡	정상, 규칙적
순환	피부색은 돌아오고, 땀은 마르기 시작함

6. 이 환자의 평가에서 다음 단계는 무엇입니까?

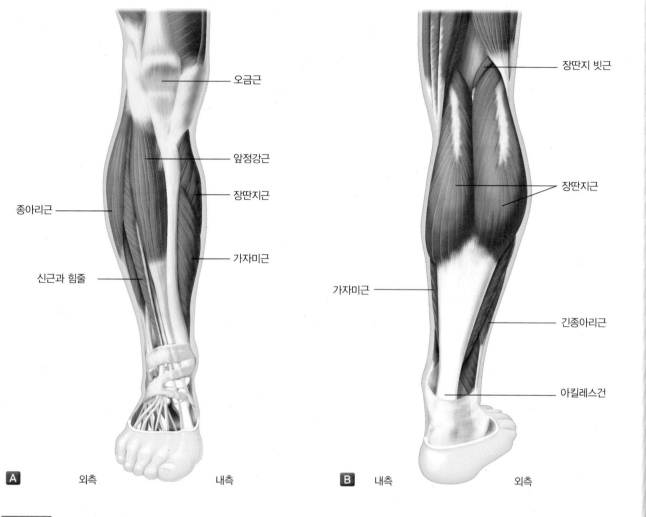

오금근

앞정강근

장딴지근

가자미근

종아리근

신근과 힘줄

장딴지 빗근

장딴지근

가자미근

긴종아리근

아킬레스건

A 외측   내측

B 내측   외측

그림 4-19   **A.** 종아리 근육의 앞면 그림. **B.** 종아리 근육의 뒷면 그림

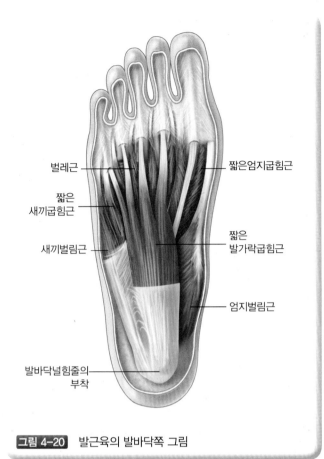

벌레근 —

짧은
새끼굽힘근 —

새끼벌림근 —

발바닥널힘줄의
부착 —

— 짧은엄지굽힘근

— 짧은
발가락굽힘근

— 엄지벌림근

그림 4-20 발근육의 발바닥쪽 그림

다리의 해부학적 구획은 근막에 의해 둘러싸인, 근본적으로 닫힌 공간이다. 외상 후에, 혈액이나 액체가 이 구획에 축적되어 혈관을 압박하고 이차적 허혈에 의한 조직 손상이 일어나는 상태를 구획증후근이라고 한다. 신속한 진단과 치료가 없으면, 구획증후군은 근괴사와 사지 손실을 초래할 수 있다.

병태생리학

라켓볼처럼 높이 뛰거나 과하게 당기는 운동 후에, 아킬레스건이 파열될 수 있다. 저절로 파열되는 경우는 매우 드물다. 부상 후에 환자는 평발로 걷고, 발볼로 서있을 수 없다. 일부 종아리 근육들이 일부 운동을 유지하기도 하지만, 능동적인 발바닥쪽굽힘(plantar flexion)은 소실된다. 파열이 의심되는 아킬레스건의 상태를 평가하기 위해, 톰슨검사를 이용한다; 다치지 않은 발에서, 검사가 정상적으로 양성이다 – 종아리를 꽉쥐면 발목에서 발바닥쪽굽힘(plantar flexion)이 유발됨. 완전히 파열되면, 발이 움직이지 않는다. 치료는 종종 외과적 수술이다.

증례 연구 ▶ Part 4

병원으로 이송 중, 당신은 계속해서 환자의 활력징후를 측정하고, 그 수치는 안정적이다. 당신은 부목의 상태를 다시 점검하고, 환자의 원위부 맥박, 운동기능 및 감각기능을 재평가한다. 얼음찜질로 환자의 통증이 어느정도 호전되었다. 환자의 아버지는 10여 년 전 일하던 중에, 전방십자인대 파열을 당해서 재건수술을 받은 경험이 있고, 따라서 이런 유형의 부상에 대해 잘 알고있다고 한다.

■ 요점 정리

- 근육은 뼈대근육, 민무늬근육, 심장근육으로 분류된다.
- 근육섬유, 결합조직, 혈관, 신경등은 인체 내 350개 이상의 수의 뼈대근육을 구성한다.
- 근육원섬유(근육섬유 한쪽 끝에서 다른 쪽 끝으로 이어진 실과 같은 구조물)는 개개의 근육세포 내에 위치한다.
- 세포막이 각 근육섬유를 둘러싼다. 여러 개의 근육섬유가 결합조직과 함께 다발을 이루어, 근다발을 형성한다. 함께 무리지은 수많은 근다발을 근육다발막이 둘러싸서, 하나의 완전한 근육을 구성한다.
- 뼈대근육의 한 쪽 끝은 가동관절에서 비교적 불가동인 부위(기시)에 고정된다. 다른쪽 끝은 다른 관절에 가동부위(부착)에 고착된다.
- 칼슘과 ATP 에너지는 근수축에 중요하다.
- 두 유형의 민무늬근육이 있다: 내장뼈대근육, 민무늬근육, 심장근육, 다단위민무늬근육. 민무늬근육은 민무늬, 불수의근이다. 민무늬근육은 소화관, 생식관, 비뇨관, 그리고 혈관 내측면을 따라 분포한다.
- 자율신경계는 몸전체 민무늬근육에 분포한다.
- 근육 해부학을 공부할 때, 근육의 위치 및 그 근육이 뼈를 움직이는 기능에 대해 이해해야 한다.
- 상승제는 특정운동의 수행을 위해 함께 작용해는 근육들이다.
- 길항제는 서로 상반되어 작용하는 근육들이다.
- 특정 근육들은 머리, 얼굴, 눈, 등, 흉부, 복부, 골반, 그리고 상지와 하지의 운동에 필수적이다.

■ 증례 연구 정답

1. 무릎과 같은 관절의 기능에 어떤 유형의 근육이 관여합니까?

   답: 횡문근(뼈대근육)이 무릎과 같은 관절 주위에서 운동을 일으킨다. 이러한 수의근은 근육섬유, 결합조직, 혈관, 신경으로 구성된다.

2. 무릎 주변에 분포하는 근육 유형의 일차적 기능은 무엇입니까?

   답: 뼈대근육은 체중의 40%를 차지하고 대부분의 수의적 운동을 담당한다. 인체 내에는 350개 이상의 뼈대근육이 있다.

3. 힘줄에 더하여, 무릎과 그 주위에 어떤 구조들이 손상되었을 가능성이 있습니까?

   답: 무릎은 관절 내부에 인대를 가지고 있다는 점에서 특이하다. 무릎은 전통적으로 경첩관절로 분류되고, 몇개의 액체로 차있는 윤활낭이 관절을 감싼다. 넙다리뼈 원위부 말단은 정강이뼈의 융기와 관절을 이룬다. C자형의 외측과 내측 반월상연골은 넙다리뼈와 경골 사이에서 완충작용을 하는 연골 패드이다. 무릎뼈(편평한 삼각형의 움직이는 뼈)는 관절 앞쪽 표면을 덮고있다.

4. 이런 상황에서 가장 흔한 무릎 손상의 유형은 무엇입니까?

   답: 무릎의 연골과 인대 손상은 비교적 흔하다. 전방과 후방십자인대는 무릎이 앞, 뒤로 비정상적으로 움직이는 것을 방지한다. 반면, 내측과 외측 측부인대는 비정상적인 좌우 운동을 제한하여 관절을 안정화한다. 이러한 구조들이 손상되면 비정상적 움직임이 발생한다.

5. 이 상해의 치료에 있어 우려되는 점은 무엇입니까?

   답: 무릎관절 손상은 잠재적으로 심각하다. 출혈, 부종, 신경손상 등이 발생할 수 있고, 만약 적절하게 치료되지 않을 경우, 관절의 영구적 손상을 초래할 수도 있다. 적절한 자세(가능한 다리를 올린다) 및 출혈, 부종, 통증의 감소를 위해 즉각적으로 얼음을 대는 것은 무릎 손상 치료에서 중요한 초기 단계이다.

6. 이 환자의 평가에서 다음 단계는 무엇입니까?

   답: 환자의 상태는 안정적이고, 단독 사지 손상이 있다; 따라서, 재평가에서는 일차 검진을 반복하고, 활력징후를 매 15분마다 측정/기록하며, 부상당한 사지의 부목과 원위부 맥박, 운동 및 감각신경 기능을 재평가해야 한다.

호흡계
The Respiratory System

학습목표

1. 호흡계의 기능과 구조에 대해 이해하고 현장에서 흔히 볼 수 있는 질환들과의 관련성을 논의한다.

2. 호흡계의 일차적 기능을 기술한다.

3. 호흡계에 속하는 기관을 열거하고 각각의 기능을 설명한다.

4. 후두의 구조와 기능 및 말하기 기전에 대해 설명한다.

5. 호흡에서 내장측가슴막과 벽측가슴막의 역할을 설명한다.

6. 호흡 중 가슴막공간(흉막강) 내 기압의 변화를 설명한다.

7. 호흡률에 영향을 주는 요인들을 설명한다.

8. 흡기와 호기를 조절하는 뇌의 호흡영역을 구분한다.

9. 외호흡과 내호흡에서 가스의 확산을 설명한다.

10. 호흡이 특정 체액의 pH에 영향을 주는 기전을 설명한다.

11. 산소와 이산화탄소가 혈액 내로 이송되는 기전을 설명한다.

■ 서론

<u>호흡계</u>는 호흡, 가스교환, 공기의 인체 유입과 관련된 기관과 구조물로 이루어져 있으며, 상기도와 하기도로 나눌 수 있다. 상기도는 입, 코안(비강), 입안(구강)을 포함하고 하기도는 후두, 기관, 기관지, 세기관지, 허파꽈리(폐포)를 포함한다 **그림 5-1**. 호흡계는 산소 흡입과 이산화탄소 제거의 기능을 한다. 세포는 영양소를 분해하여 에너지를 발생하고 아데노신삼인산(ATP)을 생산하기 위해 산소를 필요로 한다. 이 과정에서 이산화탄소가 발생하며 반드시 배출되어야 한다. 호흡계에는 유입되는 공기를 여과하여 허파(폐)로 수송하는 몇 개의 관(tube)이 있다. 호흡 기관들은 유입되는 공기 입자를 잡고 공기의 온도와 수분량을 조절하며 목소리를 만들어내고 혈액 pH를 조절하며 또한 후각에도 필수적이다.

■ 호흡계

■ 상기도

상기도의 구조물들은 앞쪽 정중선에 위치한다. 상기도에는 코, 입, 혀, 턱, 입안, 후두, 인두 등이 있다. 코 또는 입을 통해 흡입된 공기는 몸 속으로 들어간다. 코안은 <u>코인두</u>, 입안은 <u>입인두</u>라고 지칭한다. 이 두 공간은 뒤쪽에서 연결되어 <u>인두</u>(목구멍)라는 공통의 공간을 형성한다. 인두는 입안, 코안, 후두의 뒤쪽에 있다. 후두는 연골로 만들어진 단단하고 속이 비어있는 구조이다.

인두는 코인두, 입인두, 그리고 후두인두로 구성된다. 코인두와 코안은 비갑개를 포함하며, 호흡 시 공기를 데우고 여과하며 촉촉하게 해준다. 비점막은 코안 안쪽면을 덮고 있는 점막이다. 코안 상피에 있는 후각 수용체는 냄새를 인

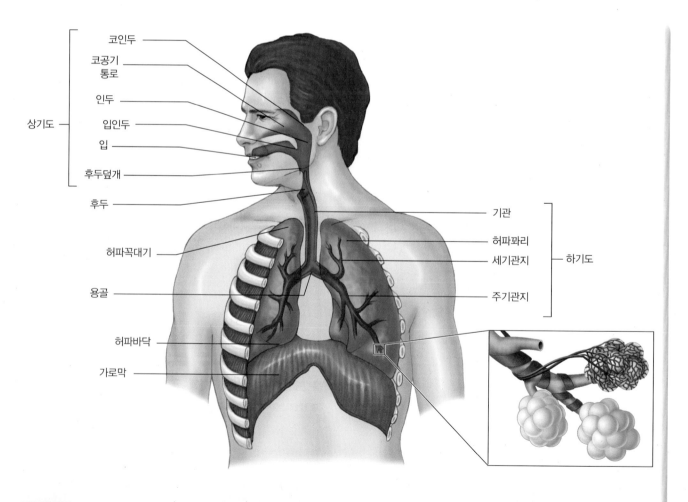

상기도

- 코인두
- 코공기 통로
- 인두
- 입인두
- 입
- 후두덮개
- 후두
- 허파꼭대기
- 용골
- 허파바닥
- 가로막

- 기관
- 허파꽈리
- 세기관지
- 주기관지

하기도

그림 5-1 호흡계는 호흡과정에 관여하는 인체내 모든 구조들로 구성된다.

식하는 기능을 한다. 입을 통해서 들어온 공기는 코를 통해서 들어온 공기보다 더욱 빠르고 직접적으로 수분량이 적다. 입을 통해 들어온 공기는 입인두를 통과하는데, 입인두는 앞쪽 단단입천장(경구개)과 뒤쪽 물렁입천장(연구개)에 의해 코인두와 분리된다. 코인두와 입인두를 통과한 후에는, 공기는 후두인두로 들어간다. 후두인두는 상기도 아래쪽에 위치하여 하인두라고도 불린다.

코인두는 내비공부터 목젖(물렁입천장에 매달린 작은 살 덩어리)까지 이어진다. 입인두는 목젖부터 후두덮개(음식을 삼키는 동안, 성대문 위쪽으로 닫히는 얇은 연골판)까지 이어진다. 아래쪽으로, 인두는 호흡계(후두)와 소화기계(식도)로 분리된 두 개의 구멍으로 이어진다. 음식물을 삼킬 때, 후두는 상승하고 후두덮개는 아래쪽으로 눌리면서 후두로 통하는 구멍의 일부를 가려주는데, 이는 음식과 액체가 하기도로 들어가는 것을 막는다.

코인두의 바깥쪽 구멍이 <u>콧구멍(외비공)</u>이다. <u>내비공</u>은 코인두에서 인두로 향하는 뒤쪽 구멍을 이룬다. 코안의 바닥은 <u>단단입천장(경구개)</u>이다. 코인두의 외측벽은 3개의 뼈 능선, 즉 <u>갑개</u>를 포함하고, 이들은 한 세트의 뼈이랑, 즉 비갑개를 형성한다. <u>비갑개</u>는 부드러운 공기흐름(층류)를 유지하는데 도움이 된다. 각 비갑개 아래쪽 <u>길(meatus)</u>에는 동굴(sinus)과 <u>코눈물관</u>이 배액되는 구멍이 있다.

■ 하기도

후두융기 또는 방패연골(갑상연골)은 목의 전면 정중선에서 잘 보인다. 갑상연골은 실질적으로 후두의 전면부이다. 후두는 인대에 의해 결합된 몇 개의 연골 구획으로 구성된다 **그림 5-2**. 아주 작은 근육들이 성대를 개폐하고 성대에 장력을 조절한다. 성대 상부는 <u>안뜰주름</u>, 즉 거짓성대를 형성한

증례 연구 ▶ Part 1

10:30 PM, 당신이 속한 구조대는 도시 외곽에 있는 양로원으로 파견된다. 그 양로원은 저녁과 야간에는 의료인력이 상주하지 않는다. 환자는 점차 심해지는 호흡곤란을 호소하는 68세 남성이다. 환자의 아파트에 들어서면서, 당신이 받은 일반적 인상은 호흡곤란 상태에 있는 노인 남자이다. 환자의 의식은 명료하지만, 완전한 문장을 말하는데 어려움이 있다. 환자의 요골 맥박은 강하고 빠르며, 약간의 청색증이 관찰된다. 그의 친구가 말하기를, 환자는 지난 며칠 동안 몸이 좋지 않았고, 호흡이 점점 힘들어졌다고 한다. 또한 그 친구에 따르면, 환자는 만성폐쇄폐질환(COPD)의 오랜 병력이 있다고 한다. 당신은 재빨리 비재호흡성 마스크를 환자에게 부착한다. 허파 청진을 하는 동안, 당신은 환자의 피부가 뜨거운 것을 발견한다. 그리고 검진 결과, 체온은 상승되어있다. 또한 환자가 숨을 쉴 때, 천명이 들린다. 당신은 전극을 환자에 부착하고, 당신의 동료는 정맥주사선을 잡는다. 그리고는 기관지를 확장하고 환자의 호흡을 편하게 하기 위해서, 알부테롤(albuterol) 치료를 준비한다. 당신의 동료는 환자가 복용 중인 약물의 이름을 신중하게 기록한다.

기록한 시간: 0분	
외형	청색증; 숨쉬기 어려움
의식 수준	명료(사람, 시간, 날짜에 지남력이 있음)
기도	개방
호흡	호흡곤란, 전체 문장을 말할 수 없음
순환	청색증, 빠르고 강한 요골 맥박, 뜨거운 피부
맥박	120회/분, 규칙적
혈압	142/90 mmHg
호흡	28회/분, 힘든 호흡
SpO₂	92%

1. 호흡계의 일차적 기능을 서술한다.

2. 허파 기능부전의 가능한 원인들은 무엇입니까?

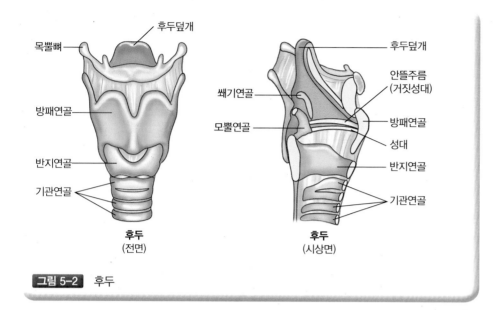

후두
(전면)

후두
(시상면)

그림 5-2 후두

다; 반면, 하부는 진성대를 구성한다. 상부 주름은 소리를 낼 수 없기 때문에 거짓성대라고 불린다. 하부 주름은 진성대로 불리는데, 주름 사이로 공기가 들어오면 양 옆으로 진동하여 실제 소리를 만들기 때문이다. 진성대와 그 사이 구멍을 성대문이라고 한다 그림 5-3 . 음식이나 액체를 삼킬 때, 성대문이 닫혀서 음식물이 기도를 들어가는 것을 방지한다.

앞에서 언급한대로 갑상연골 바로 아래쪽으로 반지연골이 만져진다. 갑상연골과 반지연골 사이에 있는 윤상갑상막은 목의 정중선, 갑상연골 바로 하부에 만져지는 움푹 들어간 부위이다.

윤상연골(반지연골) 아래쪽에는 기관이 있고, 그 길이는 약 5 inch이다. 기관은 아래쪽으로 식도 앞쪽으로 이어지며 가슴막공간(흉막강) 내로 들어가서 좌·우 주기관지로 갈라진다. 연골은 기관의 앞면과 옆면을 형성하여 기관을 보호하고 공기의 연결통로를 제공한다.

기관에서 허파꽈리까지의 기도가 분지되어 기관지나무를 구성한다. 이는 5번 등뼈 부근에서 좌·우 1차 기관지로 분지되며 시작된다. 각각의 일차 기관지는 2차 기관지, 3차 기관지, 그리고 더 미세한 관으로

나뉜다.

5번 등뼈 높이에 위치한 용골(기관연골의 가장 아래 돌출부)에서, 기관은 좌·우 주기관지로 나뉜다. 용골을 지나서 공기는 주기관지를 통해 허파로 유입된다. 기관지, 혈관, 신경이 각 허파로 들어가는 지점을 문(hilum)이라고 한다. 주기관지는 2차 기관지로 나뉘어, 각각 하나의 허파엽으로 들어간다 그림 5-4 .

2차 기관지는 3차 기관지로 분지되고, 3차 기관지는 계속해서 여러 번 분지한다. 몇 단계의 연속적인 분지 이후에, 세기관지(아주 작은 기관지의 하부구조)가 형성된다. 세기관지의 최종 분지에 의해 호흡세기관지가 형성된다. 각각의 호흡세기관지가 나뉘어 허파꽈리관이 된다. 각 허파꽈리관(폐포관)이 군집을 이루는 말단부에는, 가스교환이 일어나는 아주 작은 허파조직 주머니인 허파꽈리가 있다(그림 5-4 참조). 허파는 약 3억개의 허파꽈리를 가지고 있고, 하나의

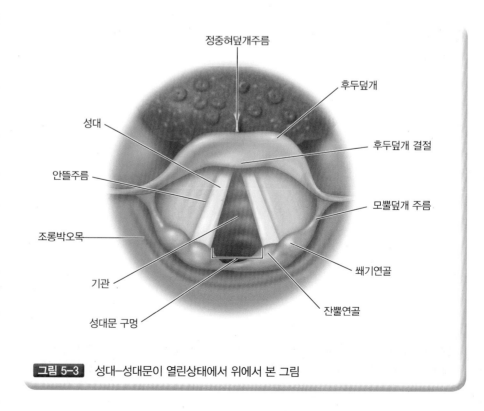

그림 5-3 성대–성대문이 열린상태에서 위에서 본 그림

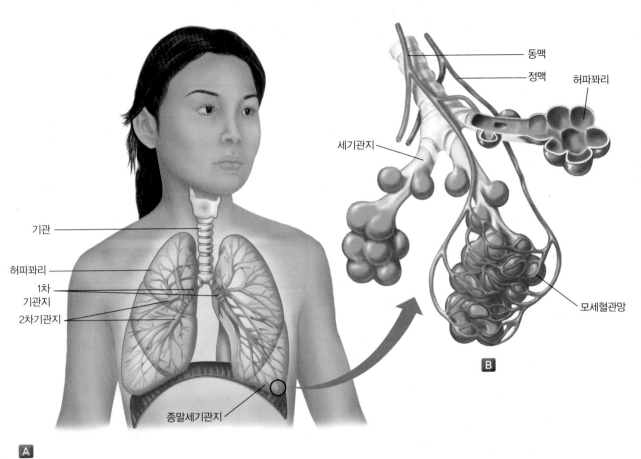

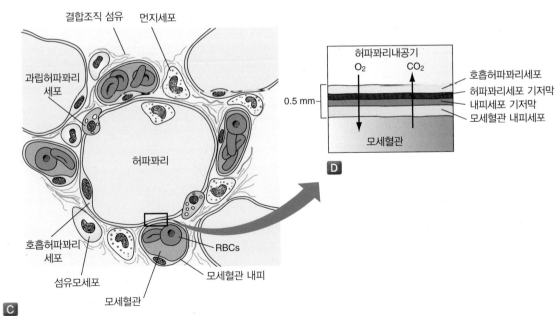

그림 5-4 **A.** 기관은 후두부터 기관지까지 공기를 전달하고, 기관지는 허파로 공기를 전달한다. **B.** 허파꽈리벽. **C.** 허파꽈리 모세혈관의 세포. **D.** 기체가 혈액과 허파꽈리벽 사이에서 확산되기 위해서는 반드시 막을 통과해야 한다. 막은 호흡허파꽈리세포와 그 기저막, 내피세포와 그 기저막으로 구성된다.

허파꽈리의 직경은 약 0.33 mm이다. 모세혈관은 허파꽈리를 감싸고 있다 허파꽈리와 모세혈관 사이에 오직 하나의 세포층으로 구성된 매우 얇은 막인 <u>허파꽈리모세혈관막</u>에서 허파꽈리와 혈관사이 호흡교환이 일어난다.

주요 호흡 기관인 허파는 가슴막공간 내에 위치하고, 부드러운 스펀지같은 원뿔모양 조직으로 구성된다. 좌·우 허파는 내측으로 종격에 의해 분리되고, 가슴우리와 가로막에 둘러 싸여있다. 우허파에는 세 개의 엽(위엽, 중간엽, 아래엽)이, 좌허파에는 두 개의 엽(위엽, 아래엽)이 있다. 좌허파에 혀(왼허파혀)라고 불리는 작은 부분이 우허파의 중간엽에 해당한다. 결합조직 막인 가슴막이 허파를 둘러싸고 있다. 두 번째 가슴막은 가슴우리, 즉 가슴막공간의 내측 면을 덮고 있다.

허파를 덮고 있는 가슴막을 <u>내장측가슴막(허파쪽가슴막)</u>이라고 하고, 흉막강의 벽을 덮고 있는 가슴막을 <u>벽측가슴막</u>이라고 한다. 흉막강(pleural space)은 내장측가슴막과 벽측가슴막 사이의 잠재적 공간이다. 정상적으로는, 두 가슴막이 서로 가까이 붙어있어, 공간은 존재하지 않는다. 가슴막의 두 층은 함께 작용하여, 허파의 정상적 팽창과 수축을 유지한다. 특정 질환이나 외상으로 액체 또는 공기가 흉막강 내에 축적되면, 혈흉(흉막강내 혈액의 축적) 또는 혈기흉(흉막강내 혈액과 공기의 축적)으로 인한 호흡장애를 일으킬 수 있다 그림 5-5.

허파는 두 가지 방식으로 혈액을 공급받는다. 탈산소화혈액은 우심실로부터 허파동맥을 거쳐 허파모세혈관을 통해 흐르고, 허파꽈리에서 재산소화 되어 허파정맥을 통하여 심장(좌심방)으로 돌아간다.

또한, 흉대동맥에서 분지한 기관지동맥이 허파조직 자체에 혈액을 공급한다. 탈산소화혈액은 <u>기관지정맥</u>과 홀정맥을 통하여 심장으로 돌아온다. 허파 말초 기관지의 정맥혈은 허파꽈리로부터 산소화된 혈액과 함께 허파정맥으로 유입된다.

병태생리학

급성천식은 하기도의 가역적 급성 폐쇄가 재발하는 질환이다. 미국 내 약 2천5백만명이 천식을 가지고 있으며, 해마다 수 천명의 천식 환자가 사망한다. 또한 천식은 소아에서 가장 흔한 만성 질환이다. 천식발작은 4가지 뚜렷한 특징을 보인다. 기도 주위 근육층이 수축할 때, 평활근 연축이 일어나서(기관지연축), 기도 직경이 좁아진다. 점액 분비의 증가로 생긴 점액전(mucus plug)은 기도 직경을 더욱 좁아지게 하고, 최종적으로 염증세포의 증식이 일어난다. 기도에 축적된 백혈구는 근연축을 악화시키고 점액 생성을 늘리는 물질들을 분비한다.

천식발작의 가장 흔한 원인은 상기도 감염(기관지염 또는 감기) 이다. 다른 원인들로는 환경적 요인(감정의 변화, 특히 스트레스); 꽃가루, 음식(초콜릿, 어패류, 우유, 견과류), 약물(페니실린, 국소마취제)에 대한 알레르기 반응; 직업상 노출 등이 있다.

천식발작의 중증도는 환자에 따라 다양하다. 아주 심각한 경우 (천식지속상태), 환자는 호흡부전으로 사망할 수 있다. 다른 경우에는, 치료하면 천식 위기는 빠르게 호전된다. 환자의 순응도 및 통원치료시 증상의 조절 정도는 합병증 발생을 경감시키는 중요한 요인이다. 잠재적으로 치명적인 천식을 가진 환자 대부분은 전구증상의 지속시간이 짧고, 허파기능이 나쁘며, 약물치료에 대한 순응도가 낮은 경우가 많다.

기저 병태생리학에 대한 이해는 천식의 장시간 약물치료에 큰 영향을 주었다. 흡입성 스테로이드는 예방치료의 중심으로, 항염효과를 위해 사용된다. 경구와 경정맥 스테로이드 또한 급성 발작시 항염효과를 위해 수년간 사용되었다. 또한, 급성 발작과 연관된 여러 염증성 물질을 차단하는 약물들이 계속 개발되고 있다. 새로 사용되는 약물, zileuton (Zylfo)는 천식에서 염증성 매개체인 류코트리엔 합성에 촉매 효소인 5-리폭시지네이스를 억제한다. 또 다른 약물, zafirlukast(Accolate)는 류코트리엔 수용체를 차단한다. 장기간 치료 시 효과가 입증된 약물의 조합은 흡입성 지속작용 베타2 작용제(inhaled long-acting beta-2 agonist)와 흡입성 스테로이드이다.

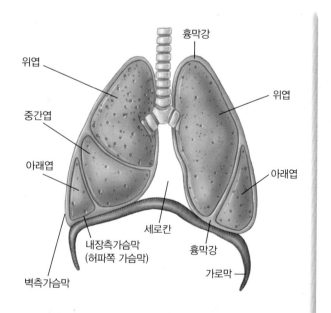

그림 5-5   흉벽과 허파를 덮고 있는 가슴막은 호흡기전의 필수적인 부분이다. 흉막강은, 혈액이나 공기가 내부로 세어들어가서 가슴막표면을 분리하기 전에는, 실제 공간이 아니다.

■ 호흡 생리학

■ 호흡

호흡은 환기, 즉 외부 환경과 기관지 및 허파꽈리 사이에 공기의 이동 과정이다. 들숨은 흡기, 날숨을 호기라고 한다. 공기를 허파로 이동시키는 힘은 대기압이다. 정상 대기압은 760 mmHg이고, 공기와 접하고 있는 모든 표면에 작용한다. 허파 내부와 허파꽈리의 압력은 외부 공기압과 거의 동일하다.

정상 호기 동안, 내부 압력이 감소하면 대기는 외부 공기를 기도로 밀어 넣는다. 가로막신경의 자극으로, 가로막은 수축하여 아래쪽으로 내려간다. 따라서, 가슴막공간이 넓어지고 내부압력은 떨어지게 되어, 대기압이 공기를 기도로 밀어 넣는다 그림 5-6.

가로막이 수축하면서 갈비뼈 사이의 외(흡기)갈비사이근이 자극되어 수축한다. 따라서 갈비뼈와 복장뼈가 상승하므로, 가슴막공간은 더욱 넓어진다. 이러한 이동과 가슴막의 움직임에 의해 허파가 팽창한다. 바깥갈비사이근이

흉벽을 위로(그리고 바깥쪽으로) 이동시킬 때, 벽측가슴막과 내장측가슴막이 모두 움직인다. 따라서 허파는 모든 방향으로 팽창한다.

허파꽈리에서 물분자의 인력은 표면장력을 생성하여 허파꽈리의 팽창을 어렵게 만들지만, 지질과 단백질 복합체인 표면활성제가 합성되어, 허파꽈리의 붕괴 경향을 줄이고 허파꽈리 팽창을 원활하게 한다. 깊은 호흡이 필요할 때, 근육은 더 강하게 수축하고, 다른 근육들은 가슴우리를 더욱 위쪽/바깥쪽으로 당겨주어, 내부 압력이 감소한다. 허파꽈리

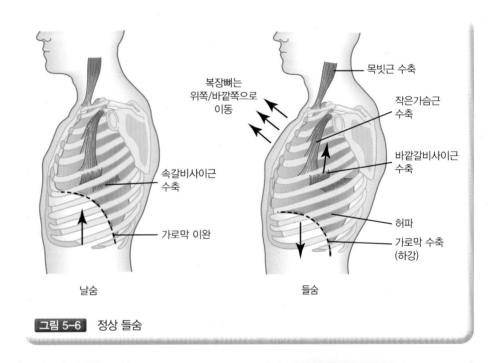

날숨

복장뼈는 위쪽/바깥쪽으로 이동

목빗근 수축

작은가슴근 수축

바깥갈비사이근 수축

허파

가로막 수축 (하강)

속갈비사이근 수축

가로막 이완

들숨

그림 5-6 정상 들숨

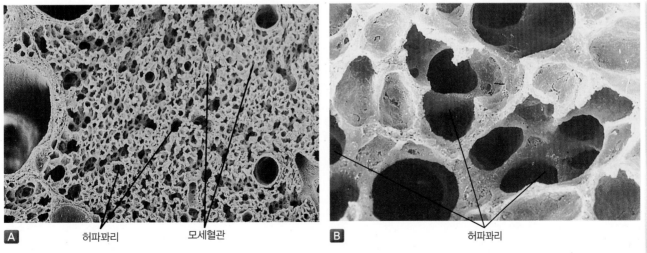

A 허파꽈리   모세혈관

B   허파꽈리

그림 5-7 A. 수많은 허파꽈리를 보여주는 전자현미경 사진. 가장 작은 구멍들이 허파꽈리를 둘러싸는 모세혈관이다. B. 허파꽈리를 보여주는 허파조직의 고해상도 전자현미경 사진.

의 수(약 3억개)는 비교적 제한된 크기의 가슴막공간 내에서 호흡 교환이 일어날 수 있는 매우 큰 체표면적으로 작용한다 [그림 5-7].

날숨(호기)은 조직의 탄성 반동과 표면 장력에 의해 발생한다. 가로막(횡격막)이 내려가면서, 가로막 아래 복부 장기들을 압박한다. 탄성 조직은 허파와 흉곽이 원래 모양으로 돌아오게 만들고, 복부 장기들은 이전 모양으로 돌아오면서 가로막을 위쪽으로 밀어올린다 [그림 5-8A]. 표면 장력은 허파꽈리의 직경을 감소시키고, 허파꽈리의 기압을 증가시킨다. 허파 내부 공기는 외부로 배출되는데, 즉 정상 휴식

상태의 날숨은 수동적 과정이다. 더 강력한 호기가 필요하다면, 뒤쪽 내(호기)갈비사이근이 수축한다 [그림 5-8B]. 이는 갈비뼈와 복장뼈를 아래쪽/안쪽으로 당겨서 허파 압력을 증가시킨다. 복벽 근육은 복부 장기를 안쪽으로 밀어넣어 가로막을 더 높이 상승시킨다.

호흡량과 호흡용량

한번의 "조용한" 호흡 주기 동안(가로막이 이완될 때), 허파에서 아주 작은 양의 공기만이 교환된다. 허파의 전체 부피는 용적(volume)과 용량(capacity)으로 나뉜다. 이런 다양한 값은 허파 환기의 문제점을 진단하는데 유용하게 이용된

증례 연구 ▶ Part 2

생리식염수 정맥주사와 기관지확장제 투여를 시작한 후, 당신은 허파 청진시 소리를 재평가한다. 당신과 동료는 모니터로 리듬을 관찰하고 심실 조기수축을 동반하지 않은 빈맥을 확인한다. 재평가 결과 환자 호흡에 약간의 호전이 있고 활력징후는 안정적이다. 환자가 들것으로 이송되는 동안 당신은 두 번째 기관지확장제 투여를 고려한다.

환자 문진 결과 체중이 65 kg인 67세 남자로 SAMPLE 병력은 다음과 같다.

- 징후와 증상(**S**igns and symptoms): 뜨거운 피부, 천명, 호흡곤란, 청색증.
- 약물에 대한 알레르기(**A**llergies to medications): 없음.
- 복용중인 약(**M**edications taken): 알부테롤(Albuterol), 콤비벤트(Combivent).
- 관련된 과거력(**P**ast pertinent medical history): 만성폐쇄폐질환.
- 마지막으로 입안내 섭취(**L**ast oral intake): 한 시간 전 흡입제 2회, 오늘은 식욕감소.
- 발생전 상황(**E**vents prior to onset): 지난 12시간 동안 점차 심해지는 호흡곤란을 겪음.
  OPQRST 병력은 다음과 같다.
- 증상 발현(**O**nset of symptoms): 환자는 전체 문장을 말하는데 어려움이 있었지만, 병원 내원을 원하지 않는다.
- 악화/완화요인(**P**rovoking/palliative factors): 심해지는 상기도 감염.
- 방사통/관련 징후와 증상(**R**adiating/related signs and symptoms): 환자는 호흡곤란과 연관된 통증은 없다고 한다. 호흡에 도움이 되는 유일한 자세는 삼각자세에서 똑바로 앉아있는 것이다. 지난 며칠 동안 상태는 지속적으로 악화되었다.
- 중증도(**S**everity): 1~10 척도에서(특히 예전 호흡곤란 삽화와 비교할 때) 8 정도의 중증도라고 한다.
- 시간(**T**ime): 항상 어느 정도는 숨이 차는 증상이 있었지만, 기저 상태에서 이렇게 악화된 것은 지난 6~8시간 동안이라고 한다..

기록한 시간: 10분	
외형	쇠약하고, 명백한 호흡곤란 상태에 있음
의식 수준	명료(사람, 시간, 날짜에 지남력이 있음)
기도	개방
호흡	빠르고 힘든 호흡
순환	청색증, 뜨거운 피부

3. 폐활량계의 기능은 무엇이며, 어떻게 유용하게 사용됩니까?

4. COPD는 호흡계의 어느 부위에 직접 영향을 줍니까?

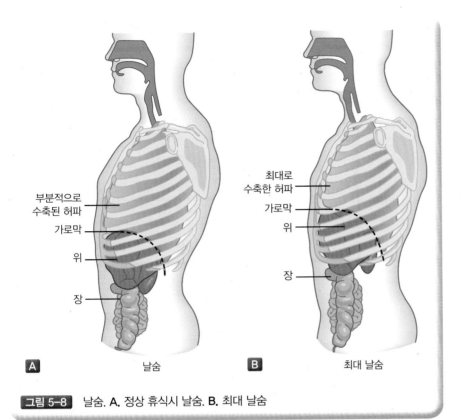

부분적으로
수축된 허파

가로막

위

장

A　날숨

최대로
수축한 허파

가로막

위

장

B　최대 날숨

그림 5-8　날숨. **A.** 정상 휴식시 날숨. **B.** 최대 날숨

이다. 정상 휴식상태의 날숨에 거의 같은 용적의 공기가 배출되므로, 휴식 시 일회호흡량 또한 약 500 mL이다.

강제 들숨은 추가 공기가 허파로 들어가도록 한다. 예비흡기량은 보충 공기라고도 하며, 약 3,000 mL이다. 호기예비량, 혹은 강제호기폐활량 또한 추가 공기이다. 날숨의 정도와 관계 없이, 약 1,200 mL의 공기가 허파에 잔류한다(잔기량).

새로 흡입된 공기는 이미 허파 내부에 있던 공기와 혼합되어, 산소와 이산화탄소 농도의 심한 변동을 방지한다. 둘 또는 그 이상의 호흡용적이 결합되어 호흡용량을 형성한다. 예비흡기량과 일회호흡량, 폐활량(4,600 mL)이라고 한다. 할 수 있는 한 최대로 깊은 숨을 들이쉰 후에, 최대로 내쉴 수 있는 용적이 바로 폐활량이다.

일회호흡량과 예비흡기량을 흡기용적이라고 한다. 흡기용적은 휴식 시 호기 후에 최대로 들이쉴 수 있는 용적(3,500 mL)이다. 기능잔기용량은 호기예비량과 잔기용량의 합으로 구성된다. 폐활량에 잔기량을 더하면 총폐용량이 되며, 연령/체구/성별에 따라 차이가 있지만 대략 5,800 mL를 차지한다.

기관, 기관지, 세기관지에는 허파꽈리에 도달하지 않는 나머지 공기가 있다. 여기서는 가스 교환이 이루어지지 않기 때문에, 이러한 공기는 해부학적사강을 차지한다고 표현한다.

다. 평균적으로, 성인 여성은 성인 남성에 비해서 체구와 허파 용적이 작다. 결과적으로, 호흡 용적과 호흡 용량에는 성별의 차이가 존재한다.

병태생리학

천식, 허파기종(허파꽈리 벽의 파괴)에 의한 진행성, 비가역성 기도 질환, 진폐증(지속적인 석탄가루 흡입), 석면증(석면 입자 흡입), 만성기관지염(기도를 막는 과도한 점액 생성) 등의 가역적 구속성 하기도 질환을 가진 환자는 허파기능 검사상 전형적인 비정상 소견을 보인다. 잔기량이 흔히 증가되고, 강제호기량은 감소한다. 이런 지표의 이상소견은 만성폐쇄폐질환을 나타낸다. 흔히, 기관지확장제(기도 저항을 줄여서 허파기능을 향상시키는 약물) 투여 전/후로 허파기능을 측정한다. 진폐증, 석면증, 또는 다른 형태의 허파 상흔을 가진 환자는 폐활량의 심한 감소 소견을 보이고 이는 구속성 허파질환을 시사한다.

허파활량계는 호흡시 공기 용적을 측정하기 위해 사용된다. 호흡용적은 네 가지로 나눌 수 있다. 호흡주기는 한 번의 들숨과 날숨으로 구성된다. 일회호흡량은 한 번의 호흡주기 동안 들이마시고 내쉰 공기의 양으로, 대략 500 mL

병태생리학

만성폐쇄폐질환(COPD)은 기도의 비가역적 진행성 질환으로, 들숨과 날숨 허파용적의 감소를 특징으로 한다. COPD는 만성기관지염(과도한 점액 생성) 또는 허파기종(허파 조직 손상과 탄성반동 소실)에서 발생한다. COPD 환자는 대부분 두 질환 모두를 가지며, 보상실패와 급성 COPD 발작(급성악화)이 일어나기 이전까지는 일정한 기저 수준의 기능을 유지한다. 천식과 마찬가지로 염증이 COPD에 중요한 역할을 하는 것으로 최근 밝혀졌다.

만성기관지염은 기도 점액선의 과성장과, 기도를 막는 점액의 과다 분비로 인해 발생한다. 환자는 만성적 젖은기침을 호소한다. 허파기종은 허파꽈리 벽의 파괴가 호기 시 공기흐름에 저항을 일으키는 질환이다. COPD의 주요 원인은 흡연이다. 공업용 흡입제(석면, 석탄가루 등), 대기오염, 결핵 등에 의해서도 COPD가 발생할 수 있다. 급성 COPD 발작을 경험하는 환자는 수 일에 걸쳐서 심해지는 호흡곤란 증상을 호소한다.

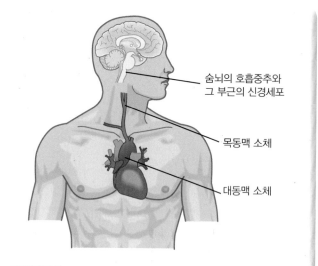

그림 5-9   혈액내 산소농도의 감소는 목동맥 소체와 대동맥 소체에 있는 말초화학수용체를 자극한다.

■ 호흡의 조절

호흡 조절에는 수의적 요소와 불수의적 요소가 모두 작용한다. 뇌의 불수의적 중심은 호흡 근육들을 조절한다. 이것은 폐환기의 깊이와 빈도를 조절하여 매분호흡량을 통제한다. 이는 허파, 기도, 다른 여러 부위로부터의 감각 정보에 반응해서 일어난다. 뇌의 호흡영역은 날숨과 들숨을 조정한다. 수의적 호흡 조절은 숨뇌와 다리뇌의 호흡 중추 및 호흡근을 조절하는 척수 운동신경세포의 출력에 영향을 주는 대뇌겉질의 활동을 반영한다. 숨뇌의 등쪽 및 배쪽 호흡집단과 다리뇌의 호흡집단으로 구성된 숨뇌호흡중추는 가장 중요한 부분이다.

등쪽 호흡집단은 들숨 근육을 자극하는데 중요하다. 자극이 증가하면, 더욱 강력한 근수축과 깊은 호흡이 발생한다. 자극이 감소되면, 수동적 날숨으로 이어진다. 배쪽 호흡집단은 다른 호흡근들을 자극하여(주로 갈비사이근과 복근), 강제 날숨과 때로는 들숨 노력을 증가시킨다. 호흡의 기본 리듬은 다리뇌 호흡중추에 의해서도 조절된다.

특정 화학물 또한 호흡률과 깊이에 영향을 준다. 기타 요인들로는 감정 상태, 허파 이완 능력, 신체 활동 정도 등이 있다. 중추 화학수용체라고 알려진 화학감수 영역은 숨뇌에 위치하여, 뇌척수 내 이산화탄소와 수소이온의 변화를 감지한다. 이들의 수치가 변화할 때, 호흡률과 일회호흡량이 증가하도록 신호를 받는다. 이산화탄소가 더 많이 배출되고 혈액과 뇌척수액 내 농도가 내려가면, 호흡률이 감소한다. 이산화탄소는 호흡의 가장 중요한 화학적 조절인자이다. 목동맥소체와 대동맥소체에 있는 말초 화학수용체는 혈액 산소 농도를 감지한다 **그림 5-9**. 혈액내 산소 농도가 매우 심하게 낮은 경우, 말초 화학수용체가 작용하여 호흡률을 높인다.

늘어난 허파 조직이 내장측가슴막, 세기관지, 허파꽈리의 신장수용체를 자극할 때 일어나는 팽창반사는 호흡의 깊이를 조절한다. 들숨 운동의 지속시간은 짧아지고, 강제호흡시 허파의 과팽창을 방지한다. 공포나 통증 등의 격양된 감정상태는 호흡률을 증가시킨다. 호흡이 아주 잠깐이라도 멈추게 되면, 혈액 내 이산화탄소와 수소이온 농도는 증가하지만 산소농도는 내려간다. 화학수용체가 자극되고, 숨을 들이쉬려는 욕구가 증가되어 높은 이산화탄소 농도를 극복하게 된다.

과호흡이란 깊고 빠른 호흡으로 혈액 내 이산화탄소 수치를 낮춘다. 과호흡 후에는 숨을 들이쉴 필요를 느끼게 하는 수준까지 이산화탄소 농도가 재상승하는 시간이 더 오래 소요된다. 오랫동안 숨을 참으면 혈액 내 산소 농도가 비정상적으로 낮아진다. 수영할 때 숨을 참는데 도움을 주려고 과호흡을 이용하는 것은 절대 금물이다. 이 경우, 물 속에서 의식을 잃을 수도 있다.

■ 기체 교환

허파꽈리는 대기와 혈액 사이 기체교환 기능을 수행한다. 허파꽈리는 가장 좁은 호흡관(허파꽈리관) 말단 주위에 무리지어 있는 공기 주머니를 말한다. 각 허파꽈리는 얇은 벽 내부에 아주 작은 공간으로 구성되며, 그 벽에 의해 인접 허파꽈리와 분리된다. 내측면은 단순 편평 상피로 이루어진다. 치밀한 모세혈관 망이 허파꽈리 주위로 분포한다. 적어도 두 겹의 상피세포와 하나의 융합된 기저막 층이 허파꽈리 내 공기를 모세혈관 내 혈액으로부터 분리한다. 이러한 층들은 호흡막을 구성한다(허파꽈리모세혈관막 또는 허파모세혈관막이라고도 부름). 이 호흡막에서 가스교환이 일어난다.

호흡막을 통한 가스교환은 기체가 액체에 용해되는 확산 과정에 의해 일어난다. 확산은 압력이 높은 부위에서 압력이 낮은 부위로 일어난다. 기체의 압력은 그 기체가 한 부위에서 다른 부위로 어떻게 용해되는지를 결정한다. 공기는 대부분 질소(78%)와 더 적은 양의 산소(21%), 이산화탄소(0.04%), 그리고 미량의 기타 기체들로 구성된다. 각 기체가 확산에 기여하는 압력의 양을 그 기체의 분압이라고 한다. 공기 중 산소는 21%이므로, 산소의 분압은 대기압의 21%를 차지한다(대기압 760 mmHg에서 160 mmHg).

따라서 각 기체의 농도는 그 분압에 비례한다. 각 기체는 고분압에서 저분압 영역으로 확산되어, 두 영역은 평형에 도달한다. 이산화탄소는 분압이 높은 혈액에서 호흡막을 통해 허파꽈리 내로 확산된다. 산소는 허파꽈리에서 혈액으로 확산된다. 호흡이 지속되는 한, 허파에는 항상 많은 양의 공기가 있으므로 허파꽈리의 산소분압은 비교적 일정하게 유지된다(104 mmHg). 산소분압은 PaO_2, 이산화탄소분압은 $PaCO_2$로 표기한다.

병태생리학

동맥혈가스검사는 혈액 내 산소분압 PaO_2, 이산화탄소분압 $PaCO_2$, pH(산성 및 알칼리성 정도)를 측정한다. 정상값으로부터 이탈이 많은 다양한 질환 상태에서 나타난다. 기본적으로, $PaCO_2$는 '호흡성 산'으로 작용한다. $PaCO_2$ 값의 변화는 pH 수치를 알칼리성(pH 증가) 또는 산성으로(pH 감소) 급격하게 변화시킨다. $PaCO_2$의 변화는 천식, COPD 악화, 약물 과다복용 등에서 일어나며, 또한 대사성 질환으로 인한 혈액내 pH변화에 의해 이차적으로도 발생할 수 있다. $PaCO_2$ 증가에 의한 동맥혈 pH의 감소를 일차호흡성산증이라고 한다; 반면, 과도한 호기시 이산화탄소 배출로 인한 혈액내 pH의 증가는 일차호흡성알칼리증이다. 반대로, 일차성 대사 장애(알칼리증 또는 산증)에 대한 반응으로 일어나는 $PaCO_2$의 변화는 보상성 변화라고한다.

임상에 유용한 정보

기침은 감염성 물질을 분무하는 완벽한 기전이다. 가능한 항상 기침을 하는 환자에게는 산소 마스크를 씌워서 노출 위험을 최소화해야 한다.

증례 연구 ▶ Part 3

한자는 예전에 상기도 감염에 의힌 COPD 급성 악화를 겪은 석이 있다고 한다. 그는 53년 동안 담배를 피우고 있다. 그는 초록색 가래를 동반한 젖은 기침을 하며, 미열(101.5 F)이 있다. 첫 번째 분무기 nebulizer 치료가 효과가 있어서 두 번째로 투여 중이다.

기록한 시간: 15분	
외형	호전, 청색증은 사라짐
의식 수준	명료(사람, 시간, 날짜에 지남력이 있음)
기도	개방, 그러나 초록색 가래를 동반한 기침
호흡	호전
순환	빠르고 강한 요골 맥박
맥박	118회/분, 강하고 규칙적
혈압	138/86 mmHg
호흡	24회/분, 천명 감소
SpO_2	96%

5. 당신이 생각하기에 환자의 상태는 즉각적인 생명의 위협이 있습니까? 이유는?

6. COPD 악화는 확산에 어떻게 영향을 주게 됩니까?

■ 기체 운반

허파로부터의 산소와 세포로부터의 이산화탄소는 혈액 내로 유입되어, 혈장 내에 용해되거나 혈액 구성요소와 결합한다. 혈액에 의해 운반되는 산소의 약 98%는 적혈구내 철을 포함하는 단백질인 혈색소(헤모글로빈)와 결합한다. 나머지 산소는 혈장 내에 용해된다. 허파에서, 산소는 혈액에 용해되고 혈색소의 철원자와 급속히 결합하여 산화혈색소를 형성한다. 이 결합은 불안정하다. PaO_2가 감소하면서 산화혈색소 분자에서 유리된 산소는 세포호흡에서 산소 공급분을 모두 소진한 주변 세포들로 확산된다 그림 5-10 .

혈액이 산성화 되거나 체온이 상승하면 혈액 내 이산화탄소 수치가 증가하여 더 많은 산소가 유리되도록 한다. 따라서, 신체 운동시에 더 많은 산소가 골격근으로 유출된다.

이는 이산화탄소 농도의 증가, pH 감소, 체온의 상승을 불러온다. 저산소증은 조직에 도달하는 산소가 결핍된 상태로서, 산소분압의 감소(저산소혈증), 빈혈성 저산소증, 부적절한 혈류, 또는 세포의 결함에 의해 초래될 수 있다.

혈액은 이산화탄소를 허파로 운반하는데, 이산화탄소는 혈장에 용해되거나, 혈색소와 결합한 화합물의 일부로, 또는 중탄산염 이온으로 운반된다. 혈장내 용해된 이산화탄소의 양은 그 분압에 의해 결정된다. 조직 내 이산화탄소 분압이 높을수록, 더 많은 이산화탄소가 용액 내로 이동한다. 혈액에 의해 운반되는 이산화탄소의 약 7% 만이 이러한 형태를 따른다.

이산화탄소는 '글로빈'의 아미노 그룹, 즉 이 분자의 단백질 부분과 결합한다는 점에서 산소와 구별된다. 산소와

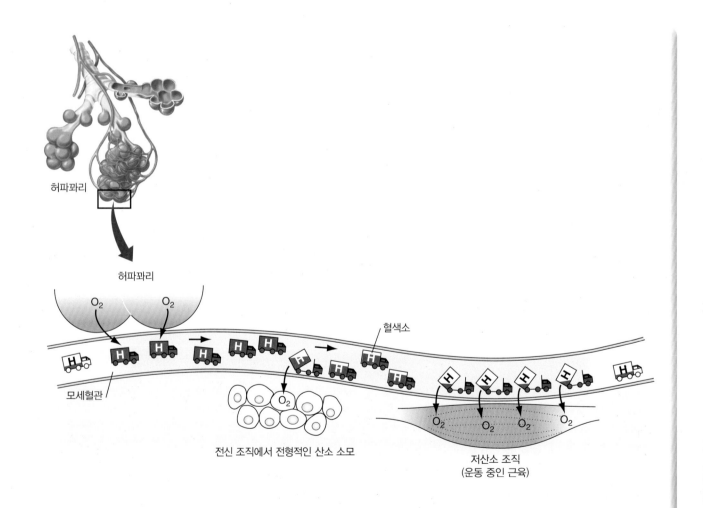

그림 5-10 혈액의 산소분자 운반: 허파꽈리의 산소는 모세혈관으로 유입되어 혈색소와 결합, 산화혈색소를 형성한다. 세포와 조직 부근에서 산화혈색소는 산소를 유리한다.

이산화탄소는 결합 부위를 두고 경쟁하지 않는다. 혈색소는 두 분자를 동시에 운반할 수 있다. 이산화탄소는 혈색소와 느슨하게 결합하여 서서히 카르바미노헤모글로빈을 형성하여 이산화탄소 분압이 낮은 곳에는 신속히 분해된다.

가장 중요한 이산화탄소 수송기전은 중탄산염 이온을 형성한다. 이산화탄소는 물과 반응해서 탄산을 만든다. 적혈구에서 탄산탈수효소는 이산화탄소와 물의 반응을 가속화해서 탄산을 생성하고, 탄산은 수소와 중탄산염 이온으로 분해된다. 혈액 내에서 운반되는 이산화탄소의 거의 70%는 이 형태로 존재한다.

허파꽈리 내 상대적으로 낮은 이산화탄소 분압에 반응하여, 이산화탄소가 허파꽈리 내로 확산된다. 적혈구내 수소와 중탄산염 이온은 동시에 재결합하여 탄산을 형성하여 재빨리 이산화탄소와 물을 만든다.

증례 연구 ▶ Part 4

병원으로 이송 중, 두 번째와 세 번째 알부테롤이 투여되고, 환자의 호흡은 계속해서 호전된다. 집중 신체 검사 결과는 환자의 병력과 일관성이 있다: 비정상 허파 청진음은 우허파 아래엽의 일부 경화부위를 제외하면 치료 후 호전되고 있음; 체온 101.5 F; 진한 초록색 형상의 가래를 동반한 젖은 기침; 진행성 COP와 연관된 곤봉형 손가락; 산소포화도 – 기저 92%에서 96%로 증가. 응급실에 도착하면, 환자는 감염(즉, 폐렴)의 정도를 확인하기 위해 흉부 방사선 검사를 하고, 항생제 치료를 받게 될 가능성이 높다.

자율학습

■ 요점 정리

- 호흡계의 일차 기능은 산소의 공급과 이산화탄소의 제거이다.
- 호흡계는 호흡, 가스교환, 가스운반과 관련된 다음의 구조들로 구성된다: 입, 코인두, 입인두, 후두, 기관, 기관지, 세기관지, 허파(허파꽈리).
- 흡입된 공기는 코인두 또는 입인두를 통해 체내로 유입된다.
- 상기도는 입, 코인두, 입인두로 구성된다.
- 코인두는 내비공부터 목젖까지 이어진다; 입인두는 목젖부터 후두덮개까지 이어진다.
- 하기도는 후두에서 시작해서 성대문, 안뜰주름(거짓성대), 진성대, 기관지, 세기관지를 포함한다.
- 기관은 연골과 기타 결합조직으로 만들어진 관으로, 공기가 통과하는 길을 제공한다. 용골에서 기관은 좌·우 주기관지로 나뉘고, 주기관지는 2차, 3차 기관지로 나뉘어, 작은 세기관지와 호흡세기관지까지 계속 분지한다. 각 호흡세기관지는 나뉘어져 허파꽈리관을 형성하고, 최종적으로 허파꽈리에서 무리지어 끝난다; 허파꽈리에서 가스교환이 일어난다.
- 허파꽈리는 허파 모세혈관 망 내부의 공기 주머니를 말한다. 허파꽈리는 큰 표면적의 상피세포를 제공하여 가스교환을 원활히 한다. 산소는 허파꽈리에서 모세혈관으로 확산되고, 이산화탄소는 혈액에서 허파꽈리로 확산된다.
- 외호흡은 허파의 공기와 혈액 사이 가스교환으로 정의된다. 내호흡은 혈액과 세포사이 가스교환으로 정의된다.
- 허파는 두 개의 결합조직 막—내장측가슴막, 벽측가슴막—으로 덮여있다. 내장측가슴막은 각 허파를 감싸고, 벽측가슴막은 흉곽의 내측면을 덮고 있다.
- 흉막강은 내장측가슴막과 벽측가슴막 사이의 잠재적 공간이다. 가슴막의 두 층은 함께 작용하여, 허파의 정상적 팽창과 수축을 유지한다.
- 허파는 두 가지 방식으로 혈액을 공급받는다; 우심실로부터 허파동맥, 그리고 흉대동맥에서 분지한 기관지동맥은 허파조직 자체에 혈액을 공급한다.

- 호흡계의 일차 기능은 허파꽈리모세혈관막에서 가스교환이다. 환기는 산소를 허파 내부로, 이산화탄소를 허파 외부로 이동하는 과정이다.
- 폐활량계는 호흡시 공기 용적을 측정하기 위해 사용된다. 흔히 측정하는 지표에는 일회호흡량, 잔기량, 폐활량, 호기예비량(강제호기폐활량)이 포함된다.
- 뇌의 호흡영역(뇌줄기, 다리뇌, 숨뇌)은 호흡 과정을 조정한다. 주요한 호흡 자극은 혈액 내 이산화탄소의 축적이다. 낮은 혈액 내 산소 농도 또한 호흡을 자극하지만, 정상적으로 $PaCO_2$에 비해 훨씬 적은 영향을 미친다.
- 숨뇌호흡중추는 숨뇌의 등쪽 및 배쪽 호흡집단과 다리뇌의 호흡집단으로 구성된다.
- 등쪽 호흡집단은 들숨 근육을 자극 시 중요하다. 배쪽 호흡집단은 대개갈비사이근과 복근을 자극해서 강제 날숨 및 때로는 들숨 노력을 증대시킨다. 호흡의 기본 리듬은 다리뇌 호흡중추에 의해서도 조절된다.
- 호흡막을 통한 가스교환은 확산 과정에 의해 일어난다.
- 허파로부터의 산소가 혈액 내로 유입되면, 산소는(세포로부터의 이산화탄소와 함께) 혈장 내에 용해되거나 혈액 구성요소와 결합한다.
- 혈액에 의해 운반되는 산소의 약 98%는 적혈구내 철을 포함하는 단백질인 혈색소(헤모글로빈)와 결합한다. 나머지 산소는 혈장 내에 용해된다.
- 허파에서 산소는 혈액에 용해되고 혈색소의 철원자와 급속히 결합하여 산화혈색소를 형성한다.

■ 증례 연구 정답

1. 호흡계의 일차적 기능을 서술한다.
   답: 호흡계의 일차적 기능은 허파꽈리모세혈관막에서 기체 교환이다. 환기를 통해 산소는 허파로 들어오고 이산화탄소는 제거된다.
2. 허파기능부전의 가능한 원인들은 무엇입니까?
   답: 허파기능부전은 급성 또는 만성이다. 호흡, 가스

교환, 체내 공기 유입에 영향을 주는 모든 질환이나 외상은 허파기능부전의 원인일 수 있다.

3. 폐활량계의 기능은 무엇이며, 어떻게 유용하게 사용됩니까?

   답: 폐활량계는 공기의 폐 안팎 이동의 다양한 지표를 측정하기 위한 폐기능 검사에서 사용된다. 구속성 폐질환 환자에서 치료 전 기저 측정치 및 치료 후 비교 측정치를 확인하기 위해 이 검사가 사용된다. 여기서 측정치는 치료에 대한 반응의 객관적 평가이다.

4. COPD는 호흡계의 어느 부위에 직접 영향을 줍니까?

   답: COPD는 하기도의 비가역적 진행성 질환으로, 과도한 점액 생성, 조직 파괴, 그리고 허파기능의 손상을 초래한다.

5. 당신이 생각하기에 환자의 상태는 즉각적인 생명의 위협이 있습니까? 이유는?

   답: 환자의 기저질환은 만성, 진행성, 비가역성 기도 질환이고, 현재 문제는 감염에 의한 증상 악화이다. 흔히 이런 환자들은 마지막 순간까지 기다리다가 도움을 요청한다. 치료되지 않을 경우 환자의 상태는 급속히 악화될 수 있다.

6. COPD 악화는 확산에 어떻게 영향을 주게 됩니까

   답: 과도한 점액과 염증이 표면을 막아서 정상 가스 교환을 방해하기 때문에, 확산(분자가 고농도에서 저농도로 이동하는 과정)은 직접적으로 영향을 받는다. 이산화탄소는 잔류하게 되고, 불충분한 산소 공급은 저산소증을 일으킨다.

순환계
The Circulatory System

학습목표

1. 심장의 위치 및 인체 다른 구조들과의 관계를 설명한다.
2. 심장의 방(실)과 각 방(실)을 들어오고 나가는 혈관들을 설명한다.
3. 혈액세포가 지나는 몸 전체의 경로를 설명한다.
4. 심장의 판막과 그 기능을 설명한다.
5. 심장 소리가 어떻게 생성되는지 설명한다.
6. 혈압을 정의하고 수축기와 이완기 지수의 정상범위를 설명한다.
7. 심장 주기를 설명한다.
8. 심장 전도계를 설명하고, 심전도가 심장의 전기적 활동을 기록하는 방식을 설명한다.
9. 일회박출량, 심장박출량, 스탈링법칙을 설명한다.
10. 신경계가 어떻게 심장기능을 조절하는지 설명한다.
11. 각 혈관의 구조와 기능을 분류한다: 동맥, 정맥, 모세혈관.
12. 모세혈관에서 일어나는 가스교환을 설명한다.
13. 주요 체동맥과 그들이 공급하는 신체 부위를 설명한다.
14. 주요 체정맥과 그들이 환류하는 신체 부위를 설명한다.
15. 혈액의 일차 기능을 설명한다.
16. 혈액의 구성요소들을 나열하고, 각각의 주요 기능을 기술한다.
17. 수명을 다한 적혈구는(혈색소 포함) 어떻게 되는지 설명한다.
18. ABO와 Rh 혈액형을 설명한다.
19. 다섯 가지 백혈구와 각각의 기능을 분류한다
20. 혈소판의 기능과 지혈에 관여하는 방식을 설명한다.
21. 혈괴의 형성을 기술한다.
22. 혈관계에서 비정상 혈액응고를 방지하는 방식을 설명한다.

■ 서론

순환계는 심장과 복잡하게 연결된 관(동맥, 세동맥, 모세혈관, 정맥, 세정맥)으로 이루어진다 **그림 6-1**. 순환계의 또다른 명칭은 심혈관계이다. 인간의 심장은 혈액을 동맥으로 방출하고, 동맥은 더작은 세동맥으로, 세동맥은 다시 더욱 작은 모세혈관으로 연결된다. 혈액과 주변 조직 사이에서 영양소, 전해질, 용해가스, 노폐물의 교환이 일어난다. 모세혈관은 가장 작은 정맥, 동맥과 상호 연결되는 얇은 벽의 혈관이다. 매일 약 7,000리터의 혈액이 심장을 통해 방출된다.

보통의 한 인간의 삶에서 심장은 약 25억번 수축한다.

모세혈관에서 세정맥, 그리고 정맥으로 혈액이 흐를때, 전신의 혈류는 심장으로 돌아오기 시작한다. 따라서, 심혈관계는 폐쇄순환으로 이루어진다. 정맥과 세정맥은 탈산소화 혈액을 허파로 보내서 산소를 받고 이산화탄소를 내려놓기 때문에 허파순환(폐순환)의 일부이다. 동맥과 세동맥은 산소와 영양소를 온몸세포로 보내기 때문에 온몸순환(체순환)의 일부이다. 모든 인체조직은 생존을 위해 순환을 필요로 한다. 심혈관계 질환은 응급구조 전화의 상당수를 차지한다.

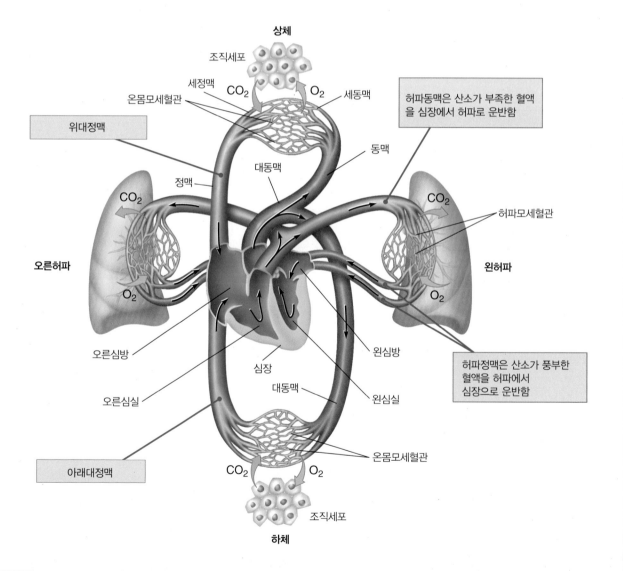

그림 6-1 순환계는 심장, 동맥, 정맥, 모세혈관을 포함한다. 모세혈관은 가장 작은 혈관이고 세정맥과 세동맥을 연결한다. 심장은 순환계 중심에서 원동력(추진력)을 공급한다. 심장의 양면에 의해 생성되는 압력하에서 혈액은 전신을 순환한다.

■ 심장

■ 심장의 구조

심장은 혈액을 몸 전체로 방출하는 근육성 기관이다. 심장은 가슴안, 가로막 위에 놓여있다 **그림 6-2** . 심장은 속이 비어있는 원뿔형 구조이고, 크기는 다양하지만 대략 주먹정도 크기이다. 심장은 양쪽 허파 사이 세로칸(종격) 내부에 위치한다. 대략 심장 질량의 2/3는 인체의 왼쪽에 있다.

심장 근육을 심근이라고 한다. 심장막은 심장을 감싸는 두꺼운 섬유성 막이다. 심장막은 심장을 세로칸(종격) 내부에 고정하고 심장의 과신전을 방지한다. 심장막의 안쪽 막은 장막심장막이다. 장막심장막은 두 개의 층으로 이루어진다: 장층과 벽층. 심장막의 장층은 심장에 가까이 붙어있어, 심장바깥막(심외막)이라고도 지칭한다. 심장막의 두 번째 층인 벽층은 소량의 심장막액에 의해 장측심장막과 분리되

는데, 심장막액은 심낭 내부의 마찰을 감소시킨다.

심장의 내부는 4개의 빈 방으로 나뉜다; 왼쪽에 2개, 오른쪽에 2개 **그림 6-3** . 심장의 위쪽 방을 심방이라 부르고, 심장으로 되돌아오는 혈액을 받는다. 심방에는 전방으로 확장된 작은 돌출부인 귀(심방귀)가 있다. 아래쪽 방은 심실이고, 심방에서 받은 혈액을 동맥으로 방출한다. 단단한 벽 구조인 중격이 왼심방/왼심실을 오른심방/오른심실과 분리한다. 각 심방은 인체 다른 부위에서 심장으로 돌아오는 혈액을 받고 각 심실은 혈액을 심장에서 방출한다. 심장의 상부와 하부는 방실판막에 의해 분리되고, 이 판막은 혈액의 역류를 방지한다. 이와 유사하게 반월판은 심실과 그 심실이 혈액을 내보내는 동맥 사이에 위치한다.

오른심방은 두 개의 큰 정맥(위대정맥, 아래대정맥)과 작은 정맥인 심장정맥동(심근의 혈액이 모이는 정맥)으로부터 혈액을 받아들인다 **그림 6-4** . 왼, 오른 심방 사이 오목

증례 연구 ▶ **Part 1**

새벽 1시경 구급대원인 당신은 신고를 받고 교외주택으로 출동하였다. 현장에 도착하니 신고자가 급한 목소리로 "내 남편이 매우 심각해요.. 빨리 오세요!"라고 하여 집안으로 들어갔다. 60대의 남자가 땀에 흠뻑 젖은 채로 침대 끝에 앉아 있었다. 환자는 과체중으로 보이고 통증으로 인해 가슴을 부여잡고 있다. 환자의 의식은 명료하고, 기도는 개방되어 있으나, 숨을 쉬기 어렵고, 맥박은 강하고 빠르며 불규칙하다.

즉시 동료에게 비재호흡성 마스크를 환자에게 채우도록 지시하고, 환자의 병력을 기록하였다. 가슴을 "으깨는 듯한 느낌"이 약 한 시간 전 눈을 치우고 들어왔을 때 갑자기 발생했다고 한다. 그는 밖이 너무 추웠으므로 따뜻한 물로 샤워를 하면 나아질거라 생각했지만, 통증은 더욱 악화되었고, 처음에는 복장뼈(흉골) 밑부분만 아팠으나 지금은 왼쪽팔로 방사되어 통증이 있다고 한다. 따라서, 프로토콜에 따라 환자에게 아스피린 4알을 주고 씹어먹도록 하였다.

기록한 시간: 0분	
외형	심한 고통을 느끼고 있는 60세 남자
의식 수준	명료(사람, 시간, 날짜에 지남력이 있음)
기도	개방
호흡	짧고 끊어지는 문장으로 말함
순환	창백하고 축축함. 외부 출혈은 없음
맥박	110회/분, 불규칙적이고 강함
혈압	156/90 mmHg
호흡	24회/분, 힘든 호흡
SpO$_2$	94%

1. 심장박출량이란?
2. 심장마비(심근경색)는 환자의 심장박출량에 어떤 영향을 주는가?
3. 심근에 산소와 영양소를 공급하고, 부분 또는 완전한 폐쇄로 인한 심장마비(심근경색)를 일으킬 수 있는 혈관은?

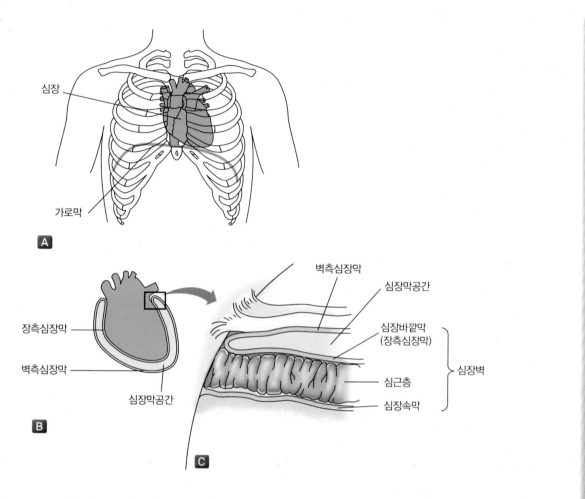

심장
가로막

장측심장막
벽측심장막
심장막공간

벽측심장막
심장막공간
심장바깥막
(장측심장막)
심근층
심장속막
심장벽

그림 6-2 심장. **A.** 가슴안 심장. **B.** 심장과 대혈관 근위부말단을 심장막(심장을 둘러싸는 장막)이 감싸고 있다. **C.** 심장의 벽을 구성하는 세 층: 심장바깥막, 심근, 심장속막

하게 들어간 부위인 타원오목은 태아기에 존재하는 두 심방 사이 구멍인 타원구멍이 있던 위치를 나타낸다. 삼첨판막은 돌출부(첨판)를 가지고 있으며, 오른심방과 오른심실 사이에 위치한다. 삼첨판막은 혈액을 오른심방에서 오른심실로 이동하게 하면서 역류를 방지한다. 삼첨판막의 첨판은 강한 섬유인 <u>힘줄끈</u>에 부착된다. 힘줄끈은 심실 벽에서 안쪽으로 튀어나온 작은 <u>꼭지근</u>에서 기시한다. 심실이 수축할 때 꼭지근이 수축한다. 삼첨판막이 닫힐때, 꼭지근은 힘줄끈을 당겨 삼첨판이 다시 심방 안으로 되돌아가는 것을 방지한다.

오른심실의 근육벽은 왼심실의 벽보다 얇은데, 이것은 오른심실이 혈류에 대한 저항이 상대적으로 낮은 허파로 혈액을 방출하기 때문이다. 왼심실은 혈류에 대한 저항이 훨씬 높은 전신으로 혈액을 방출하므로 두꺼운 벽을 가진다. 오른심실이 수축하면, 증가된 혈압으로 인해 삼첨판막이 수

동적으로 닫힌다. 따라서, 이 혈액은 허파동맥을 통해서만 나갈수 있으며, 허파동맥은 왼, 오른 허파동맥으로 나뉘어 허파에 혈액을 공급한다. 허파동맥 기저부에 <u>허파동맥판</u>은 오른심실에서 나가는 혈액이 다시 오른심실로 역류되는 것을 방지한다. 허파동맥판은 3개의 첨판을 가지고 있다.

4개의 허파정맥(한 쪽 허파에서 두 개씩)은 왼심방에 혈액을 공급한다. 그 혈액은 왼심방에서 <u>이첨판막</u>을 통과해서 왼심실로 이동하며, 이첨판막은 혈액의 역류를 방지한다. 삼첨판막에서처럼 꼭지근과 힘줄끈은 왼심실 수축시, 이첨판막의 첨판이 왼심방으로 되돌아가는 것을 방지한다. 이첨판막은 수동적으로 닫히면서 혈액을 <u>대동맥</u>으로 보낸다.

대동맥 기저부에 <u>대동맥판막</u>은 3개의 첨판을 가진다. 수축기동안 열리는 대동맥판막은 혈액을 왼심실에서 나가도록 한다. 심실이 이완하면 판막은 닫히고, 혈액이 심실내로

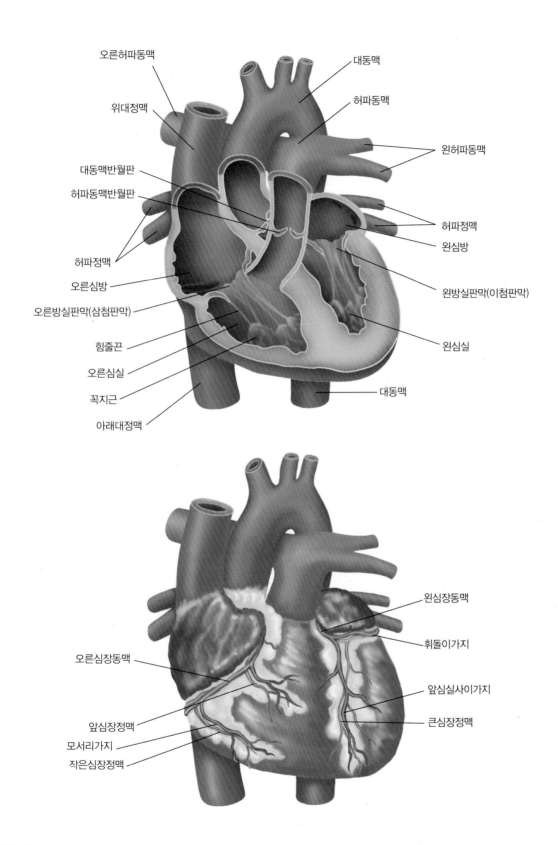

오른허파동맥
대동맥
위대정맥
허파동맥
왼허파동맥
대동맥반월판
허파동맥반월판
허파정맥
왼심방
허파정맥
오른심방
왼방실판막(이첨판막)
오른방실판막(삼첨판막)
힘줄끈
왼심실
오른심실
꼭지근
대동맥
아래대정맥

왼심장동맥
오른심장동맥
휘돌이가지
앞심실사이가지
앞심장정맥
큰심장정맥
모서리가지
작은심장정맥

그림 6-3 심장의 해부학

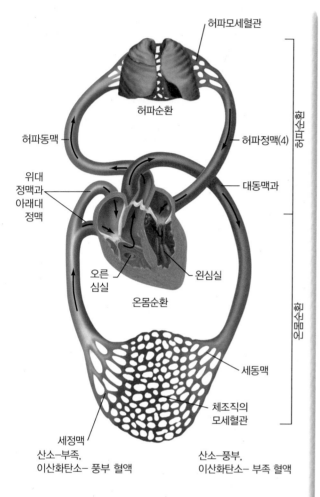

허파모세혈관

허파순환

허파동맥 — 허파정맥(4)

위대
정맥과
아래대
정맥

대동맥과

오른
심실

왼심실

온몸순환

세동맥

체조직의
모세혈관

세정맥

산소–부족,
이산화탄소–풍부 혈액

산소–풍부,
이산화탄소– 부족 혈액

허파순환

온몸순환

그림 6-4 혈류의 두 순환구조. 오른심실은 허파순환을, 왼심실은 온몸순환을 공급한다.

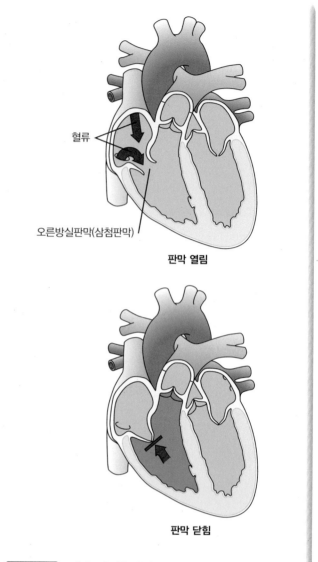

혈류

오른방실판막(삼첨판막)

판막 열림

판막 닫힘

그림 6-5 사람들을 한 방향으로만 이동하게 하는 회전문처럼. 심장판막은 혈액을 한 방향으로만 흐르게 한다.

되돌아오는 것을 방지한다. 이첨판막과 삼첨판막은 심방과 심실 사이에 위치하여 방실판막이라고 한다. 반달 모양의 대동맥판막과 허파동맥판은 반월판이라고 부른다.

'고리' 모양으로 배열된 결합조직이 허파동맥과 대동맥의 근위부 말단을 둘러싸서, 심장 판막과 근섬유의 단단한 부착부를 제공한다. 이러한 부착부는 심방과 심실이 수축시 이완되는 것을 방지한다. 이러한 고리 구조와 치밀결합조직 덩어리는 심장의 '골격'을 형성한다.

오른심방은 대정맥과 심장정맥동을 통해 저산소 혈액을 받아들인다. 오른심방이 수축할때, 혈액은 삼첨판막을 통과해서 오른심실로 이동한다 **그림 6-5**. 오른심실이 수축하면, 삼첨판막은 닫힌다. 혈액은 허파동맥판을 통과해서 허파동맥으로 흐르고 허파꽈리 모세혈관에 도달하여 가스교환이 일어난다. 여기서 새로 산소화된 혈액은 허파정맥을 통해

왼심방으로 돌아온다.

왼심방이 수축하면서 혈액을 이첨판막을 통해 왼심실로 보내는데 왼심실이 수축하면 이첨판막은 닫힌다. 혈액은 대동맥판막을 통해서 대동맥과 그 가지들로 향한다. 처음 두 개의 대동맥 가지들이 왼, 오른 심장동맥으로 심장동맥의 입구는 대동맥판막 바로 지난 지점에 있고, 심장 조직에 산소를 공급한다.

인체 조직의 생존을 위해 새로 산소화된 혈액이 필요하므로, 체조직은 연속적인 심장 박동을 필요로한다. 심장동맥의 가지들은 심근의 수많은 모세혈관에 혈액을 공급한다. 이러한 동맥의 더 작은 가지들은 혈관사이 문합(anastomosis)으로 연결되어 곁순환을 제공한다. 심장동맥의 폐쇄된 경우, 이러한 곁순환이 심근에 산소 및 영양소를 공급할 수 있으며 심정맥의 가지들은 심근 모세혈관의 혈액을 받아서 큰 정맥인 심장정맥동으로 합쳐지고, 심장정맥동은 오른심방으로 들어간다.

병태생리학

혈괴(피덩이)는 심장에 산소를 공급하는 동맥의 완전한 폐쇄를 일으켜 심근 일부의 괴사 즉 심근경색을 일으킬 수 있다.

병태생리학

심장막의 감염이나 염증으로 심한 흉통이 발생하는 상태를 심장막염이라고 한다.

병태생리학

심낭에 과다한 액체가 축적되면(심낭삼출), 심장이 적절하게 이완하고 수축하는 능력이 심각하게 손상된다. 심낭삼출의 흔한 원인은 외상으로 심장의 충만을 제한할 정도로 충분한 액체가 심낭에 축적되면, 심장압전이 생기고 생명을 위협하는 쇼크가 급속히 발생한다. 즉시 주사바늘을 심낭내로 넣어서 액체를 제거해야만 한다(심낭천자) 그림 6-6.

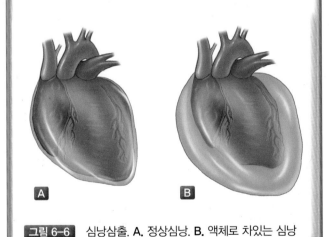

그림 6-6 심낭삼출. **A.** 정상심낭. **B.** 액체로 차있는 심낭

■ 심장내 혈류

2개의 큰 정맥(위대정맥, 아래대정맥)은 탈산소화된 혈액을 심장으로 환류한다. 상체의 혈액은 위대정맥(상대정맥)을

통해, 하체의 혈액은 아래대정맥(하대정맥)을 통해 심장으로 돌아온다. 둘 중, 아래대정맥이 더 크다. 오른심방에서 혈액은 삼첨판막을 통과해서 오른심실로 이동한다. 이후 오른심실에서 방출된 혈액은 허파동맥판을 통해 허파동맥을 통과하여 허파로 들어간다. 허파에서 다양한 과정을 통해 혈액은 산소를 돌려받고, 혈액내 이산화탄소 및 기타 노폐물들이 제거된다. 이러한 과정들은 호흡계(5장)에서 자세히 다루어진다.

새로이 산소화된 혈액은 허파정맥을 통해 왼심방으로 돌아온다. 이후 혈액은 이첨판막을 통해 왼심실로 들어온다. 왼심실에서 방출된 산소화 혈액은 대동맥판막과 대동맥(인체내 가장 큰 동맥)을 통해 몸전체로 나간다. 왼심실은 몸전체에 분포하는 혈관으로 혈액을 방출하는 역할을 하기 때문에 심장의 4개 방 중에서 가장 크고 강하다.

심음(heart sound)은 흔히 'lub−DUB, lub−DUB, lub−DUB'처럼 들린다고 묘사된다. 심장의 수축과 이완, 혈류, 심장 판막의 움직임 등에 의해 이러한 소리가 생긴다. 2가지 정상적인 심음이 있다. 첫 번째 S1('lub')은 심실 수축(수축기) 시작시 이첨판막과 삼첨판막이 갑자기 닫히면서 발생한다. 두 번째 더 큰 심음 S2('DUB')은 수축기 말에 허파동맥판과 대동맥판막이 닫히는 소리이다 그림 6-7. S1, S2 둘다 정상이고 항상 들을 수 있어야 한다.

다른 두 개의 심음(S3, S4)은 대개 비정상이고, 정상 심

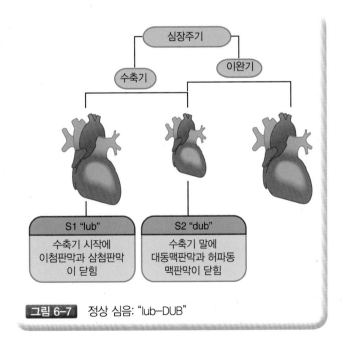

그림 6-7 정상 심음: "lub−DUB"

음을 가진 사람들에서는 들리지 않는다. S3 심음은 부드럽고 낮은 소리로 심실 이완(이완기) 약 1/3 지점에서 발생한다. 따라서, 심장 주기는 'lub-DUB-da.'처럼 들리고, 'da' 소리는 혈액의 갑작스러운 유입에 의해 심실이 급속하게 충만되는 소리이다. S3 심음은 젊고 건강한 사람들에서 때로 들리기도 한다. 그러나, 대다수의 사람들에서 S3 심음은 심부전에 의한 왼심방 충만압의 상승을 의미한다. S4 심음은 S1 이전에 들리는 중간음으로 심장 주기를 'bla-lub-DUB' 처럼 들리게한다. S4 심음은 비정상적인 심방압 증가 또는 왼심실 탄성의 감소로 발생한다 그림 6-8 .

비정상 심음은 4개 더 존재한다. Murmur 잡음은 심장 내 혈액의 난류를 나타내며, '쉭'하는 소리를 만든다. 많은 잡음이 양성으로 나이가 들면서 사라지지만, 몇 가지 유형은 심질환을 암시한다. Bruit 잡음은 비정상적으로 쉭하는 소리로, 주요 혈관내 와류를 의미한다. 동맥의 경화는 종종 잡음을 만든다. Click(깨깍음), Snap(퉁김소리)는 비정상 판막 기능에 의한 비정상 심음이다. 이 소리들은 짧고 간헐적

이므로 청진이 어렵다.

> **병태생리학**
>
> 질병 진행 중 심장 판막이 이환될 수 있다. 류마티스열은 소아와 젊은 성인에서 발생하는 급성 질환으로 대동맥판막과 이첨판막의 영구적 손상을 일으킬 수 있다. 류마티스열에서 판막 첨판이 딱딱해져서 정상적으로 열리고 닫힐 수 없게 된다. 판막이 열리는데 제약이 생기면, 전향성 혈류량이 감소하여 판막협착이 생긴다. 만약 판막이 정상적으로 닫히지 않으면, 수축시 혈액이 첨판들 사이로 새어나가서 판막역류가 발생한다. 심근경색에서 꼭지근의 허혈 및 파열은 이첨판막역류의 또 다른 흔한 원인이다. 허혈은 국소 조직으로 향하는 동맥혈이 감소하여, 그 조직에 산소가 불충분한 상태이다. 심내막염은 심장판막의 감염이다.

> **병태생리학**
>
> 대부분의 경우, 타원구멍은 출생 직후 닫힌다. 일부에서는 타원구멍이 열린 상태로 남아서 열린타원구멍이 된다. 이 질환은 선천성 심장 질환의 가장 흔한 유형 중 하나로 증상이 없는 경우도 있지만, 수술을 요하는 심각한 증상을 동반할 수도 있다.

■ 심장 주기

심장의 수축은 심장의 방에 압력 변화를 유도한다. 따라서 혈액은 고압력에서 저압력 부위로 이동한다. 방출 과정은 심근 수축을 시작으로 다음 수축의 초기에 끝난다. 이 반복되는 과정을 심장주기라고 한다.

심실이 수축하는 동안 혈액이 온몸순환과 허파순환으로 방출되는 기간이 수축기이다. 수축기동안, 동맥내부에 생성된 압력을 측정할 수 있고, 이것이 수축기 혈압이다. 성인에서 정상 수축기 혈압은 110에서 130 mmHg 사이, 정상 이완기 혈압은 70에서 90 mmHg 사이 이다.

혈압은 분율로 기록한다. 즉, 수축기 측정치를 위쪽에 이완기 측정치를 아래쪽에 표기한다(예를 들면, 수축기 130, 이완기 70이면, 130/70 mmHg로 기록). 측정치 단위 mmHg는 millimeters of Mercury를 지칭하는데, 혈압이 유리관내 액체 수은 기둥을 올리는 높이를 밀리미터로 기술한 것이다. 요즘은 많은 혈압계들이 눈금판을 사용하지만, 혈압은 여전히 mmHg로 표기된다.

왼심실이 혈액을 방출할 때 걸리는 대동맥의 압력을 후

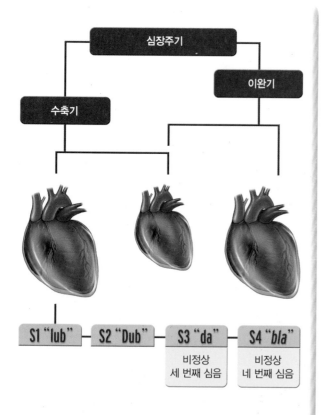

그림 6-8 비정상 심음: **A.** S3: "lub–DUB–da." **B.** S4: "bla–lub–DUB."

부하라고 한다. 후부하가 클수록 심실은 대동맥으로 혈액을 방출하기 힘들고, 따라서 일회박출량(심실이 한번 수축할 때 방출되는 혈액의 양)이 감소한다. 대부분, 후부하는 동맥 혈압에 의해 지배된다. 혈관수축시 후부하가 증가하고, 혈관이완시 후부하가 감소한다.

심장박출량은 1분당 심장에서 순환계로 방출되는 혈액의 양이다(Liter/minute). 수학적으로 심장박출량은 1회박출량(한 번 수축시 왼심실에서 방출되는 혈액의 양)에 분당 심박수를 곱한 값이다.

$$심장박출량 = 1회박출량 \times 분당심박수$$

1회박출량 또는 분당심박수에 영향을 주는 요인은 심장 박출량과 조직의 관류에 영향을 주게 된다.

어느 정도까지는 심장으로의 정맥 환류 증가는 심실을 이완하여 심장 수축력을 증가시킨다. 영국의 생리학자 Ernest Henry Starling이 이러한 연관성을 처음 기술하여 Starling's law(스탈링 법칙)이라고 한다. 만약 근육이 수축 자극 이전에 약간 이완되면 근육은 더 강하게 수축한다는 법칙이다. 따라서, 심장이 이완되면 근육은 더 강하게 수축한다. 이것은 정상 방어기전이다. 오른심방으로 환류되는 혈액의 양은 매번 다소 차이가 있기는 하지만, 정상 심장은 환류되는 혈액에서 동일한 분률을 계속해서 방출하고 이를 박출률이라고 한다. 더 많은 혈액이 심장으로 환류되면, 이완된 심장은 혈액이 정맥으로 역류되도록 방치하기 보다는 오히려 더욱 강하게 수축한다. 그 결과, 한 번 수축 시 더 많은 혈액이 방출되더라도 박출률은 변함없이 유지된다(방출되는 혈액량이 증가하지만, 환류되는 혈액량 또한 증가된다). 이러한 관계성은 한 사람이 자세를 바꾸고, 기침하고, 숨쉬고, 움직일 때, 정상 심기능을 유지한다.

■ 전기 전도계

특수한 심장 근육의 가닥과 무리는 오직 몇 가지 근원섬유만을 포함하고 심장 전체에 분포한다. 이러한 부위는 심장 전도계를 구성하여 심근으로 자극을 발생시키고 전달한다. 심장의 기계적 박동 활동은 전기적 자극에 반응해서만 일어날 수 있다. 이러한 자극은 심근세포 내부에 일련의 복잡한 화학 변화를 통해서 심장을 뛰게 만든다. 뇌는 자율신경계

를 통해 심장 박동과 수축력을 부분적으로 통제한다. 그러나, 심근조직의 수축은 심장 내부에 전도계의 한 부분인 복합 전기 조직에서 시작된다. 심전도계는 6개의 부분으로 구성된다: 굴심방(SA) 결절, 방실(AV) 결절, 방실다발(His), 왼갈래와 오른갈래, 심장전도근육(Purkinje) 섬유 그림 6-9.

굴심방(SA) 결절은 오른심방의 심장바깥막 바로 밑 조직의 작은 덩어리이다. 굴심방결절은 위대정맥 입구 부근에 위치하고, 그 섬유는 심방융합체(하나의 단위로 기능하는 심방세포들이 융합된 덩어리)의 섬유와 이어진다. SA결절은 심장의 율동수축을 일으키기 때문에 흔히 박동조율기로 지칭된다. SA결절에서 기시한 자극은 왼, 오른 심방으로 퍼져서 심방 수축이 발생한다. 이후, 자극은 오른심방의 중격 인접부위에 위치한 방실(AV) 결절로 이동한다. 방실결절에서 일시적으로 전도가 느려진다. 그 다음으로, 전기자극은 방실결절의 연장인 방실다발(His)로 전도된다. 여기서부터, 전기자극은 왼갈래와 오른갈래로 급속히 전도되어 심실사이중격을 자극한다. 이때 자극은 심장전도근육(Pyrkinje) 섬유를 통해 왼심실 심근, 바로 이어 오른심실 심근으로 퍼져서 심실 수축(수축기)이 발생한다.

전기적 자극에 반응하는 세포의 특성을 흥분성, 세포가 전기적 자극을 전도하는 능력은 전도율이라고 한다. 심장 세포는 외부 신경의 자극이 없을 때에도 스스로 자극을 생성하여 수축할 수 있는 능력을 가지는데, 이 과정을 내인성 자발성이라고 한다.

심장 기능의 조절

자율신경계, 내분비계, 그리고 심장 조직을 통해서 뇌는 심장기능을 감시하고 통제한다. 이러한 기능은 심장의 변시효과(수축 속도에 영향), 변전도효과(전기 전도율에 영향), 수축촉진효과(수축 강도에 영향)를 포함한다. 뇌, 심장, 혈관, 콩팥의 수용기는 지속적인 신체 기능을 감시하여 항상성을 유지한다. 화학수용기는 혈액의 화학 조성의 변화를 감지하고 압력수용기는 심장과 주요 동맥내 압력의 변화에 반응한다. 항상성이 깨지면 수용기는 흥분하고 신경전달물질 및 호르몬이 분비되며 정상 상태로 회복시 신경 신호의 전달이 멈춘다.

종종, 수용기의 자극은 자율신경계의 교감신경 또는 부교감신경 가지를 활성화해서 심장 박동과 심근의 수축 강도(수축력)에 영향을 준다. 부교감신경의 자극은 주로 방실

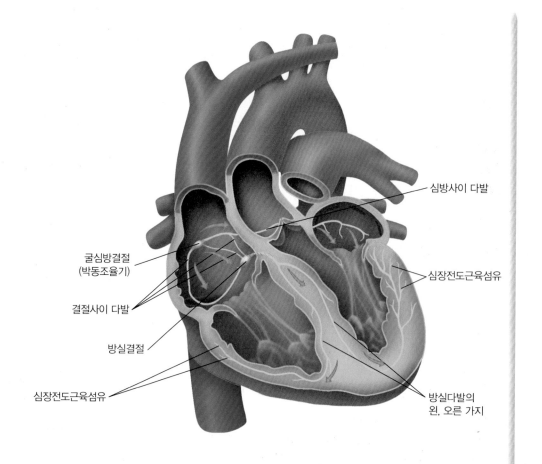

심방사이 다발

굴심방결절
(박동조율기)

심장전도근육섬유

결절사이 다발

방실결절

심장전도근육섬유

방실다발의
왼, 오른 가지

그림 6-9   심전도계. 심장근육세포의 특수그룹은 심장전체에서 전기적 자극을 시작한다. 정상전도통로는 심전도계의 6부분을 통과한다. 자극은 굴심방결절에서 시작되어 결절사이다발을 통해 방실결절까지 전파된다. 방실결절은 자극의 속도를 줄이고, 신호를 개시하여 히스속, 왼/오른 갈래, 심장전도근육섬유를 통해 심실 전체로 전도한다.

결절에 영향을 주어 심박수를 느리게 한다. 교감신경계 자극은 자극되는 신경수용체의 유형에 따라 알파효과 또는 베타효과를 낸다. 알파효과는 알파 수용기의 자극에 의해 일어나며 혈관이 수축한다. 베타 수용기의 자극에 의한 베타효과는 수축촉진, 변전도, 그리고 변시효과의 증대를 야기한다.

에피네프린과 노르에피네프린은 자연적으로 분비되는 호르몬이고, 또한 심장 약물로 투여되기도 한다. 에피네프린은 베타 수용기에 더 큰 효과가 있는 반면, 노르에피네프린은 알파 수용기를 주로 자극한다.

임상에 유용한 정보

출혈이 있거나 탈수가 심한 경우 압력수용기는 비정상적으로 낮은 혈액 용적을 감지한다. 여러 가지 다양한 신체반응이 동시에 일어나지만, 주반응은 부신속질에서 에피네프린과 노르에피네프린의 분비이다. 에피네프린과 노르에피네프린은 교감신경 자극을 유발하여 맥박과 수축력을 증가시킨다.

전해질(이온)

인체내 다른 세포와 마찬가지로 심근 세포는 전해질(이온) 용액에 담겨있다. 3개의 양이온(나트륨, 칼륨, 칼슘)이 심장에서 전기적 신호를 일으키고 전도하는 역할을 한다. 휴식기 세포에서 칼륨 농도는 세포 안에서 높은 반면, 나트륨 농도는 세포 밖에서 높다. 이러한 차이를 유지하기 위해 특수한 이온수송 기전인 나트륨–칼륨펌프에 의해, 나트륨은 세포 밖으로 내보내지고 칼륨은 세포내로 들여보내진다.

심장 활동에 영향을 주는 가장 중요한 이온은 칼륨과 칼슘이다. 외세포 칼륨이온의 과다(고칼륨혈증)는 심장 박동과 강도를 감소시킨다; 반면, 외세포 칼륨이온의 결핍(저칼륨혈증)은 치명적인 비정상 심장 율동(부정맥)을 초래할 수 있다. 외세포 칼슘이온의 과다(고칼슘혈증)는 심장이 비정상적으로 장시간 동안 수축하도록 하고, 외세포 칼슘이온의 결핍(저칼슘혈증)은 심장 활동을 저해한다.

임상에 유용한 정보

나트륨, 칼륨, 칼슘은 이온통로를 통해 세포들 사이에서 이동한다. 리도카인, 프로카인아미드, 칼슘통로차단제 등의 심장 약물은 이러한 이온통로의 기능에 영향을 준다. 이온통로 단백질의 다양한 유전적 이상이 발견되었는데, 이 중 일부는 급성심장사의 위험을 수반한다.

활동전위

세포막을 통한 나트륨과 칼륨의 농도차는 전하의 차이(활동전위)를 만든다. 활동전위는 millivolt(밀리볼트)로 측정된다. 휴식기 세포에서 세포 밖은 세포 안쪽보다 양전하를 지닌다. 따라서, 음전하 활동전위가 세포막을 통해 존재한다. 휴지기 세포는 정상적으로 세포 외부에 비해 음전하를 띠고, 이를 분극상태라고 한다.

심장세포의 탈분극과 재분극

심근세포가 전도계에서 자극을 받을 때 세포벽의 투과도가 변하고 나트륨이 세포내로 급속히 밀려 들어온다. 이 과정은 세포 내부를 양성(양전하)으로 변화시킨다. 칼슘 또한 세포내로 유입되는데, 이 과정은 더 천천히 일어난다. 결과적으로 이온 교환은 활동전위를 생성한다. 나트륨의 급속한 유입과 칼슘의 느린 유입이 지속되어 세포 내부는 더욱 양전하를 띠게 되고, 결국 약간 양성의 활동 전위를 가지게 된다. 이러한 전기활성의 흐름과 전기방전의 과정을 탈분극이라고 한다.

증례 연구 ▶ Part 2

환자는 지난 몇달 동안 육체적 노동을 할 때마다, 흉부 "불편감"을 느꼈으나 그냥 심한 가슴쓰림이라고 생각하고, 제산제를 복용해왔다고 한다. 신속한 신체검진 결과 심한 고통을 느끼는 과체중의 환자로 경도의 호흡곤란을 호소하고, 청진상 양허파 기저부에 수포음이 들리고 심음은 정상이다; 목정맥 확장은 없고, 피부는 창백하고 축축하다. 흉부나 복부에 흉터는 없고, 말초 부종도 보이지 않는다. 환자는 힘이 없고 속이 메스껍다고 말한다.

SAMPLE 병력상, 심장 질환의 가족력이 있고, 환자는 고혈압과 고콜레스테롤 혈증으로 약을 복용중이다. 심전도(ECG)상 동성빈맥과 함께 심실조기수축이 가끔 보인다. 기지 12유도 심전도(12–lead ECG)를 위해 당신은 나머지 유도를 부착한다.

니트로글리세린 스프레이는 환자의 통증을 경감시키지 않았다. 환자의 활력징후는 처음 측정치와 동일하여 두번째 니트로글리세린 스프레이를 투여하고 수액을 투여한 후 계단 의자(stair chair)를 이용하여 구급차로 이동하였다.

구급차에 올라서, 통증 조절을 위해 몰핀을 투여한다. 환자는 STEMI 기준을 충족하므로, 심혈관 전문센터인 3차 병원으로 환자의 12유도 심전도(12–lead ECG)가 전송하였다.

기록한 시간: 5분	
외형	심한 고통을 호소
의식 수준	명료(사람, 시간, 날짜에 지남력이 있음)
기도	개방
호흡	힘든 호흡
순환	창백하고 차가우며 축축함

4. 12유도 심전도(12–lead ECG)상 왼심실에 허혈과 경색이 보인다면, 어느 혈관이 폐쇄되었을 가능성이 높은가?

5. 심장 전도계에 혈액을 공급하는 혈관은?

전류는 전도경로를 통해 한 세포에서 다른 세포로 전달되며, 파형의 형태로 심장전체에 흐른다. 4장의 근골격계에서 설명한대로, 심근세포가 탈분극되면, 칼슘은 액틴과 미오신 미세섬유 가까이로 분비된다. 이 과정은 미세섬유를 함께 미끄러지듯이 움직여서, 근육 수축을 일으킨다. 심장근육의 수축은 심방/심실에서 혈액을 쥐어짜서 내보낸다. 전기적 자극과 그 결과 일어나는 근수축의 조합을 흥분수축결합이라고 지칭한다.

심장 세포는 한번 탈분극되면, 휴식 또는 분극 상태로 돌아가기 시작하는데, 이 과정이 재분극이다. 이때, 세포 내부는 다시 음전하로 돌아간다. 나트륨의 세포내 유입이 느려지고, 양전하의 칼륨이온이 세포 밖으로 흘러나가기 시작할 때, 재분극이 시작된다. 칼륨의 유출 다음으로, 나트륨이 능동적으로 세포 밖으로 방출되고 칼륨은 세포 내부로 끌어들여진다. 칼슘은 세포내 저장소로 돌아간다. 결과적으로, 막전위는 기준 음성 안정막전위로 돌아가고, 세포는 분극 상태와 안정시 길이를 회복한다.

재분극 초기, 세포는 너무 높은 농도의 이온을 포함하여, 탈분극되도록 자극될 수 없으므로, 이 기간을 절대불응기라고 한다. 재분극 후기, 세포는 평소보다 강한 자극에는 반응할 수 있으며, 이 기간은 상대불응기이다.

심전도

심전도(ECG)는 심근의 전기적 변화를 그래프로 기록하기 위해 사용된다. 체액은 전류를 전도하므로, 전기적 변화는 체표면에서 탐지될 수 있다. 심장의 탈분극과 재분극 동안 생성된 전류는 ECG 상에 시각적으로 나타난다. 표준 ECG는 심장 전기활성의 다양한 '관점'을 기록하는 12개의 유도(lead)로 구성된다. 정상 ECG 결과지 모양은 각 유도마다 다르다.

몇 가지 굴절 및 파형이 ECG상에서 관찰된다 **그림 6-10**. 이는 정상 심장 전도 양상을 나타낸다. P파는 첫 번째 파형으로 심방을 통과하는 전기적 자극의 움직임, 즉 심방 수축을 나타낸다. 이어지는 편평한 선, 즉 전기적 휴지는 PR분절이고, 방실결절 내에서 일어나는 시간의 지연을 나타낸다.

그 다음의 큰 파형, QRS복합은 심실의 탈분극을 나타낸다. QRS복합은 심실수축, 즉 수축기에 해당한다. 다음으로, 또다른 전기적 휴지가 일어나는데, 이를 ST분절이라 한다. 이 기간 동안, 심장의 재분극이 시작된다. 다음으로 T파가 이어지고, 재분극의 완성을 나타낸다.

정상동리듬에서 한번의 심장 박동을 나타내는 ECG 일회 주기는 P파(분당 60~100회 속도의 규칙적 간격으로 발생), PR간격(지속시간 0.2초 미만), QRS복합(정상 윤곽과 배치), ST분절(편평한 휴지기), T파(정상 윤곽과 배치)로 구성된다.

■ 혈관

심혈관계에는 5가지 혈관 유형이 있다: 동맥, 세동맥, 모세

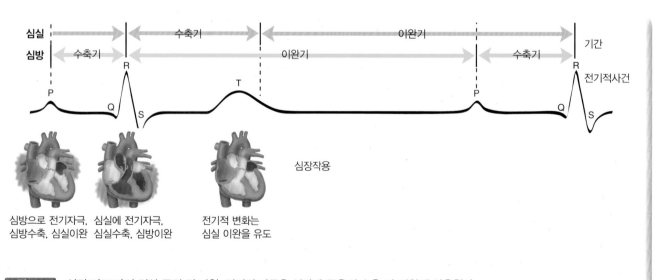

그림 6-10 심전도(ECG)의 정상 굴절 및 파형. 전기적 자극은 심장내 근육의 수축 및 이완에 상응한다.

혈관, 세정맥, 정맥. <u>동맥</u>은 탄성이 있는 강한 혈관으로 고압력하에서 혈액을 심장으로부터 이송한다. 동맥은 더 가는 관으로 세분화되어, 더 가는 가지인 <u>세동맥</u>을 낳는다. 동맥벽은 세 개의 뚜렷한 층으로 구성된다. 가장 안쪽 속막은 한 층의 단층편평상피(내피)로 이루어진다. 내피는 혈액의 응고를 방지하고 혈류의 조절을 돕는다. <u>중간막</u>은 동맥벽의 대부분을 구성하며, 두꺼운 탄력결합조직층과 평활근섬유로 이루어진다. 바깥막은 더 얇고, 불규칙 섬유의 결합조직으로 대부분 이루어지며 주변조직에 부착된다 그림 6-11.

동맥과 세동맥 평활근은 교감신경계의 지배를 받는다. 혈관운동섬유는 신경 자극을 받아서 혈관을 수축하고 혈관 직경을 감소시킨다.

큰 세동맥의 벽은 세층으로 구성되는데, 모세혈관에 도달하면서 얇아진다. 아주 작은 세동맥의 벽은 하나의 내피층과 일부 평활근 섬유만으로 이루어지고 소량의 주위 결합조직이 있다.

가장 작은 직경의 혈관인 모세혈관은 가장 작은 세동맥과 세정맥을 연결한다. 모세혈관 벽은 내피로 구성되고 반투막을 형성한다. 이 반투막을 통해서 혈액과 세포 주위 조직액 사이에서 물질의 교환이 일어난다 그림 6-12.

모세혈관 벽에는 내피세포가 덮고 있는 얇은 구멍이 있으며 다양한 크기의 구멍은 투과도에 영향을 준다. 샘, 콩팥, 작은창자에 비해, 근육 모세혈관의 구멍은 더 작다. 대사율이 높은 조직(근육)은 대사율이 낮은 조직(연골)보다 훨씬 많은 모세혈관을 가진다.

모세혈관은 세동맥에서 세정맥으로 직접 연결되거나 수많이 가지를 친 망상구조를 형성하기도 한다 그림 6-13. 모세혈관이전 조임근은 모세혈관을 통한 혈액 분포를 조절한다. 세포의 수요에 따라 조임근은 수축 또는 이완하여 혈액이 특정 경로를 따라가서 조직 세포 요구량을 충족시키도록 조절한다.

기체, 대사의 부산물, 영양소의 교환은 모세혈관과 세포 주위 조직액 사이에서 일어난다. 모세혈관 벽은 산소, 영양소가 풍부한 혈액의 확산을 가능하게 한다. 모세혈관 벽은 이산화탄소와 기타 노폐물의 조직에서 모세혈관으로의 이동 또한 가능하게 한다. 크기가 큰 혈장 단백질은 모세혈관 벽을 통해 이동할 수 없어서 혈액내에 남아있다. 모세혈관 벽의 수축시 생성되는 혈압은 정수압을 통한 여과 과정에 동력을 공급한다.

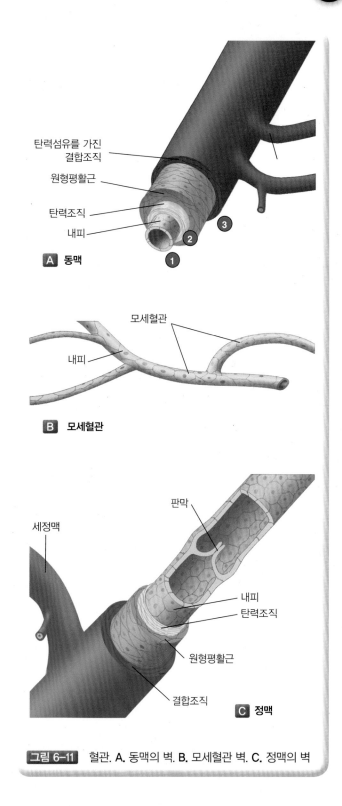

탄력섬유를 가진 결합조직
원형평활근
탄력조직
내피
3
2
1

A 동맥

모세혈관
내피

B 모세혈관

판막
세정맥
내피
탄력조직
원형평활근
결합조직

C 정맥

그림 6-11 혈관. **A.** 동맥의 벽 **B.** 모세혈관 벽 **C.** 정맥의 벽

혈액과 혈관벽 사이 마찰, 즉 말초저항 때문에 혈액이 심장을 떠날 때 혈압이 가장 강하고, 심장으로부터 거리가 멀어질수록 혈압은 약해진다. 따라서, 혈압은 동맥에서 가장 높고, 세동맥에서 낮아지며, 모세혈관에서 가장 낮다. 여

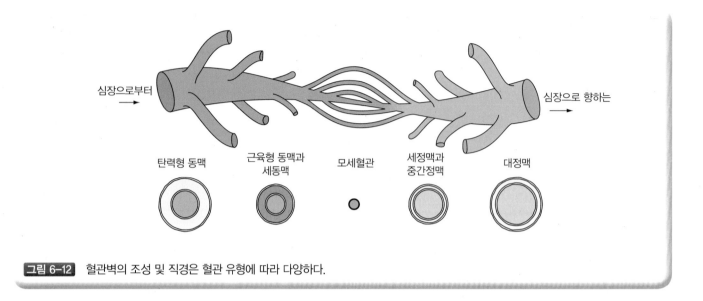

심장으로부터 →

심장으로 향하는 →

탄력형 동맥　　근육형 동맥과　모세혈관　　세정맥과　　대정맥
　　　　　　　　　세동맥　　　　　　　　　중간정맥

그림 6-12 혈관벽의 조성 및 직경은 혈관 유형에 따라 다양하다.

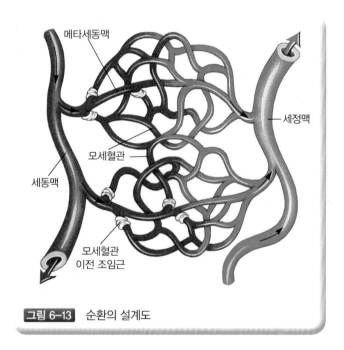

메타세동맥

세정맥

모세혈관

세동맥

모세혈관
이전 조임근

그림 6-13 순환의 설계도

과는 대부분 모세혈관의 세동맥 말단에서 일어나는데, 세정맥 말단보다 압력이 높기 때문이다. 모세혈관에 모인 혈장 단백질은 삼투압을 생성하여 물을 모세혈관으로 끌어당긴다(교질삼투압).

모세혈관 혈압은 여과에 적합하고 혈장 교질삼투압은 재흡수에 용이하다. 모세혈관의 세정맥 말단에서 저항으로 인해 혈압은 감소하고 따라서 재흡수가 일어난다.

모세혈관에서 나가는 혈액이 돌아오는 혈액보다 많다. 림프 모세혈관은 막힌 말단부를 가지고 있고, 과다한 액체

를 모아서 림프 혈관을 경유해 정맥 순환으로 돌려준다. 특수한 상황에서는 과다한 액체가 조직세포 사이 공간으로 유입될 수 있는데, 흔히 비만세포의 히스타민과 같은 화학물에 대한 반응으로 일어난다. 히스타민은 모세혈관 부근 세동맥을 이완하여, 모세혈관 투과도를 증가시킨다. 충분한 액체가 유출되면, 모세혈관은 더이상 기능할 수 없고, 림프관과 국소 조직의 부종과 통증이 발생한다.

세정맥은 모세혈관과 정맥을 연결하는 현미경적 혈관이고, 정맥은 혈액을 심방으로 다시 환류한다. 정맥벽은 동맥과 유사하지만, 중간층이 잘 발달되어 있지 않다. 동맥과 비교해서, 정맥은 벽이 얇고 탄성이 부족하므로 내강의 직경이 더 크다.

대부분의 정맥은 내피에서 안쪽으로 돌출되어 있는 날개 모양의 판막을 가지고있다. 이러한 판막은 혈액이 정맥에 차오르기 시작하면 닫히는 두 개의 구조를 가지고 있다. 판막은 정맥 혈류가 심장을 향할 때 열리고, 역류할 때 닫힘으로서, 심장으로 혈액의 환류를 돕는다.

또한 동맥 출혈과 같은 특정 상태에서 정맥은 혈액의 저장소로 기능한다. 결과적으로 초래되는 정맥 수축은 더 많은 혈액을 심장으로 환류하여 혈압유지를 돕는데, 혈액량의 1/4을 잃을 때까지 거의 정상의 혈류를 유지할 수 있다.

■ **심장으로의 순환**

다른 근육과 마찬가지로, 심장은 산소와 영양소를 필요로한

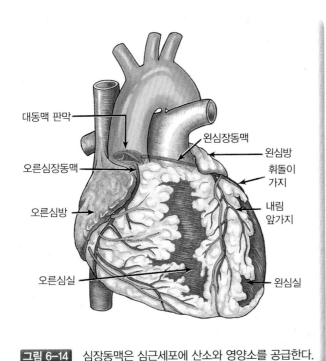

그림 6-14 심장동맥은 심근세포에 산소와 영양소를 공급한다.

대동맥 판막
왼심장동맥
오른심장동맥
왼심방
휘돌이 가지
오른심방
내림 앞가지
오른심실
왼심실

가지, 동결절가지, 오른심실가지, 심방가지, 모서리가지, 방실결절가지, 내림뒤가지, 왼심실가지, 왼심방가지. 모든 사람들에서 9개 모두 가지가 존재하는 것은 아니다. 이러한 가지들은 오른심방과 오른심실 벽, 왼심실 하부의 일부, 전도계 일부(동결절, 심방결절)에 혈액을 공급한다. 전도계로의 혈관이 오른심장동맥에서 기시하지 않는다면, 대신 왼심장동맥에서 기시하는 것이다.

왼심장동맥은 심근 혈관중 가장 크고 가장 짧다. 왼심장동맥은 급속히 두 개의 가지로 나뉜다; 앞내림심장동맥, 휘돌이심장동맥. 이 동맥들은 더욱 세분화되어 왼심실 대부분과 심실간 중격, 때로는 방실결절에 혈액을 공급한다.

동맥경화는 동맥벽에 칼슘의 침착을 특징으로 한다. 이러한 칼슘 침착은 탄성의 소실(따라서, '동맥의 경화')과 더불어 혈류의 감소를 초래한다. 대부분, 죽상동맥경화증과 동맥경화증은 함께 존재하며, 심장동맥질환(관상동맥질환)을 일으킨다.

다. 대동맥이 왼심실에서 나온 직후의 대동맥에 기시하는 심장동맥이 심장에 산소, 영양소를 공급한다. 심장동맥순환은 왼, 오른 심장동맥에서 나온다 **그림 6-14**.

오른심장동맥은 9개의 중요한 가지로 나뉜다: 동맥원뿔

■ 허파순환

허파순환(폐순환)은 오른심실에서 허파를 지나 왼심방으로 혈액을 운반하고, 온몸순환은 체내 나머지 부위에 혈류를 담당한다. 오른심실에서 방출된 탈산소화혈액은 허파동

심장동맥 벽의 다양한 변화는 특정 질환의 상태를 유발할 수 있다. 죽상동맥경화증은 동맥 내막에 플라크(지질과 콜레스테롤이 대부분) 형성을 특징으로 하는 질환이다 **그림 6-15**. 이 과정은 서서히 내강을 좁혀서 동맥 혈류의 감소를 초래한다.

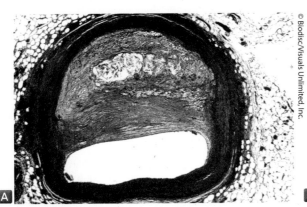

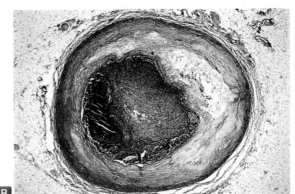

그림 6-15 플라크의 형성. A. 심장동맥은 심각한 죽상동맥경화증을 보인다. 동맥 내막에 콜레스테롤과 기타 지질의 축적으로 형성된 플라크에 의해 혈류 대부분이 차단된다. B. 심장동맥은 거의 완전히 폐쇄된다. 혈괴가 동맥 우측면에서 혈류를 차단한다.

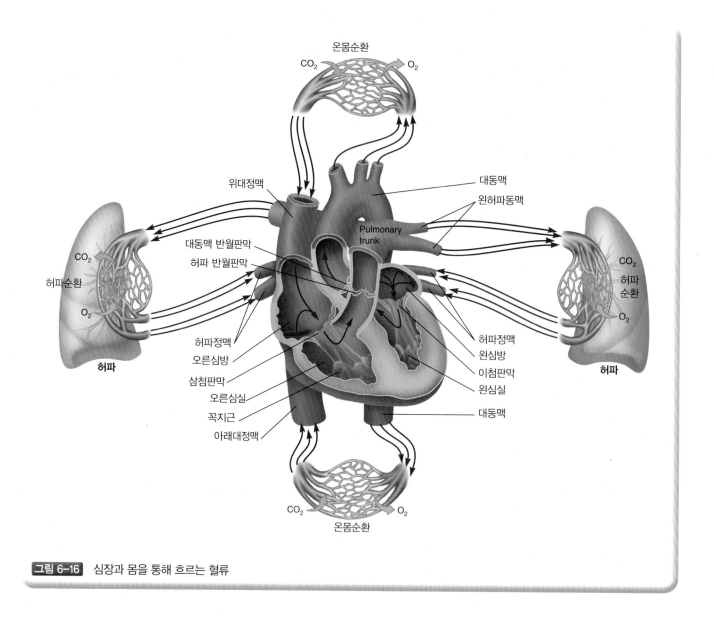

그림 6-16   심장과 몸을 통해 흐르는 혈류

맥판을 통과해서 허파동맥으로 간다 그림 6-16. 허파동맥은 곧바로 왼, 오른 허파동맥으로 나뉘어, 혈액을 왼, 오른 허파로 운반한다. 허파 내부에서 동맥은 분지하여 더욱 작아진다. 모세혈관에서 노폐물이 교환되고, 혈액은 재산소화된다. 재산소화혈액은 세동맥을 거쳐 허파정맥으로 향한다. 4개의 허파정맥(각 허파에서 2개씩)은 왼심방으로 들어간다.

■ 온몸동맥순환

산소화혈액은 대동맥판막을 통해 심장을 나가서 대동맥으로 들어간다. 대동맥으로부터 혈액은 몸의 모든 부위로 분포한다 그림 6-17. 대동맥은 세부위로 분류된다: 오름대동맥, 대동맥활, 내림대동맥.

오름대동맥은 왼심실에서 기시하여 두 개의 분지, 왼/오른 주심장동맥을 낸다. 이후 대동맥은 후방 좌측으로 활처럼 휘어서 대동맥활을 이룬다. 3개의 주요 동맥이 대동맥활에서 기시한다: 팔머리동맥(무명동맥), 왼온목동맥, 왼빗장밑동맥.

내림대동맥은 대동맥에서 가장 긴 부분으로 가슴대동맥과 배대동맥으로 세분화된다. 내림대동맥은 가슴에서 배, 골반까지 연장된다. 골반에서 내림대동맥은 2개의 온엉덩동맥으로 갈라지고, 속, 바깥엉덩동맥으로 나뉜다. 가슴대동맥과 배대동맥은 이번 장 후반부에서 논의된다.

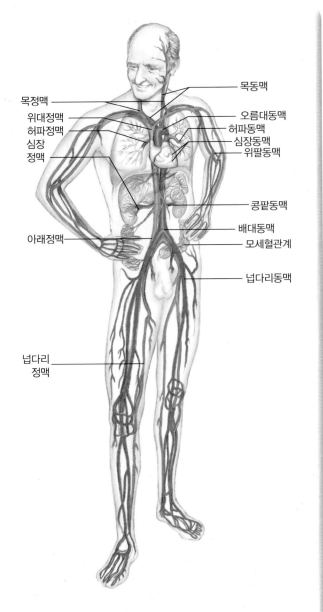

목정맥
위대정맥
허파정맥
심장
정맥

목동맥
오름대동맥
허파동맥
심장동맥
위팔동맥

아래정맥

콩팥동맥
배대동맥
모세혈관계
넙다리동맥

넙다리
정맥

그림 6-17　심혈관계. 온몸동맥순환은 붉은색으로, 온몸정맥순환은 푸른색으로 표기

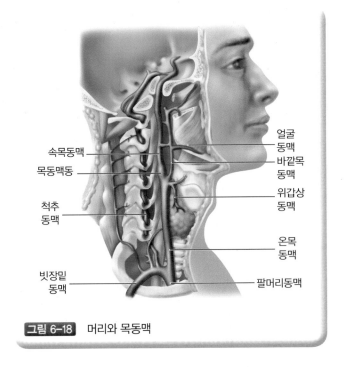

속목동맥
목동맥동

척추
동맥

빗장밑
동맥

얼굴
동맥
바깥목
동맥
위갑상
동맥

온목
동맥

팔머리동맥

그림 6-18　머리와 목동맥

머리와 목

팔머리동맥은 대동맥활에서 분지하는 첫 번째 혈관이다. 팔머리동맥은 비교적 짧아, 곧바로 오른온목동맥과 오른빗장밑동맥으로 갈라진다. 목동맥은 혈액을 머리와 목으로 운반하고, 빗장밑동맥은 팔로 운반한다.

각각의 온목동맥은 하악각에서 속목동맥과 바깥목동맥으로 가지를 치는데, 이 부위를 목동맥분기라고 한다. 목동맥분기에서 약간 이완된 부위가 목동맥동이며, 혈압조절에 중요한 구조들을 포함한다. 바깥목동맥의 가지들은 얼굴,

코, 입에 혈액을 공급한다. 속목동맥은 척추동맥(빗장밑동맥의 가지)과 더불어 뇌에 혈액을 공급한다 그림 6-18 .

뇌순환은 척추동맥과 속목동맥에 의해 이루어진다. 왼, 오른 척추동맥은 대공을 통해 두개원개로 들어간 다음, 다시 합쳐져서 뇌바닥동맥을 형성한다. 교뇌(연수 말단에 신경 섬유들의 덩어리)와 소뇌(교뇌 등쪽에 위치한 뇌의 일부로, 조정과 균형을 담당)로 가지를 낸 후에, 뇌바닥동맥은 뒤대뇌동맥으로 분기한다. 뒤대뇌동맥은 뇌의 후방에 혈액을 공급한다.

목동맥은 목동맥관을 통해 두개원개로 들어간 다음, 바로 중대뇌동맥을 내는데, 중대뇌동맥은 대뇌피질의 대부분을 공급한다. 중대뇌동맥은 몇 가지 중요한 가지들을 낸다. 뒤교통동맥은 뒤대뇌동맥과 연결되고 앞대뇌동맥들은 앞교통동맥을 통해 서로 연결되는데 이러한 동맥들의 상호 연결은 대뇌 곁순환의 중요 근원인 윌리스고리를 형성한다 그림 6-19 . 윌리스고리에서 하나의 주요동맥이 막힌 경우에도 뇌순환은 방해를 받지 않을 수 있다.

병태생리학

윌리스고리 바깥쪽 동맥의 폐색은 뇌졸중의 흔한 원인으로, 산소 결핍에 따른 뇌 손상을 일으킨다.

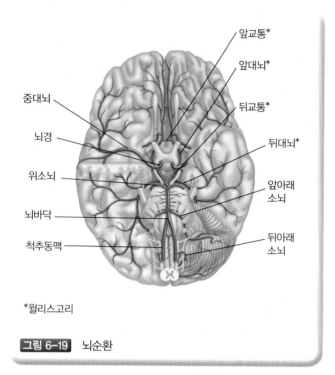

앞교통*
앞대뇌*
뒤교통*
뒤대뇌*
중대뇌
뇌경
위소뇌
뇌바닥
척추동맥
앞아래
소뇌
뒤아래
소뇌

*윌리스고리

그림 6-19   뇌순환

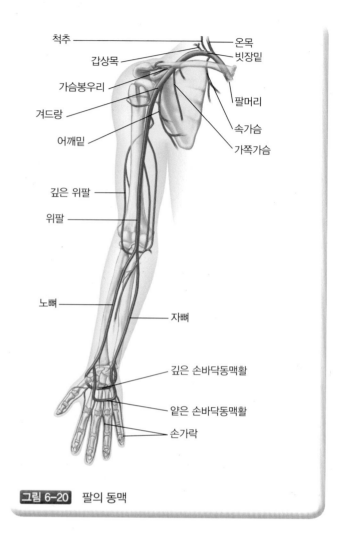

척추
갑상목
가슴봉우리
겨드랑
어깨밑
온목
빗장밑
팔머리
속가슴
가쪽가슴
깊은 위팔
위팔
노뼈
자뼈
깊은 손바닥동맥활
얕은 손바닥동맥활
손가락

그림 6-20   팔의 동맥

팔

빗장밑동맥은 뇌, 목, 전방 가슴벽, 어깨 부위 혈액을 공급한다. 기시부를 바로 지나서, 각각의 빗장밑동맥은 척추동맥으로 분지한다. 이 후 빗장밑계통은 가슴에서 팔까지 계속 이어진다; 어깨관절에서 겨드랑동맥이 되고, 이후 위팔뼈머리(상완골두) 아래에서 위팔동맥이 된다 **그림 6-20**. 빗장밑에서 겨드랑, 위팔로의 전환은 연속적으로 이어지며 분지에 의한 것이 아니다. 위팔동맥은 노동맥과 자동맥으로 갈라지고, 손바닥내에서 두 개의 손바닥동맥활을 형성한다: 깊은 손바닥동맥활, 얕은 손바닥동맥활. 손가락동맥은 얕은 손바닥동맥활에서 각 손가락으로 이어진다.

병태생리학

레이노현상은 감정적 스트레스 또는 추위에 노출된 후 발생하는 손가락동맥의 연축으로, 손가락 끝이 희고 차갑게 변한다. 이 과정은 대개의 경우 수분내에 저절로 돌아온다.

병태생리학

손가락동맥은 끝동맥이다; 즉, 손가락으로 가는 혈액의 최종 근원임을 의미한다. 각 손가락은 두 개의 손가락동맥을 가지는데, 만약 두 개 모두 손상될 경우에는 조직 손실이 발생할 수 있다. 이것은 손가락 열상의 봉합시에 고려해야만 하는 중요한 요인이다. 에피네프린을 포함한 국소마취제의 부적절한 사용은 손가락동맥의 연축을 일으켜서 손가락끝 괴사를 초래할 수 있다.

가슴대동맥

두 유형의 동맥가지가 가슴대동맥을 구성한다: 장측 동맥, 벽측 동맥. 장측 동맥은 가슴 기관에 혈액을 공급하고, 벽측 동맥은 가슴벽에 혈액을 공급한다.

갈비사이동맥은 갈비뼈를 따라 주행하고 가슴벽에 순환을 공급한다. 갈비사이동맥은 앞, 뒤 갈비사이동맥으로 분지한다. 앞갈비사이동맥은 빗장밑체계의 가지로, 뒤갈비사이동맥은 대동맥에서 직접 기시한다. 가슴대동맥의 장측 가지는 허파의 기관지동맥과 식도동맥을 공급한다(그림 6-4 참조).

배대동맥

가슴대동맥과 마찬가지로, 배대동맥의 가지는 장측과 벽측 부분으로 나뉜다. 장측동맥은 쌍을 이룬 동맥과 쌍을 이루지 않는 동맥으로 세분화된다. 장측 배대동맥의 세 가지 주요한 쌍을 이루지 않는 가지는 복강동맥, 위창자간막동맥, 아래창자간막동맥이다 그림 6-21 . 복강동맥은 식도, 위, 샘창자, 지라, 간, 이자에 혈액을 공급한다. 위창자간막동맥과 그 가지는 이자, 작은창자, 잘록창자에 혈액을 공급한다. 아래창자간막동맥과 그 가지는 내림잘록창자와 직장에 혈액을 공급한다 그림 6-22 . 장측 배대동맥의 쌍을 이루는 가지는 콩팥, 부신, 생식샘에 혈액을 공급한다. 벽측 가지는 가로막과 배벽에 혈액을 공급한다.

병태생리학

죽상동맥경화는 장간막동맥을 침범할 수 있다. 이 경우, 환자는 식후 경련통을 호소하는데, 좁아진 혈관이 소화 과정에 필요한 적절한 산소를 장에 공급할 수 없기 때문에 통증이 발생한다. 이러한 통증을 장간막 협심증(mesenteric angina)이라고 부른다. 장간막동맥의 완전한 폐색으로 인한 장 일부의 괴사 상태는 장간막 경색증(mesenteric infarction)으로, 생명을 위협하는 심각한 질환이다.

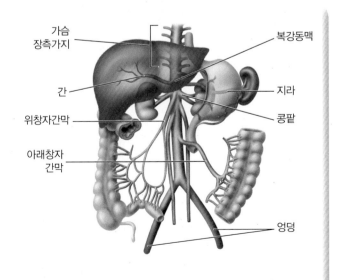

그림 6-21 　배대동맥의 가지

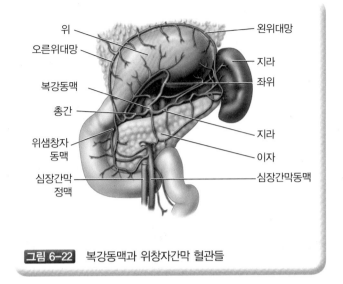

그림 6-22 　복강동맥과 위창자간막 혈관들

골반과 다리

4번 요추 높이에서 대동맥은 두 개의 온엉덩동맥으로 갈라지고 속엉덩동맥(골반에 혈액을 공급), 바깥엉덩동맥(다리로 들어감)으로 다시 나뉜다 그림 6-23 . 속엉덩동맥은 직장, 질, 자궁, 난소로 장측 가지를 내보낸다. 벽측 가지는 엉치뼈, 엉덩이의 둔근, 치골부, 직장, 외부 생식기, 넙다리 근위부로 혈액을 공급한다.

팔과 마찬가지로 다리의 혈관들은 하나의 연속체를 형성한다. 바깥엉덩동맥은 넙다리동맥이 된다. 각 넙다리동맥은 넙다리, 외부생식기, 앞 배벽, 무릎에 혈액을 공급한다. 넙다리동맥은 넙다리 아래쪽에서 오금동맥이 된다. 각 오금동맥은 세 개의 가지로 나뉘어 앞정강동맥, 뒤정강동맥, 종아리동맥이 된다. 발에서, 앞정강동맥은 발등동맥이 된다. 발바닥동맥은 뒤정강동맥에서 기시하여 발가락에 혈액을 공급하는 발가락 동맥으로 세분화된다 그림 6-24 .

■ 온몸정맥순환

원칙적으로 정맥은 주요 동맥과 함께한다. 대부분의 정맥은 동반하는 동맥과 같은 이름을 가진다.

머리와 목

머리와 목에 혈액을 받는 두 개의 주요 정맥이 속, 바깥목정맥이다. 바깥목정맥은 더 표재성으로 피부 바로 아래 보인다. 속목정맥은 두개원개 및 머리, 얼굴, 목의 앞부분의 혈액을 받는다. 뇌를 감싸는 막들 사이의 공간은 정맥굴을 형성

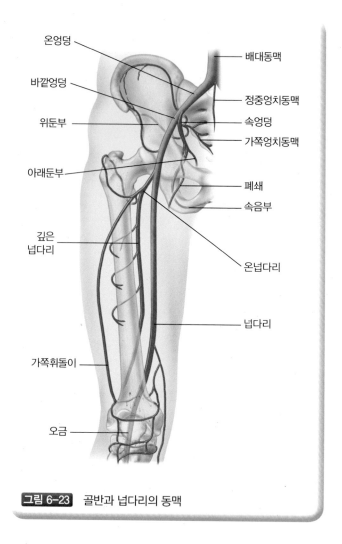

그림 6-23 골반과 넙다리의 동맥

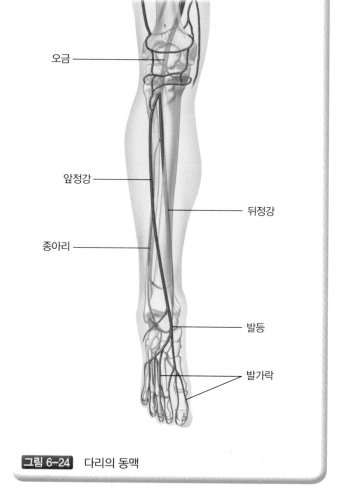

그림 6-24 다리의 동맥

한다. 정맥굴은 뇌 정맥 환류의 주요 수단이고, 속목정맥으로 들어간다 **그림 6-25**.

바깥목정맥은 뇌 기저부에서 속목정맥과 합쳐진다 **그림 6-26**. 속목정맥은 빗장밑정맥(팔의 주요 정맥의 근위부)과 합쳐져서 팔머리 정맥을 형성하고, 위대정맥으로 들어온다.

임상에 유용한 정보

오른빗장밑정맥과 속목정맥은 경피적카테터(percutaneous catheter), 즉 central line을 중심 순환내로 삽입하기 위해 흔히 사용되는 부위이다. 유도철사(guide-wire)를 이용한 셀딩거 테크닉(Seldinger technique)으로, 주사바늘이 피부를 통과해서 심부정맥 내에 놓이게 된다. 이 바늘을 통해서, 카테터 삽입을 위한 길잡이 역할을 하는 유도철사(guide-wire)가 들어간다.

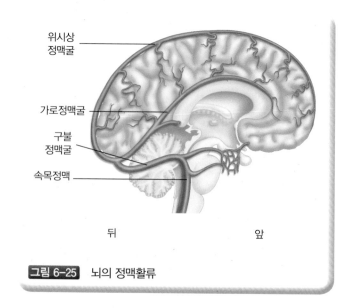

그림 6-25 뇌의 정맥활류

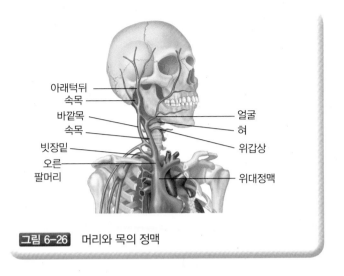

그림 6-26 머리와 목의 정맥

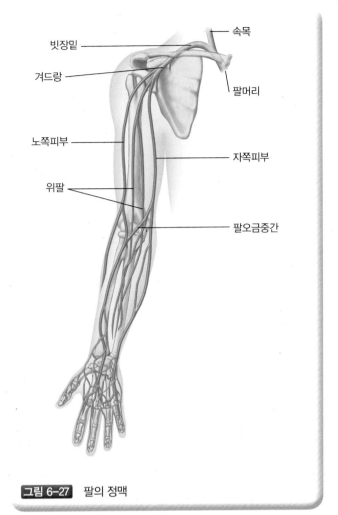

그림 6-27 팔의 정맥

팔

팔의 정맥은 사람마다 조금씩 차이가 있다 **그림 6-27**. 손, 손목, 아래팔정맥의 이름은 동맥의 이름을 따른다. 아래팔의 위쪽에서, 이 정맥들은 결합하여 자쪽피부정맥과 노쪽피부정맥(팔에 두 개의 주요 정맥)을 형성한다. 자쪽피부정맥은 노쪽피부정맥과 결합하여 겨드랑정맥이 된다.

가슴

가슴에서 정맥환류는 전, 후 늑간정맥에서 시작된다. 갈비사이정맥은 가슴 오른쪽에 홀정맥과 왼쪽에 반홀정맥으로 합쳐진다. 이 정맥들은 왼, 오른 팔머리정맥과 함께 위대정맥으로 향하는 주요 정맥 혈류를 공급한다.

배와 골반

최종적으로 하반신에서 환류되는 모든 정맥혈은 아래대정맥을 통과한다. 아래대정맥은 하반신에서 오는 탈산소화혈액을 산소화를 위해 오른심방으로 돌려보낸다. 배골반안(복강)과 골반강 내에서 정맥은 같은 이름의 주요 동맥을 동반하며, 콩팥, 부신, 성샘, 생식기, 가로막 등의 구조들에서 정맥혈을 환류한다. 속엉덩정맥은 골반에서 바깥엉덩정맥은 다리에서 혈액을 받는다. 속엉덩정맥과 바깥엉덩정맥이 골반에서 합쳐져서 온엉덩정맥을 형성하고, 2개의 온엉덩정맥은 합쳐져서 아래대정맥이 된다.

간문맥계는 간, 위, 창자, 지라의 혈액을 환류하는 정맥계의 특수한 부분이다 **그림 6-28**. 간문맥계의 혈액은 우선 간을 통과하는데, 간에서 혈액은 굴모양혈관(굴맥관)으로 모인다. 굴맥관에서 간세포는 혈액에서 영양소를 추출하고,

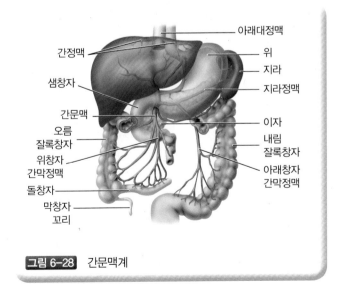

그림 6-28 간문맥계

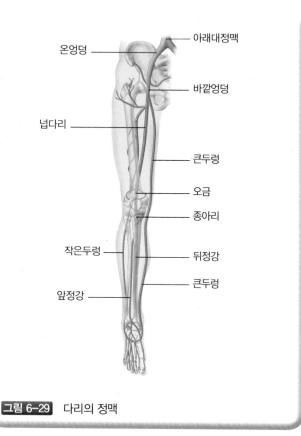

온엉덩 — 아래대정맥

바깥엉덩

넙다리 —

큰두렁

오금

종아리

작은두렁 — 뒤정강

큰두렁

앞정강 —

그림 6-29 다리의 정맥

혈액을 여과하며, 다양한 약물을 대사한다. 간문맥계를 거친 혈액은 간정맥으로 들어가고, 간정맥은 아래대정맥과 합쳐진다.

다리

체내에서 가장 긴 정맥은 큰두렁정맥으로, 발등, 종아리, 넙다리의 혈액을 받는다. 두렁정맥은 발의 등쪽과 내측면에서 기시하여, 종아리와 넙다리의 내측면을 따라 올라가서 대퇴정맥으로 들어가고, 넙다리정맥은 이후 바깥엉덩정맥으로 합쳐진다. 외측면으로, 작은두렁정맥은 발의 외측면과 종아리의 혈액을 환류한다. 발의 정맥은 앞, 뒤정강정맥으로 합쳐지며, 무릎에서 오금정맥을 형성한다. 오금정맥은 넙다리를 따라 올라가 넙다리정맥이 된다 **그림 6-29** .

■ 혈액의 구성

혈액은 세포, 세포 조각, 그리고 영양소, 산소, 호르몬, 노폐물 등을 포함하는 용해된 생화학물질로 구성된다. 혈액

증례 연구 ▶ Part 3

환자가 구급차로 옮겨지고 병원으로 이송이 시작된 후, 당신은 이차 평가를 수행한다. 환자의 증상은 호전되지 않았다; 여전히 숨이 차고, 흉통의 강도는 줄어들지 않았으며, 땀을 흘리고 있고, 메스꺼움은 지속된다. 활력징후는 5분 전 측정한 값에서 변하지 않았다. 청진상 허파 기저부에 약간의 수포음이 들리고, 심음은 정상이다. 산소포화도(SpO2)는 98%이고, 심전도상 계속해서 심장의 과민성이 관찰된다. 환자의 혈압이 떨어지지 않았으므로, 당신은 니트로글리세린 알약을 환자에게 투여하고, 의료 본부로 전화를 건다.

기록한 시간: 10분	
외형	여전히 심한 고통
의식 수준	명료(사람, 시간, 날짜에 지남력 있음)
기도	개방
호흡	힘든 호흡, 기저부에 수포음
순환	정상 심음, ECG상 지속적인 과민성
맥박	110회/분, 강하고 불규칙적
혈압	142/90 mmHg
호흡	24회/분, 힘든 호흡
SpO2	98%

6. 만약 환자가 STEMI 센터로 이미 이송 중이 아니라면, 지역 병원에서 섬유소용해제 "혈전용해제" 치료의 대상이 될 수 있습니까? 이유는?

7. 아스피린, 산소, 니트로글리세린에 추가하여 다른 어떤 치료가 이 환자에게 지금 도움이 될 수 있습니까?

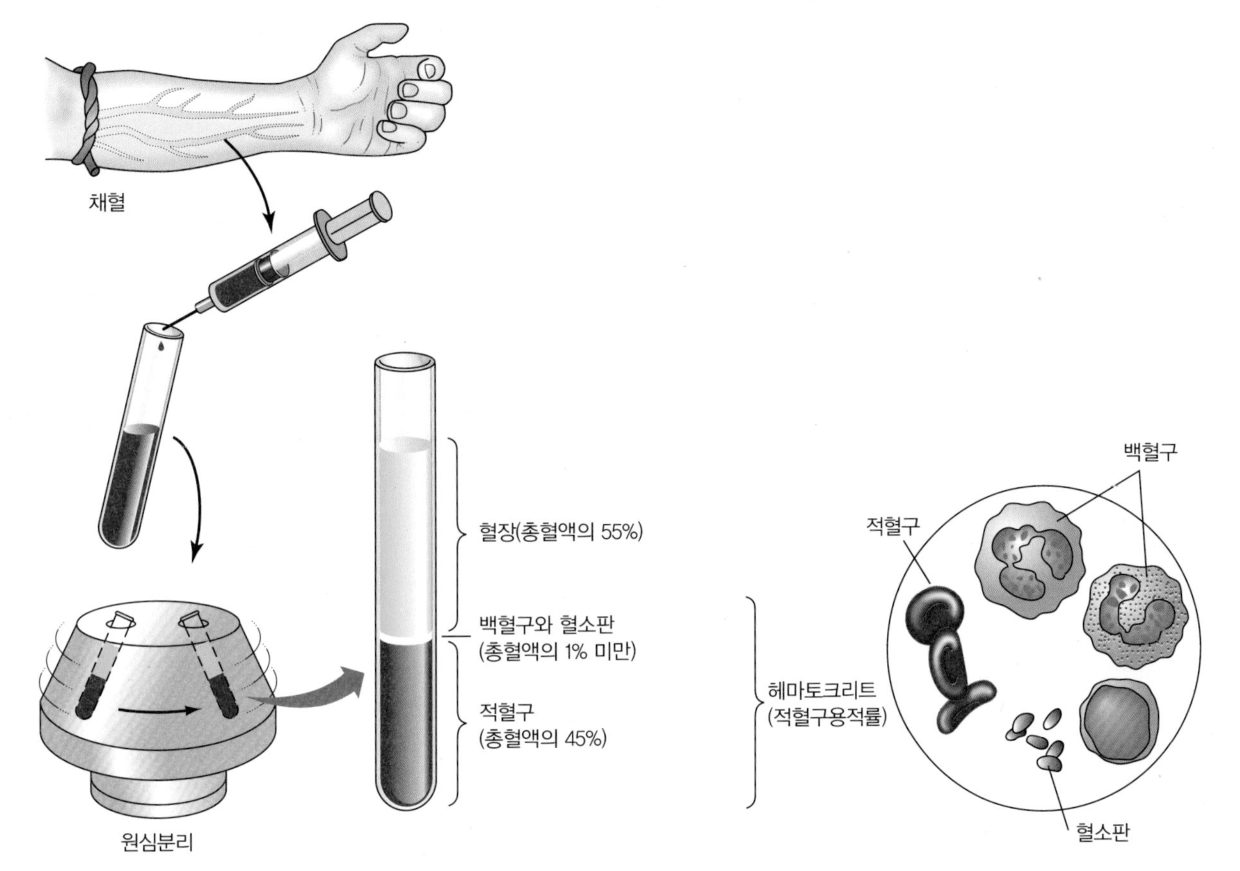

채혈

혈장(총혈액의 55%)

백혈구와 혈소판
(총혈액의 1% 미만)

적혈구
(총혈액의 45%)

원심분리

백혈구

적혈구

헤마토크리트
(적혈구용적률)

혈소판

그림 6-30 정맥에서 채혈한 혈액을 원심분리하면, 혈장과 세포층으로 분리된다. 세포층은 적혈구, 백혈구, 혈소판을 포함한다.

은 심장에서 방출되어 동맥, 정맥, 모세혈관을 통과하는 물질이다 **그림 6-30**. 혈액은 체열의 분포를 돕고, 안정적인 간질액을 유지한다. 혈액은 실제로 그 세포들이 액체(외세포기질)에 부유하고 있는 결합조직이고, 물보다 진하고 무겁다. 혈액은 기체를 운반하는 적혈구와 질병에 저항하는 백혈구를 포함한다. 혈소판은 혈액응고를 돕는 세포 조각이다. 적혈구, 백혈구, 혈소판을 합쳐서 유형성분이라고 부른다 **그림 6-31**. 혈액의 액체 부분은 혈장이라고 한다.

적혈구는 혈액량의 약 45%를 차지하며, 이 부피가 적혈구용적률(헤마토크리트)이다. 백혈구와 혈소판은 1% 미만을 차지한다. 나머지 부분은 투명한 노란색 액체인 혈장이다. 혈장은 물, 아미노산, 탄수화물, 지질, 단백질, 호르몬, 전해질, 비타민, 세포 노폐물 등을 포함한다. 혈장내 가장 풍부한 용질은 혈장 단백질이다. 알부민은 가장 작은 혈장 단백질이고, 혈장의 삼투압과 호르몬과 이온 등의 분자 수송에 중요한 역할을 한다. 평균 성인 남성은 체내 약 5~6리터

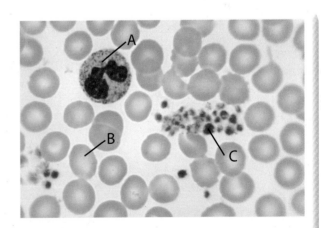

그림 6-31 혈액세포의 현미경 사진. **A.** 백혈구. **B.** 적혈구. **C.** 혈소판

(liter) 혈액을 가지고 있고, 성인 여성은 약 4~5리터를 가지고 있다.

■ 적혈구

적혈구는 산소를 조직으로 운반하는 원반 모양 세포이다. 적혈구는 가장 풍부한 유형성분이다. 평균적으로 인체는 혈액 1cc에 420만에서 580만개 사이의 적혈구를 가지고 있다. 적혈구는 스스로 이동할 수 없다; 혈장이 수동적으로 적혈구를 이동시킨다. 적혈구는 헤모글로빈(혈색소) 단백질을 포함하여 붉은색을 띠게 된다. 적혈구는 허파에서 흡수된 산소와 결합하여 산소를 필요로 하는 조직으로 운반한다. 순환하는 적혈구 수의 증가는 혈액의 산소운반능력을 증가시키고, 이는 건강에 긍정적인 영향을 준다. 여러 질환을 진단하고 그 경과를 평가하기 위해 적혈구의 수를 센다.

적혈구 생성은 적혈구가 만들어지는 지속적인 과정이다. 혈액내 순환하는 적혈구의 양이 조직에 산소를 공급하기에 충분할 때까지, 적혈구 생산은 높은 속도로 지속된다. 정상성인 순환계에는 약 25조의 적혈구가 있고, 이중 2백 5십만 개의 적혈구가 매 초 파괴된다.

비타민 B_{12}, 엽산 등의 비타민 B군은 DNA합성 뿐만 아니라 적혈구 생성에도 크게 영향을 준다. 적혈구 생성 조직은 비타민 B_{12}, 엽산의 결핍에 매우 취약하다. 철은 정상 적혈구 생성과 혈색소 합성에 필요하다. 철은 작은창자에서 천천히 흡수되고, 손상된 적혈구 혈색소의 분해에 의해 유리되는 철의 대부분은 인체내에서 재사용된다.

대개 적혈구의 수명은 120일이고, 대체 세포들이 생성되어 비교적 안정적인 적혈구 수를 유지한다. 파괴된 세포들은 지라 및 큰포식세포가 풍부한 다른 조직에서 분해된다. 큰포식세포는 감염에 저항해서 인체를 보호한다. 인체는 혈색소의 일부 구성요소들(단백질, 글로빈, 철)을 재활용한다. 혈색소에서 재활용되지 않은 부위는 빌리루빈으로 전환된다. 빌리루빈은 노폐물로 간에서 대사된다. 정상적으로, 빌리루빈의 화학적 유도체인 유로빌리노겐이 대변과 소변으로 배설된다.

적혈구 표면에는 면역계에 의해 인식되는 단백질인 항원이 있다. 혈장내에는 항원과 반응하는 단백질인 항체가 있다. 이러한 특정 항원의 유무에 따라, 사람은 4가지 혈액형 중 하나를 가지게 된다. 이 분류 과정을 혈액형 판정, 또는 ABO혈액형체계 결정이라고 지칭한다.

A형 혈액은 A형 표면항원을 가지는 적혈구와 B형 항체를 포함하는 혈장을 가지고 있다; B형 혈액은 B형 표면항원을 가지는 적혈구와 A형 항체를 포함하는 혈장을 가지고 있다. AB형 혈액은 A형, B형 항원 모두를 가지고 있지만, 혈장에는 ABO 항체가 없다. O형 혈액은 항원이 없고, 혈장에 A형, B형 항체 모두를 포함한다. 한 개인의 혈액형에 따라 수혈 받을 수 있는 혈액형이 결정된다.

Rh 혈액형은 처음 연구가 이루어졌던 rhesus 원숭이의 이름을 따랐다. 인체내 몇 가지 Rh항원이 있고, 가장 흔한 유형은 D 항원이다. 항원이 적혈구막에 있으면, 그 혈액은 Rh양성이라 부른다. 항원이 적혈구막에 없으면, 그 혈액은 Rh음성이다. 미국 인구의 15%만이 Rh음성이다. Rh 항원의 유무는 유전이지만, 항원과 반응하는 항체(항Rh항체)는 자연발생이 아니다. 그 항체는 오직 Rh음성인 사람에서만 특정 자극에 의해 만들어진다. Rh음성인 사람이 Rh양성 혈액에 노출되면 항체가 생성될 수 있다.

병태생리학

간질환에서 출혈에 이르기까지, 수많은 원인에 의해 빌리루빈이 혈액 내 축적될 수 있다. 빌리루빈의 혈중 농도가 증가할 때, 피부와 눈의 공막이 노란색으로 변하는 황달이 생길 수 있다.

■ 백혈구

몇 가지 유형의 백혈구가 있고, 각 유형은 다른 기능을 수행한다. 모든 백혈구의 일차 기능은 감염과 싸우는 것이다. 감염에 대항하는 항체가 생성될 수도 있고, 백혈구가 직접 세균을 공격하여 죽일 수도 있다. 백혈구는 적혈구보다 크기가 크다. 대부분의 백혈구는 운동성이 있어서, 혈구누출 과정에 의해 혈관을 벗어나서 백혈구를 가장 필요로 하는 조직으로 이동한다.

혈액의 염색 과정에서 나타나는 모양에 따라 백혈구의 이름이 붙여진다. 일반적으로, 과립구는 단순 광학현미경으로 쉽게 관찰되는 큰 세포질 과립을 가진다; 무과립구는 과립이 없는 백혈구이다. 세 가지 유형의 과립구(호중구, 호산구, 호염구)와 두 가지 유형의 무과립구(단핵구, 림프구)가 있다.

호중구는 일반적으로 혈액내 가장 흔한 과립구 유형이다. 호중구의 핵은 야구공 여러 개가 얇은 실에 의해 한줄로 연결된 듯한 여러 갈래잎 모양이다. 이러한 이유로 흔히 다

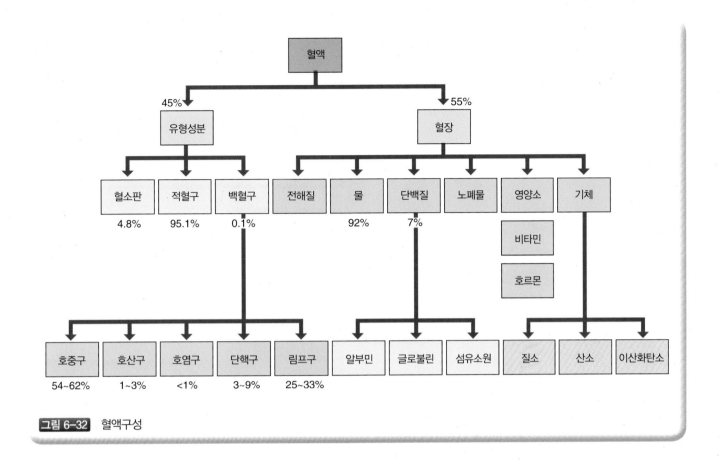

그림 6-32 혈액구성

형핵세포라고 불린다. 호중구는 박테리아, 항원항체복합체, 외부물질을 파괴한다. 호산구는 산성 염색(에오신)에 선홍색으로 염색되는 과립을 가진 과립구이다. 호산구는 알레르기 반응에 관여하므로 알레르기가 있는 사람에서 증가한다. 호염구는 가장 드문 과립구이고, 알레르기와 염증 반응 모두에서 작용한다. 호염구는 다량의 히스타민(조직의 염증을 일으키는 물질)과 헤파린(혈액응고를 억제)을 포함한다.

림프구는 가장작은 무과립구이다. 림프구는 골수에서 기원하지만, 혈액을 통해 림프 조직으로 이동한다. 대부분의 림프구는 림프절, 지라, 편도, 림프소절, 가슴샘(흉선)에 위치한다. 다양한 유형의 림프구는 제7장(림프계와 면역계)에서 다루어진다. B세포는 외부 항원에 결합하여 파괴하는 항체를 생성하고 분비하는 림프구이다. T세포는 항원과 직접 작용하여 세포면역반응을 일으키는 림프구이다; T세포는 또한 B세포를 자극하여 항체를 생산한다.

단핵구와 큰포식세포는 염증과정에서 제일선 방어를 한다. 단핵구는 감염에 대한 반응으로 혈액에서 나와서 조직으로 이동한다. 단핵구는 포식작용 과정에서 미생물을 집어

삼켜서 소화한다. 수명이 짧은 호중구와는 달리, 단핵구는 일단 조직에 도달하면 수명이 긴 큰포식세포로 발달한다. 그림 6-32 는 혈액의 구성을 요약한다.

> **병태생리학**
>
> 혈액세포는 골수에서 생성된다. 이 과정을 조혈이라고 한다. 백혈병은 특정 백혈구 세포가 비정상적으로 빠르게 증식하는 암성 질환이다. 이러한 세포들은 비정상적으로 기능하고 다른 조직을 침범하여 결국 치료가 실패하면 사망에 이른다.

■ 혈소판과 혈액응고

혈소판은 혈액응고에 필수적인 혈액내 작은 세포이다. 혈괴(피딩이)는 일련의 화학 반응의 결과 형성된다. 혈액응고 과정은 혈소판, 혈장 내 응고 단백질(응고인자), 기타 단백질, 칼슘을 포함하는 일련의 복합적인 과정이다. 이 과정 중에 혈소판은 무리를 지어서 혈괴의 기반 대부분을 형성한다. 간에서 생성되는 응고 단백질들이 혈괴의 나머지 부분을 견

고하게 하고, 결국 적혈구와 백혈구도 포함한다.

혈관벽에 외상이 생기면 예측가능한 일련의 과정들이 일어나고, 최종 혈괴의 형성으로 지혈이 된다. 혈관벽에서 분비되는 화학물질은 국소적 혈관 수축과 혈소판의 활성화를 일으킨다. 혈관수축과 헐거운 혈소판 응집의 조합은 일시적인 '플러그'를 형성한다. 작은 혈관벽이 절단되면 혈관벽 내 평활근이 수축하여(혈관연축), 혈액 손실은 거의 즉시 느려진다. 혈관연축은 절단된 혈관의 말단을 완전히 닫을 수도 있다. 조직에서 분비되는 다른 인자들(조직 트롬보플라스틴)은 응고 단백질의 연쇄반응을 활성화한다. 결국, 간에서 만들어지는 응고 단백질인 프로트롬빈이 트롬빈으로 전환된다. 트롬빈은 섬유소원을 섬유소로 전환시키고, 섬유소는 혈소판 플러그에 결합해서 최종의 성숙 혈괴를 형성한다.

또한 인체는 혈액응고 체계를 상쇄하는 2개의 장치를 가지고 있다. 첫번째로, 섬유소용해계는 이미 형성된 혈괴(피덩이)를 녹이거나 파괴한다. 섬유소용해계의 주요 단계는 조직플라스미노겐 활성제의 활성화를 통한 플라스미노겐의 플라스민으로 전환이다.

두 번째 상쇄장치는 자연적으로 생성되는 3가지 혈액 희석제(항응고제)로 구성된다; 단백질S, 단백질C, 항트롬빈III. 심장동맥 등의 비정상적 위치에서 혈괴가 생성되기 시작하면 이들이 활성화된다.

섬유소용해계와 인체 자체의 항응고제는 혈액응고와 출혈 사이에 균형을 맞추려고 한다; 그러나, 어느 장치도 완전한 효과가 있는 것은 아니다(예를 들면, 심근경색이나 뇌졸중 같은 혈전성 질환. 지주막하출혈과 같은 자발성 출혈).

병태생리학

하지 정맥, 특히 표재성의 작은 정맥의 해부학은 다양하다. 이러한 정맥의 염증, 정맥염이 발생할 수 있다. 심부 정맥의 염증은 혈괴, 즉 혈전의 형성을 초래하고, 혈전은 떨어져 나가서 다른 부위로 이동할 수 있다. 혈괴 조각, 즉 색전이 허파로 이동하여 허파 일부로 향하는 혈류를 차단하면, 치명적인 허파색전증이 발생한다.

병태생리학

빈혈은 체내 혈색소 수치의 감소를 지칭한다. 빈혈의 원인에는 부적절한 영양(철결핍 등), 골수에서 부적절한 적혈구 생산, 적혈구 파괴의 증가(용혈), 출혈 등이 있다.

병태생리학

유전공학적으로 합성된 조직플라스미노겐 활성제는 혈괴의 용해를 촉진하는 치료목적으로 투여된다. 잘 알려진 사용은 심근경색의 치료이며, 혈전성 뇌졸중과 허파색전증의 치료를 위한 사용 또한 증가되는 추세이다.

병태생리학

임신중 Rh 혈액형 진단은 매우 중요하다. 임신 후기와 출산 동안, 산모는 종종 소량의 태아 혈액에 노출된다. 산모의 혈액이 Rh음성이고 태아의 혈액이 Rh양성이면, 모체는 Rh항원에 대한 항체를 생산하게 된다. 이러한 항체는 태아순환으로 들어가서 태아의 적혈구를 파괴한다. 태아적혈모구증이라고 불리는 이 질환은 태아에 치명적이다. 출산 또는 유산 직후에 특정 유형의 항체(RhoGAM)을 산모에게 주사하면, 대부분 태아적혈모구증을 예방할 수 있다. RhoGAM은 태아 항원을 불활성화해서 모체는 Rh양성 항체를 생산하지 않는다.

증례 연구 ▶ Part 4

병원으로 이송 중, 의료본부는 환자의 통증을 경감하고 심장동맥을 이완할 수 있는 몰핀을 투여하라고 권고한다. 이 환자의 경우, 12유도 심전도는 급성 심근경색 소견을 보이므로 몰핀은 도움이 될 수 있다. 당신은 5분마다 활력징후를 측정하고, 환자는 호흡이 좀 더 쉬어지고 진정되고 있는 듯 하다. 당신은 두 번째 12유도 심전도와 활력징후를 응급실 의사에게 전송하고, 응급실을 지나쳐서 곧바로 경피적 심장동맥 중재술(PCI)을 위해 환자를 cath lab(심장도관 시술실)로 이송해야 하는지를 상의한다. 당신은 환자를 진정시키며 일상 대화를 나누던 중, 환자는 당신에게 자신의 아버지는 40대에 갑자기 사망했으며 사실상 통증이 수개월 동안 지속되었다고 말한다.

자율학습

■ 요점 정리

- 인간의 심장은 혈액을 동맥으로 방출하고, 동맥은 더 작은 세동맥으로, 세동맥은 다시 더욱 작은 모세혈관으로 연결된다.

- 심장(심근)은 두꺼운 심장막으로 둘러쌓여 있고, 심장막은 심장막액에 의해 분리된 장층과 벽층을 포함한다. 심장의 위쪽 방, 심방은 심장으로 되돌아오는 혈액을 받는다. 아래쪽 방, 심실은 혈액을 심장 밖으로 방출한다.

- 심장의 판막으로는 삼첨판막, 이첨판막, 허파동맥판, 대동맥판막이 있다.

- 심장내 혈류는 위대정맥과 아래대정맥이 탈산소화된 혈액을 오른심방으로 가져오는 것으로 시작된다.

- 특수한 심장 근육의 가닥과 무리는 오직 몇 가지 근원섬유만을 포함하고, 심장 전체에 분포한다. 이러한 부위는 심근으로 자극을 발생시키고 전달해서, 심장주기를 조정하는 심장전도계를 구성한다.

- 심장의 전기적 활동은 뇌와 자율신경계, 그리고 심장 내부 전도계에 의해 영향을 받는다. 심장 내부 전도계는 굴심방(SA) 결절, 방실(AV) 결절, 히스(His)속, 왼갈래와 오른갈래, 푸르킨예(Purkinje) 섬유를 포함한다.

- 심장 기능의 조절은 심박수(변시효과), 전도율(변전도효과), 수축 강도(수축촉진효과)의 조절과 관련된다. 압력수용기와 화학수용기는 지속적으로 인체 기능을 감시한다.

- 3개의 양이온(나트륨, 칼륨, 칼슘)은 심장에서 전하를 일으키고 전도하는 역할을 한다.

- 심장세포가 휴식상태로 되돌아가기 시작할 때, 재분극이 일어난다. 재분극의 두 가지 단계는 탈분극이 일어날 수 없는 초기/절대불응기와 세포가 평소보다 강한 자극에는 반응할 수 있는 후기/상대불응기이다.

- 심전도(ECG)는 심장의 탈분극과 재분극 동안 생성된 전류를 시각적으로 나타낸 것이다. 정상동리듬에서 ECG는 규칙적 간격의 P파, 정상 지속시간의 PR 간격(0.2초 미만), QRS복합(심실 탈분극), 편평한 ST 분절, T파(심실 재분극)의 순서로 구성된다.

- 심장주기는 심근 수축을 시작으로 다음 수축 시작 직전에 끝나는 반복적인 방출 과정이다.

- 심실의 수축이 수축기이다. 압력은 이완기 동안 혈관에서도 측정될 수 있다.

- 심장박출량은 일분당 심장에서 순환계로 방출되는 혈액의 양이다. 동맥은 혈액을 심장으로부터 멀리 운반하는 혈관이다. 정맥은 혈액을 심장으로 다시 되돌려 운반하는 혈관이다. 세동맥은 가장 작은 동맥이고, 세정맥은 가장 작은 정맥이다. 모세혈관은 얇은 벽의 미세한 혈관으로, 산소와 영양소 그리고 이산화탄소와 노폐물이 모세혈관을 통해 교환된다.

- 심장동맥은 심장에 산소를 공급하고, 왼심실에서 나온 직후 대동맥에서 기시한다. 오른심장동맥은 9개의 중요한 가지로 나뉘고, 왼심장동맥은 두 개의 가지로 나뉜다; 앞내림심장동맥, 휘돌이심장동맥.

- 허파순환은 오른 심장에서 허파로, 그리고 다시 왼심장으로 혈액을 운반한다.

- 온몸순환은 산소화혈액을 심장으로부터 대동맥판막을 거쳐 대동맥으로, 그리고 몸의 모든 부위로 운반한다.

- 머리와 목으로의 순환은 팔머리동맥, 왼온목동맥, 왼빗장밑동맥을 포함한다.

- 팔로의 순환은 빗장밑동맥, 척추동맥, 거드랑동맥, 위팔동맥, 자동맥과 노동맥을 포함한다.

- 가슴대동맥은 장측 동맥(가슴 기관에 혈액을 공급)과 벽측 동맥(가슴벽에 혈액을 공급)을 분지한다.

- 갈비사이동맥은 갈비뼈를 따라 주행하고 가슴벽에 순환을 공급한다.

- 배대동맥은 장측 동맥과 벽측 동맥으로 나뉜다. 주요 동맥은 복강동맥, 위창자간막동맥, 아래창자간막동맥이다. 장측 배대동맥의 쌍을 이루는 가지는 콩팥, 부신, 생식샘에 혈액을 공급한다. 벽측 가지는 가로막과 복벽에 혈액을 공급한다.

- 골반과 하지로의 순환은 대동맥, 2개의 온엉덩동맥, 속/바깥엉덩동맥, 넙다리동맥, 무릎동맥, 정강동맥, 발등동맥을 포함한다.

Skidplate: © Photodisc

- 머리와 목의 주요 정맥은 속, 바깥 목정맥이다. 속목정맥은 빗장밑정맥과 합쳐져서 팔머리 정맥을 형성하고, 위대정맥으로 들어온다.
- 팔의 정맥 순환은 손, 손목, 아래팔정맥, 그리고 자쪽피부정맥, 노쪽피부정맥, 겨드랑정맥을 포함한다.
- 가슴의 정맥 순환은 앞, 뒤 갈비사이정맥, 홀정맥, 반홀정맥, 팔머리정맥, 위대정맥을 포함한다.
- 복부와 골반에서 환류되는 정맥혈은 아래대정맥으로 들어간다. 복강과 골반강내 정맥과 속/바깥 엉덩정맥은 같은 이름의 주요 동맥을 동반한다.
- 간문맥계는 간, 위, 창자, 지라의 혈액을 환류하는 정맥계의 특수한 부분이다.
- 하지의 정맥 순환은 큰두렁정맥, 작은두렁정맥, 넙다리정맥, 앞, 뒤 정강정맥, 오금정맥을 포함한다.
- 혈액은 혈장과 유형성분(세포)의 조합으로, 산소와 영양소를 조직으로 운반하고 노폐물을 조직에서 제거한다. 성인 남성은 약 70 mL/kg, 즉 5~6리터 혈액을 가지고 있고, 성인 여성은 약 65 mL/kg, 즉 4~5리터를 가지고 있다.
- 적혈구는 산소를 조직으로 운반한다. 헤모글로빈(혈색소)은 적혈구가 붉은색을 띠게 하고, 허파에서 흡수된 산소와 결합한다. 적혈구의 수명은 120일이다. 이후, 적혈구는 지라 및 다른 조직에서 분해된다. 인체는 혈색소의 일부 구성요소들을 '재활용'하고, 나머지 부위는 빌리루빈으로 전환한다.
- 적혈구 표면에는 항원이 있고, 혈장내에는 항원과 반응하는 항체가 있다. 이러한 특정 항원의 유무에 따라 혈액형이 결정된다.
- 백혈구는 항체를 생성하거나, 직접 세균을 공격하여 감염에 저항한다. 혈괴가 형성되어 출혈이 멈추는 과정이 지혈이다.
- 혈소판과 혈액응고 과정은 순환에 매우 도움이 될수도 해로울 수도 있다. 혈액응고 과정은 혈소판, 혈장내 응고 단백질(응고인자), 기타 단백질, 칼슘을 포함하는 일련의 복합적인 과정이다. 조직에서 분비되는 다른 인자들(조직 트롬보플라스틴)은 응고 단백질의 연쇄반응을 활성화한다.

■ 증례 연구 정답

1. 심장박출량이란?

   답: 심장박출량은 일분당 심장에서 순환계로 방출되는 혈액의 양이다(Liter/minute). 수학적으로, 심장박출량은 일회박출량(한 번 수축시 왼심실에서 방출되는 혈액의 양)에 분당심박수를 곱한 값이다.

   심장박출량 = 일회박출량 * 분당심박수

2. 심장마비(심근경색)는 환자의 심장박출량에 어떤 영향을 주게 됩니까?

   답: 일회박출량 또는 분당심박수에 영향을 주는 요인은 심장박출량에 영향을 주게 된다. 심장마비는 전기전도계 및 심근에 허혈 또는 경색을 유발하여, 심장박출량이 감소한다. 심근이 기능을 못할수록, 심장박출량에 영향이 크다. 과거에 급성심근경색을 경험한 환자에서 새로운 심근경색이 진행되는 경우에서 볼 수 있듯이, 누적 효과를 가진다.

3. 심근에 산소와 영양소를 공급하고, 부분 또는 완전한 폐쇄로 인한 심장마비(심근경색)를 일으킬 수 있는 혈관은 어디입니까?

   답: 왼, 오른 심장동맥은 왼심실에서 나온 직후의 대동맥에서 기시하며, 몇 가지 중요한 가지들로 나뉘어 심장 조직에 산소와 영양소를 공급한다.

4. 12유도 심전도(12-lead ECG)상 왼심실에 허혈과 경색이 보인다면, 어느 혈관이 폐쇄되었을 가능성이 높다고 생각됩니까?

   답: 왼심실에 혈액을 공급하는 대부분의 혈관은 왼심장동맥에서 기시한다. 왼심장동맥은 심근 혈관중 가장크고 가장 짧으며, 두 개의 가지로 나뉜다; 앞내림심장동맥, 휘돌이심장동맥. 이 동맥들은 더욱 세분화되어, 왼심실 대부분과 심실간 중격, 때로는 방실결절에 혈액을 공급한다. 왼심장동맥 또는 그 가지에 부분적 또는 완전 폐쇄가 있을 수 있다.

5. 심장 전도계에 혈액을 공급하는 혈관은?

   답: 오른심장동맥과 그 가지들은 전도계 일부에 혈액을 공급한다. 하지만, 전도계로의 혈관이 오른심장동맥에서 기시하지 않는다면, 대신 좌심장동맥에서

기시하는 것이다.

6. 만약 환자가 STEMI 센터로 이미 이송 중이 아니라면, 지역 병원에서 섬유소용해제 "혈전용해제" 치료의 대상이 될 수 있습니까? 이유는?

답: 현재 미국내 대부분의 응급의료체계는 STEMI 환자를 심장도관 시술실(coronary cath lab)이 있는 병원으로 직접 이송하는 프로토콜을 시행하고 있다. 왜냐하면, 1980년대부터 2005년까지 주로 사용되었던 혈전용해제에 비해서 심장동맥 중재술이 훨씬 효과적이기 때문이다. 의료지도의사와 상의해서 STEMI 의심 환자의 수송에 대한 규정 및 절차를 다시 확인하도록 한다.

7. 아스피린, 산소, 니트로글리세린에 추가하여, 다른 어떤 치료가 이 환자에게 지금 도움이 될 수 있습니까?

답: 몰핀은 심장동맥을 이완하고 진통효과가 있으므로, 혈압이 안정적이라면 반드시 도움이 된다. 베타차단제는 이 환자의 경우 도움이 될 수 있다. 심장 기능의 조절에서, 베타효과에 의해 심박수, 심장 전도, 수축력이 모두 증가하고, 이는 심근에 더욱 스트레스를 주고 산소 요구량을 증가시킨다. 베타차단제는 베타수용기의 자극을 차단하여, 심장에 부하와 산소 요구량을 줄인다.

Skidplate © Photodisc

림프계와 면역계
The Lymphatic and Immune System

학습목표

1. 림프계의 기능을 설명한다.
2. 림프관의 체계와 림프가 혈액으로 돌아오는 방식을 설명한다.
3. 림프가 형성되는 과정을 서술한다.
4. 림프절, 가슴샘, 비장의 위치 및 기능을 서술한다.
5. 면역에서 가슴샘의 역할을 설명한다.
6. 면역을 정의한다.
7. 체액면역과 세포면역반응의 차이를 설명한다.
8. B세포와 T세포의 발달 및 기능을 비교/대조한다.
9. 능동면역과 수동면역의 차이를 서술한다.
10. 면역글로불린의 다섯 가지 유형을 나열하고, B세포 활성화에 중요한 유형에 대해 설명한다.
11. 일차면역반응과 이차면역반응을 구별한다.
12. 백신의 작용기전을 설명한다.
13. 감염병을 정의한다.
14. 병원전 처치시 볼 수 있는 몇 가지 중요한 감염병을 나열한다.
15. 미생물을 명명하고 분류하는 방식을 설명한다.
16. 정상균무리의 분포와 이점을 서술한다.
17. 감염병이 전파되는 다양한 방식을 열거한다.

■ 서론

심혈관계와 유사하게 림프계는 망상의 관을 통해서 액체를 수송한다. 림프계의 일차 기능은 림프구의 생성, 유지, 분배이다 그림 7-1 . 림프계의 또다른 주요 기능은 간질에 존재하는 과다한 액체를 다시 혈류로 돌려보내는 것이다. 림프계가 없다면, 간질액은 조직 공간에 축적될 것이다. 유미관(lacteal)은 소장 내피에 있는 특수한 모세림프관으로 소화된 지방을 흡수하여 정맥순환으로 이송한다.

림프계의 생화학물질과 세포는 인체내 외부 입자를 공격하여 감염성 미생물과 바이러스 및 독소와 암세포를 파괴한다. 다양한 기관과 신체 계통은 생명과 건강을 유지하기 위해 함께 협력하는데, 환경적 위험(다양한 병원체)과 내부의 위협(암세포)에 대항해서 인체를 방어하는 림프계는 이러한 역할에서 필수적이다. 질병과 감염을 저항하고 극복하는 인체의 능력에 있어서 림프계는 매우 중요하다.

■ 림프관

림프관만이 조직으로부터 액체를 이송한다. 모세림프관은 작은 관인 림프경로를 형성하고, 여러 개의 림프경로가 합쳐져서 더 큰 관을 형성하며, 이들은 가슴부위에서 정맥과 합쳐진다. 미세한 모세림프관은 복잡한 망구조로 간질 공간에 펼쳐져 있다 그림 7-2 . 모세림프관의 벽은 단층의 편평상피세포로 구성되어 조직액이 들어갈 수 있고, 이러한 모세림프관 내부의 액체를 림프라고 부른다.

정맥과 유사하지만 더 얇은 벽을 가진 림프관은 림프의 역류를 방지하는 판막을 가지고 있다. 큰 림프관은 특수 기관인 림프절로 향하고 이후 계속해서 더욱 큰 림프관줄기를 형성한다.

림프관줄기는 림프관에서 림프를 받아서 두 개의 집합관(가슴관 또는 오른림프관) 중 하나로 합쳐진다. 그림 7-3 은 오른림프관과 오른쪽 유방의 림프 배출을 보여준다. 가슴관은 두 개의 큰 림프관 중 더 크고 길며, 하지, 복부, 왼쪽 팔, 왼쪽 머리부위, 가슴에서 오는 림프를 받아들인다. 가슴관은 왼쪽목동맥 부근의 왼쪽빗장밑정맥으로 들어간다. 오른림프관은 오른쪽 머리부위, 오른쪽 팔, 오른쪽 가슴에서 오는 림프를 받아들인다. 오른림프관은 오른쪽목정맥 부근의 오른쪽빗장밑정맥으로 들어간다.

이후 림프는 두 집합관에서 정맥계로 이동하여 혈장의 일부가 되며, 이것은 혈액이 우심방으로 환류되기 직전에 일어난다.

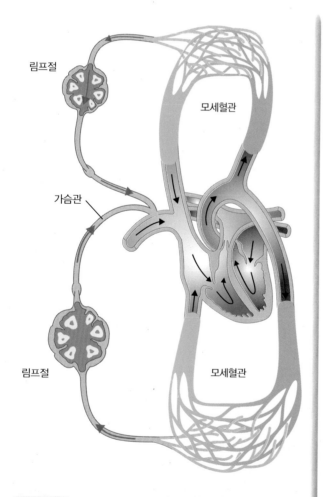

림프절

가슴관

림프절

모세혈관

모세혈관

그림 7-1 림프계는 망상의 관을 통해 액체를 수송한다.

병태생리학

림프절의 일반 용어는 '샘 gland'이다. '부어오른 샘'이란 표현은 목부 림프절의 염증과 비대를 지칭하는데, 다양한 유형의 상기도 및 인후 감염에 대한 반응으로 흔히 볼 수 있다. 겨드랑이 및 샅부 림프절은 각각 팔과 다리의 감염에 대한 반응으로 부종이 생길 수 있다. 감염에 의한 림프절의 염증을 림프절염이라고 한다.

통증의 유무와 관계없이, 모든 림프절의 부종은 림프절병증이라고 부른다. 림프절병증은 악성종양 혹은 급성인후염 등의 감염질환이 있음을 시사하기도 한다. 다양한 형태의 암(특히, 유방암과 잘록창자암)은 림프절로 전이되는 경향이 있다.

■ 조직액과 림프 형성

림프는 간질액 또는 세포외액에서 형성되는 혈장과 비슷한 묽은 액체이다. 본질적으로 림프는 조직액과 동일하다. 조직액이 일단 모세림프관으로 들어가면 림프라고 지칭한다. 조직액은 물과 모세혈관으로부터 용해된 물질로 이루어진다. 조직액은 기체, 호르몬, 영양소 등을 함유하므로 혈장과 매우 유사하다. 그러나, 조직액에는 혈장 단백질이 없는데, 혈장 단백질은 크기가 커 모세혈관을 빠져 나올 수 없기 때문이다. 혈장 교질 삼투압은 삼투 과정을 통해 조직액을 다시 모세혈관으로 끌어들인다.

혈장에서 여과가 재흡수보다 더 빠른 속도로 일어나면 림프가 형성된다. 조직액의 정수압이 증가하고, 따라서 조직액은 모세림프관으로 이동한다. 모세혈관에서 여과된 작은 단백질의 대부분은 림프를 경유해서 다시 혈류로 돌아간다. 또한 림프는 외부 입자(박테리아와 바이러스를 포함)를 림프절로 운반한다.

■ 림프의 이동

림프의 이동은 근육 활동의 영향을 받는다. 림프 자체는 낮은 정수압 아래에 있다. 큰 림프관줄기에서 골격근, 민무늬근의 수축 및 호흡과 연관된 압력의 변화가 없다면, 림프는 원활히 흐를 수 없다. 예를 들어, 골격근은 림프관을 압박해서 림프를 이동시키고, 림프관 내부의 판막은 역류를 방지한다. 들숨 호흡은 흉강 내에 상대적으로 낮은 압력을 형성하여 림프의 순환을 돕는다. 가로막(횡격막)은 복강내압을 증가시키고, 복부 림프관에서 림프를 압박하여 흉부 림프관으로 내보낸다.

림프의 지속적인 이동은 체내 간질 공간에서 체액량을 안정화한다. 조직액이 간질 공간에 축적될 때(부종)는 림프 이동에 장애가 있기 때문이다. 조직의 부종을 방지하기 위

증례 연구 ▶ Part 1

오후 3시, 당신이 속한 구급대는 산길의 기점(trailhead)에 도착해서, 부상당한 도보여행자(hiker)를 이송해 오는 산악 구조팀을 기다리고 있다. 마지막 무선통보에 의하면, 환자는 대략 오전 11시경, 오른쪽 다리를 방울뱀에 물렸다고 한다. 구조팀이 도착하고, 2명의 친구를 동반한 22세 남자를 당신에게 인계한다. 일반적인 인상은 피부가 매우 창백하고 축축하며, 명백한 통증을 호소하는 평균 체형의 젊은 남자이다. 환자의 기도는 개방되어 있고, 얕은 호흡을 보인다. 심각한 외부 출혈은 없으며, 맥박을 감지할 수 있다. 붕대가 환자의 오른쪽 종아리에 감겨 있다. 당신은 즉시 비재호흡 마스크로 산소를 투여하고, 당신의 동료는 활력징후를 측정한다. 환자의 친구 중 한명의 진술에 따르면, 상처에서 처음에 출혈이 있었지만, 안전하게 산길로 돌아와서는 셔츠 조각으로 압박붕대를 만들었고, 다른 친구는 도움을 구하러 갔다고 한다. 그 이후로 출혈은 멈춘 상태이다. 재빨리 기저 활력징후를 측정한 후, 당신은 환자를 즉시 이송하기로 결정한다.

기록한 시간: 0분	
외형	창백하고 땀을 흘리며 통증을 호소하는 젊은 성인 남자
의식 수준	명료(사람, 시간, 날짜에 지남력이 있음)
기도	개방
호흡	얕은 호흡
순환	약한 맥박
맥박	약하고 빠른 요골 맥박
혈압	98 mmHg(촉진으로 측정)
호흡	22회/분, 규칙적
SpO$_2$	97%

1. 쏘임(sting), 물림(bite), 또는 국소 감염에 대한 인체의 첫 번째 방어 경로는?
2. 림프계를 통한 외부물질의 확산을 최소화하기 위해 즉시 취할 수 있는 조치는?

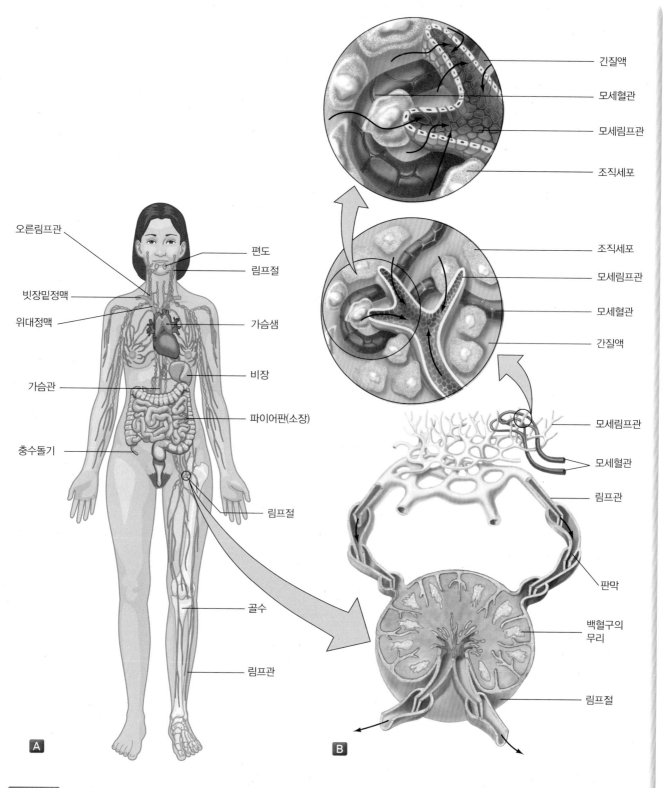

긴질액

모세혈관

모세림프관

조직세포

조직세포

모세림프관

모세혈관

간질액

모세림프관

모세혈관

림프관

판막

백혈구의
무리

림프절

오른림프관

편도

림프절

빗장밑정맥

위대정맥

가슴샘

가슴관

비장

파이어판(소장)

충수돌기

림프절

골수

림프관

A

B

그림 7-2 림프계. **A.** 림프계는 림프를 다시 순환계로 이송하는 관들로 구성된다. **B.** 림프관을 따라 배치된 림프절은 림프를 여과한다.

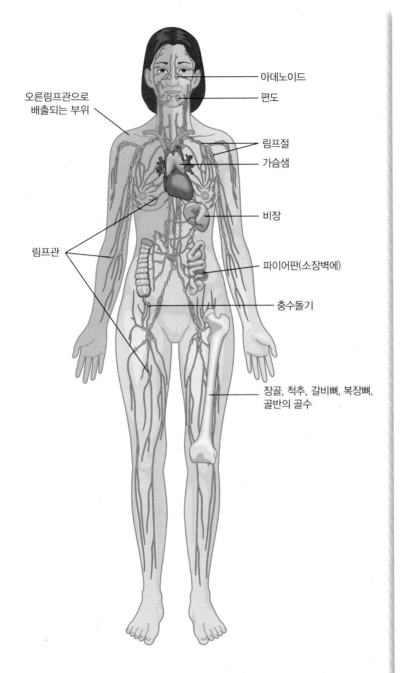

오른림프관으로
배출되는 부위

아데노이드

편도

림프절

가슴샘

비장

파이어판(소장벽에)

림프관

충수돌기

장골, 척추, 갈비뼈, 복장뼈,
골반의 골수

그림 7-3 림프경로. 오른림프관은 오른쪽 상체로부터 림프를 받아들이고, 가슴관은 나머지 부위로부터 오는 림프를 받는다.

출처:Adapted from Shier DN, Butler JL, Lewis R. *Hole's Essentials of Human Anatomy & Physiology*, 10th ed New York, NY. McGraw-Hill Higher Education, 2009.

해서, 림프관은 과다한 액체를 흡수해서 중심 정맥 순환으로 되돌려 주어야만 한다. 겨드랑이 또는 서혜부 림프절을 포함하는 수술 후에, 일부 환자들에서 사지가 심하게 부을 수 있고, 이러한 사지 부종은 통증과 장애를 유발한다.

■ 림프절

림프절(node)은 실질적으로 림프샘(gland)이다. 림프절은 림프경로를 따라 분포하고, 미생물의 침입에 대항하는 수많은 림프구와 큰포식세포를 포함하고 있다. 림프절의 크기와 모양은 다양하지만, 일반적으로 콩모양이고 길이는 2.5 cm 미만이다. 그림 7-4 각 림프절에서 들어간 부위, 문(hilum)은 혈관과 신경이 부착되는 부위이다. 림프절로 들어가는 림프관은 들(afferent)림프관이고, 림프절 표면에 다양한 부위로 들어간다. 림프절의 문을 통해 나가는 관은 날(afferent)림프관이다.

하나의 림프절은 피막에 의해 덮여있고 세분된다. 하나의 림프절의 기능적 단위인 림프소절은 소화기계, 호흡기계, 비뇨기계의 성긴 결합조직에서 볼 수 있는 촘촘히 배열된 림프조직이다. 림프소절은 단독으로 혹은 무리지어 나타난다. 림프절의 주집합은 겨드랑이(겨드랑이림프절), 목(경부림프절), 서혜부(서혜림프절)에 위치한다.

세 쌍의 림프 기관이 편도를 구성한다: 목구멍편도(구개편도), 인두편도(아데노이드), 혀편도. 편도는 목구멍과 코인두 뒤쪽에 위치하여 입과 코로 유입된 박테리아로부터 인체를 보호한다 그림 7-5 . 대부분 성인에서, 편도는 소아기 이후로 크기가 줄어들고, 일부 성인에서는 편도가 사라지고 없는 경우도 있다.

목구멍편도(구개편도)는 구강의 목구멍 뒤쪽에 양 옆으로 위치한다. 인두편도(아데노이드)는 비강의 안쪽 구멍 부근에 위치한다. 혀편도는 혀의 후방 경계면에 위치한다.

파이어판(Peyer's patch)으로 불리는 림프소절의 무리는 소장의 내피에서 발견된다. 림프굴(림프동)은 림프가 이동하는 복잡한 통로를 이루는 림프절 내부의 공간이다. 림프절 내 큰포식세포는 림프굴에 가장 많이 분포한다.

림프절은 큰 림프관을 따라 무리지어 있지만, 중추신경계에는 존재하지 않는다. 그림 7-6 림프절은 두가지 주요한 기능을 수행한다. 림프가 혈류로 돌아가기 전에, 잠재적으로 해로운 입자들이 림프절에서 여과된다. 또한 림프절은 체액을 감시한다. 면역감시는 림프구와 큰포식세포의 활동을 통해 일어난다. 림프구는 림프절과 적색골수에서 생성된다. 림프구는 바이러스, 박테리아, 기생충을 공격한다. 큰포식세포는 세포의 부스러기, 손상된 세포, 외

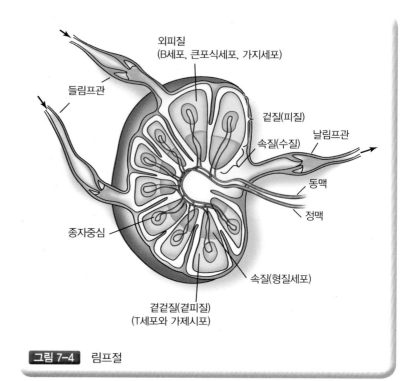

그림 7-4 림프절

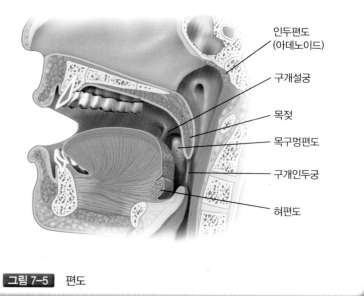

그림 7-5 편도

부물질을 삼켜서 파괴한다.

병태생리학

예전에는, 감기와(특히, 연쇄구균에 의한) 인후통의 빈도를 줄이려는 시도로, 목구멍편도와 아데노이드가 흔히 외과적으로 제거되었다. 최근에는, 편도의 농양, 심한 반복 감염, 또는 수면무호흡 등의 간헐적인 기도 폐쇄 증상이 있을 경우에만 수술을 시행한다.

■ 가슴샘

가슴샘은 흉부에 대동맥 전방, 복장뼈 후방에 위치한다. 가슴샘은 부드럽고, 결합조직 피막에 의해 둘러싸인 두 개의 엽으로 구성된다 그림 7-7 . 가슴샘은 영아기와 소아기 초기에는 비교적 크기가 크지만, 사춘기 이후 크기가 줄어들어 성인기에는 훨씬 작아지고, 림프 조직은 지방과 결합 조직으로 대체된다. 가슴샘에서 생성되는 림프구는 다른 림프 조직으로 이동해서 감염에 저항한다. 가슴샘은 특히 소아기까지의 면역에서 주요 역할을 한다.

가슴샘은 안쪽으로 연장되는 결합조직에 의해 소엽으로 나뉜다. 소엽에는 주로 불활성인 가슴샘세포를 포함, 다량의 림프구가 있다. 가슴샘세포 일부는 T세포로 성숙되어 3주 후 가슴샘을 벗어나 인체에 면역을 제공한다. 타이모신(thymosin)은 가슴샘의 내피세포에서 분비되고 T림프구의 성숙을 유도한다.

■ 비장

비장은 복강 좌상부, 가로막 아래 위 후방 외측에 위치한다. 비장은 인체내 가장 큰 림프 기관으로, 큰 세분화된 림프절과 유사하다. 비장은 성인 체내에서 가장 많은 양의 림프 조직을 포함한다. 비장의 정맥동은 림프가 아닌 혈액으로 채워진다는 점에서 림프절과는 구별된다. 비장 소엽에는 두가지 유형의 조직이 있다. 비장 전체에서 수많은 림프구를 포함하는 비장 결절로 이루어진 작은 '섬(island)'에 백색속질이 위치한다. 적혈구, 림프구, 큰포식세포를 포함하는 적색속질은 소엽의 나머지 부분을 채우고 있다 그림 7-8 .

증례 연구 ▶ Part 2

환자는 구급차 들것으로 옮겨진다. 당신은 환자의 부상당한 다리를 심장 높이보다 아래로 유지하면서 고정을 위해 다리에 부목을 댄다. 심전도 모니터를 연결하고 이송 중 직경이 큰 2개의 정맥로 확보를 통해 식염수(saline) 투여를 시작할 것이다. 환자의 국소 외상과 그 전신 효과 때문에 환자를 신속히 구급차에 태우고, 약 25분 거리의 지역 외상센터로 출발한다. 구급차가 출발하자마자, 당신은 병원에 전화해서 의료진이 환자 도착에 맞추어 준비되어 있도록 요청한다.

환자는 체중 90 kg의 22세 남성이다. 환자의 피부는 창백하고 축축하며, 외상 부위 주변으로 부종이 관찰된다. 환자는 약물에 대한 알레르기는 없고, 천식 때문에 필요시에만 알부테롤(albuterol) 흡입제를 사용한다. 환자의 유일한 병력은 운동유발성 천식이다. 마지막 음식 섭취는 오후 1시경 먹은 과자와 물이다. 증상 발현 전, 환자와 친구들은 산길을 따라 하이킹을 하던 중 방울뱀과 마주치게 되었다고 한다.

기록한 시간: 5분	
외형	'곧 닥칠 재난(impending doom)'의 모습
의식 수준	명료(사람, 시간, 날짜에 지남력 있음)
기도	개방, 그러나 초록색 가래를 동반한 기침
호흡	점점 빠르고 얕아짐
순환	창백하고 땀을 흘림
맥박	110회/분, 약하고 가는 맥박
혈압	100/70 mmHg
호흡	24회/분, 얕은 호흡
SpO_2	97%
동공	(양쪽) 동일하고 (빛에) 반응함

3. 물리거나 쏘인 환자에서 가장 우려되는 잠재적 문제점은?

4. 체내에서 감염에 대항하고, 면역계의 가장 중요한 구성요소인 세포의 유형은?

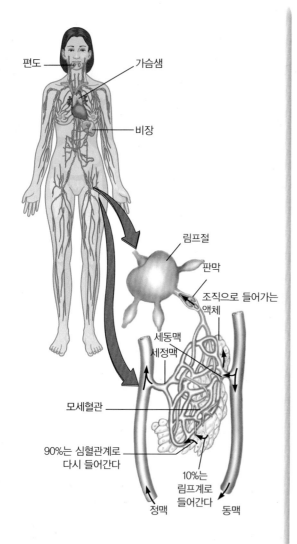

편도

가슴샘

비장

림프절

판막

조직으로 들어가는 액체

세동맥

세정맥

모세혈관

90%는 심혈관계로 다시 들어간다

10%는 림프계로 들어간다

정맥

동맥

그림 7-6 림프관. 림프절과 림프관의 확대 그림을 과잉액체의 경로를 보여준다; 모세혈관을 벗어나서, 인접조직공간으로 들어간 다음, 모세림프관에서 흡수된다.

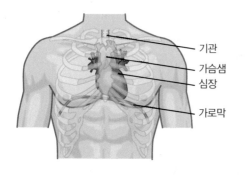

기관

가슴샘

심장

가로막

그림 7-7 가슴샘

병태생리학

림프계가 세균을 가두는 것은 국소 감염에 대한 인체의 첫 번째 방어 경로 중 하나이다(예를 들면, 손가락에 박힌 가시 주위로 일어나는 반응). 흔히, 이 과정은 상처 부위에서 일어나고, 국소적인 발적, 통증, 부종들을 야기한다. 때로는 감염이 국소 부위를 벗어나 림프관으로 퍼진다. 림프관염이라고 불리는 이 상태에서, 상처에서 몸의 중심부를 향하여 퍼지는 붉은색 줄을 볼 수 있다. 연관된 림프절 또한 붓고 아플 수 있다.

적색속질의 모세혈관은 매우 투과성이 좋아서 적혈구가 쉽게 모세혈관 벽을 통과해서 빠져나와 정맥동으로 들어간다. 오래된 적혈구는 이 과정 중에 손상되고, 비장굴(splenic sinus) 내 큰포식세포에 의해 포식된다. 체내의 대부분의 혈액은 비장 조직을 가로질러 지나가면서 여과되고, 따라서 오래된 혈액세포, 외부 물질, 세균이 제거된다.

병태생리학

비장은 혈관이 매우 풍부한 기관이다. 비장에 상해를 입은 환자는 쉽게 출혈로 인한 사망에 이를 수 있다. 과거에, 비장 손상의 일반적 치료는 출혈을 멈추기 위한 비장절제술이었다. 현재 일반적 치료는 가능하면 비장을 보존하는 것인데, 이는 비장이 중요한 면역기능을 수행하기 때문이다. 비장은 특정 유형의 박테리아를 혈액으로부터 여과한다. 비장절제술을 받은 환자는 이러한 박테리아에 의한 매우 심하고 때로는 치명적인 감염에 걸리기 쉽다. 자동차 충돌 사고에서, 안전벨트를 착용하지 않은 운전자가 왼쪽 아래 갈비뼈 통증을 호소할 경우에 비장 손상을 의심해야 한다.

■ 인체 방어 및 감염에 대한 저항

면역계는 필수적으로 림프계와 연관되어 면역(외부 물질과 해로운 화학물질로부터의 손상에 저항하는 능력)을 책임진다. 인체에는 다양한 방어기전이 있고, 이들은 서로 협력하여 저항성을 제공한다. 감염은 질병을 유발하는 물질(병원체)의 침입과 증식에 의해 일어나며, 이 때 병원체에는 박테리아, 바이러스, 기생충, 또는 원생동물 등이 있다. 인체 방어는 2가지 일반적 범주로 분류될 수 있다: 선천(비특이)적 방어, 적응(특이)적 방어. 선천적(비특이) 방어는 다양한 유

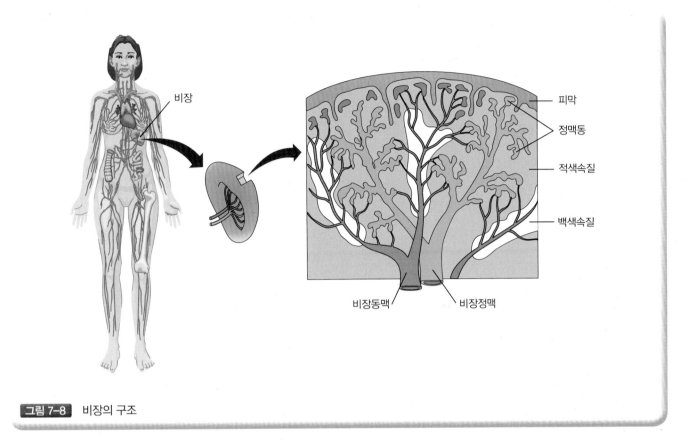

비장동맥   비장정맥

그림 7-8 비장의 구조

형의 병원체에 대해 인체를 방어한다. 이 유형의 방어는 출생시 가지고 태어나며, 인체가 특정 공격에 노출될 때마다 일어나는 예측가능한 면역 반응이다. 적응적(특이) 방어는 보다 정확하고, 특정 병원체를 표적으로 하는 <u>적응적(특이) 방어</u>/면역을 제공한다. 이 유형의 방어에서, 분화된 림프구는 외부 분자를 인식하고 공격한다. 한 물질에 대한 면역 반응은 또 다시 노출시 더 빠르고 강하다.

■ 선천적(비특이) 방어

비특이적 방어는 미생물과 기타 환경적 위험의 접근, 유입, 또는 확산을 막는다. 비특이적 방어는 다음과 같이 분류되는데, 기계적 장벽이 1차적 방어이고 나머지는 2차적이다:

- **기계적 장벽** 물리적 장벽이라고도 하며, 호흡기, 소화기, 비뇨기(기저막), 생식기의 점막, 그리고 피부를 포함한다. 특정 감염성 인자로부터 인체를 보호한다. 모발, 땀, 점액 또한 기계적 장벽으로 작용한다.
- **화학적 장벽** 효소와 체액내 기타 화학 물질에 의해 공급된다; 위의 펩신과 염산, 눈물, 리소자임(눈물, 타액,

모유, 점액에 존재), 염분(땀에 존재), 인터페론(비감염 세포에 결합하여 보호 단백질 합성을 자극하는 호르몬 같은 펩티드), 보체(혈장과 기타 체액내 단백질의 집단으로 상호작용을 통해 염증 및 포식작용을 유발함) 등이 화학적 장벽에 속한다.

- **발열** 체온의 상승으로, 혈액내 철을 감소시켜 세균과 진균의 번식을 억제한다; 또한 <u>포식작용</u>을 증가시킴.
- **염증** 상해나 감염에 대한 인체 조직의 반응으로 통증, 부종, 발적, 열감을 특징으로 한다; 감염된 세포는 백혈구를 끌어들이고, 이 백혈구는 감염세포를 포식한다. 면역계에 관여하는 많은 화학물질들이 염증반응을 촉진한다. <u>염증반응</u>의 결과, 외부 공격에 맞서 싸우는 세포와 기타 화학물질들이 유입된다. 가장 흔한 화학물질들은 히스타민, 키닌, 보체, 프로스타글란딘, 류코트리엔, 발열원, 인터페론 등이다. 이러한 물질들은 다양한 유형의 감염 및 외부물질의 침입에 대한 반응으로 생성된다. 백혈구, 박테리아 세포, 손상 조직의 덩어리는 걸쭉한 액체인 농(고름)을 형성할 수 있다. 인체는 염증에 반응해서, 감염을 중심으로 섬유소 가닥의 망을 형성하고, 이것은 감염

부위를 차단시켜 병원체의 확산을 막는다. 비만세포가 히스타민, 세로토닌, 헤파린을 분비할 때, 염증반응이 촉발된다. 염증반응은 조직 수준의 반응이고, 따라서 조직 및 피부 계통과 연관되어 나타난다.

- **면역감시** 말초 조직에 자연살해(NK) 세포에 의한 비정상 세포의 지속적인 감시, 인식, 파괴를 지칭한다. 자연살해(NK) 세포는 암세포와 다양한 바이러스에 대항하여 인체를 방어한다.
- **포식작용** 손상된 조직은 호중구와 단핵구를 끌어오고, 이들은 입자(병원체와 세포 잔해)를 삼키고 소화시킨다; 단핵구는 혈관과 림프관에 부착되는 큰포식세포의 발달에 영향을 준다. 이러한 다양한 포식 세포들은 단핵성 식세포계를 구성하여 림프와 혈액에서 외부 입자를 제거한다.

선천적(비특이) 방어의 마지막 유형은 종 저항성이다. 예를 들어, 인간은 다른 종의 동물을 침범하는 특정 질환에 대해 저항성이 있다. 한 예로, 개에 대한 병원체는 인체 내에서는 생존하지 못할 수 있다. 역으로, 인간은 홍역, 임질, 볼거리, 매독 등에 감염되지만, 이 중 어느 것도 다른 종의 동물을 감염시키지 않는다.

병태생리학

AIDS 검사는 사람면역결핍바이러스 1(HIV-1)과 사람면역결핍바이러스 2(HIV-2)의 유무를 진단하기 위해 사용된다. HIV-1은 미국에서 더 흔히 발생하고, HIV-2는 서아프리카에서 더 흔하다. 단순히 바이러스의 존재가 환자의 AIDS 발병을 의미하지는 않는다. AIDS의 진단은 HIV 검사 양성 뿐만 아니라, 확증적 임상 소견 및 검사 결과를 필요로 한다. HIV가 AIDS를 유발하는 바이러스임에도 오늘날의 적절한 치료로 대부분의 HIV감염 환자들은 AIDS로 진행되지 않는다.

■ 면역(특이적 방어)

면역은 제 3선의 방어라고도 한다. 면역의 정의는 특정 병원체 또는 그 독소, 그리고 대사의 부산물에 대한 저항성이다. 특이 면역은 기본적으로 인체가 특정 물질을 인식하고 반응하며 기억할 수 있다는 것을 의미한다. 적응 면역 반응은 특

증례 연구 ▶ Part 3

병원으로 이송 중, 환자는 안정되었지만 여전히 통증을 호소한다. 목정맥 수액치료로 환자의 혈압이 안정되었으므로, 의료본부에 연락해서 모르핀 또는 펜타닐 처방에 대해 상의한다. 의료본부의 의사는 통증완화 치료에 동의하고, 또한 환자에게 뱀의 생김새를 묘사해보라고 요청한다. 환자는 너무 무서워서 뱀을 제대로 보지 못했지만, 환자의 친구들은 방울뱀을 확인했다고 한다.

기록한 시간: 10분

외형	진정되고 있지만, 여전히 통증을 호소
의식 수준	명료(사람, 시간, 날짜에 지남력 있음)
기도	개방
호흡	규칙적
순환	창백하고 따뜻한 피부, 땀은 줄어듦
맥박	100회/분, 강하고 규칙적
혈압	116/70 mmHg
호흡	24회/분, 기저상태에서 호전됨
SpO₂	98%
동공	(양쪽) 동일하고 (빛에) 반응함

5. 예방접종은 뱀에 물린 후 환자의 반응을 예방할 수 있었을까요?

6. 외부 물질은 어떻게 인체에서 제거되나요?

정 외부 물질(항원 또는 알레르기항원)을 인식하고 기억하는 림프구와 큰포식세포에 의해 일어난다.

스스로는 면역 반응을 자극할 수 없는 작은 분자는 합텐(불완전항원)이다. 이러한 분자는 특정 약제들(페니실린), 먼지 입자, 동물의 비듬, 다양한 화학물질 등에서 볼 수 있다. 합텐은 대부분 더 크고 복잡한 분자와 결합되어 면역 반응을 일으킨다.

출생 전 적색 골수는 림프구 전구체를 분비하고, 이 중 약 절반이 가슴샘에 도달한다. 이것은 T림프구(T세포)로 분화하고, 이 후 혈중 림프구의 70% 에서 80%를 차지한다. 기타 T세포는 림프절, 비장의 백색 속질, 가슴관 등의 림프 기관에 존재한다. 나머지 림프구 전구체는 적색 골수에 남아서, 결국 B림프구(B세포)로 분화한다. B세포는 혈액으로 분포되어, 혈중 림프구의 20% 에서 30%를 차지한다. B세포는 림프절, 골수, 소장 내피, 비장에 풍부하다.

T세포는 박테리아 세포와 같은 외부 항원보유세포에 부착되고, 직접 세포간 접촉을 통해 작용한다. 이러한 과정이 세포면역반응, 즉 세포매개면역이다 그림 7-9.

또한, 일부 큰포식세포와 더불어 T세포는 사토카인(cytokine)이, 더 정확히는 림포카인이라는 폴리펩티드를 합성하고, 림포카인은 항원에 대한 반응을 강화한다. 인터루킨-1(IL-1), 인터루킨-2(IL-2)는 다른 T세포에서 사이토카인의 합성을 자극한다. 집락자극인자(colony-stimulating factor)라고 불리는 다른 사이토카인은 적색 골수에서 백혈구의 생산을 자극하고, 큰포식세포를 활성화하며, B세포의 성장을 유도한다.

B세포는 분열하여 형질세포로 분화한다. 형질세포는 항원 및 항원포함 입자를 파괴하는 항체(면역글로불린)를 생성하며, 이것을 체액면역반응이라고 한다. 무수히 다양한 유형의 B세포와 T세포가 있다. 개개의 유형은 하나의 초기 세포에서 기원하여 세포의 클론(기원세포와 동일함)을 형성한다. 개개의 유형은 특정 항원에만 반응하는 항원 수용체를 가진다.

림프구가 항원에 반응할 수 있기 위해서는, 먼저 활성화되어야만 한다. T세포는 항원제공세포(APC, 보조세포)의 표면에 부착된 가공된 항원조각에 의해 활성화된다; 항원제공세포에는 큰포식세포, B세포, 또는 다른 유형의 세포 등이 있다. 큰포식세포가 박테리아를 포식해서 리소좀 내에서 소화시킬 때, T세포 활성화가 시작된다. 이후 일부 박테

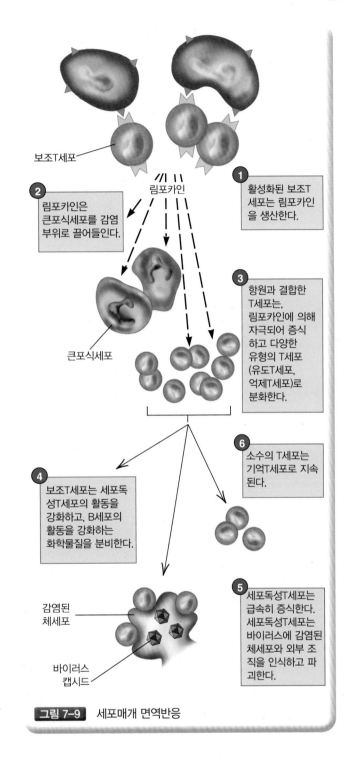

그림 7-9 세포매개 면역반응

리아 항원은 큰포식세포의 표면으로 이동하고, 주조직적합복합체(MHC)를 구성하는 특정 단백질 분자 주위로 나타난다. MHC항원은 T세포가 외부 항원을 인식하는 것을 돕고, 보조T세포는 표시된 외부항원과 접촉한다. 항원이 보조T세포의 항원수용체와 결합하면, 보조T세포는 활성화되고 B세포를 자극하여 표시항원에 특정한 항체를 생성하도록 한다.

세포독성 T세포는 특정 MHC분자 부근 세포 표면에 표시된 외부항원을 인식하여 결합한다. 이것은 암세포 또는 바이러스 감염세포에서 흔히 볼 수 있다. 세포독성 T세포는 보조T세포에서 분비된 사이토카인에 의해 활성화된다. 세포독성 T세포는 항원제공세포와 결합하고, 이 세포에 구멍을 만들어 파괴하는 단백질을 분비한다. 세포독성 T세포는 종양세포와 바이러스 감염세포를 지속적으로 인식하고 제거한다. 세포독성 T세포는 사람면역결핍바이러스(HIV) 감염과 싸우는데 효과적이지만, 종종 그 바이러스에 의해 파괴된다. 일부 T세포는 기억세포로 작용하여, 같은 항원에 재노출시 즉시 분열해서 세포독성 T세포와 보조T세포를 생산한다.

B세포가 그 항원수용체 모양에 적합한 항원을 만나면, B세포는 활성화되고 반복적으로 분열하여 클론을 확장할 수 있다. 하지만, B세포는 대개의 경우 활성화되기 위해서 T세포를 필요로한다. 동일한 외부 항원과 결합한 B세포를 만난 T세포는 사이토카인을 분비하여 B세포를 활성화한다. 사이토카인은 거대포식세포와 백혈구를 끌어들인다. B세포 클론의 일부는 기억세포로 분화한다. 이러한 기억B세포는 특정 항원에 재노출시 신속히 반응한다. 다른 B세포 클론은 항체분비 형질세포로 분화하고, 형질세포는 상응하는 외부 항원과 결합하여 그 항원을 공격한다.

B세포는 천만에서 10억 종류의 항체를 만들고, 각 항체는 하나의 항원에 특이적이다. 따라서 항체반응은 수많은 병원체를 막는다. 항체는 둥근 용해성의 단백질로, 혈장 단백질의 감마글로불린 부위를 구성한다. 다음과 같은 5가지 주요 유형의 항체가 있다.

- **면역글로불린 G(IgG)** 혈장액과 조직액 내의 하나의 분자; 박테리아, 바이러스, 독소에 매우 효과적. 보체를 활성화한다.
- **면역글로불린 A(IgA)** 외분비샘 분비물, 모유, 눈물, 콧물, 위액, 소장액, 담즙, 소변에 존재한다.
- **면역글로불린 M(IgM)** 5개 분자가 함께 결합되어 구성; 감염에 반응해서 생산되는 첫번째 항체. 혈장내 IgM은 음식 및 세균내 특정 항원에 반응한다. Anti-A, anti-B는 IgM의 한 예이다. 또한 보체를 활성화한다.
- **면역글로불린 D(IgD)** 특히 영아기에 B세포 표면에 분포; B세포 활성화에 중요하다. 체액면역반응을 조절하는 역할을 한다.

- **면역글로불린 E(IgE)** 비만세포, 호중구, 호산구에 부착되고, 일레르기 반응에 관여한다.

흔히 항체는 항원을 직접 공격하고, 보체를 활성화하고, 또는 염증을 자극한다. 항체는 항원과 결합하여, 응집을 유도하거나 침전을 형성하고, 따라서 포식작용이 더 쉽게 일어날수 있다. 때로는 항체가 항원의 독성 효과를 중화한다. 그러나 일반적으로, 보체 활성화는 직접적인 항체 공격 보다는 감염으로부터 보호하는데 있어서 더 중요하다.

일부 IgM 또는 IgG 항체는 항원과 결합할 때, 보체 단백질의 활성화로 이어지는 많은 반응들을 촉진한다. 이러한 효과로는 항원-항체 복합체를 덮는 것(옵소닌화), 거대포식세포와 호중구를 끌어들이는 것(화학주성), 복합체를 포식작용에 더욱 민감하게 만드는 것, 항원함유 세포의 군집을 이루는 것, 외부 세포막을 파열시키는 것(용해), 그리고 바이러스 분자의 구조를 변형하여 무해하게 만드는 것 등이 있다.

일차면역반응은 특정 항원과 반응하도록 특화된 B세포 또는 T세포가 그 항원을 처음 접한 후에 활성화되는 과정이다. 형질세포는 IgM을 림프로 분비하고, 뒤따라서 IgG가 분비된다. 항체는 혈액으로 운반되어 몸 전체로 이동하고, 항원을 지닌 병원체의 파괴를 돕는다. 이 과정은 수주 동안 지속된다.

B세포의 일부는 기억세포로 남는다. 동일한 항원이 들어오면, 이러한 기억세포 클론이 커지고 IgG를 항원으로 내보낸다. 이러한 기억B세포는 기억T세포와 더불어 이차면역반응을 만든다. 일차면역반응 이후, 대개는 항원에 노출된 지 5~10일 후에, 탐지할 수 있는 농도의 항체가 혈장에 나타나고, 이후 1~2일 이내에 이차면역반응이 일어난다. 기억세포는 새로 형성된 항체 보다 훨씬 오랫동안 생존하고(몇달에서 몇년 생존함) 이에 따라 이차면역반응은 오랫 동안 지속될 수 있다.

적응(획득) 면역은 자연적 사건에 의해 일어날 수도 있고, 사멸 또는 약화된 병원체 및 그 분자의 부유액을 투여하여(경구 또는 주사제) 유도될 수 도 있다. 이 유형의 면역은 능동적 또는 수동적이다. 능동면역은 오랫동안 지속되고, 한 사람이 항원에 대한 면역반응을 생성할 때 발생한다. 수동면역은 다른 사람에 의해 생성된 항체를 받아서 생기고, 단기간의 효과만을 가진다. 자연적으로 획득되는 능동면역은, 병원체에 노출되어 질병이 발생할 때 일어난다. 그리고 일차면역반응의 결과로, 저항성이 생긴다.

백신 제제는 또다른 유형의 능동면역을 생산한다. 백신은 사멸되거나 약화된 박테리아, 바이러스, 또는 병원체 분자로 구성된다. 백신은 또한 변성독소로 만들어질 수도 있다; 변성독소란 감염성 생물체의 독신을 화학적으로 변형하여 위험하지 않게 만든 것을 말한다. 백신은 인공적으로 획득 능동면역의 발생을 유도한다.

질병을 일으키는 미생물에 노출되었으나 능동면역이 발달할 충분한 시간이 없는 경우, 항혈청 주사를 투여할 수 있다. 같은 질병에 이미 면역이 있는 사람들에서 획득한 감마글로불린을 이용해서 미리 만들어진 항체가 항혈청이다. 이러한 감마글로불린 주사는 인공적으로 획득된 수동면역을 제공한다.

IgG 항체는 임신 중 모체혈액에서 태아로 전해지고, 태아에게 산모가 면역이 있는 병원체에 대한 제한적인 면역을 제공한다. 따라서, 태아는 자연적으로 획득된 수동면역을 가지고, 이는 생후 6개월에서 1년까지 지속된다.

유해하지 않은 물질로 인해 면역반응이 발생할 때, 이를 알레르기 반응이라고 한다. 알레르기 반응은 면역 반응과 유사하다. 둘 다 림프구를 감작시키고, 만들어진 항체는 항원과 반응한다. 그러나 면역반응과 다르게, 알레르기 반응은 조직에 손상을 줄 수 있다. 알레르기항원은 알레르기 반응을 유도하는 항원의 한 유형이다. 알레르기반응은 다음과 같이 분류된다.

- **지연형 알레르기반응**: 피부가 특정 화학물질에 반복 노출되어 발생; 대부분, 발생하는데 약 48시간 소요된다.
- **즉시형 알레르기반응**: 특정 항원으로 인해 IgE 항체를 과다 생산하는 유전적 경향을 가진 사람들에서 발생한다; 단지 몇 분만에 발생할 수 있고, 이후 재노출은 계속해서 알레르기 반응을 유발한다.

또 다른 유형은 이식 및 조직 거부반응과 관련된다. 신체 일부가 한 사람에서 다른 사람으로 이식될 때, 이식을 받는 환자의 면역계는 이식부위를 외부물질로 인식하고 조직의 파괴를 시도하여, 조직 거부반응을 일으킨다. 공여자와 수용자의 세포 표면 분자에 항원들 간의 차이가 클수록, 거부반응은 더 강하고 빠르게 일어난다. 따라서, 이러한 거부반응을 최소화 하기 위해서, 공여자와 수용자의 조직은 반드시 일치해야 한다. 면역억제제는 조직 거부반응을 줄이기 위해 사용된다. 면역억제제는 항체와 T세포 형성을 억제하여 면역반응을 줄이고, 따라서 이식된 기관의 거부반응 확률을 감소시키지만, 동시에 수용자의 면역계를 약화시킨다. 때때로 이식 조직은 살아남지만, 이식받은 환자가 약화된 면역계로 인한 이차감염으로 사망하기도 한다.

면역계가 자기(self)와 비자기(nonself)를 구별하지 못할 때, 면역계는 자가항체와 T세포를 생산하여, 자기 조직과 기관을 공격하고 손상을 입힌다. 이러한 "자기 공격"을 자가면역이라고 한다. 전체 인구의 약 5%가 자가면역질환을 가지고 있다. 이 질환은 다음 세 가지 기전 중 하나에 의해 발생한다고 여겨진다:

- 복제하는 바이러스가 숙주세포로부터 단백질을 '빌려서' 그 표면에 포함시킬 때, 면역계는 바이러스 표면을 '인식하고' 파괴한다. 동시에 같은 단백질을 포함하는 기원 세포 또한 공격하기 시작한다.
- T세포는 자기와 비자기를 분간하지 못할 수 있다.
- 비자기 항원이 자기 항원과 유사한 경우이다; 한 예로, 연쇄상구균 감염이 심장판막의 염증을 유발하는 경우.

병태생리학

종종, 한 사람이 처음으로 항원에 노출될 때, 임상적으로 뚜렷한 문제가 일어나지 않는다. 인체는 그 특정 물질에 대한 IgE 항체를 생성하는 것으로 반응한다. 이 항체는 혈장 내에 남아있다. 그 사람이 다시 같은 항원에 노출되면, 항원과 항체가 반응하여 비만세포로부터 다양한 물질이 분비된다. 이러한 물질들은 심한 알레르기 쇼크, 즉 아나필락시스를 유발할 수도 있다.

천명음, 혈관 유출로 인한 부종, 그리고 결국 쇼크가 발생한다. 조개류, 벌, 초콜릿 등 알려진 항원을 피해야 하고, 만약 아나필락시스가 발생할 경우에는 아드레날린(에피네프린)을 투여해야만 한다. 아드레날린은 자연적으로 생성되는 호르몬으로 심장약으로 투여되기도 하며, 알파 및 베타 효과를 가진다.

병태생리학

백신은 사멸되거나 약화된 박테리아, 바이러스, 또는 그들의 단백질 막에 수용체를 노출시켜서 감염을 예방한다. 이정도 노출은 질병을 일으키지는 않지만, 면역계를 충분히 자극하여 항체 및 질병특이 T세포를 생성한다. 심각한 문제를 일으키기 이전에, 이후에 노출될 것을 미연에 방지하는 것이다.

> ### 병태생리학
>
> 후천성면역결핍증(AIDS)는 사람면역결핍바이러스(HIV) 감염으로 발생하는 질병의 과정이다. 이 바이러스는 보조T세포의 표면에서 발견되는 단백질인 CD4항원에 부정적 영향을 주어, 건강한 세포가 CD4항원을 외부항원으로 인식하도록 만든다. 결과적으로, 보조T세포가 파괴되고, 인체는 다양한 유형의 감염과 종양에 맞서 싸울 수 없게 된다.

■ 실제 적용 – 감염 질환

감염병은 박테리아 등의 미세한 특정 유기체에 의해, 한 사람에서 다른 사람으로 전파될 수 있는 질환이다. 병원전 처치에서 가장 흔한 감염병은 폐렴이나 간염 등의 심각한 감염이다.

간염은 미국에서 가장 심각한 감염병 중 하나로, 해마다 거의 7만명의 환자가 새로이 감염된다. 간염은 간에 염증을 유발하여, 간기능의 손상을 초래한다. 7가지 유형의 간염 (A–G)이 있지만, 처음 4가지만이 미국에서 흔히 발견된다.

결핵(TB)은 기침이나 재채기에 의한 비말을 통해 전파된다. 과거에는 미국내 주요 사망 원인이었으나, 오늘날에는 세계적으로 주요한 건강의 문제이다. 미국에서는 일부 대도시에서 예외적으로 발생하는 경우를 제외하면, 심각한 위협이 아니다. 결핵은 요양원, 노숙자 거주지, 병원, 감옥, 이주자 농장캠프, IV 마약중독자, HIV양성자 등에서 높은 유병률을 보인다. 최근, 더 강한 내성 균주로 인해 다시 나타나는 추세이다.

사람간 질병 전파의 흔한 수단으로는 공기매개, 신체 물질, 주사, 경구 전파 등이 있다. 공기매개 전파는 흔한 유형으로, 기침이나 재채기에 의해 미생물이 뿌려질 때 일어난다. 사실상 모든 체액(눈물, 혈액, 침, 소변, 대변, 정액, 질분비물 등)은 민감한 수용자에게 미생물을 전파해서 질병을 유발할 수 있다. 마약중독자는 주사바늘을 공유하여 HIV 또는 간염을 전파할 수 있다. 주사바늘, 가시와 같은 이물질, 벌레에 물리거나 쏘이는 것 등이 주사(injection)에 의한 전파를 일으킬 수 있다. 벌레에 물리거나 쏘이는 것은 초기 감염의 드문 원인이다. 더 흔히, 자주 긁거나 자극에 대한 다른 반응으로 상처가 감염된다. 그러나, 예외적으로 사람교상의 경우, 구강 세균에 의한 직접적인 오염 때문에 심한 감염을 일으키는 경우가 흔하다. 구강 전파는 공기 중 분비물의 흡입, 체액의 경구 흡수, 감염된 물질의 섭취 등으로 일어난다.

수천 가지 다양한 종류의 미생물이 질병을 유발한다. 공통점은 이러한 미생물은 육안으로는 볼 수 없다는 것이다. 몇가지 알려진 감염성 병원체는 박테리아, 바이러스, 진균, 원생동물, 선충, 프리온 등이다. 박테리아는 작은 단세포 생물이고, 독립적으로 존재할 수 있다. 박테리아는 흔히 형태에 따라 분류된다: 막대기 모양(막대균, 바실루스), 구형(구균), 콤마 모양(비브리오), 나선형(스피로헤타). 박테리아는 결핵, 요로감염, 폐렴, 흑사병 등의 매우 심각한 인간 감염을 일으킨다.

반면, 바이러스는 독립적으로는 생존할 수 없는 작은 입자이다. 바이러스는 유전물질(RNA, DNA)을 포함하고, 다른 살아있는 세포 내에서 생존하고 생식한다. 바이러스는 대부분의 '감기'를 유발한다.

진균은 효모와 같이 작고 식물과 같은 생물이다. 진균은 무좀(발백선증), 샅진균증 등의 흔한 질환들을 일으킨다. 분아균증과 같이 드문 진균 감염은 치명적일 수 있다. 원생동물은 아메바나 열원충과 같이, 단세포의 동물과 유사한 미생물이다. 열원충에 노출되면 말라리아를 유발한다.

선충은 양쪽 끝이 점점 가늘어지는 분절되지 않은 벌레이고, 회충, 요충, 구충을 포함한다. 선충에 노출되면 장 또

증례 연구 ▶ Part 4

SAMPLE 병력상 특이소견은 없었고, 환자가 매우 갈증을 느낀다는 점을 제외하면 추가할 적절한 정보는 없었다. 그는 물 한병만을 챙겼고, 그 중 절반은 붕대를 감기 전에 상처를 세척하기 위해 사용했다. 환자는 뱀에 물린 상처에 더해서, 탈수된 상태일 수 있다. 병원으로 이송 중, 환자의 의식은 명료하게 유지되고, 당신과 환자는 그가 어떻게 여름을 보냈는지 흥미로운 대화를 한다. 연속적 활력징후가 호전되고 있으므로, 정맥주사액을 약간 천천히 주입한다.

는 피부 질환을 일으킨다. 비정상 단백질인 프리온은 과거에 자유생활종이 아니라고 여겨졌으나, 어떤식으로든 독립적으로 생존하고 질병을 사람간에 전파한다.

일부 인체 부위에는 정상적으로 다양한 세균, 정상균무리가 자라고, 이들은 항상성 유지를 돕는다. 가장 잘 알려진 정상균무리는 위장관에 있는 대장균이다. 특정 유형의 대장균은 심각한 질병을 유발하지만, 장내 정상균무리에 존재하는 대장균은 반드시 필요하다. 이 균은 음식물의 소화, 흡수를 돕고, 노폐물(단백질, 빌리루빈 등)의 대사에서도 매우 중요하다. 정상균무리는 질, 피부, 구강과 비강 등에도 서식한다.

임상에 유용한 정보

장갑과 기타 개인 보호장비의 사용은 구조자의 HIV 및 다른 감염성 질환에 노출 위험을 줄이는데 분명히 도움이 된다. 하지만, 한 환자에서 다른 환자로 노출의 위험을 최소화하기 위해서는, 장갑을 교환하고 장비를 올바로 세척하고 소독하는 것이 매우 중요하다. 대부분의 환자는 현재의 질환 및 질병의 진행과정으로 인해 면역이 저하되어 있다. 이런 환자들은 감염에 최소한의 노출만으로도 더 심하게 이환된다.

자율학습

■ 요점 정리

- 림프계는 심혈관계와 밀접하게 연관된다. 림프계는 과다 조직액을 혈류로 운반한다.
- 림프계는 또한 지방을 흡수하고 질병 유발 병원체에 대한 방어기능을 한다.
- 림프관만이 조직으로부터 액체를 이송한다. 모세림프관은 중추신경계, 골수, 연골, 표피, 각막을 제외한 모든 조직에 있다.
- 조직의 부종을 방지하기 위해서, 림프관은 과다한 액체를 흡수해서 중심 정맥 순환으로 되돌려준다.
- 모세림프관들이 합쳐져서 더 큰 림프관을 형성하고, 연관된 동/정맥을 따라 주행한다. 림프관의 판막은 역류를 방지한다. 림프관은 오른림프관이나 가슴관을 통해 빗장밑정맥으로 들어간다.
- 가슴샘과 비장은 림프절과 함께 림프계의 주요 기관이다.
- 림프관은 림프절을 통과하고, 림프절에서는 림프가 여과되고 이물질이 림프구에 의해 제거된다.
- 림프소절은 촘촘히 배열된 림프조직이다.
- 림프절의 주집합은 겨드랑이, 목, 서혜부에 위치한다.
- 세 쌍의 림프 기관이 편도를 구성한다: 목구멍편도, 인두편도(아데노이드), 혀편도.
- 림프절은 림프관을 따라 산재되어 있는 둥근 콩모양 구조로, 림프를 여과하고 림프구의 원천이 된다.
- 비장은 복강 좌상부, 가로막(횡격막) 아래 위 후방 외측에 위치하고, 두가지 유형의 조직으로 구성된다: 백색속질, 적색속질.
- 가슴샘은 가슴공간(흉강)내에 대동맥 앞쪽, 복장뼈 뒤쪽에 위치하고, 영아기에는 꽤 크기가 크지만, 나이가 들면서 줄어든다.
- 가슴샘은 림프구(감염에 대항하고 면역을 돕는 백혈구의 일종)를 생성한다.
- 이물질로부터의 손상에 저항하는 인체의 능력을 조절하는 면역계는 필수적으로 림프계와 연관되어, 비특이 방어, 특이 방어를 제공한다.
- T세포와 B세포는 림프 조직 및 기관 내에 존재하고, 인체의 자기보호에 필수적이다.
- 염증을 유발하는 수많은 화학물질들이 면역계에 관여한다. 가장 흔한 화학물질로는 히스타민, 키닌, 보체, 프로스타글란딘, 류코트리엔, 발열원, 인터페론 등이다.
- 혈액내로 분비된 백혈구는, 화학주성 과정을 통해, 박테리아나 이물질의 침범 부위로 이동한다.
- 대개 호중구는 감염 조직으로 들어오는 첫번째 세포이고, 포식작용을 통해 박테리아를 삼켜서 파괴한다. 큰포식세포는 혈류를 벗어나 감염 조직으로 들어가서 사멸된 박테리아를 정리한다.
- 체내에는 두 가지 유형의 특이면역이 존재한다: 세포면역반응, 체액면역반응.
- 세포면역반응은 T림프구(T세포)의 작용으로 획득된다.
- 항체는 면역글로불린이라고 하는 감마글로불린 단백질이며, 5가지 주요 유형을 가지고 있다: 면역글로불린 M(IgM), 면역글로불린 A(IgA), 면역글로불린 E(IgE). , 면역글로불린 D(IgD), 면역글로불린 G(IgG).
- 능동면역은 수동면역보다 훨씬 오래 지속된다.
- 인체내 알레르기항원은 다양한 유형의 알레르기를 일으키고, 인체는 즉시 혹은 지연된 방식으로 반응한다.
- 감염병은 미세한 특정 유기체에 의해, 한 사람에서 다른 사람으로 전파될 수 있는 질환이다.
- 사람간 질병 전파의 흔한 수단으로는 공기매개, 신체물질, 주사, 경구 전파 등이 있다.
- 수천가지 다양한 종류의 미생물이 질병을 유발한다; 모두 육안으로는 볼 수 있는 것은 아니다. 몇 가지 알려진 감염성 병원체는 박테리아, 바이러스, 진균, 원생동물, 선충, 프리온 등이다.
- 인체에는 정상적으로 다양한 정상균무리에 속하는 세균이 있고, 이들은 항상성 유지를 돕는다. 정상균무리는 피부, 위장관, 구강과 비강 등의 부위에 서식한다.

■ 증례 연구 정답

1. 쏘임(sting), 물림(bite), 또는 국소 감염에 대한 인체의 첫 번째 방어 경로는?

답: 피부는 뱀독에 대한 첫 번째 방어 경로이다. 이 환자의 경우 피부는 손상되었다. 쏘임(sting), 물림(bite), 또는 국소 감염이 발생할 때면 언제나 인체는 림프계를 활성화해서 외부 세균을 가두려고 한다. 이 과정은 종종 그 부위에 국소적 통증, 부종, 발적을 유발한다.

2. 림프계를 통한 외부물질의 확산을 최소화하기 위해 즉시 취할 수 있는 조치는?

답: 심장은 림프액을 체내로 방출하지 않는다. 림프관의 압박은 근육 운동과 호흡시 가슴안 압력의 변화에 의해 일어난다. 상해를 입은 사지로부터 림프의 이동을 최소화하기 위해서는 사지를 고정해서 근육의 움직임을 막아야 한다.

3. 물리거나 쏘인 환자에서 가장 우려되는 잠재적 문제점은?

답: 물리거나 쏘인 환자에서 가장 흔한 문제는 알레르기 반응 또는 아나필락시스(심각한 알레르기 쇼크)이다. 유해동물 독소 중독의 경우, 증상 및 징후는 부종, 멍, 출혈, 통증으로 시작된다. 진행되는 증상 및 징후는 다양하고, 호흡곤란, 연하곤란, 쇠약, 발한(땀), 저혈압, 부정맥, 근육 연축, 경련 등을 포함한다.

4. 체내에서 감염에 대항하고, 면역계의 가장 중요한 구성요소인 세포의 유형은?

답: 면역계의 가장 중요한 구성요소는 백혈구이다. 다양한 유형의 백혈구가 특정 업무를 수행한다. 혈액 내로 분비되면, 백혈구는 세균이나 이물질의 침범 부위로 이동하여 그들을 삼켜서 파괴한다.

5. 예방접종은 뱀에 물린 후 환자의 반응을 예방할 수 있었을까요?

답: 백신은 사멸되거나 약화된 박테리아, 바이러스, 또는 그들의 단백질 막에 수용자를 노출시켜서 감염을 예방한다. 방울뱀에 물린 환자에서 특정 항뱀독소가 때로는 도움이 될 수 있다; 따라서 병원전 응급처치시, 항뱀독소 치료에 대해 병원과 조기에 의논할 필요가 있다.

6. 외부 물질은 어떻게 인체에서 제거되나요?

답: 화학주성의 과정을 통해, 백혈구는 박테리아나 이물질을 공격한다; 그리고 포식작용을 통해 호중구는 박테리아를 삼켜서 파괴한다. 최종적으로 큰포식세포가 감염 조직으로 들어가서 사멸된 박테리아를 정리한다.

신경계
The Nervous System

학습목표

1. 신경계의 해부학적, 기능적 분류를 말한다.
2. 신경세포의 부위들과 각각의 기능을 말한다.
3. 신경세포, 신경, 신경로의 유형을 서술한다.
4. 말초신경계에서 슈반세포와 중추신경계에서 신경아교의 중요성을 설명한다.
5. 전기적 신경 자극과 시냅스에서 자극 전달에 대해 서술한다.
6. 뇌 부위들의 기능을 기술하고, 도표에서 각 부위의 위치를 표시한다.
7. 신장반사, 굴근반사, 반사궁의 중요성을 설명한다.
8. 뇌막의 이름을 말하고, 그림에서 위치를 표시한다.
9. 뇌척수액의 기능을 설명한다.
10. 뇌신경들의 이름을 말한다.
11. 자율신경계에서 교감신경과 부교감신경을 구별한다.

Skidplate: © Photodisc; Cells © ImageSource/age fotostock

■ 서론

<u>신경계</u>는 인체 기능을 통제하는 일련의 복잡한 구조들이다. 신경계는 두 가지 주요 구조(뇌와 척수) 및 몸의 모든 부분을 소통하는 수천 개의 신경들로 구성된다. 신경계는 호흡, 맥박, 혈압 조절 등의 필수적 기능을 책임진다. 신경계가 무엇보다 특별한 이유는 기억, 이해, 사고 등의 고위 기능을 수행하기 때문이다.

신경계는 두 주요 부분으로 나뉜다: 중추신경계와 말초신경계 그림 8-1 . <u>체신경계</u>는 걸음걸이와 같은 수의적으로 통제되는 활동을 조절하는 신경계의 한 부분이다. 자율신경계는 소화와 같이 불수의적으로 일어나는 많은 인체 기능을 조절한다. 전체적으로, 신경계는 해부학적으로 중추신경계와 말초신경계로, 기능적으로 체신경계(수의)와 자율신경계(불수의)로 분류된다 그림 8-2 .

■ 신경계

신경계는 뇌와 나머지 인체 부위 사이에서 전기적 자극을 전도하는 특수한 조직으로 구성된다. 신경 조직은 두 가지 유형의 기본 세포를 가지고 있다: 신경세포와 신경아교. <u>신경세포</u>는 인접한 세포들 사이 연결을 이루는 <u>가지돌기</u>와 <u>축삭</u>을 포함한다 그림 8-3 . 5가지 기본 기능을 가지는 지지세포인 <u>신경아교(신경교)</u>는 신경 조직의 지지 골격을 제공하고, 신경세포막을 분리하고 보호하며, 신경계 간질액의 조성을 조절하고, 병원체로부터 신경 조직을 방어하고, 손상의 회복을 돕는다.

축삭은 막성 껍질에 의해 둘러싸일 수도, 아닐수도 있다. <u>무수 축삭</u>에서, 활동전위 전기 신호는 전체 축삭 막을 따라서 전파된다. <u>유수신경</u>은 <u>슈반세포</u>에 의해 생성되는 수초에 의해 둘러싸인다 그림 8-4 .

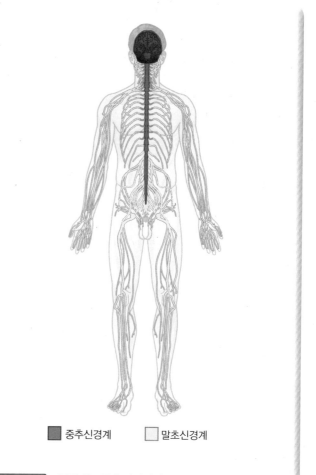

■ 중추신경계   □ 말초신경계

그림 8-1 신경계는 중추신경계와 말초신경계로 나뉜다.

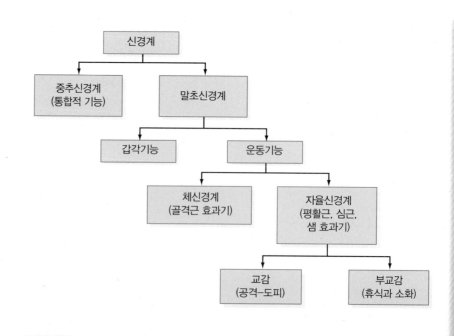

그림 8-2 신경계의 주요한 세부 분류

랑비에 결절은 슈반세포들 사이의 좁은 틈으로, 세포들 사이에서 약 1~1.5 mm 간격으로 위치한다(**그림 8-5** 참조). 유수신경에서, 활동전위는 랑비에 결절 사이를 건너뛰고, 따라서 자극의 전달 속도를 향상시킨다. 유수신경 다발은 백색질이라고 한다.

신경세포들 사이의 이음부를 시냅스라고 하며, 종말 단추 또는 다른 유형의 축삭종말, 시냅스 틈새, 그리고 시냅스 이후 세포막으로 구성된다. 시냅스이전 종말은 신경의 한쪽 말단에 있다. 시냅스 틈새는 신경세포들 사이의 공간이다. 시냅스 틈새 건너편, 시냅스이전 종말의 반대쪽은 시냅스이후 종말이다. 전기적 자극은 신경을 따라 내려와서, 시냅스이전 종말에서 신경전달물질의 분비를 유발한다. 이러한 신경전달물질은 시냅스 틈새를 가로질러, 인접 신경세포에서 전기적 반응을 자극한다. 신경전달물질은 시냅스 소포 내에 들어있고, 시냅스이전 종말에서 시냅스 틈새로 분비된다. 전기적 반응은 신경세포에서 다음 신경세포로 전해지고, 이 과정은 반복된다 **그림 8-5**.

신경세포의 무리는 함께 뭉쳐서 신경섬유를 형성한다. 신경섬유의 무리는 함께 다발을 지어 신경을 형성한다; 신경은 신경계와 인체의 부위 또는 기관을 연결하는 신경 조직이다. 앞에서 설명되었듯이, 신경계는 중추신경계, 말초신경계, 자율신경계로 분류된다. 중추신경계는 뇌와 척수로 구성된다. 중추신경계는 2번 뇌신경(시신경)을 포함하는데, 이는 실제로 독립적인 신경이라기 보다는 중추신경계의 하나의 길(tract)이다. 나머지 11쌍의 뇌에서 직접 분지하는 뇌신경과 척주를 통해 척수를 빠져나오는 31쌍의 척수신경은 말초신경계의 일부이다. 자율신경계는 평활근, 심근, 샘을 통제하고, '공격-도피' 반응을 담당한다. 자율신경의 기능은 수의적 조절하에 있지 않으며, 맥박과 혈압의 유지, 장 운동, 동공 반응등의 활동을 포함한다.

■ 중추신경계

중추신경계는 뇌와 척수로 구성되고, 뼈는 이들을 둘러싸서

증례 연구 ▶ Part 1

어느 여름 저녁 7시, 50세 남자가 강변지대 높은 다리 난간에서 70피트 정도 강물로 뛰어내린 것을 쾌속 수상팀이 구조하였다는 호출을 받고 출동하였다.

전반적상태는 의식이 있는 마른 중년 남자로 이미 긴 척추 고정판에 고정되어있는 상태이다. 당신이 보고 받았을때는 환자는 처음에 매우 혼돈스럽고 지남력을 상실한 상태였다고 한다. 현재 그는 강물에 어떻게 빠지게 되었는지 이야기하려고 하지는 않지만, 질문에 대답할 수 있다.

환자의 기도는 개방되어있으나 호흡곤란이 있어서 비재호흡마스크로 산소를 투여하였고, 맥박은 약하고 규칙적이며 빠른상태였다. 피부는 강물로 인해 차가운 상태이고 다리에 감각이 없다고 한다.

기록한 시간: 0분	
외형	창백, 호흡곤란
의식 수준	명료(사람, 시간, 날짜에 지남력이 있음)
기도	개방
호흡	호흡곤란
순환	차가운 피부, 약한 원위부 맥박, 외부출혈은 없음
맥박	100회/분, 규칙적이고 약함
혈압	100 mmHg(촉진으로 측정)
호흡	24회/분, 힘든 호흡
SpO$_2$	92%

1. **인체의 운동과 감각을 담당하는 신경 및 감각기를 가지고 있는 신경계의 부위는?**
2. **피부분절에 대한 지식은, 외상성 손상 환자에서 필요한 치료의 수준을 예측할 수 있도록 어떻게 도움을 줄 수 있습니까?**

보호한다. 뇌는 뇌강 내부에 위치하고, 다양한 필수 기능을
수행하는 수십억개의 신경세포를 가지고 있다. 뇌는 인체의
통제 기관이고, 의식의 중심이다. 뇌는 모든 수의적 활동, 주
위 환경에 대한 지각, 그리고 환경에 대한 반응의 조절을 담
당한다.

　뇌는 몇 가지 영역으로 분류되고, 각 영역은 모두 특수
한 기능을 가지고 있다. 뇌의 주요 부위들은 대뇌, 간뇌(시

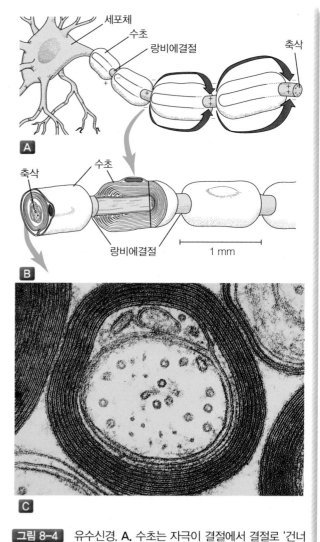

그림 8-4 유수신경. **A.** 수초는 자극이 결절에서 결절로 '건너
뛰게'하여, 전달 속도를 크게 향상시킨다. **B.** 랑비에 결절. **C.** 축
삭 종단면의 투과 전자현미경 사진으로 수초를 보여준다.

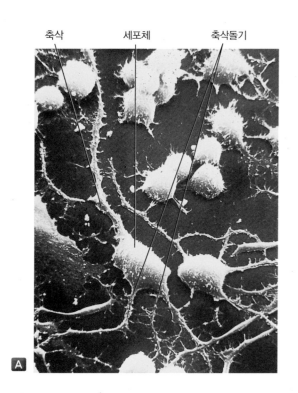

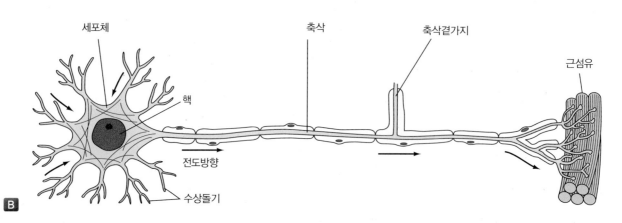

그림 8-3 신경세포. **A.** 세포체(축삭과 가지돌기를 제외한, 신경세포의 핵을 포함하는 중심부)와 가지돌기의 전자현미경 사진. **B.** 축삭을
따라서 곁가지가 발생할 수 있다. 운동 신경세포에서, 축삭이 종결될 때 여러 번 분지하면서 개개의 근섬유에서 끝난다.

...

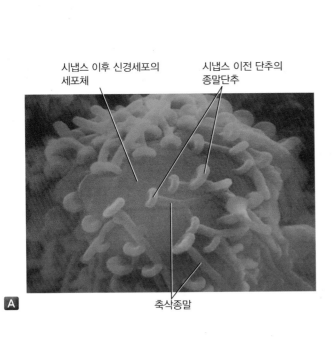

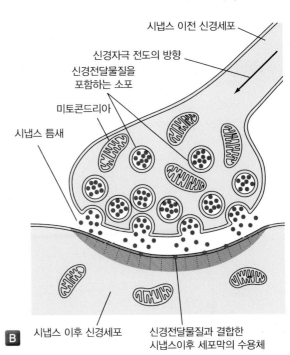

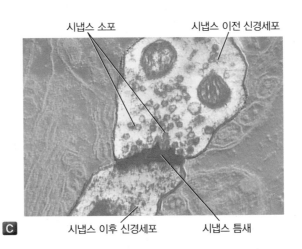

그림 8-5 시냅스 틈새에서 신경전달물질의 기능. A. 또다른 신경세포의 세포체에서 끝나는 축삭의 종말 단추를 보여주는 전자현미경 사진. B. 자극이 도착하면, 축삭 종말의 시냅스 소포에 저장되어 있던 신경전달물질의 분비가 자극된다. 신경전달물질은 시냅스 틈새를 가로질러 확산되고 시냅스이후 세포막에 결합하여, 또다른 활동전위를 유발한다. 이 활동전위는 가지돌기를 따라 세포체로 전파된다. C. 시냅스의 세부구조를 보여주는 투과 전자현미경 사진.

상, 시상하부), 소뇌, 뇌간이다. 중뇌, 교뇌, 연수를 집합적으로 지칭하여 뇌간이라고 한다 **그림 8-7** . 뇌에서 가장 큰 부위는 뇌 전체 부피의 3/4을 차지하는 대뇌이다 **그림 8-8** .

병태생리학

흑색질은 중뇌에 위치한 한 층의 회색질로 도파민 생성을 돕는다. 떨림과 협동 장애를 일으키는 파킨슨병은 흑색질이 원인이라고 알려져 있다.

척추반사궁이란 자극에 대한 자동 반응으로, 의식적 사고 없이 일어난다 그림 8-6 . 예를 들어, 반사 망치로 무릎뼈를 가볍게 두드리면, 힘줄 이완반사가 일어난다. 종아리는 먼저 재빨리 앞쪽으로 움직인 후, 뒤쪽으로 움직인다(신전하고 굴곡한다). 굴근반사는 사지의 근육에 영향을 주는 회피반응이다; 만약, 매우 뜨거운 물체나 기타 불쾌한 자극이 닿을 때, 의식적 사고 없이, 손이 재빨리 회피한다. 정상적으로 중추신경계 고위 중추로부터의 자극이 반사 활동을 조절하기는 하지만, 이러한 반응은 척수 내부에서 국소적으로 연결되어 일어난다.

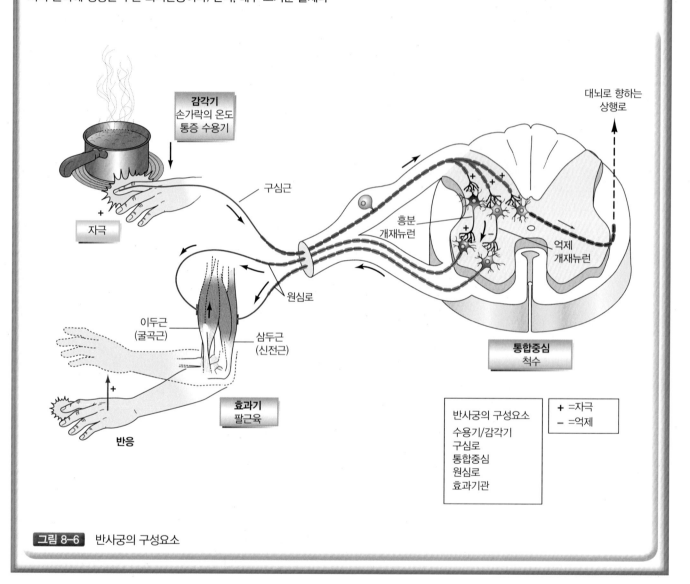

감각기
손가락의 온도
통증 수용기

대뇌로 향하는
상행로

구심근

자극

흥분
개재뉴런

억제
개재뉴런

원심로

이두근
(굴곡근)

삼두근
(신전근)

통합중심
척수

효과기
팔근육

반응

반사궁의 구성요소

수용기/감각기
구심로
통합중심
원심로
효과기관

+ =자극
− =억제

그림 8-6 반사궁의 구성요소

뇌간에서 대부분의 신경은 한 쪽에서 다른 쪽으로 교차한다. 예를 들어, 뇌 왼쪽의 운동 및 감각 신경은 오른쪽 몸에 분포한다. 따라서, 한쪽 뇌반구에 뇌졸중이나 외상을 입은 사람은 몸 반대쪽에 신경학적 결손을 나타낸다. 반면, 뇌신경은 이러한 교차점 위쪽에 있으므로 상해나 뇌졸중과 같은 쪽 몸의 부위에 영향을 준다.

대뇌

대뇌는 고위 사고 과정을 통제한다. 대뇌는 종열(세로틈새)에 의해 좌ㆍ우 반구로 나뉜다. 대뇌이랑으로 불리는 수많은 주름은 대뇌피질의 표면적을 매우 증가시킨다. 대뇌이랑 사이의 홈은 대뇌고랑이다.

각 반구 내부의 세부 구역은 엽이다. 각 뇌엽은 그 위를

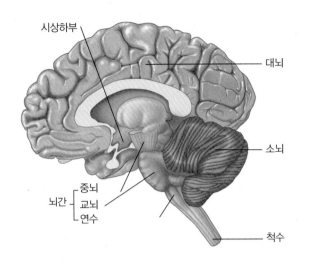

시상하부

대뇌

소뇌

중뇌
뇌간 ┃ 교뇌
연수

척수

그림 8-7 뇌간은 연수, 교뇌, 중뇌로 구성된다.

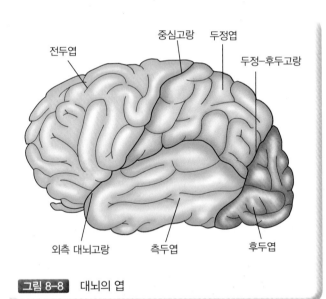

중심고랑　두정엽

전두엽

두정-후두고랑

외측 대뇌고랑　측두엽　후두엽

그림 8-8 대뇌의 엽

백색질이 있다. 백색질은 유수 축삭 다발을 포함하고, 이 중 일부는 한 쪽 대뇌반구에서 다른 쪽 대뇌반구로 지나간다. 나머지는 대뇌피질에서 뇌와 척수의 신경 중심으로 자극을 전달한다.

> **병태생리학**
>
> 상행성 망상활성계와 연관된 몇 가지 구조들은 뇌간 전반에 분포한다. 이 영역은 의식의 유지를 책임진다. 따라서, 목 뒤쪽을 날카롭게 가격할 경우(예로, 가라테에서 일격), 의식을 잃게 된다.

간뇌

뇌간과 대뇌 사이의 영역인 간뇌는 시상, 시상밑부, 시상상부를 포함한다 **그림 8-9**. 시상은 대부분의 감각 자극을 처리하고, 특히 공포, 분노와 연관된 감정 및 일반적 운동에 영향을 준다. 시상밑부는 운동 기능의 조절에 관여한다. 시상상부, 특히 송과체의 기능은 감정 및 일간리듬(생물학적 시계)을 조절하고, 변연계를 다른 뇌부위와 연결하는 것이다. 간뇌의 가장 아래쪽 부위는 시상하부이다. 시상하부는 맥박, 소화, 성발달, 체온 조절, 감정, 허기, 갈증, 수면주기 조절 등 수많은 인체 기능을 통제하는데 필수적이다.

뇌간

뇌간은 연수, 교뇌, 중뇌로 구성되고, 척수와 나머지 뇌부위

덮고 있는 머리뼈(두개골)의 이름을 따른다. 전두엽은 수의근 운동과 인격 성향에 중요하다. 두정엽은 후각, 청각, 시각을 제외한 일부 감각 정보를(피부 감각 등) 수용하고 평가하는 뇌부위로, 중심고랑에 의해 전두엽과 분리된다. 뒤쪽으로, 후두엽은 시각 정보를 처리한다. 측두엽은 청각과 기억에 중요한 역할을 하고, 외측틈새에 의해 나머지 대뇌 부위와 분리된다. 미각과 후각 수용기는 대뇌 심부에 분포한다.

　대뇌 피질은 대뇌의 바깥쪽 부위를 이루는 회색질의 얇은 층이다. 대뇌 피질은 신경계 모든 신경세포체의 약 75%를 차지한다. 대뇌피질 밑으로는 대뇌의 대부분을 구성하는

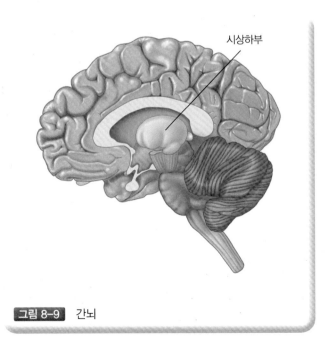

시상하부

그림 8-9 간뇌

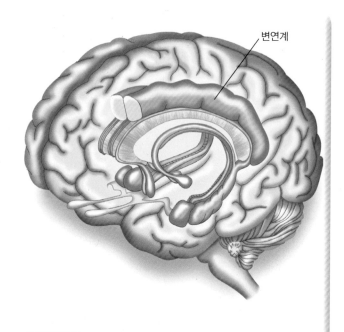

변연계

그림 8-10   변연계는 감정, 본능 및 기타 기능을 담당한다.

뇌졸중은 뇌의 일부로 향하는 혈류가 차단되어 뇌 손상 및 비정상 신경학적 소견을 초래하는 심각한 질환이다. 뇌졸중 환자의 85%에서, 뇌로 가는 동맥의 폐쇄가 원인이 된다. 대부분의 경우, 관상동맥질환의 경우와 유사하게, 죽상경화판에 의해 동맥의 폐색이 발생한다. 때로는, 다른 부위에서 생긴 작은 혈전 또는 색전이 혈류를 따라 흘러와서 동맥의 내강을 막기도 한다. 또한 뇌졸중은 뇌 또는 주위 막 내부의 출혈에 의해서도 발생한다.

뇌졸중의 주요 위험인자는 흡연과 알코올 중독이다. 색전성 뇌졸중은 주로 심장 율동 장애로 인해 심장내에서 발생한 혈전이 원인이다. 색전성 뇌졸중이 발생하는 가장 흔한 기저 질환은 심방세동이다. 출혈성 뇌졸중은 외상, 또는 고혈압, 코카인 사용, 몇 가지 전신성 질환에 의해 발생할 수 있다. 환자는 극심한 두통, 경련, 의식 손실을 경험한다. 전형적으로 혈압은 상승하는데, 이는 손상된 부위로 혈류를 유지하기 위한 정상 체내 반응이다.

뇌졸중이 의심되는 환자에서 전산화 단층촬영(CT)이 흔히 사용되고, CT상 출혈이 관찰되면 즉시 신경외과 전문의에게 환자를 의뢰한다. 일부 지역에서는, 색전성 뇌졸중의 급성기 치료를 위해 혈전용해제를 사용하기도 한다.

일과성 허혈발작(TIA)은 24시간 이내로 지속되는 신경학적 손상 상태를 말한다. 하지만, 이는 뇌졸중이 임박했다는(특히, 2주 이내로) 심각한 경고 징후이다.

를 연결한다. 뇌간은 수많은 아주 기본적인 인체 기능에 필수적이다. 뇌간의 일부에 손상이 있을 경우 사망에 이르기 쉽다. 12개 뇌신경 중 10개는 뇌간을 통해 나간다. 중뇌는 간뇌 바로 하방에 위치하며, 뇌간에서 가장 작은 부위이다.

바닥핵은 대뇌, 간뇌, 중뇌의 내부 깊숙히 위치한 구조로서, 운동 조정과 자세에 중요한 역할을 담당한다. 대뇌와 간뇌의 일부인 변연계는 감정, 동기, 기분, 통증 및 유쾌한 감각에 영향을 주는 몇 가지 구조로 이루어진다 **그림 8-10**.

교뇌는 중뇌 아래, 연수 위쪽에 위치한다 **그림 8-11**. 교뇌는 수면과 호흡에 영향을 주는 수많은 중요 신경섬유와 연수호흡중추를 포함한다.

중뇌의 하부 영역인 연수는 아래쪽 척수로 이어진다 (**그림 8-7** 참조). 연수는 상행 신경로 및 하행 신경로의 전도 경로로서 기능한다. 또한 연수는 맥박, 혈관 직경, 호흡, 연하, 구토, 기침, 재채기 등을 조정한다. 교뇌와 연수의 호흡중추는 모든 호흡 운동을 책임진다.

소뇌

소뇌는 소뇌다리(세 개의 신경섬유 띠)를 통해 중추신경계의 다른 부위와 소통한다. 소뇌는 근육 운동의 조정에 필수적이다. 올바른 균형 및 운동을 위해 정상 소뇌 기능이 필요하다.

뇌막

중추신경계 전체는 뇌막이라 불리는 3개의 질긴 막에 의해 둘러싸인다 **그림 8-12**. 뇌막의 가장 바깥층은 가장 질긴 막인 경질막이다. 경질막은 섬유질의 질긴 백색 결합조직으로 만들어진다. 경질막은 수많은 혈관과 신경을 가지고 있고, 뇌강 안쪽에 부착된다; 또한, 안쪽 뇌엽들 사이로 연장되어 보호벽을 형성한다. 경질막은 척주관으로 이어져 척수를 감싸다가, 척수 말단 주머니에서 끝난다. 경질막과 연질막 사이, 두번째 얇은 막은 거미줄 모양의 지주막이다. 가장 안쪽 막은 연질막으로, 뇌와 척수에 직접 붙어있다. 얇은 연질막에는 혈관과 신경이 많이 분포하여, 뇌와 척수에 영양분을 공급한다. 연질막은 이 기관들의 표면에 가까이 배열되어 있다. 혈종은 뇌막과 연관된 위치에 따라서 분류한다(경막외 또는 경막하 혈종). 뇌막은 물처럼 맑은 뇌척수액에 떠 있는데, 뇌척수액은 뇌실에서 만들어져 지주막하 공간을 흐른다. 지주막하 공간은 연질막과 지주막 사이의 공간이다.

뇌척수액은 뇌실(뇌안의 특수한 빈 공간)의 맥락얼기 내

대뇌피질

- 피부, 근육, 샘, 기관으로부터 감각 정보를 받는다.
- 골격근을 움직이는 메시지를 보낸다.
- 들어오고 나가는 신경 자극을 통합한다.
- 사고, 학습, 기억 등의 연합 활동을 수행한다.

바닥핵

- 느리고 지속적인 운동의 협동에서 역할을 수행한다.
- 쓸모없는 양상의 운동을 억제한다.

시상

- 척수와 뇌 특정 부위에서 오는 감각 정보를 대뇌피질로 전달한다.
- 통증, 온도, 압력 등의 감각 메시지를 해석한다.

시상하부

- 체온, 호흡, 심박동 등의 다양한 항상성 기능을 조정한다.
- 뇌하수체의 호르몬 분비를 지시한다.

소뇌

- 잠재 의식하의 골격근 운동을 조정한다.
- 근긴장도, 자세, 균형, 평형에 기여한다.

뇌간

- 많은 뇌신경의 기시부.
- 안구운동, 머리, 몸통의 반사 중추.
- 심박동과 호흡을 조절한다.
- 의식에서 역할을 수행한다.
- 뇌와 척수 사이에서 자극을 전달한다.

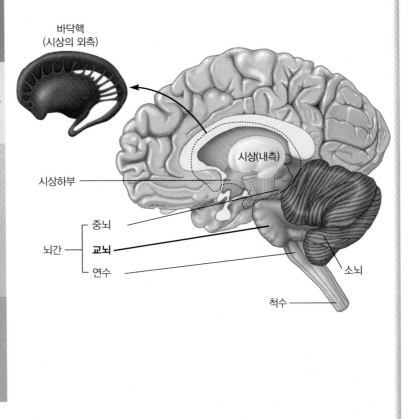

그림 8-11 뇌간과 교뇌의 상대적 위치

부에 특수화된 세포에 의해 만들어진다. 정상적으로 이 부위들은 상호 연결되어, 뇌척수액은 그들 사이를 자유롭게 흐른다. 뇌척수액은 혈장과 그 조성이 유사하다. 뇌막과 뇌척수액은 액체로 채워진 주머니를 형성하여, 뇌와 척수의 충격을 흡수하고 보호한다.

병태생리학

뇌막과 뇌 사이에서 출혈이 생길 수 있는데, 대개의 경우는 외상이 원인이다. 가장 흔한 유형은 지주막하 출혈로, 지주막과 연질막 사이에서 일어난다.

병태생리학

뇌막염은 주로 감염에 의해 발생하는 뇌막과 뇌척수액의 염증이다. 급성 세균성 뇌막염은 생명을 위협할 수 있으므로, 초기의 증상 및 항생제 치료가 필수적이다. 진단은 의사가 주사바늘을 척추관을 통해 지주막하 공간으로 넣어서 뇌척수액 검체를(요추천자 또는 척추천자) 채취하여 이루어진다.

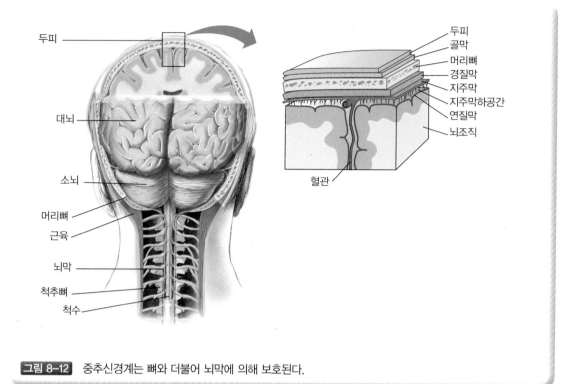

두피

대뇌

소뇌

머리뼈

근육

뇌막

척추뼈

척수

두피
골막
머리뼈
경질막
지주막
지주막하공간
연질막
뇌조직

혈관

그림 8-12 중추신경계는 뼈와 더불어 뇌막에 의해 보호된다.

병태생리학

뇌척수액의 흐름이 막히면, 뇌조직내 압력이 증가하고 뇌실이 확장되어 뇌를 압박하는 상태, 즉 수두증이 발생한다 **그림 8-13** .

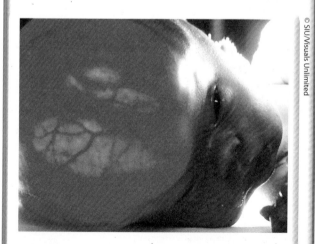

© SIU/Visuals Unlimited

그림 8-13 수두증. 뇌실이 막힌 선천적 결손으로, 뇌척수액이 축적되어 대뇌피질이 얇아지고, 따라서 심각한 뇌손상을 유발한다.

병태생리학

머리뼈 기저부 골절 환자에서, 뇌척수액이 유스타키오관으로 누출되어 고막을 거쳐 귀를 통해 흘러나올 수 있다. 뇌척수액은 혈액과 잘 섞이지 않으므로, 때로는 거즈에 묻었을 때 소량의 혈액 주위로 맑은 액체가 띠를 두르고 있는 듯 보이기도 한다. 환자가 앉은 자세에서, 뇌척수액은 목구멍 뒤로 흐르게 되므로, 환자는 '짠맛'을 느낀다고 설명하기도 한다. 이러한 짠맛을 느끼는 이유는, 뇌척수액이 해수와 동일한 화학적 조성을 가지기 때문이다.

임상에 유용한 정보

뇌척수액은 혈액과 마찬가지로 전염병을 전파할 수 있는 맑은 체액이다. 뇌척수액은 육안상 혈액처럼 뚜렷하지 않기 때문에, 뇌척수액으로부터 감염성 병원체에 노출되는 위험은 혈액에서보다도 훨씬 높다. 감염성 병원체에 노출을 피하기 위해서, 환자를 접촉할때 항상 장갑을 착용해야 한다.

척수

뇌 기저부에서 척주관으로 이어지는 얇은 신경 기둥인 척수는 중추신경계의 연장이다 그림 8-14. 척수는 신경섬유의 다발로 구성되고, 뇌 기저부의 큰 구멍(대공)을 통해 머리뼈(두개골)를 빠져나간다. 척수의 주요 기능은 뇌와 몸 사이에

서 메시지를 전달하는 것이다. 이러한 메시지는 마치 전화선을 따라 전파되는 것처럼, 전기적 자극의 형태로 신경섬유를 따라 전해진다. 신경섬유는 척수 내부에서 특수 다발로 배열되어, 인체의 한 부위에서 뇌와 등으로 메시지를 전달한다.

증례 연구 ▶ Part 2

상해 기전의 심각성을 고려하여, 당신은 현장에서의 시간을 제한하기로 결정한다. 당신이 빠른 외상검사를 시작하고 연속적 활력징후를 측정하는 사이, 구급대원 동료는 2개의 직경이 큰 목정맥(경정맥) 주사선을 확보하여 생리식염수 주입을 시작한다. 신체검진 결과는 다음과 같다:

- 머리: 특이사항 없음
- 목: 특이사항 없음
- 가슴: 오른쪽 하부 갈비뼈의 압통
- 복부와 골반: RUQ, LLQ에 타박상
- 등과 둔부: 감각 손실의 경계선이 대략 T12–L1(하복부와 둔부)에 관찰됨
- 상지: 오른쪽 위팔뼈에 폐쇄 골절 가능성, 타박상, 부종
- 하지: 양쪽 다리에 감각 및 운동 기능 소실

환자의 의식이 명료하고 말할 수 있으므로, 지역 외상센터로 이송하는 동안 당신은 환자의 SAMPLE 병력을 기록한다. 이송 중 활력징후는 매 5분마다 측정된다. SAMPLE 병력은 다음과 같다:

- 징후와 증상(Signs and symptoms): 매스꺼움, 어지러움, 구갈, 오한.
- 약물에 대한 알레르기(Allergies to medications): 코데인, 페니실린.
- 복용중인 약(Medications taken): 발륨, 리브륨.
- 관련된 과거력(Past pertinent medical history): 우울증, 스트레스 관련 증후군.
- 마지막으로 음식/액체 섭취(Last food/ fluid intake): 아침식사.
- 발생전 상황(Events prior to onset): 환자는 우울감을 느껴왔고, 처방받은 약을 먹으면 졸리기 때문에 복용을 하지 않았다. 그는 자살 시도로 다리에서 뛰어내렸다고 진술한다.

기록한 시간: 5분	
의식 수준	명료(사람, 시간, 날짜에 지남력이 있음)
기도	개방
호흡	힘들고 얕은 호흡
순환	창백하고 축축한 피부, 외부출혈은 없음
맥박	94회/분, 약함
혈압	100/70 mm/Hg
호흡	24회/분, 힘든 호흡
SpO₂	92%
심전도	정상동리듬; 이소성 리듬 없음

3. 스트레스 또는 쇼크와 연관된 '공격–도피' 반응을 담당하는 신경계의 부위는?

4. 이 환자에서 쇼크에 대한 반응은 정상입니까? 설명하세요.

5. 신경에서 신경으로 자극이 전달되는 방법은?

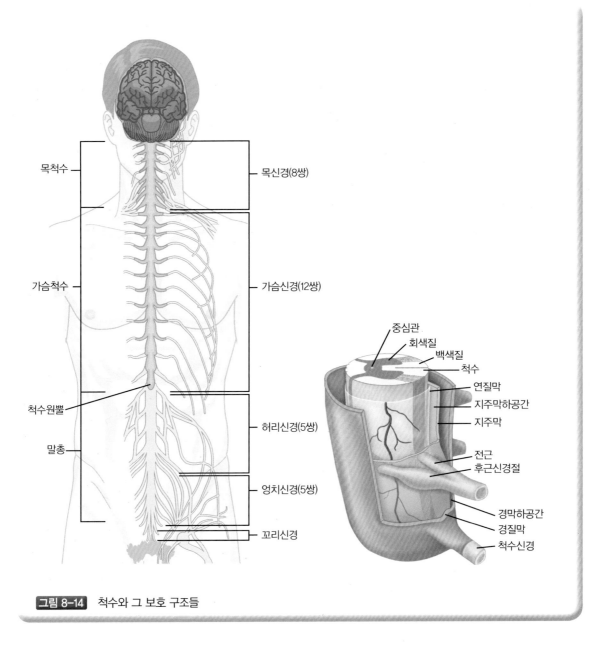

목척수

가슴척수

척수원뿔

말총

목신경(8쌍)

가슴신경(12쌍)

허리신경(5쌍)

엉치신경(5쌍)

꼬리신경

중심관
회색질
백색질
척수
연질막
지주막하공간
지주막
전근
후근신경절
경막하공간
경질막
척수신경

그림 8-14 척수와 그 보호 구조들

척수는 31개 분절에서 각각 기시하는 척수신경을 가지고 있다. 척수는 목에서 두꺼워져서 목팽대를 형성하고, 이는 상지로 신경을 공급한다. 허리팽대는 하지로 신경을 공급한다. 깊은 앞정중틈새와 얕은 뒤정중틈새는 척수를 좌, 우 절반으로 나눈다 **그림 8-15**.

척수는 대략 1번과 2번 허리뼈 사이 공간까지 연장된다. 이 지점에서, 척수는 수많은 개개의 신경근들을 형성하는데, 이를 말총이라고 한다. 전체 길이에 걸쳐서, 척수는 개개의 척추뼈에 의해 형성된 척주관 속에 들어있다. 신경은 척추뼈 사이에서 규칙적 간격으로 가지를 쳐서 나오고,

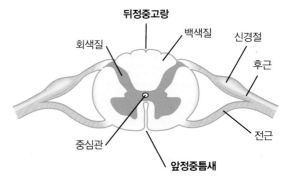

뒤정중고랑
회색질
백색질
신경절
후근
전근
중심관
앞정중틈새

그림 8-15 척수신경근을 보여주는 척수의 횡단면

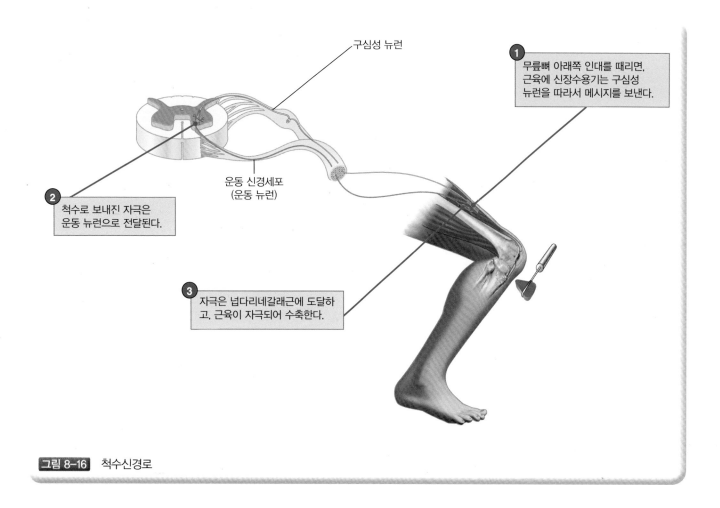

구심성 뉴런

1 무릎뼈 아래쪽 인대를 때리면, 근육에 신장수용기는 구심성 뉴런을 따라서 메시지를 보낸다.

운동 신경세포 (운동 뉴런)

2 척수로 보내진 자극은 운동 뉴런으로 전달된다.

3 자극은 넙다리네갈래근에 도달하고, 근육이 자극되어 수축한다.

그림 8-16 척수신경로

척수관을 빠져나오는 높이에 따라 번호가 부여된다. 척수 내에는 신경섬유를 포함하는 수많은 길, 즉 경로들이 있다 **그림 8-16** .

병태생리학

척수의 다양한 병변으로 인해 전형적인 감각 손실이 발생한다. 의사는 병변의 해부학적 위치를 알아내기 위해서, 이미 알고있는 신경 분포의 양상, 즉 피부분절을 이용한다.

병태생리학

허리뼈 추간판의 손상은 척추신경근을 자극할 수 있다. 이 경우, 근력 약화 및 통증은 등에서 둔부, 그리고 다리 전체와 발까지 따라 내려온다. 이러한 통증을 흔히 좌골신경통이라고 한다.

척수로 인해 뇌와 다른 신체 부위 사이에서 양방향 소통이 이어진다. 상행로는 말초에서 뇌로, 감각 정보를 활동전위의 형태로 전달한다. 하행로는 뇌에서 말초신경섬유로, 역시 활동전위의 형태로 운동 자극을 전달한다.

주요 상행로는 척수시상로, 척수소뇌로를 포함한다. 앞 척수시상로는 가벼운 촉감, 압력, 간지럽고 가려운 감각에 대한 정보를 뇌로 전달한다. 외측 척수시상로는 통증과 온도에 대한 정보를 전달한다. 척수소뇌로는 몸의 자세에 대한 정보(고유감각)를 소뇌로 전달한다. 또한, 뒤기둥은 위치와 진동 신호를 뇌로 전달한다. 하행로인 피질척수로는 수의적 운동, 특히 사지의 운동을 조정한다. 망상척수로와 전정척수로는 불수의적 운동을 조절하는 하행로이다.

■ 말초신경계

말초신경계는 중추신경계로부터 외부의 말초 구조로 연장되는 신경들로 구성된다. 신경절은 중추신경계 외부에 위치한 신경세포체의 집합이다. 척수신경은 척수의 전면과 후면을 따라 세근(잔뿌리)이라고 불리는 무수한 작은 신경들에서 기시한다. 어림잡아 6개 내지 8개의 세근이 결합하여 전근을 형성한다; 후근은 다른 세근들에 의해 같은 방식으로 형성된다. 각 한 개의 후근과 전근은 결합하여 척수신경을 형성하고, 결국 몇 개의 부위로 나누어진다. 후근은 늘어난 형태의 후근신경절에 의해 식별된다 그림 8-17.

첫 번째 쌍과 엉치뼈에 척수신경을 제외한 모든 척수신경은 연속되는 척추뼈 사이의 구멍(추간공)을 통해 척주를 빠져나간다. 척수신경은 목뼈 영역에 8쌍, 가슴뼈 영역에 12쌍, 허리뼈 영역에 5쌍, 엉치뼈 부위에 5쌍, 그리고 꼬리뼈 부위에 1쌍이 있다. 개개의 척수신경은 척수관을 빠져나오는 척추 높이에 따라 번호가 부여된다(C1, T12).

말초신경계는 두 가지 유형의 신경으로 구성된다: 감각신경과 운동신경. 감각신경, 또는 들신경(구심신경)은 몸에서 뇌로 자극을 전달하고, 촉감, 통증, 압력, 온도 등의 감각을 뇌로 입력한다. 사지에서 끝나는 감각신경이 자극되면,

자극은 말초신경을 따라서 척수로 전달된다. 말초신경의 세포체는 척수에 있다. 여기 세포체에서 척수의 또 다른 신경 말단으로 자극이 전달되고, 또 다시 이 자극은 척수에서 위쪽으로 대뇌 두정엽의 감각 영역으로 전달된다. 두정엽의 감각 영역은 감각 정보를 해석하고 처리한다. 피부분절은 한 쌍의 척수 감각신경이 분포하는 피부의 영역이다. C1을 제외한 모든 척수 신경은 체표면에 특정 감각 분포 부위를 가지고 있다.

운동신경, 즉 원심신경은 뇌에서 근육의 신경 자극 수용체(신경근 이음부)로 명령을 전달하여 근수축과 운동을 유발한다. 인체내 모든 근육은 각각의 운동 신경을 가지고 있다. 개개의 운동 신경의 세포체는 척수에 있고, 각 세포체의 섬유는 말초신경의 일부로서 특정 근육까지 연장된다. 척수 내 세포체에서 생성되는 전기 자극은 운동신경을 따라 근육으로 전달되어 근수축을 유발한다. 척수에 세포체는 대뇌 피질의 운동영역에서 생성된 자극에 의해 흥분된다. 이 자

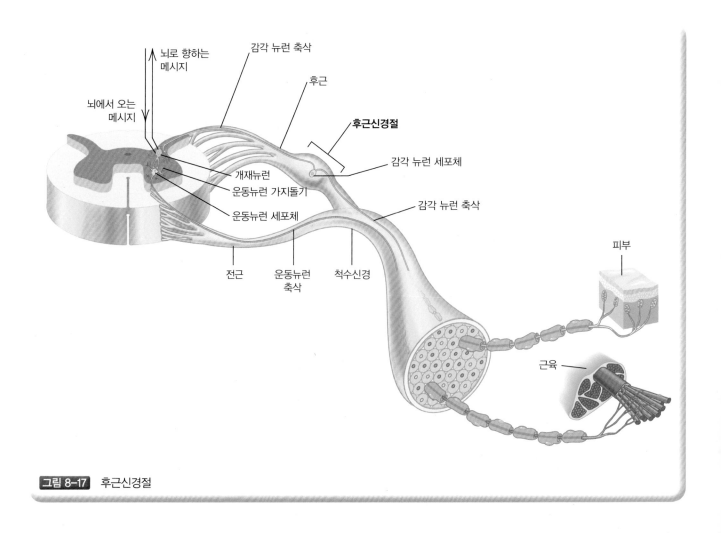

그림 8-17 후근신경절

극은 척수를 따라 운동신경의 세포체로 전달된다. 대부분의 신경은 감각신경 및 운동신경으로 이루어진 혼합신경이다.

(가슴뼈 부위를 제외한) 척수신경의 주요 부위들이 조합하여, 복잡한 망상 구조인 신경얼기를 형성한다. 인체내에는 4개의 신경얼기가 있다: 목신경얼기(척수신경 C1-C4 로 구성); 팔신경얼기(C5-T1); 허리신경얼기(L1-L4); 엉치신경얼기(L4-S4). 말초신경은 다양한 신경얼기에서 기시하고 분지하여 몸의 여러 부위로 운동기능 및 감각 정보를 전달한다.

임상에 유용한 정보

쿠라레(curare)는 신경근 접합부에서 신경자극의 전달을 차단하는 물질이다. 대용량의 쿠라레는 완전 마비를 일으키고, 이 반응은 특정 약물들에 의해 역전될 수 있다. 쿠라레의 다양한 유도체인 신경근육 차단제는 마취시 근육 이완을 유도하기 위해 사용된다. 현장에서 가장 흔히 사용되는 신경근육 차단제는 석시니콜린(succinycholine)이다.

목신경얼기

목신경얼기는 목과 머리 뒤쪽에 분포한다. 3, 4, 5번째 목신경(경추신경)의 섬유들이 결합하여 좌·우 가로막신경이 된다 **그림 8-18**. 이 신경들은 가로막에 운동 자극을 전도하여 호흡시 가로막의 수축을 유발한다.

팔신경얼기

팔신경얼기는 rami, trunk, division, cord, branch 로 나누어진다. 총체적으로, 이 신경들은 어깨와 상지에 분포한다. 팔신경얼기에서 나오는 주요 신경들로는 겨드랑신경, 노뼈신경, 근피신경, 자뼈신경, 정중신경이 있다.

겨드랑신경은 삼각근과 큰원근에 분포하여, 팔의 외전과 외회전을 가능하게 한다. 노뼈신경은 팔꿈치의 신전(상완요골근, 상완삼두근), 아래팔의 회외(회외근), 그리고 손목(수근신근), 손가락(지신근), 엄지의 신전을 담당하는 근육들을 지배한다.

근피신경은 어깨와 팔꿈치를 굽히는 근육(부리위팔근, 상완이두근, 상완근)을 지배한다. 정중신경은 아래팔의 회내근과 손목(수근굴근, 장수장근), 손가락(지굴근), 엄지손가락(긴엄지 굽힘근)의 굴곡근을 지배한다. 자뼈신경은 팔목(척측수근굴근)과 손가락(지굴근)의 굴곡, 손가락과 엄지의 외전 및 내전(골간근, 무지내전근, 무지외전근)을 담당하는 근육을 지배한다.

감각 분포에 있어서는 겨드랑신경은 위팔 외측 경계면에 작은 부위의 피부를 지배한다. 노뼈신경은 위팔과 아래팔의 뒤쪽, 손등의 외측 2/3 부위에 분포한다. 근피신경은 아래팔의 외측면에 분포한다. 자뼈신경은 손의 내측 1/3, 새끼손가락, 넷째손가락의 내측 절반에 분포한다. 정중신경은 넷째손가락의 외측 절반을 포함한 손바닥의 외측 1/3에 분포한다 **그림 8-19**.

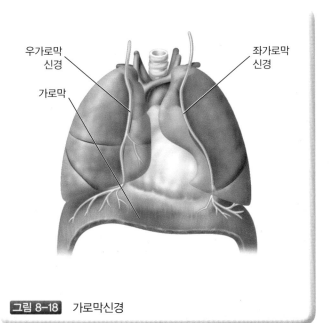

그림 8-18 가로막신경

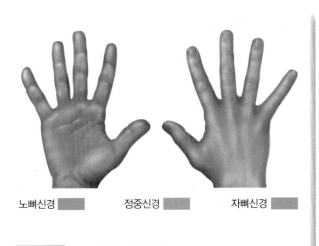

노뼈신경   정중신경   자뼈신경

그림 8-19 손 신경의 감각 분포

병태생리학

손목 전면에 굽힘근지지띠와 손목뼈들 사이의 좁은 공간인 손목굴을 통해서 정중신경이 손목으로 들어간다. 염증, 과다사용, 다양한 질환으로 인해 손목굴증후군이 발생할 수 있다. 이 증후군에서 부종으로 인해 신경이 눌려서, 통증이 발생하고 손과 손목의 움직임이 어려워진다. 손목굴증후군은 종종 직업상 장애의 원인으로 주장되는데, 특히 손을 반복적으로 사용하는 직업군에서 흔하다.

병태생리학

노뼈신경이 손상되면, 손목 및 아래팔 굽힘근의 작용에 저항이 없어지므로, 특징적인 '손목처짐'이 나타나게 된다.

자뼈신경이 손상되면, 엄지와 둘째, 셋째 손가락이 저항이 사라진 신전 상태가 되는데, 이를 '갈퀴손' 변형이라고 지칭한다.

허리엉치 신경얼기

4개의 주요한 신경이 허리엉치 신경얼기를 빠져나와서 하지에 분포한다: 폐쇄신경, 넙다리신경(대퇴신경), 정강신경(경골신경), 온종아리신경(총비골신경). 기타 신경들은 허리, 엉덩관절, 하복부에 분포한다.

폐쇄신경은 허벅지를 내전(내전근, 두덩정강근) 및 내회전(바깥폐쇄근)하는 근육들에 분포한다. 넙다리신경은 엉덩관절을 굴곡(큰허리근, 넙다리빗근), 무릎을 신전(넙다리곧은근, 광근)하는 근육들을 지배한다. 정강신경은 엉덩관절 신전과 무릎 굴곡(넙다리두갈래근, 반힘줄근, 반막모양근, 무릎근), 발바닥쪽 굽힘(장딴지근, 가자미근, 장딴지빗근, 뒤정강근), 발가락 굽힘(굽힘근들)에 관여하는 근육들을 지배한다.

궁둥신경의 온종아리 가지는 넙다리두갈래근의 단두에 분포하여, 엉덩관절 신전 및 무릎 굴곡을 유발한다. 정강신경과 함께, 온종아리신경(총비골신경)은 결합조직막에 덮여서 허벅지 전체를 지난다. 온종아리신경(총비골신경)과 정강신경은 합쳐져서, 궁둥신경을 형성한다. 궁둥신경은 인체 내 가장 긴 말초신경이다 그림 8-20 .

증례 연구 ▶ Part 3

병원으로 이송 중인 환자는 예전에도 스스로를 해치려고 시도한 적이 있었다고 말했고, 손목부위에 예전 자살 시도로 인한 흉터들이 관찰되었다. 환자의 의식 상태는 명료하고, 활력징후는 기저 측정치에서 비교적 변하지 않고 유지된다. 외상센터 도착까지 예상 소요시간은 6분이다. 당신은 계속해서 환자를 따뜻하게 유지하고, 신체 검사상 소견을 재평가한다. 여전히 환자는 양 쪽 다리에 감각 및 운동 기능이 없는 상태이다. 신경학적 기능 검사상, 대략 T12−L1(하복부와 둔부)에서 나타나는 감각 손실의 경계선에 변화는 없다.

기록한 시간: 10분	
의식 수준	명료(사람, 시간, 날짜에 지남력 있음)
기도	개방
호흡	여전히 힘든 호흡이지만 흉부 상승이 육안으로 보임
순환	창백하고 차가우며, 오한으로 떨고 있음
맥박	90회/분, 약하고 규칙적
혈압	106/70 mmHg
호흡	20회/분, 처음 측정시보다 호전
동공	양쪽 동일하고 반응함
SpO_2	98%
심전도	정상동리듬; 이소성 리듬 없음

6. 환자의 척수가 실제로 절단되었다면, 이상이 있을 가능성이 가장 큰 신경은?

7. 이 환자에서 척수 손상은 지금 생명을 위협하는 상태입니까?

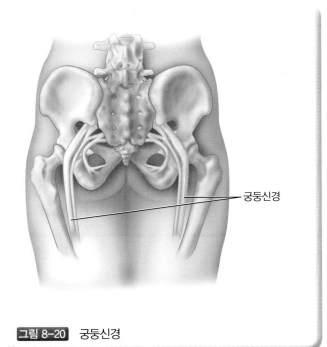

궁둥신경

그림 8-20 궁둥신경

무릎 관절 아래쪽 종아리뼈의 경부를 둘러싼 후에, 온종아리신경은 깊은종아리신경과 얕은종아리신경으로 갈라진다. 깊은종아리신경은 발등을 굽히고(앞정강근), 발가락을 신전(긴엄지폄근, 긴발가락폄근)하는 근육들을 지배한다. 얕은종아리신경은 발의 외번을 담당하는 근육(종아리근)에 분포한다.

폐쇄신경은 허벅지 상부 내측면에 감각을 제공한다. 넙다리신경의 감각 가지들은 허벅지, 내측 종아리, 내측 발목에 분포한다. 정강신경은 발바닥과 종아리 뒤쪽 감각을 제공한다. 온종아리신경과 그 가지들은 무릎 외측면, 첫 번째와 두 번째 발가락의 피부, 발등, 종아리 전방 하부 1/3에 감각을 담당한다.

뇌신경

12쌍의 뇌신경이 뇌 기저부에서 기시한다. 두 쌍(후각신경과 시신경)을 제외한 모든 뇌신경은 뇌간을 통해서 나

간다 **그림 8-21** .

일부 뇌신경은 감각섬유만을 가지고(1, 2, 8번), 일부는 운동섬유만을 가진다(3, 4, 6, 11, 12번). 다른 많은 뇌신경은 감각섬유와 운동섬유의 조합으로 이루어진 혼합 신경이다(5, 7, 9, 10번). 또한, 일부 뇌신경은 운동 또는 감각신경과 더불어, 부교감 신경계의 신경들을 함께 가지고 있다(3, 7. 9, 10번). 각각의 뇌신경은 머리뼈에 구멍을 통해 뇌에서 나와서 최종 목적지로 향한다.

후각신경(1번)은 후각에 대한 정보를 전달한다. 후각신경은 뇌기저부에서 후각로의 형태로 기시한다. 후각로에 의해 형성된 후각망울은 벌집뼈의 체판위에 놓여있으며, 코를 통한 후각 정보를 전달하는 신경섬유가 체판을 뚫고 지나간다.

시신경(2번)은 시각에 대한 정보를 뇌로 전달한다. 시각로는 뇌 기저부에서 기시하여, 뇌하수체 전방에 시각교차를 형성한다. 시신경은 시각교차에서 연장되어 시신경공을 통과하여 각 안구로 도달한다 **그림 8-22** .

동안신경(3번)은 안구와 위눈꺼풀의 운동을 일으키는 근육들을 지배한다. 또한 동안신경은 부교감신경 섬유를 가

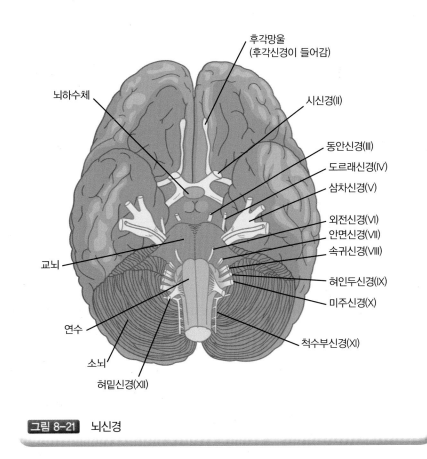

그림 8-21 뇌신경

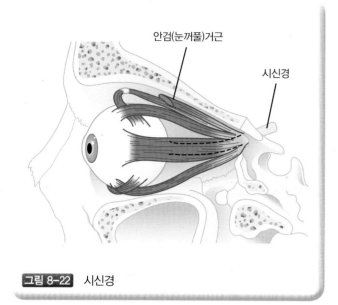

안검(눈꺼풀)거근

시신경

그림 8-22 시신경

지고 있어서 동공의 수축(조임근) 및 수정체의 조절(모양체근)을 일으킨다.

도르래신경(9번)은 하방 주시를 조절하는 안구의 <u>위빗근</u>에 분포한다. 삼차신경(5번)은 세 개의 가지를 통해서 두피, 이마, 얼굴, 아래턱의 감각을 제공한다: 눈확, 위턱, 아래턱 분지. 또한 삼차신경은 씹기근육과 목구멍 및 내이의 근육에 분포한다.

외전신경(6번)은 안구의 외직근(외측 운동)을 지배한다. <u>안면신경</u>(7번)은 모든 얼굴 표정근의 운동, 혀 앞쪽 2/3의 미각, 그리고 바깥귀, 혀, 입천장의 피부감각을 담당한다. 또한 안면신경은 부교감신경의 자극을 침샘, 눈물샘, 그리고 코안과 입천장의 샘에 전달한다.

속귀신경(8번)은 <u>내이도</u>를 통과하여, 청각과 균형감각에 중요한 정보를 전달한다. 혀인두신경(9번)은 인두 근육에 운동섬유 및 혀 후방에 미각을 공급하고, 얼굴 양 옆면에 위치한 침샘(귀밑샘)에 부교감신경섬유를 전달한다.

미주신경(10번)은 물렁입천장, 인두, 후두로 운동 기능을 공급한다. 또한 미주신경은 하인두/후두/흉부와 복부 기관들로부터 감각 섬유, 혀 뒤쪽으로부터 맛봉오리 섬유, 그리고 흉부와 복부 기관들에 부교감 신경섬유를 전달한다.

부신경(척수부신경, 11번)은 물렁입천장과 인두의 근육, 그리고 목빗근(흉쇄유돌근)과 등세모근(승모근) 운동을 지배한다. 척수부신경은 연하, 발성, 그리고 머리와 어깨의 운동을 조절한다. 혀밑신경(12번)은 혀와 목구멍 근육에 운동

기능을 공급하고, 상부 척수의 C1-C3에서 오는 섬유를 가지고 있다.

■ 자율신경계

자율신경계는 말초신경계의 일부이다. 말초신경계의 원심성 뉴런은 체신경과 자율신경으로 분리된다 **그림 8-23**. 체신경계는 수의적으로 통제되는 활동을 조절하는 말초신경계의 신경들로 구성된다. 자율신경계(ANS)는 불수의적으로 작용하며, 내부 장기, 샘, 평활근의 기능을 조절한다. 자율신경계는 교감신경계와 부교감신경계로 구성된다.

<u>교감신경로</u>는 충격이나 스트레스에 대한 인체의 반응을 담당한다. 이러한 반응은 <u>부신</u>에서 아드레날린 호르몬의 분비와 연관된다. 사지의 혈액을 필수 중심 장기들로 우회시키고, 맥박과 호흡을 증가시키고, 혈압을 상승시키며, 동공을 이완하고, 소화기계의 활동을 감소시키는 것 등이 교감신경계의 반응에 속한다.

<u>부교감신경계</u>는 인체를 이완시킨다. 맥박과 호흡을 늦추고, 혈압을 낮추며, 동공을 수축하고, 소화기계의 활동을 증대시키는 것 등은 부교감신경 반응에 속한다.

신경절이전과 신경절이후 신경세포

체운동신경(말초신경계의 감각과 운동신경)은 중추신경계에서 골격근으로 직접 이어지는 반면, 자율신경에는 두 개의 뉴런이 중추신경계와 지배 장기 사이에 순차적으로 위치한다. 첫 번째 신경—신경절이전 신경세포와 두 번째 신경—신경절이후 신경세포는 신경절 시냅스에 의해 서로 분리된다. 신경절이전 세포체는 뇌간의 중심 회색질(부교감신경계)과 척수(부교감과 교감신경계)의 중심 회색질 내부에 있

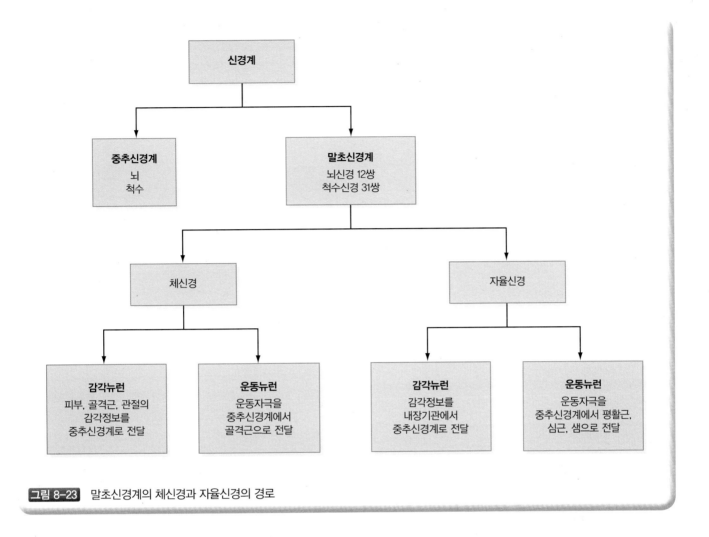

그림 8-23 말초신경계의 체신경과 자율신경의 경로

다. 신경절이후 세포체는 자율신경절에 위치하고, 여기서 나온 축삭은 신경을 통과해서 다양한 기관에 도달하여 신경 효과 세포(표적 조직)와 연접한다.

신경전달물질과 수용체

교감과 부교감신경은 2가지 신경전달물질 중 하나를 분비한다. 아세틸콜린을 분비하는 뉴런은 콜린성 섬유이다. 노르에피네프린을 분비하는 신경세포는 아드레날린성 섬유이다.

교감신경과 부교감신경 모두 신경절이전 섬유에서 시냅스 틈새로 아세틸콜린 분자를 분비한다. 이후 아세틸콜린 분자는 신경절이후 신경세포의 니코틴 수용체로 확산된다. 이 수용체는 실험실에서 알칼로이드 니코틴에 의해 자극될 수 있기 때문에 니코틴 수용체라고 부른다. 이후 자극은 신경절이후 신경세포를 따라 내려가서, 신경효과 세포를 가진 표적 조직에서 시냅스에 도달한다. 이후 아세틸콜린은 정상적으로 효소—아세틸콜린에스테라아제에 의해 급속히 분해

된다.

표적 조직에서 부교감신경이 분비한 아세틸콜린은 무스카린 수용체를 자극한다. 무스카린 수용체는 실험실에서 무스카린 버섯에서 추출된 복합물에 의해서도 자극될 수 있다. 교감신경섬유는 노르에피네프린을 분비하여 아드레날린 수용체를 자극하거나, 또는 아세틸콜린을 분비하여 무스카린 수용체를 자극한다.

교감신경과 부교감신경의 모든 신경절이전 신경세포와 부교감신경의 모든 신경절이후 신경세포는 콜린성이다. 교감신경의 대부분의 신경절이후 신경세포는 아드레날린성이지만, 땀샘 및 일부 혈관을 지배하는 몇개의 신경절이후 신경세포는 콜린성이다.

아드레날린 수용체는 두 가지 구조 및 기능적 단위로 세분화된다: 알파 수용체, 베타 수용체. 노르에피네프린은 두 수용체 모두에 결합하지만, 알파 수용체에 약간 더 친화력

이 있다. 부신에서 분비되는 에피네프린(아드레날린)은 두 수용체에 거의 동등한 친화력을 가진다. 알파와 베타 수용체는 알파-1과 알파-2 수용체, 베타-1과 베타-2 수용체로 다시 분류된다.

다양한 알파 및 베타 수용체의 자극은 수용체의 위치와 유형에 따라서 흥분 또는 억제 효과를 나타낸다. 심장 자극의 일차 유형은 베타-1 섬유이다. 베타-1 섬유의 자극은 심근세포의 수축력 및 맥박의 증대를 일으킨다. 베타-2의 자극은 주로 폐에 영향을 주어 기관지이완을 유발한다. 대부분의 알파 효과는 말초혈관에서 혈관수축을 일으키고(알파-1) 뇌에서 다양한 효과들을 나타낸다(알파-2).

병태생리학

무스카린 수용체의 자극은 땀분비의 증가, 소화기 샘분비의 증가, 맥박의 감소, 동공 축소, 그리고 호흡기, 소화기, 비뇨기 평활근의 수축을 일으킨다. 신경가스 또는 제초제 등의 약제에 의한 중독은 아세틸콜린에스테라아제를 억제하여 과다한 아세틸콜린 자극을 유발한다.

병태생리학

신경가스 중독에서 볼 수 있는 부교감신경의 병적인 과다 자극의 증상은(영문 앞글자를 따서) SLUDGE 증후군이라고 암기한다 : **S**alivation 침분비, **U**rination 배뇨, **D**efecation 배변, **G**astro-intestinal cramping 복통, **E**mesis (vomiting) 구토

임상에 유용한 정보

베타차단제는 흔히 사용되는 심장 약물의 한 유형으로 심장 수축의 속도 및 혈압을 감소시켜 심장의 부하를 줄인다. 또한 심박수를 느리게 하므로 서맥을 유발할 수도 있다.

임상에 유용한 정보

부교감신경 차단제(아트로핀)는 신경효과기 시냅스에서 아세틸콜린을 차단하지만, 자율신경절에서의 전달에는 영향을 미치지 않는다. 이 약제의 투여는 부교감신경계 활동을 감소시키며, 특정 심장 질환의 치료에서 중요하다.

병태생리학

베타-3 수용체는 최근들어 설명되어 진다. 이 수용체는 심장과 지방조직에서 발견된다. 정상적으로는 베타-3 수용체는 최소한으로 표현된다: 현재까지 알려진 지식에 의하면, 베타-3 수용체는 심부전의 경우에만 세포 표면으로 와서 에피네프린/ 노르에피네프린과 결합하여 중요한 역할을 한다. 현재의 가설로는 베타-3 수용체가 베타-1과 베타-2의 과다활동의 유해효과에 대해 길항작용을 하는 것으로 생각된다. 따라서 베타-3 자극의 심장 수축력에 대한 효과는 베타-1 자극과는 반대된다.

증례 연구 ▶ Part 4

병원에 도착하여 당신은 환자를 응급의학과 의료진에게 인계하고 구두 보고를 한다. 척수 손상으로 인한 진행성 쇼크임에도 불구하고 환자의 의식은 명료하고 활력징후 또한 유지되고 있다. 환자에게 지금까지 약 1리터의 수액을 투여했다. 불행히도 환자의 배꼽아래 감각과 운동 기능은 돌아오지 않았다.

■ 요점 정리

■ 신경계는 신경세포로 구성되며, 신경세포는 전기적 자극을 전도하고 축삭과 가지돌기를 포함한다.

■ 신경계는 두 주요 부분으로 나뉜다: 중추신경계와 말초신경계.

■ 체신경계는 걸음걸이와 같은 수의적으로 통제되는 활동을 조절하는 말초신경계의 한 부분이다.

■ 자율신경계는 소화와 같이 수의적 조절 없이 일어나는 많은 인체 기능을 조절한다.

■ 수초에 의해 둘러싸인 축삭이 유수신경이고, 유수신경의 다발은 백색질이다.

■ 두 개의 신경세포 사이의 시냅스 틈새를 통과하는 자극의 전달은 신경전달물질이라고 불리는 화학물질에 의해 일어난다.

■ 성인 뇌의 주요 부위들은 대뇌(가장 큰 부위), 간뇌, 소뇌, 뇌간이다.

■ 각 대뇌의 엽은 그 위를 덮고 있는 머리뼈의 이름을 따른다.

■ 대뇌와 간뇌의 일부인 변연계는 감정, 동기, 기분, 통증 및 유쾌한 감각에 영향을 준다.

■ 소뇌는 근육 운동의 조정과 몸의 균형에 필수적이다.

■ 뇌와 척수는 세 층의 뇌막에 의해 둘러싸여 있다(경질막, 지주막, 연질막).

■ 척수는 뇌 기저부에서 2번 허리뼈까지 연장되고, 이후 말총을 형성한다.

■ 척수 내에는 신경섬유를 포함하는 수많은 길, 경로들이 있다: 구심/상행로, 원심/하행로.

■ 말초신경계는 중추신경계로부터 외부의 말초 구조로 연장되는 신경들로 구성된다.

■ 말초신경계는 두 가지 유형의 신경으로 구성된다: 감각신경과 운동신경. 감각신경, 또는 들신경(구심신경)은 몸에서 뇌로 자극을 전달하고, 운동신경, 즉 원심신경은 뇌에서 근육으로 명령을 전달한다.

■ 척수신경의 주요 부위들이 조합하여, 복잡한 망상 구조인 신경얼기를 형성한다. 말초신경은 다양한 신경얼기에서 기시하고 분지하여, 몸의 여러 부위로 운동 기능 및 감각 정보를 전달한다.

■ 12쌍의 뇌신경이 뇌 기저부에서 기시한다. 각각의 뇌신경은 머리뼈에 구멍을 통해 나와서 최종 목적지로 향한다.

■ 자율신경계는 교감신경계와 부교감신경계로 구성된다.

■ 부교감신경계는 휴식-소화 반응의 일부로 작용하여 맥박과 호흡을 늦춘다.

■ 교감신경계는 긴장되거나 응급상황에 대비하는 공격-도피 반응의 일부로서, 맥박과 호흡을 증가시킨다.

■ 자율신경계에는 두 개의 뉴런이 중추신경계와 지배 장기 사이에 순차적으로 위치한다: 신경절이전 신경세포와 신경절이후 신경세포.

■ 교감과 부교감신경은 2가지 신경전달물질 중 하나를 분비한다. 아세틸콜린을 분비하는 뉴런은 콜린성 섬유이다. 노르에피네프린을 분비하는 신경세포는 아드레날린성 섬유이다.

■ 교감신경과 부교감신경 모두 신경절이전 섬유에서 시냅스 틈새로 아세틸콜린 분자를 분비한다. 아드레날린 수용체는 두 가지 구조 및 기능적 단위로 세분화된다: 알파 수용체, 베타 수용체. 다양한 알파 및 베타 수용체의 자극은, 수용체의 위치와 유형에 따라서 흥분 또는 억제 효과를 나타낸다.

■ 증례 연구 정답

1. 인체의 운동과 감각을 담당하는 신경 및 감각기를 가지고 있는 신경계의 부위는?

   답: 말초신경계는 중추신경계에서 말초 구조들로 연장되는 신경들로 구성된다. 말초신경계의 한 부분인 체신경계는 수의적 기능을 조절하고, 다른 부분인 자율신경계는 불수의적 기능을 조절한다.

2. 피부분절에 대한 지식은, 외상성 손상 환자에서 필요한 치료의 수준을 예측할 수 있도록 어떻게 도움을 줄 수 있습니까?

   답: 피부분절은 척수신경이 감각을 제공하는 특정 영역이다. 피부분절은 척수신경의 위치에 따라 구획

으로 나누어지고, 특정 척수 손상의 높이를 결정하는 데 유용하게 이용할 수 있다.

3. 스트레스 또는 충격과 연관된 '공격-도피' 반응을 담당하는 신경계의 부위는?

답: 자율신경계는 교감신경과 부교감신경으로 구성된다. 교감신경로는 스트레스와 충격에 대한 인체의 반응을 증대시킨다.

4. 이 환자에서 쇼크에 대한 반응은 정상입니까? 설명하세요.

답: 쇼크에 대한 정상 반응은 부신에서 아드레날린의 분비이다. 분비된 아드레날린은 혈액을 필수 중심 장기들(심장, 뇌, 폐)로 우회시키고, 맥박과 호흡을 증가시키며, 동공을 이완한다. 이 환자에서, 척수 손상은 아드레날린 분비 명령이 부신에 도달하는 것을 차단하고 있다.

5. 신경에서 신경으로 자극이 전달되는 방법은?

답: 신경세포들은 일차적으로 시냅스를 통해 서로 소통한다. 세포에서 세포로 이러한 메시지의 전파는 더 많은 시냅스에 의해 일어나거나(시냅스 전달), 또는 이온의 이동에 의해서 일어난다(전기 전달).

6. 환자의 척수가 실제로 절단되었다면, 이상이 있을 가능성이 가장 큰 신경은?

답: 척수의 완전한 절단이 있는 경우, 상해 부위 아래쪽 말초신경들이 손상된다. 상해 부위에 부종이나 출혈이 있는 경우에는, 더 높은 부위의 척수가 일시적 또는 영구적으로 손상될 수 있다.

7. 이 환자에서 척수 손상은 지금 생명을 위협하는 상태입니까?

답: 상해의 기전이 심각했고, 환자는 급속히 불안정하거나 위중해질 수 있는 손상을 입었다. 환자의 의식 상태와 ABC를 면밀한 감시가 매우 중요하다. 척수손상은 대부분 생명을 위협하지는 않는다; 그러나, 환자는 생명에 위협을 주는 다른 내부 장기의 손상(예를 들어, 출혈)을 동시에 입었을 가능성이 있다. 척수손상이 있다는 것은 상해의 기전이 매우 심각하여, 복부 또는 흉부의 동반 손상의 가능성 또한 매우 높음을 시사한다.

외피계
The Integumentary System

학습목표

1. 외피계의 세 가지 기능을 서술한다.
2. 피부의 두 층을 나열한다.
3. 피하층을 구성하는 조직을 나열하고, 각각의 기능을 설명한다.
4. 표피의 다섯 층을 나열한다.
5. 각질층과 종자층의 기능을 설명한다.
6. 멜라닌과 멜라닌세포의 기능을 서술한다.
7. 진피의 혈관이 열, 추위, 스트레스에 반응하는 기전을 설명한다.
8. 털의 기능과 털이 피부에서 자라나는 기전을 설명한다.
9. 땀샘이 체온조절에서 어떻게 주요 역할을 수행하는지 설명한다.
10. 에크린샘과 아포크린샘을 구별한다.
11. 손발톱의 구조를 서술한다.

■ 서론

피부는 인체에서 가장 큰 기관이고 인체와 외부 환경 사이의 접촉면으로 볼 수 있다. 외피계는 피부, 손발톱, 털(모발), 땀샘, 피지샘 등으로 구성되고, 성인 체중의 15%를 차지한다. 외피계는 체온 조절과 조직의 수분 균형에 관여하며 질병을 유발하는 미생물에 대한 인체의 첫 번째 방어선이다. 피부의 여러 층들은 온도, 촉각, 통증, 압력에 대한 신경 수용기를 가지고 있다. 미생물, 자외선, 화학물질 등의 수많은 환경요소들에 의해 피부는 지속적으로 공격을 받는다. 피부에 외상으로 인해서 찰과상, 열상, 관통창, 절단 등이 발생할 수 있다.

임상에 유용한 정보

'피하조직의(Hypodermic)'는 피부 아래쪽을 지칭하는 용어로 흔히 주사 부위를 명시할 때 사용된다. 의료종사자는 피하 주사를 위해서 피하조직 주사기를 사용한다.

■ 외피계

인체의 외부 표면은 피부와 땀샘을 포함하는 외피계에 의해 덮여 있다. 외피계는 세 가지 기능을 수행한다: 체온 조절, 수분 균형 유지, 외부 요인에 대한 방어 표 9-1 .

표 9-1 ▶ 외피계의 주요 기능

체온 조절
감염에 대한 첫 번째 방어선
수분 균형 조절

증례 연구 ▶ Part 1

오후 5시, 당신이 속한 구조대는 화상 환자 구조를 위해 지역 공원으로 출동한다. 피크닉장에 도착하자, 공원 경찰과 소방관들, 그리고 바비큐를 하고 있는 가족들로 보이는 사람들이 현장에 있다. 당신은 사고 현장이 안전하다고 판단한후, 약 15분전 화상을 입은 20세 남자에게 다가간다. 소방관들이 그를 향해 호스로 물을 뿌려 온도를 낮춘 상태이다. 환자는 불을 지피는데 어려움이 있자, 휘발유 1 파인트(약 0.5리터)를 나무에 모두 부어서 불을 지피려고 했다고 한다. 이때, 불꽃이 화염을 일으키며 환자의 얼굴과 머리카락으로 타올랐다고 한다. 환자와 그의 친구들은 대략 오후 1시 이후로 쭉 술을 마시고 있었다.

당신은 일차 검진을 시작하고, 환자의 의식이 명료하며 기도가 개방되어 있다고 판단한다. 환자는 빠르지만 적절하게 숨쉬고 있다. 환자의 맥박은 강하고 빠르며 규칙적이고, 생명을 위협하는 외부 출혈은 없는 상태이다. 당신은 비재호흡마스크를 환자에게 착용시키고, 환자의 불타고 젖은 의복을 제거할 것이라고 환자에게 설명해준다. 당신은 환자의 의복을 제거한 후, 들것 위에 깔려있는 화상 시트위에 환자를 앉힌다. 그 다음, 당신의 동료는 기저 활력징후를 측정한다.

기록한 시간: 0분	
외형	매우 힘들어하고 있음
의식 수준	명료(사람, 시간, 날짜에 지남력이 있음), 심한 통증을 호소
기도	개방
호흡	빠르지만 적절함
순환	강하고 빠르며 규칙적인 맥박
맥박	100회/분, 규칙적이고 강함
혈압	120/70 mmHg
호흡	22회/분, 적절함
SpO$_2$	97%

1. 피부가 뼈와 근육에 부착되는 기전은?
2. 피부에 강도와 투과성을 부여하는 것은? 그리고 그 물질은 어디서 기원합니까?

■ 피부의 층

피부는 인체를 보호하고 항상성 유지를 돕는다. 또한 피부는 체온 조절을 돕고, 심부 조직에서의 수분 손실을 늦추며, 촉각, 압력, 통증, 온도 등의 자극에 대한 감각 수용기를 가지고 있다. 뿐만아니라, 음식으로 섭취된 디히드로콜레스테롤이 혈액을 통해 피부에 도달하여 자외선에 노출될때, 비타민 D 가 합성된다. 비타민 D는 뼈와 치아의 정상 발달에 필수적이다. 피부는 또한 (진피의) 지방세포와 (피하층의) 지방조직에 지질을 저장한다. 특수한 피부세포인 각질세포는 감염에 대한 저항에서 중요한 T림프구의 발달을 촉진하는 호르몬 유사 물질을 생성한다.

피부에는 2개의 주요한 층이 있다 **그림 9-1** . 표피는 바깥쪽 층으로 중층편평상피로 이루어진다. 안쪽 층인 진피는 표피보다 훨씬 두껍고 유두부와 망상부로 구성된다. 유두부는 탄력 섬유와 진피 유두를 포함한다. 망상부는 콜라겐, 탄력 섬유, 지방 조직, 털주머니(모낭), 신경, 피지선, 땀샘의 관 등을 포함하는 결합조직으로 구성된다. 표피는 기저막에 의해 진피와 연결된다. 진피 아래쪽 성긴 결합조직은 피부를 그 아래 기관에 부착한다. 주로 지방으로 이루어지는 이러한 결합조직은 피하층(피하조직)을 형성한다. 피하조직은 진피 아래 깊숙히 위치하며, 실질적으로 피부의 일부는 아니다. 이 지방조직은 인체 내부 열을 보존하고, 외부의 과도한 열의 체내 유입을 막아주는 단열효과를 가진다. 피부와 지방조직에 혈액을 공급하는 주요 혈관들은 피하층 내에 분포한다.

■ 표피

표피는 피부의 가장 바깥 층이다. 표피는 중층 편평상피로 이루어진다. 표피는 혈관을 포함하지 않지만, 표피의 심부 층인 바닥층(기저층)은 진피의 혈관으로 통해 혈액을 공급받는다. 표피 바닥층의 세포들은 분열하고 성장하여, 피부 표면을 향해서, 즉 아래쪽 진피로부터 멀어지는 방향으로 이동한다. 세포가 상부로 이동하면서, 점점 영양소의 공급이 줄어들고 결국 세포는 죽는다. 각질화 과정에서 노화되면서 딱딱해진 오래된 세포를 각질세포라고 부른다. 각질(케라틴) 단백질은 이러한 각질세포의 세포질을 채우고, 이러한 세포들이 합쳐져서 한 층의 각질층을 형성한다. 이 층에서 죽은 피부 세포들은 결국 몸에서 떨어져 나간다.

표피의 다섯 층은 다음과 같다:
- 종자층
- 가시층(유극층)
- 과립층
- 투명층
- 각질층

종자층은 표피의 가장 안쪽 층으로, 기저층이라고도 알려져 있다. 종자층은 그 아래 진피와 서로 맞물려있다. 종자층은 진피로 뻗어있는 표피융기를 형성하여, 진피유두와 연접한다. 종자층의 부착 강도는 바닥판의 표면적과 비례하므로, 이 구조들은 중요하다. 종자층이 형성하는 표피융기의 모양은 유전적으로 결정되므로, 융기의 형태는 일생동안 변하지 않는다. 손가락 끝에 융기의 무늬는 지문 형성에 도움이 된다. 일란성 쌍생아를 포함한 모든 사람에서 지문은 개개인의 독특한 형태이다. 따라서, 형사 사건에서 사람을 식별하는 수단으로 지문이 흔히 사용된다. 큰 기저(종자) 세포가 종자층의 대부분을 차지한다. 분열하는 줄기세포인 기저세포는 상피 표면에서 떨어져나가는 표재 각질세포를 대체한다.

줄기세포가 딸세포로 분열하면 종자층에서 위쪽 가시층(유극층)으로 밀려 올라온다. 가시층은 부착반점(데스모솜)에 의해 결합된 8~10층의 각질세포로 이루어진다. 화학물질에 노출되면 세포들이 약간 수축하게 되므로, 이 가시층의 세포들은 작은 가시방석 모양을 띤다. 또한 미생물과 표재성 피부암에 대항하여 면역반응을 자극하는 랑게르한스세포가 가시층에 있다.

그 다음 층인 과립층은 3~5층의 각질세포들로 구성된다. 과립층의 세포들은 대부분 분열을 멈춘 상태로, 케라틴과 각질유리질 단백질을 합성한다. 케라틴은 털과 손발톱을 구성하는 단단한 섬유화 단백질이다. 각질유리질에서 형성된 세포질 과립은 세포를 탈수화하여 케라틴 섬유를 응집, 교차결합한다. 핵과 기타 세포소기관이 분해되면서 세포는 죽게된다.

네 번째 층인 투명층은 손바닥과 발바닥의 두꺼운 부분으로 투명한 양상을 지닌다. 투명층에서 세포는 납작하고 촘촘히 채워지고, 결국 케라틴으로 변형되는 엘레이딘을 포함한다.

피부의 표면을 형성하는 각질층은 케라틴 단백질로 채

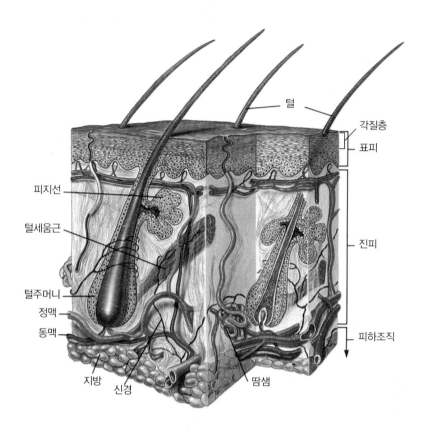

털
각질층
표피
피지선
털세움근
진피
털주머니
정맥
동맥
피하조직
지방   신경   땀샘

A

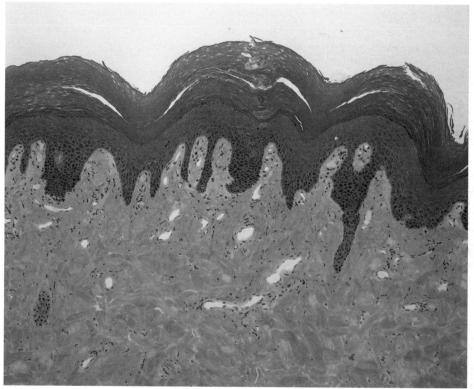

B

그림 9-1   피부의 해부학. **A.** 구조 해부학. **B.** 피부의 두 층의 현미경 사진

워져서 보호작용을 하는 15~30층의 각질화세포를 포함한다. 각질층의 죽은 세포들은 부착반점(데스모솜)에 의해 서로 단단히 연결된다. 이 층의 각질화 세포들은 개별적이라기 보다는 큰 판상의 형태로 탈락된다. 세포는 15~30일에 걸쳐서 종자층에서 각질층으로 이동하고, 이후 각질층에서 약 2주 동안 머무른다. 각질층의 건조함은 잠재적인 세균 성장량을 줄여주고, 따라서 이 층은 피지선에서 분비된 지질로 덮여있다. 각질층은 방수성이 아니라, 내수성이다. 매일 약 500 mL의 수분이 증발에 의해 각질층에서 손실된다(무감각 발한). 그림 9-2 는 표피 층들의 상대적인 두께를 보여준다. 건강한 피부는 표피 세포의 생성과 죽은 세포의 손실이 지속적인 균형을 이룬다.

표피는 유해 화학물, 과도한 수분 손실, 물리적 손상, 병원균 등의 영향으로부터 내부 조직을 보호한다. 표피의 색소 층은 표피와 진피 조직을 모두 보호한다. 멜라닌은 종자층에 있는 멜라닌세포에 의해 생산되는 갈색, 황갈색, 또는 검은색을 띠는 색소로, 상피세포들 사이에 또는 상피세포 깊숙히 박혀있다 그림 9-3 .멜라닌은 일광 자외선을 흡수하여, 표피와 진피를 자외선의 유해 효과로부터 보호한다. 태양 광선은 상당량의 자외선을 포함한다. 소량의 자외선은 칼슘 이온 항상성을 위해 필요한 화합물(비타민 D)의 표피 내 생산을 자극하므로 인체에 유익하다. 그러나, 다량의 자외선은 DNA에 손상을 주어, 돌연변이를 유발하고 암발생

을 촉진한다. 또한 자외선은 화상을 입힐 수 있다. 심한 화상은 표피와 진피에 손상을 준다.

생성된 멜라닌의 양과 피부내 분포에 따라 피부색의 차이가 있다. 멜라닌세포에서 생성되는 멜라닌의 양을 조절하는 유전자에 따라 개인의 피부색이 결정된다. 피부색에 영향을 주는 기타 요인으로는 일광, 자외선, x선 등이 있다. 진피의 혈관 또한 피부색에 영향을 준다. 산소화가 잘된 혈액은 밝은 피부색의 사람을 더욱 분홍빛이 돌게 만들지만, 산소화가 부족한 혈액은 (청색증의 경우처럼) 피부색을 푸른빛이 띠게 한다. 식이 및 생화학적 불균형도 피부색에 영향을 준다. 예를 들어, 빌리루빈이 축적되면 피부는 황색을 띠게 되고, 이런 상태를 황달이라고 한다. 백색증은 멜라닌을 합성하지 못하는 피부 질환으로 우유빛 투명한 피부와 창백한 무색의 털, 그리고 분홍 또는 푸른색 홍채를 특징으로 한다.

임상에 유용한 정보

철저한 손위생과 일회용 비닐/나이트릴 장갑 사용시, 피부는 감염에 대한 뛰어난 보호 장벽을 제공한다. 일부 응급구조사들은 건조하고 벗겨지는 피부, 작은 베인 상처들, 갈라진 큐티클 등을 가지고 있다. 빈번한 손 세척이 반드시 필요하지만, 이로 인해 피부가 건조해질 수 있다. 피부를 청결히 유지하고 상처 부위는 붕대로 덮거나 일회용 장갑을 착용하여, 이러한 피부 손상 부위에 감염을 예방할 수 있다. 또한 수분크림의 사용도 필요하다.

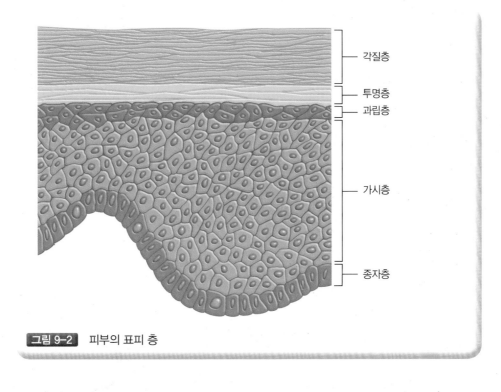

각질층
투명층
과립층
가시층
종자층

그림 9-2 피부의 표피 층

■ 진피

진피는 표피와 피하층 사이, 피하조직 바로 위쪽에 있고, 치밀하고 불규칙한 결합조직과 극소량의 지방 조직을 포함한다. 진피는 2개의 주요 구성요소를 다진다: (1) 표재 유두층, (2) 심부 망상층. 성근 조직으로 이루어진 유두층은 모세혈관, 림프관, 감각 뉴런을 가지고 있다. 표피융기들 사이로 뻗어있는 진피 유두 때문에 유두층이라고 부른다. 망상층은 콜라겐과 탄력 섬유를 포함하는 결합조직의 망으로 구성된다. 이 두 층 사이의 경계는 명확하지 않다. 또한 진피는 고유결합조직의 모든 세포들을 가지고 있다. 표피 부속기는 진피까지 뻗어있고, 진피의 유두층과 망상층 모두 혈관, 림프관, 신경 섬유를 포함한다.

진피는 콜라겐과 탄력 섬유로 인해 질기고 탄성이 있다. 신경세포의 돌기들은 진피 전반에 분포한다. 운동 돌기는 자극을 진피 샘과 근육으로 전달하고, 감각 돌기는 자극을 뇌와 척수로 전달한다. 진피의 혈관은 자율신경계의 자극에 반응해서 수축하거나 이완하여, 촉각, 열, 추위 및 통증에 대한 인체의 반응에 중요한 역할을 한다.

■ 피부 부속기

■ 털

털(모발)은 피부 바깥층의 실같이 가늘고, 케라틴을 함유한

증례 연구 ▶ Part 2

명백히 환자는 지역 화상 센터로 이송되어야 하므로, 헬리콥터를 현장으로 호출하였다. 다행히, 환자의 콧털이 그을리지 않았고 호흡장애가 없으므로, 호흡기 화상은 없는 것으로 보인다. 환자를 화상 시트에 앉힌 상태로, 당신은 이차 평가의 일부로서 빠른 외상 평가를 시행하고, 그동안 당신의 동료는 환자의 활력징후를 측정한다.

빠른 외상 평가상의 소견은 다음과 같다:

- 머리: 뺨에 표재성 화상
- 목: 표재성 화상
- 가슴: 부분 및 전층 화상
- 복부: 부분층 화상
- 골반: 표재성 화상
- 사지: 오른쪽 팔에 부분 및 전층 화상
- 하지: 등과 둔부: 외상 없음

기록한 시간: 5분

외형	표재성부터 전층까지 다양한 정도의 화상
의식 수준	명료(사람, 시간, 날짜에 지남력이 있음)
기도	개방
호흡	빠르지만 적절함
순환	화상을 입지않은 부위는 창백함
맥박	110회/분, 규칙적이고 강함
혈압	120/78 mmHg
호흡	24회/분, 규칙적
동공	양쪽 동일하고 반응함
Spo₂	99%

3. 표피를 구성하는 5개의 층을 설명한다.
4. 피부의 부속 구조들로 어떤것들이 있으며, 그들의 기능은?

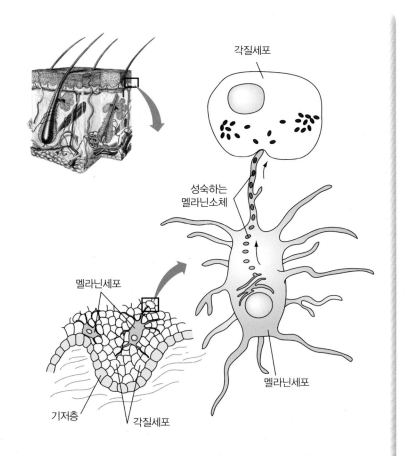

각질세포

성숙하는
멜라닌소체

멜라닌세포

멜라닌세포

기저층 　각질세포

그림 9-3 멜라닌세포는 피부의 색소인 멜라닌을 생성하고 멜라닌소체에 담아서 각질세포로 전달한다.

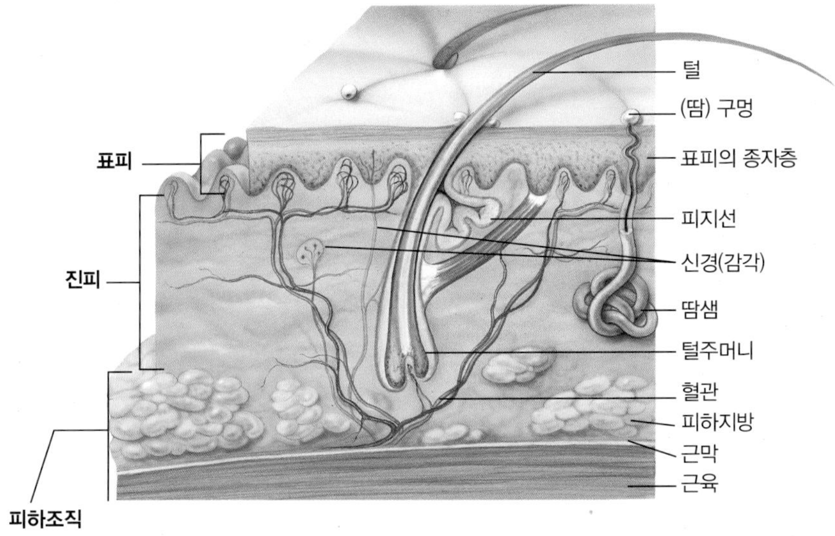

표피

진피

피하조직

털
(땀) 구멍
표피의 종자층
피지선
신경(감각)
땀샘
털주머니
혈관
피하지방
근막
근육

그림 9-4 털과 그 연관 구조들

부속기이다 그림 9-4 . 발의 옆면과 발바닥, 손바닥, 손가락과 발가락의 옆면, 입술, 외부 생식기의 일부를 제외한 신체 대부분에서, 털은 피부 표면 위로 뻗어 나와있다. 인체에는 약 2백5십만개의 털이 있다. 털의 75% 이상은 머리가 아닌 체표면에 분포한다. 털은 털주머니(모낭)라 불리는 기관에서 생성된 죽은 구조물이다 그림 9-5 . 털주머니는 피부 표면에서 진피까지 이어져 있으며, 진피 혈관에 의해 영양을 공급받는 털뿌리(모근)를 포함하고 있다. 개개의 털주머니에 부착된 털세움근(입모근)이 수축하면 털줄기(모간)가 곤두서게 되는데, 이러한 반응은 감정적으로 흥분하거나 추위에 노출될 때 일어난다. 표피 털 세포가 분열하고 성장하면서 털은 위쪽으로 밀려 올라가고, 세포는 각질화되어 죽는다. 털줄기(모간)는 실질적으로 죽은 표피세포로 구성된다.

　털의 색은 유전적 영향을 받고, 털 유두에 멜라닌세포에 의해 생성된 색소의 차이에 따라 다르다. 어두운 색 털에는 유멜라닌(흑갈색)이 더 많고, 밝은색 털에는 페오멜라닌(붉은 노란색)이 더 많다. 여러 가지 형태의 멜라닌에 따라서, 털의 명암은 매우 다양하다(흑갈색, 황갈색에서 적색까지). 백색증 환자의 털줄기에는 멜라닌이 전혀 없으므로 털의 색이 흰색이다. 호르몬과 환경적 요인 또한 털의 상태에 영향을 준다. 나이가 들면서 색소 생산이 감소하므로 털의 색은 옅어진다. 흰색 털은 털줄기 수질내 기포의 형성과 더불어 색소의 결핍에 의해서 생긴다. 흰색 털이 점차 증가하면 전체 털색이 회색(흰머리)이라고 표현한다.

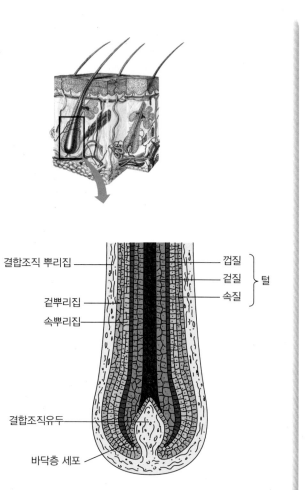

결합조직 뿌리집

겉뿌리집

속뿌리집

껍질
겉질
속질

}
털

결합조직유두

바닥층 세포

그림 9-5 털주머니

■ 샘

기름샘과 땀샘은 피부의 외분비샘의 두 유형이다. 기름샘(피지선)은 특수화된 표피 세포로 이루어지고, 주로 털주머니 근처에 분포한다. 기름샘을 사실상 기름(지방질과 세포파편의 조합)을 분비하는 홀로크린선(온분비샘)이다. 기름샘은 특히 두피, 얼굴, 코, 입, 귀에 풍부하다. 일반적으로 기름은 털주머니로 분비되지만, 소음순과 입술등의 일부 부위에서는 피부 표면위로 분비된다. 기름은 털과 피부를 매끄럽게 하고, 체열을 보존하고 땀의 증발을 방지하는 것을 돕는다.

땀샘은 심부 진피 또는 표재 피하층에서 나선형으로 기시하는 작은 관으로 구성된다. 나선형 부분을 따라 땀을 분비하는 상피세포가 배열되어 있다. 땀샘에는 두 가지 유형이 있다: 부분샘분비샘(에크린샘)은 염분과 요소를 함유한 용액을 생성하여, 땀구멍을 통해 직접 피부 표면으로 분비

한다. 부분샘분비샘은 몸 전체에 분포하고 체온을 낮추는 것을 돕는다. 아포크린샘은 주로 겨드랑(액와), 생식기, 항문 주변의 털주머니에 분포하는 나선형의 관상선이다. 이것은 포유동물의 취선과 유사하다. 아포크린샘의 분비물은 땀보다 진하고, 피부 세균에 의해 대사되어 체취를 낸다. 귀지샘은 귀에 있는 변형된 땀샘으로 귀지를 생성한다.

■ 손발톱

손발톱은 손가락/발가락 끝을 보호하는 편평한 구조물이다. 손발톱은 표피의 케라틴으로 만들어진다. 인간에서 손발톱은 손발톱 바닥의 피부 위쪽으로 부가적인 보호층을 제공하는 것 외에는 별다른 기능이 없다 **그림 9-6**. 각 손발톱은 뿌리, 몸통, 자유 변연부를 포함한다. 뿌리는 피부의 고랑에 끼워지고, 손발가락의 피부에 꼭 맞는다. 손발톱의 몸통은 손발톱 바닥 위에 놓여진다. 가장 잘 자라는 손발톱판의 일부는 하얀색의 반달에 의해 덮여있고, 여기서 상피세포가 분열하고 각질화된다. 뿌리의 종자층이 증식하면서 손발톱은 더 길게 자란다. 세 번째 손가락의 손톱이 가장 빨리 자라고 엄지 손톱이 가장 느리게 자란다.

> ### 병태생리학
>
> 피부의 가장 중요한 기능은 세균 침입에 대한 물리적 장벽으로 작용하는 것이다. 광범위한 화상을 입은 사람은 이러한 보호 장벽을 잃게 된다. 따라서, 화상 환자에서 감염은 흔한 합병증이다. 실제로 넓은 부위의 화상을 입은 환자에서 가장 흔한 사망 원인은 심각한 감염이다.

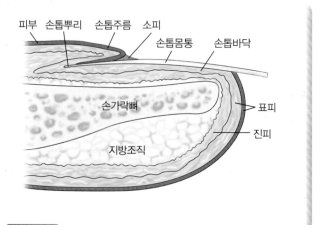

피부 손톱뿌리 손톱주름 소피
손톱몸통 손톱바닥

손가락뼈

표피

진피

지방조직

그림 9-6 손톱의 해부학

증례 연구 ▶ Part 3

헬리콥터가 도착하기까지 8분을 기다리는 동안, 전문응급구조사 동료는 환자의 손상되지 않은 팔에 직경이 큰 정맥 주사선을 잡고, 이미 부어오르기 시작한 환자 손가락에서 반지를 뺀다. 당신의 동료는 '9의 법칙(rule of nines)'을 적용해서, 환자가 체표면의 25%에 해당하는 화상을 입었다고 보고한다. 당신은 환자의 병력을 기록하고, 활력징후가 안정적으로 유지되고 있음을 기록한다. 당신의 동료는 환자에게 진통제를 투여하기 위해 의료 본부와 통화한다. 헬리콥터에 당신이 동승할 공간이 없으므로 당신은 비행 의료진에게 전달할 기록을 평가지에 재빨리 준비한다.

환자는 75 kg 체중의 20세 남자로 SAMPLE 병력은 다음과 같다:

- 나이, 성별, 체중: 20세 남자, 75 kg
- 징후와 증상(Signs and symptoms): 화상 부위에 심한 통증, 가슴부위(흉부)와 배부위(복부)에 형성되는 수포, 오른팔(우상지) 부종.
- 약물에 대한 알레르기(Allergies to medications): 없음.
- 복용중인 약(Medications taken): 속귀(내이) 감염으로 항생제 복용중.
- 관련된 과거력(Past pertinent medical history): 최근에 심하게 재발된 외이도염.
- 마지막으로 음식/액체 섭취(Last food/fluid intake): 지난 몇 시간 동안 맥주 몇잔, 닭고기, 샐러드, 쿠키.
- 발생전 상황(Events prior to onset): 불과 연료에 부주의함.

OPQRST 병력은 다음과 같다.

- 증상 발현(Onset of symptoms): 화상을 입은 즉시.
- 악화요인(Provoking factors): 알코올 섭취.
- 통증의 양상(Quality of discomfort): 심한화상
- 방사통/관련 징후/증상(Radiating/related signs/symptoms): 수축은 1분 간격으로 이어지며, 한 번에 45초 지속됨.
  - 머리: 뺨에 표재성 화상
  - 목: 표재성 화상
  - 가슴: 부분 및 전층 화상
  - 복부: 부분층 화상
  - 골반: 표재성 화상
  - 사지: 오른쪽 팔에 부분 및 전층 화상
  - 하지: 등과 둔부: 외상 없음
- 호소증상의 중증도(Severity of complaint): 극도로 심한 통증.
- 시간(Time): 30분 전.

기록한 시간: 15분	
외형	여전히 심한 통증
의식 수준	명료(사람, 시간, 날짜에 지남력이 있음)
기도	여전히 개방
호흡	호흡률이 증가하지만 적절한 호흡량
순환	맥박은 여전히 빠르고 규칙적
맥박	120회/분, 규칙적
혈압	110/70 mmHg
호흡	26회/분, 적절함
SpO$_2$	97%

5. 피부의 가장 중요한 기능은?

6. 화상은 인체에 어느 정도로 치명적일 수 있습니까?

피부 손상과 상처

외상과 상처에 대한 피부 반응으로 염증이 발생하고, 따라서 홍반, 열감, 통증을 동반한 부종등이 나타난다. 상처 부위 혈관은 이완되고, 손상된 조직으로 체액의 유입이 일어난다. 따라서 조직으로 더 많은 영양분과 산소가 공급되어 상처의 치유를 돕는다.

피부에 얇은 상처는 상피세포를 더욱 빨리 분열하도록 자극하여 새로운 세포들이 상처부위를 채우게 된다.

찰과상은 문지르거나 긁혀서 피부 바깥층 또는 점막이 손실되는 상처를 말한다. 열상은 찢기고, 긁히고, 베어서 생기는 매끈하거나 들쭉날쭉한 경계면을 가진 상처이다. 날카로운 물체, 깨진 유리, 울퉁불퉁한 금속 조각, 또는 심한 구타에 의해서 열상이 발생한다. 관통창은 날카로운 물체로 피부를 관통하는 창상으로 관통하는 경로의 모든 조직에 손상을 준다. 절개는 날카로운 물체를 사용해서 매끈하게 자른 것이다. 절개는 상당히 깊이 잘리어, 근육, 혈관, 힘줄, 신경까지 손상될 수 있다. 이때 출혈이 심할 수도, 경미할 수도 있다. 손톱, 깨진 조각이나 가시, 칼 등에 의해 관통창이 발생할 수 있다. 박리는 피부와 조직의 판이 헐겁게 찢어져서 완전히 떨어져나간 상처이다 그림 9-7 . 절단은 신체 일부가 완전히 잘리거나 떨어져 나가는 것을 말한다. 대부분 절단은 사지 또는 사지의 일부분(손가락, 발가락, 다리 등)을 지칭한다.

진피나 피하층까지 연장된 베인 상처는 대부분 혈관을 침범한다. 이때 흘러나온 혈액은 상처부위에 혈괴를 형성하고 결국 말라서 딱지가 된다. 이러한 딱지는 아래 조직을 보호한다. 상처 부위로 이동한 섬유모세포는 새로운 콜라겐 섬유를 형성하여 상처 경계면이 서로 잘 붙도록 해준다.

넓은 부위의 상처의 경우, 흉터조직을 최소화하고 감염을 예방하기 위해서 봉합술이 필요하다. 실제로 봉합은 상처치유에서 섬유모세포의 활동을 촉진한다.

혈관이 딱지 아래 부위까지 연장되면서 상처치유가 진행되고, 포식세포는 죽은 세포와 파편들을 제거한다. 새로운 조직으로 대체되면, 딱지는 결국 떨어져 나간다. 광범위한 상처의 경우, 새로 형성된 조직은 흉터로 남는다. 넓게 열린 상처는 작은 원형 덩어리인 육아조직을 형성할 수 있는데, 이러한 육아조직은 새 혈관의 가지들과 섬유모세포 무리로 이루어진다. 결국 섬유모세포가 사라지게 되면 흉터 대부분은 콜라겐 섬유로 구성된다.

상처 부위가 크거나 피부가 얇은 부위에 생긴다면, 진피의 치유과정이 진행되기 이전에는 상피세포는 상처 표면을 덮을 수 없다. 상처부위 혈액순환은 증대되어 혈액 응고, 섬유모세포, 그리고 광범위한 모세혈관망이 함께 조합되어 상처를 치유하게 된다(이러한 요소들을 육아조직이라고 한다). 치유 과정은 진피를 원래의 상태까지 복구하지는 못하고, 대부분을 차지하는 콜라겐섬유와 상대적으로 적은 새 혈관으로 이루어진다. 흉터조직은 비교적 유연성이 떨어지고 비세포성이다. 유전적 소인이 있는 일부 사람들에서 생기는 두껍고 융기된 흉터 조직이 켈로이드라고 하는데, 반짝이고 부드러운 표면을 가진 켈로이드는 인체에 해는 없지만 미관상 보기 흉한 흉터이다.

병태생리학

화상은 열손상에 의해 발생하고, 침범된 피부의 깊이에 따라 분류된다. 표피만을 침범하는 화상을 표재화상 또는 1도 화상이라고 한다. 표피와 진피 일부만을 침범하는 화상은 부분층 화상 또는 2도 화상이다. 전층화상 또는 3도 화상은 피하조직과 함께 때로는 뼈, 근육, 내부장기까지도 침범하는 화상이다. 일부 응급의료에서는 '4도 화상'을 따로 분류하기도 하는데, 이것은 뼈까지 침범한 화상을 의미한다.

증례 연구 ▶ Part 4

당신이 환자를 헬리콥터에 태울때, 그는 "당신은 내가 진짜 멍청이라고 생각하겠네요."라고 말한다. 당신은 말을 꺼내기 전에 먼저 생각하고 그를 바라보며 말한다, "얼굴에는 화상을 입지 않아서 매우 운이 좋은 겁니다. 지금은 이 부상을 이겨내는 것에 집중하는 것이 중요합니다." 음주와 연관된 외상의 결과를 보는 것이 이번이 처음이 아니고, 또한 마지막도 아닐 것이라고 당신은 생각한다.

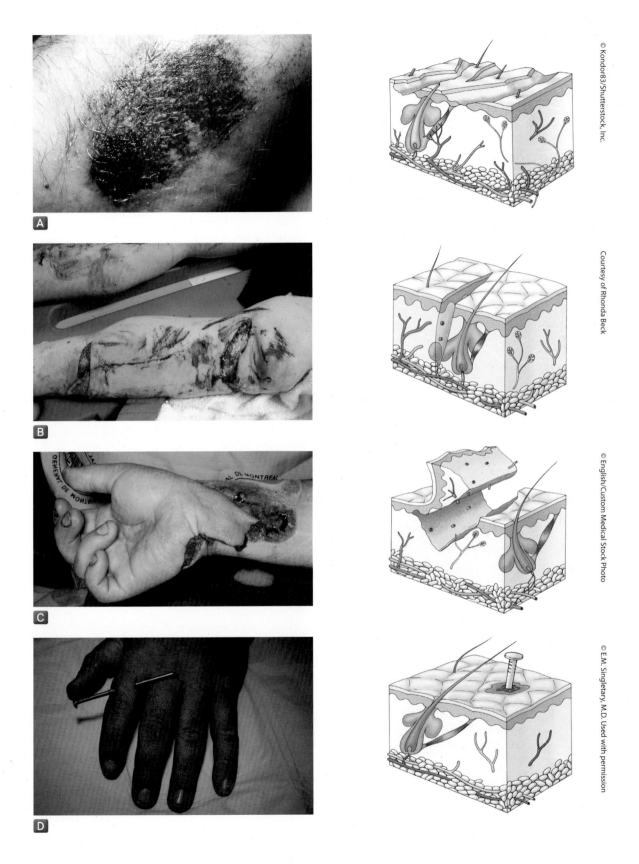

그림 9-7 상처의 유형. **A.** 찰과상. **B.** 열상. **C.** 박리. **D.** 관통창

자율학습

■ 요점 정리

- 인체의 외부 표면은 외피계로 덮여있다. 외피계는 인체에서 가장 큰 체계이며, 체온 조절과 조직의 수분 균형, 그리고 질병을 유발하는 미생물에 대한 방어를 담당한다.
- 피부의 층은 온도, 촉각, 통증, 압력에 대한 신경 수용기를 가지고 있다.
- 표피는 피부 바깥쪽 층으로 중층편평상피로 이루어진다.
- 표피에는 무수한 신경관이 있지만 신경말단은 분포하지 않는다.
- 표피는 다섯 층으로 구성된다: 각질층, 투명층, 과립층, 가시층, 유극층, 종자층.
- 안쪽 층인 진피는 표피보다 훨씬 두껍다.
- 진피는 피하조직 바로 위쪽에 있고, 치밀하고 불규칙한 결합조직과 극소량의 지방 조직을 포함한다.
- 진피의 혈관은 자율신경계의 자극에 반응해서 수축하거나 이완한다. 피하조직은 피부 바로 아래 조직층으로, 피부를 아래쪽 뼈와 근육에 부착하고 체내 지방을 저장한다. 또한 피하조직에는 혈관과 신경이 풍부하다.
- 멜라닌세포는 피부의 색소인 멜라닌을 생성해서 피부색에 영향을 주고, 멜라닌은 일광 자외선으로부터 피부를 보호한다.
- 생성된 멜라닌의 양과 피부내 분포에 따라 피부색의 차이가 있다.
- 털은 피부 바깥층의 실같이 가늘고 케라틴을 함유한 부속기로서 발바닥, 손바닥, 입술, 외부 생식기의 일부를 제외한 피부 표면에 분포한다.
- 개개의 털주머니에 부착된 털세움근이 수축하면 털 줄기가 곤두서게 된다.
- 털은 체온 조절과 감각에 도움을 준다.
- 피부의 샘은 기름샘과 땀샘을 포함한다.
- 기름샘은 주로 털주머니 근처에 분포하고, 기름(지방질과 세포파편의 조합)을 분비한다.
- 땀과 더불어 피지는 피부에 수분을 공급하고 보호한

다. 기름은 털과 피부를 매끄럽게 하고, 체열을 보존하고 땀의 증발을 방지하는 것을 돕는다.
- 땀샘은 심부 진피 또는 표재 피하층에서 기시하고 땀을 분비한다.
- 땀샘에는 두 가지 유형이 있다: 부분샘분비샘(에크린샘), 아포크린샘.
- 부분샘분비샘(에크린샘)은 염분과 요소를 함유한 체액을 생성하여 땀구멍을 통해 직접 피부 표면으로 분비한다.
- 아포크린샘은 주로 겨드랑(액와), 생식기, 항문 주변의 털주머니에 분포하는 나선형의 관상선이다.
- 체온 조절을 돕는 땀샘은 피부 표면으로 땀을 분비하고, 분비된 땀은 증발하여 체온을 낮추는 것을 돕는다.
- 손발톱은 손가락/발가락 끝에 편평한 구조물로, 표피의 케라틴으로 만들어진다.
- 가장 잘 자라는 손발톱판의 일부는 하얀색의 반달에 의해 덮여있고, 여기서 상피세포가 분열하고 각질화된다.
- 손발톱 세포는 손발톱 바닥 위에서 앞쪽으로 밀려나서, 계속해서 손톱이 바깥쪽으로 자라나게 한다.
- 열상은 날카로운 물체에 의해 생긴 매끈하거나 들쭉날쭉한 경계면을 가진 상처이다.
- 관통창은 날카로운 물체로 피부를 관통하는 창상으로, 관통하는 경로의 모든 조직에 손상을 준다.
- 박리는 피부와 조직의 판이 헐겁게 찢어져서 완전히 떨어져나간 상처이다.
- 절단은 신체 일부와 완전히 잘리거나 떨어져 나가는 것을 말한다.

■ 증례 연구 정답

1. 피부가 뼈와 근육에 부착되는 기전은?
   답: 피하조직은 피부를 뼈와 근육등의 하부 구조에 부착한다. 또한 피하조직은 수많은 혈관, 신경을 포함하고 있으며, 체내 지방의 저장소이다.
2. 피부에 강도와 투과성을 부여하는 것은? 그리고 그

물질은 어디서 기원합니까?

답: 각질세포에서 생성되는 섬유화 단백질인 케라틴은 피부에 강도와 투과성을 부여한다. 하지만, 표피의 다섯 층 모두가 케라틴의 합성에 기여한다.

3. 표피를 구성하는 5개의 층을 설명한다.

답:

① **각질층:** 표피의 가장 바깥 층으로, 주요한 피부 표면 장벽을 형성한다.

② **투명층:** 손바닥과 발바닥의 두꺼운 상피에서만 볼 수 있는 첫 번째 안쪽 층.

③ **과립층:** 엘레이딘의 전구체인 각질유리질 단백질 과립을 함유한 편평한 세포들로 구성된다.

④ **가시층(유극층):** 과립층 아래층으로, 케라틴 단백질을 합성하는 각질세포를 포함한다.

⑤ **종자층:** 표피의 가장 안쪽 층으로, 세포분열이 활발히 일어나는 한 층의 세포들로 구성된다.

4. 피부의 부속 구조들로 어떤것들이 있으며, 그들의 기능은?

답: 털, 샘, 손발톱은 피부의 부속기이다. 대부분의 피부표면에 있는 털은 체온 조절 및 감각을 돕는다. 샘에는 두 가지 유형이 있다: 기름샘과 땀샘. 이러한 샘들은 피부를 보호하고 수분을 공급하며, 왁스와 땀을 생성한다. 손발톱은 표피의 케라틴으로 만들어지며, 손발톱 바닥의 피부를 위쪽에서 보호한다.

5. 피부의 가장 중요한 기능은?

답: 피부는 세균의 침입에 대한 물리적 장벽으로 작용한다. 외피계가 손상되면 인체 감염의 위험이 증가한다. 손상의 부위가 넓을 수록 감염에 대한 위험은 커진다.

6. 화상은 인체에 어느 정도로 치명적일 수 있습니까?

답: 화상의 중증도, 침범된 체표면적의 넓이, 화상의 깊이 등은 화상에 의한 손상을 예측하는 인자들이다. 사지에 화상을 입은 경우, 화상의 부위에 따라 운동 기능의 영구적 손실이 생길 수도 있다. 심리학적 효과는 예측할 수 없지만, 얼굴에 화상을 입은 경우 치명적일 수 있다.

위장관계
The Gastrointestinal System

학습목표

1. 소화계의 기관들을 구별한다.
2. 소화관의 벽을 설명한다.
3. 소화의 부기관들을 구별한다.
4. 소화에서 치아와 혀의 구조 및 기능을 설명한다.
5. 물질이 소화관을 통해 이동하는 과정을 설명한다.
6. 기계적 소화와 물리적 소화의 차이를 설명한다.
7. 연동을 정의한다.
8. 침(타액)의 기능을 설명한다.
9. 인두와 식도의 위치 및 기능을 설명한다.
10. 미즙을 정의한다.
11. 위의 해부학적 구조를 서술한다.
12. 큰창자와 작은창자에서의 흡수의 차이를 설명한다.
13. 잘록창자 정상균무리의 기능을 서술한다.
14. 간의 기능을 서술한다.
15. 장간막의 중요성을 설명한다.

■ 서론

외부환경에서 영양소를 획득하여 생명이 유지된다. 영양소는 인체에 필수적인 화합물을 합성하기 위해 필요한 가공되지 않은 물질이다. 영양소는 분해되어 세포의 지속적 기능을 위해 필요한 에너지를 생산한다. 음식물이 기계적, 화학적으로 분해되고, 그 분해된 영양소가 체세포에 의해 흡수되는 과정이 소화이다. 소화계 또는 위장관계는 기계적, 화학적 소화의 과정들을 수행한다 그림 10-1 . 기계적 소화는 음식물을 화학적 조성의 변화없이 더 작은 조각들로 분해하는 과정이다. 화학적 소화는 화학물질을 이용하여 음식물을 더 단순한 형태의 화학물로 분해하는 과정으로, 타액에 의한 녹말의 소화를 예로 들 수 있다. 기계적 소화와 화학적 소화 모두 인두에서 시작되고, 때로는 구강 소화 라고도 불린다.

음식물의 통과하는 소화관은 입에서 항문까지 이어진다. 입, 인두, 식도, 위, 작은창자(소장), 큰창자(대장), 곧창자(직장), 항문이 모두 소화관에 속한다. 소화관의 부속 기관으로는 치아, 혀, 타액, 간, 쓸개주머니, 이자 등이 있다. 이러한 부속 기관에서 나오는 분비액은 관을 통해서 소화관으로 배출된다. 샘기관의 분비액은 수분, 효소, 완충제, 그리고 기타 성분들로 이루어진다. 이러한 분비액은 유기 및 무기 영양소의 소화관 상피를 통한 흡수를 돕는다. 기본적으로 소화계는 체세포에 영양소를 공급하는 양쪽 끝이 열려있는 관(tube)이다. 성인에서 작은창자(소장)의 체표면만 대략 250 m^2에 달한다.

■ 소화관

소화관은 가슴안부터 배안과 골반안까지 통과하는 8 m 길이의 근육형 관이다 그림 10-2 . 소화관 벽은 네 층으로 구성

증례 연구 ▶ Part 1

저녁 9시, 딩신이 속한 구조대는 도심의 5층 아파트로 출동한다. 환자의 아내가 재빨리 당신을 욕실로 안내하고, 욕실 안에는 49세의 남편이 변기 근처 의자에 앉아있다. 당신의 일반적 판단은 식은 땀을 흘리고 매우 창백한 마른 체형의 남자이다.

당신은 일차 평가를 시작하고, 환자의 의식은 명료하고, 기도는 개방되어 있으며 커피색 물질을 세면기에 토했다는 것을 알게된다. 당신은 재빨리 비재호흡 마스크를 환자에게 씌우고 나서 환자의 맥박을 측정한다.

환자 아내의 진술에 따르면, 환자는 저녁 내내 복부 좌상 사분역에 통증이 있었고, 아주 냄새가 심한 검은색 설사를 했다고 한다. 또한 환자는 매운 음식을 먹으면 위장 장애가 생기곤 했다고 한다. 몇년 전 환자는 위내시경을 받았고, 소화성 궤양으로 진단받았다고 한다. 당신은 환자를 들것에 바로누운 자세로 눕힌 후, 일차 평가를 완료하고 기저 활력징후를 측정한다.

기록한 시간: 0분

외형	창백하고 진땀을 흘림
의식 수준	명료(사람, 시간, 날짜에 지남력이 있음)
기도	개방
호흡	규칙적, 힘든호흡이 아님
순환	창백하고 진땀을 흘림; 빠르고 가는 맥박
맥박	100회/분, 약함
혈압	110/70 mmHg
호흡	20회/분, 규칙적
SpO₂	98%

1. **환자가 짙은색 물질을 토하는 이유는?**
2. **위장관의 구성요소와 각 요소들의 기능을 설명하세요.**

되며, 각 층은 특정 기능을 위해 특수화된 영역을 포함한다.

- 점막: 표면 상피, 기저 결합조직, 소량의 평활근; 일부 영역에서 주름이 잡혀서 내강으로 돌출되는데, 이는 흡수면을 증가시킨다. 분비와 흡수의 기능을 수행한다.
- 점막하층: 샘, 혈관, 림프관, 신경을 포함하는 성긴 결합조직; 주변 조직에 영양을 공급하고, 흡수된 물질을 운반한다.
- 바깥막(근육층): 소화관의 운동성을 제공하고, 두 개의 평활근 조직 막으로 구성된다. 내막의 돌림섬유는 관을 둘러싸서 수축을 일으킨다. 세로섬유는 종단으로 지나며, 수축하여 관의 길이를 줄인다.
- 장막: 바깥쪽의 내장측 배막과 안쪽의 결합조직으로 구성; 하부 조직을 보호하고, 장액을 분비하여 복부 장기들이 서로 맞닿을 때 원활히 미끄러지도록 한다.

그림 10-3 은 소화관의 층들을 보여준다.

■ 소화계의 기능

소화계의 기능은 다음과 같은 일련의 단계로 구성된다.
- 섭취: 물질이 입을 통해 소화관으로 들어간다.
- 기계적 공정: 치아에 의해 섭취된 물질은 더 작은 조각들로 쪼개지고 부서져서(저작), 소화관을 통해 이동이 용이해진다. 이러한 과정을 기계적 소화라고 부른다. 치

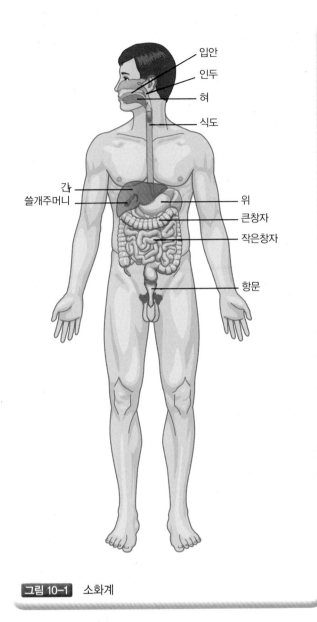

그림 10-1 소화계

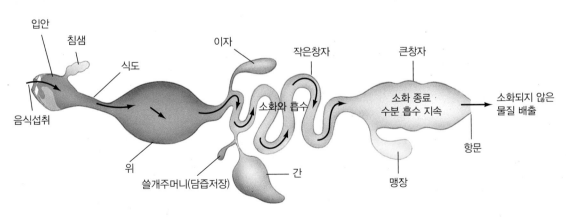

그림 10-2 소화관

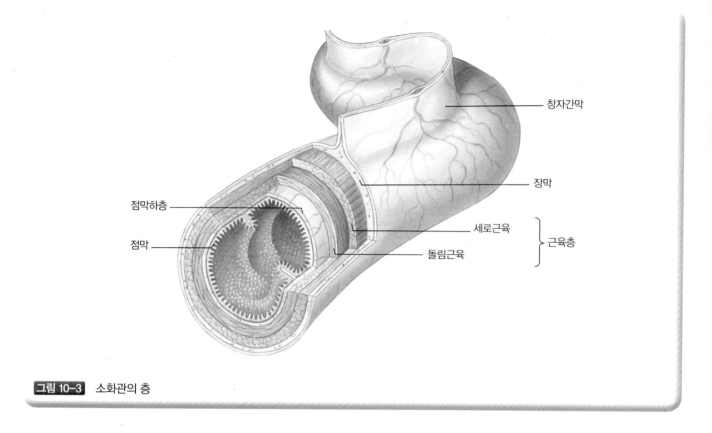

그림 10-3 소화관의 층

아와 혀는 음식물을 쪼개고 짓이기고, 위와 장에서 일어나는 혼합 운동은 부가적인 기계적 공정을 제공한다.

■ 소화: 음식물을 화학적으로 분해하여, 소화기 상피에서 흡수될 정도로 충분히 작은 입자로 만드는 과정으로 화학적 소화라고 한다. 포도당 같은 단순 분자는 그대로 흡수되지만, 그 외 분자들은(다당류, 단백질, 트리글리세라이드) 우선 분해가 되어야 흡수가 가능하다. 이 과정은 입안에서 저작과정 중 타액의 효소에 의해 시작된다. 또한 이 과정을 입안 소화라고도 부른다.

■ 분비: 소화기 샘 기관과 상피에서 물, 산, 완충제, 효소, 염분 등을 분비하는 것.

■ 흡수: 유기물(효소가 작용하는 분자), 전해질, 비타민, 수분 등이 소화기 상피를 통해 간질액으로 이동하는 것.

■ 배설: 소화기와 샘 기관의 분비에 의해 체액의 노폐물을 제거하는 것. 더 이상 소화되지 않는 잔여물들과 섞인 노폐물은 대변이 되고, 배변 과정을 통해 배설된다.

소화계 상피는 조직을 부식시키는 산과 효소, 마찰과 기타 기계적 자극, 음식물과 섭취되거나 장내에 정상적으로 기생하는 세균들로부터 주변 조직을 보호한다. 세균이 고유판 등의 성근 조직에 도달하면, 큰포식세포와 같은 면역세포들이 세균을 공격한다. 상피 아래에 있는 고유판은 소화기 점막을 구성한다.

■ 소화 물질의 이동

소화관에는 두 가지 유형의 운동 기능이 있다: 혼합 운동과 추진 운동. 평활근이 주기적으로 수축할 때 혼합이 일어난다. 수축의 파동은 음식물을 소화즙과 섞어준다. 인접하지 않은 작은창자에서 평활근의 수축과 이완이 번갈아서 일어나는 분절은 혼합 운동을 보조한다. 분절은 정해진 양상을 따르지 않기 때문에, 물질은 소화관을 따라 한 방향으로만 나아가지는 않는다. 연동은 소화관의 물결 같은 추진 운동으로 이루어진다. 소화관 벽의 '고리'에서는 수축이 일어나고, 고리의 바로 앞쪽 근육벽은 반대로 이완한다. 연동의 파형은 소화관을 따라 이동하면서 장내 내용물을 항문으로 밀어낸다.

■ 복부 사분역

응급구조사 교육 과정은 전통적으로 사분역 체계를 채택한다. 복부 장기의 위치를 나타내기 위해서 복부는 네 개의 사분역으로 나누어진다. 배꼽을 통과하는 서로 수직인 두 개의 직선을 그리면 네 개의 사분역이 만들어진다 　그림 10-4 . 가로막(횡격막)은 배안의 가장 꼭대기를 형성하고 골반은 복강의 바닥을 이룬다.

증례 연구 ▶ Part 2

당신의 동료는 기저 활력징후를 측정하고, 당신은 계속해서 병력을 청취하고 신체 검진을 수행한다. 환자는 병력상 체중 90 kg의 49세 남자이다. SAMPLE 병력은 다음과 같다:

- 나이, 성별, 체중: 49세 남자, 90 kg
- 징후와 증상(Signs and symptoms): 어지러움, 메스꺼움, 복부 불편감.
- 약물에 대한 알레르기(Allergies to medications): 코데인, 설파 계열 약물.
- 복용중인 약(Medications taken): 말록스 (Maalox), 비타민.
- 관련된 과거력(Past pertinent medical history): 소화성 궤양.
- 마지막으로 음식/액체 섭취(Last food/fluid intake): 오후 5시에 저녁식사 (자극이 없는 음식과 한 잔의 화이트 와인).
- 발생전 상황(Events prior to onset): 한동안 직장에서 심한 스트레스.
  OPQRST 병력은 다음과 같다.
- 증상 발현(Onset of symptoms): 당일 오전에 통증이 있다가 몇시간 동안은 호전되었으나, 2시간 전에 다시 통증 발생.
- 악화요인(Provoking factors): 환자는 파산 과정에 있는 큰 회사의 CEO이고, 최근 극심한 스트레스를 겪어왔다.
- 방사통/관련 징후/증상(Radiating/related signs/symptoms): 통증은 복부 좌상 사분역에 국한된다. 환자는 오늘 오전에 제산제와 우유를 먹고 일시적인 증상의 호전이 있었다.
- 호소증상의 중증도(Severity of complaint): 1~10까지 척도에서, 10을 환자가 지금까지 경험한 가장 심한 통증이라고 할때, 현재 통증은 7이라고 한다.
- 시간(Time): 최근 가장 심한 통증은 약 2시간 30분 전이다.
  당신은 환자를 들것에 트렌델렌버그 체위로 눕힌다. 응급구조사는 직경이 큰 목정맥 주사선을 잡는다. 구급차로 이송되는 중에 환자는 다시 한 번 비닐 봉투에 커피색의 구토를 한다.

기록한 시간: 5분	
외형	창백하고 진땀을 흘림
의식 수준	명료(사람, 시간, 날짜에 지남력이 있음)
기도	개방
호흡	규칙적, 힘들지 않음
순환	창백하고 진땀을 흘림; 규칙적이고 가는 맥박
맥박	120 회/분, 약함
혈압	96/70 mmHg
호흡	24회/분, 규칙적
SpO$_2$	96%
동공	양쪽 동일하고 반응성
심전도	이소성 박동을 동반하지 않은 동성 빈맥

3. 환자는 소화성 궤양의 과거력이 있다. 이 질환이 위에 미치는 영향은 무엇인가?
4. 위의 운동성을 증가 및 감소시키는 호르몬은?

네 개의 사분역은 다음과 같다: 우상 사분역(RUQ), 좌상 사분역(LUQ), 우하 사분역(RLQ), 좌하 사분역(LLQ). 우상 사분역에 주요 장기들은 간, 쓸개, 큰창자의 일부, 오른쪽 콩팥이다; 좌상 사분역에는 위, 지라, 이자, 큰창자 일부, 왼쪽 콩팥이 있다. 우하 사분역은 막창자꼬리, 큰창자의 일부, 오른쪽 난소, 오른쪽 요관, 자궁과 방광의 일부를 포함한다. 좌하 사분역은 큰창자의 일부, 왼쪽 난소, 왼쪽 요관, 자궁과 방광의 일부를 포함한다.

병태생리학

막창자꼬리의 염증, 즉 막창자꼬리염은 흔한 질환이다. 막창자꼬리염을 진단, 치료하지 않을 경우, 막창자꼬리가 파열하여 농양(고름)이 배안으로 퍼진다. 따라서, 생명을 위협하는 배안 감염인 복막염이 발생할 수 있다. 막창자꼬리염 환자는 흔히 우하 사분역의 맥버니점 위로 압통을 느끼게 된다.

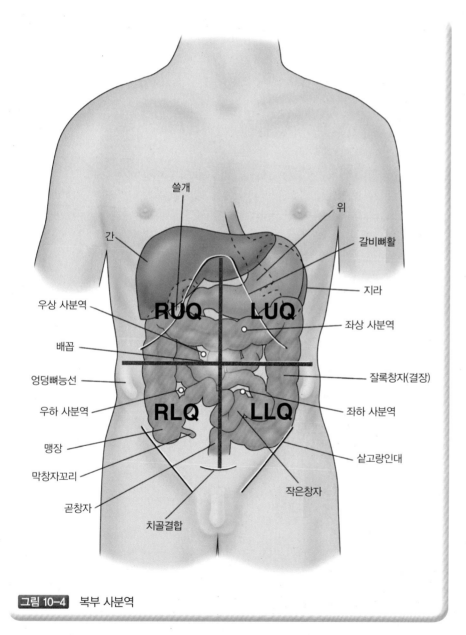

그림 10-4 복부 사분역

■ 위장관 기관

■ 입안

소화는 입안(구강) 내에서 치아에 의한 음식물의 저작으로 시작된다. 저작은 음식물이 위와 장에서 분해될 수 있도록 준비하는 단계이다. 음식을 씹을때, 음식물은 침샘의 분비액과 섞이게 된다 **그림 10-5**.

입안 바닥에 근육의 돌출부인 혀는 기계적 처리과정에 의한 저작과 음식물의 연하를 돕는다. 혀는 촉각, 온도, 미각 수용기에 의해 감각을 분석한다.

침(타액)은 침샘에 의해 분비된다. 침은 음식물에 수분을 공급하고 탄수화물의 화학적 소화를 시작한다. 또한 침은 맛을 느낄 수 있도록 음식물을 녹여주는 용매이고, 구강과 치아의 세균을 씻어내는 것을 돕는다. 각 침샘은 장액 세포와 점액 세포를 다양한 비율로 가지고 있다. 장액 세포는 타액 아밀라아제를 함유한 묽은 액체를 생성한다. 침 아밀라아제는 녹말과 기타 다당류를 단당으로 분해한다.

점액 세포는 음식물 입자에 부착되어 연하과정을 매끄럽게 해주는 걸쭉한 액체인 점액을 분비한다. 맛있는

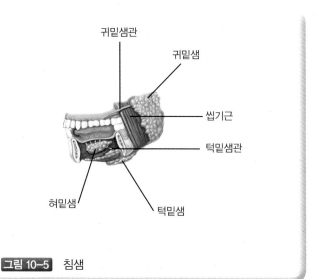

그림 10-5 침샘

음식을 보고, 냄새 맡고, 맛보고, 또는 생각할때, 부교감신경의 자극으로 인해 침 분비가 촉진된다. 맛없는 음식은 실제로 부교감신경을 억제하여 침의 생성을 줄이므로 삼키는 것을 어렵게 만든다.

세 쌍의 주요 침샘은 다음과 같다:

- 귀밑샘: 가장 큰 침샘; 귀 앞쪽 약간 하방으로, 뺨과 씹기근 사이에 위치한다. 아밀라아제가 풍부한 투명하고 묽은 액체를 분비한다.
- 턱밑샘: 아래턱 표면 안쪽, 구강 바닥에 위치; 귀밑샘보다는 점액질의 액체를 분비한다.
- 혀밑샘: 가장작다; 혀 아래쪽 구강 바닥에 위치한다. 걸쭉한 점액질 액체를 분비한다.

■ 복부 속빈 장기

복부 장기는 속이 비어있거나(작은창자, 큰창자) 고형(간)이다. 속빈 장기는 음식물과 분비물이 통과하는 관상의 구조물이다—식도, 위, 작은창자, 큰창자, 쓸개.

> **병태생리학**
>
> 속빈 장기의 외상은 장기를 관통하거나 파열시킬 수 있다. 두 경우 모두에서 내부 장기 내용물이 배안으로 들어가서 염증과 감염을 유발한다.

식도

식도는 길이 약 25 cm, 직경 약 2 cm의 근육으로 만들어진 속이 빈 관이다. 기본적으로 식도는 직선이지만 쭈그러들수 있는 관이다. 식도의 주 기능은 고형의 음식물과 액체를 위로 내려보내는 것이다. 음식물은 인두에서 식도를 통과해서 위로 내려가는데, 식도는 인두의 기저부에서 시작해서 기관 뒤쪽을 따라 내려간다. 식도는 종격을 통과하고 식도 구멍을 통해 가로막을 뚫고 내려가서, 복부쪽 가로막 에서 위와 연결된다.

식도의 점막하층에는 수많은 점액선이 있어서, 식도 안쪽 상피에 수분을 공급하고 부드럽게 해준다. 식도와 위의 연결부 상부로는 고리형의 평활근 섬유가 두꺼워져서 하부 식도 조임근(들문부 조임근)을 형성하며, 이 조임근은 식도 안팎으로 물질의 이동을 조절한다.

> **병태생리학**
>
> 때로는 식도 구멍이 약화되어 위와 식도가 가로막 상부로 이동한다. 이러한 열공탈장은 위산 역류로 인한 가슴쓰림 또는 역류 식도염을 유발한다.

위

위는 J형 주머니 모양의 장기이다. 위는 좌상부 배안에 가로막 하부에 매달려있다. 위의 용적은 대략 1리터이고, 안쪽면은 점막과 섬막하층의 두꺼운 주름으로 이루어진다. 위가 이완되면 이러한 주름은 사라진다. 위는 식도에서 내려온 음식물을 위액과 혼합하고, 단백질의 소화 및 제한적 흡수를 시작하며, 음식물을 작은창자로 내려보낸다 **그림 10-6**. 위는 들문, 바닥, 몸통, 날문부로 이루어진다:

- 들문부: 식도 입구 부근에 좁은 영역. 위가 식도와 연결되는 부분을 들문 이라고 한다.
- 바닥부: 바닥은 들문부 상부에 팽창된 부위로, 일시적인 저장 영역으로 기능한다.
- 몸통부: 이완된 주요 부위.
- 날문부: 위의 나머지 부위보다 좁은 부위로, 작은창자에 가까워지면서 날문방이 몸통과 날문관을 연결한다. 끝으로 가면서 근육벽은 두꺼워져서 강력한 고리형의 날문 조임근을 형성한다. 날문 조임근은 샘창자(십이지장)로 위배출을 조절하는 판막으로 작용한다.

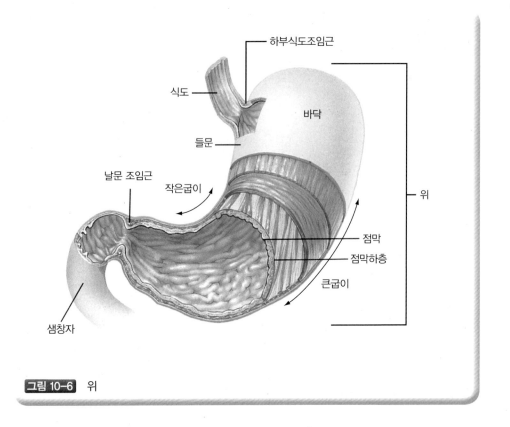

하부식도조임근

식도

바닥

들문

날문 조임근

작은굽이

위

점막

점막하층

큰굽이

샘창자

그림 10-6 위

위에서 음식물은 소화액과 섞여서 반유동체 덩어리인 미즙을 형성한다. 위의 용적은 식사 중 증가하고, 미즙이 작은창자로 내려가면 감소한다. 미즙은 연동을 통해 날문부로 밀려가서 날문 조임근의 이완을 일으킨다. 위 수축은 천천히 미즙을 작은창자로 밀어낸다. 액체는 고체보다 빨리 통과한다. 탄수화물이 가장 빨리 통과하고, 그 다음은 단백질이며, 지방이 가장 늦게 통과하여 위에 6시간까지도 머무를 수 있다. 이자, 간, 쓸개의 분비액은 샘창자로 분비된다.

점막에 분포하는 수많은 위오목, 즉 함입은 위 샘의 입구를 포함하고 있다. 위 샘은 세 가지 유형의 세포들로 구성된다: 벽세포, 으뜸세포, 내분비세포.

벽세포는 소화에 필요한 염산과, 비타민 B_{12}의 흡수에 중요한 내인 인자를 생산한다. 으뜸세포는 음식물 소화에 중요한 효소인 펩시노겐을 생산한다. 불활성 형태의 펩시노겐은 위산에 노출되면 급속히 펩신으로 전환된다. 내분비세포는 조절 호르몬들을 생산한다.

위와 장의 내분비세포에서 생성되는 호르몬은 위를 통과하는 물질의 운동성에 큰 영향을 준다. 가스트린은 위 분비 및 위배출 속도를 증가시킨다. 샘창자에서 생성되는 호르몬인 세크레틴은 위액의 분비를 억제하고, 알칼리성 이자

액 생성을 촉진한다.

콜레시스토키닌은 장에서 생성되는 호르몬으로, 이자 분비와 쓸개주머니 수축을 촉진하고 위운동을 억제한다. 위억제 펩타이드는 위 분비와 운동 모두를 억제하는 호르몬이다.

병태생리학

외과적으로 위의 많은 부분을 절제하는 경우, 인체는 내인 인자를 생성할 수 없게된다. 비타민 B_{12}의 장 흡수를 위해서는 내인 인자가 필요하다. 비타민 B_{12} 수치가 심하게 감소하면 악성빈혈이 발병한다.

작은창자

작은창자(소장)는 소화관에서 가장 긴 부분으로 음식물 소화와 영양소 흡수의 주요 부위이다. 이자와 간의 분비물은 장벽을 부드럽게 하고, 산성 미즙과 소화효소의 작용으로부터 장벽을 보호한다. 세크레틴과 콜레시스토키닌의 분비는 간과 이자 효소의 생성을 촉진한다. 작은창자는 세 부위로 이루어진다: 샘창자, 빈창자, 돌창자. 성인에서 전체 작은창자의 길이는 약 7 m이다. 작은창자의 세 부위 중 첫 번째

병태생리학

위염은 벽세포에서 위산의 과다생성에 의해 야기되는 위의 자극 상태이다. 소화성 궤양은 위산에 의해 위와 샘창자 점막에 미란이 생긴 상태로 위 자극의 또다른 원인이다 **그림 10-7**.

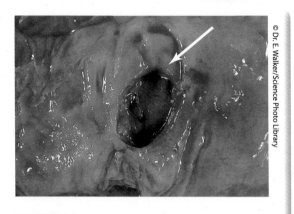

© Dr. E. Walker/Science Photo Library

그림 10-7 소화성 궤양에 의한 위의 변화

인 샘창자는 위에서 복강내에서 180도 아치를 형성한다. 샘창자는 벽측 복막 후방으로 위치하여, 우측 콩팥과 허리뼈 1-3번 전방을 C자형으로 통과한다. 샘창자는 네 개의 부위로 나뉘는데, 이 중 두 부위는 후복막강에 위치하고 샘창자, 빈창자 굴곡 또는 트리츠 인대에서 복막강으로 다시 들어간다. 샘창자의 미즙과 이자, 간의 소화액을 받아서 혼합하는 기능을 수행한다. 작은창자의 나머지 부위는 가동성이 더 크고, 복막강 내에 자유롭게 움직일 수 있도록 놓여 있다.

굴곡에서 샘창자는 급격하게 꺾이면서 빈창자로 연결된다. 빈창자는 작은창자의 다른 부위에 비해 벽이 두껍고 주름이 많다. 빈창자는 작은창자 근위부 2/5를 차지하고, 길이는 약 2.5 m이다. 대부분의 화학적 소화와 영양소 흡수가 빈창자에서 일어난다. 돌창자는 작은창자의 마지막 부위로, 큰창자로 이어진다. 돌창자는 빈창자와 뚜렷이 분리되지는 않지만, 돌창자의 벽은 더 얇고, 혈관이 적으며, 운동성이 떨어진다. 돌창자는 작은창자에서 가장 긴 부위로, 총 길이가 약 3.5 m이다. 돌창자가 빈창자와 구별되는 또다른 특징은 파이어판 인데, 이것은 림프절과 모양이 유사한 림프 조직이다. 파이어판은 침습적인 병원성 미생물로부터 돌창자를 보호한다.

운상주름은 소화관의 긴 축에 직각으로 둘러있는 원형의 주름으로, 흡수를 위한 표면적을 증가시켜 훨씬 효율적인 소화를 가능하게 한다. 각 주름 내에는 수많은 손가락 모양의 돌출부인 융모가 있고, 이 융모의 길이는 0.5~1.5 mm이다. 각 융모는 모세혈관 및 림프의 통로인 유선을 포함한다. 흡수세포는 소화효소를 생산하고 소화된 음식을 흡수한다 **그림 10-8**. 이당분해효소는 당을 분해하고, 펩티드분해효소는 단백질을 분해한다. 술잔세포는 위 상피를 보호하는 점액을 분비하고, 내분비세포는 조절 호르몬을 생산한다.

온쓸개관과 이자관은 샘창자의 바터 팽대부에서 샘창자의 내강으로 들어간다 **그림 10-9**.

샘창자에서 빈창자, 돌창자로 내려갈수록 작은창자의 직경은 점차 감소한다. 빈창자와 돌창자는 영양소 흡수의 주

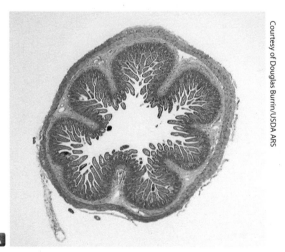

Courtesy of Douglas Burrin/USDA ARS

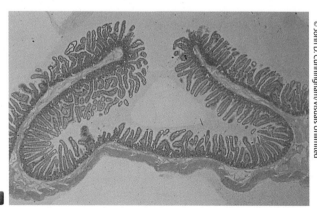

© John D. Cunningham/Visuals Unlimited

A **B**

그림 10-8 작은창자 점막은 주름이 잡혀 융모를 형성한다. A. 작은창자의 융모. B. 융모의 확대 사진

요 부위이다. 돌창자에는 림프 소절인 파이어판이 무수히 분포한다. 돌창자와 큰창자사이에는 회맹장 이음부가 있다. 회맹장 판막은 장내 내용물의 역류를 방지한다.

작은창자는 소화관에서 가장 중요한 흡수 장기이다. 작은창자 원위부 말단에는 흡수가능한 물질이 거의 도달하지 않는다. 탄수화물의 소화는 입안에서 시작되고, 작은창자 점막과 이자에서 분비되는 효소에 의해 완성된다. 이러한 소화과정에 의해 만들어진 단당류는 융모에서 흡수되고, 단순당은 능동 수송 또는 촉진 확산에 의해 흡수된다.

과다 팽창 또는 작은창자의 자극은 급격한 연동을 유발하여, 작은창자 내용물을 큰창자로 급속히 내려보낸다. 따라서 이러한 경우 영양소, 수분, 전해질 등의 정상적인 흡수가 일어나지 못한다. 급격한 연동의 결과, 설사가 발생하고, 설사가 지속되는 경우 수분과 전해질의 불균형이 생긴다.

작은창자와 큰창자는 회맹장 조임근(회맹장 이음부)에 의해 서로 연결된다. 대개 이 조임근은 수축된 상태로 있어서, 양쪽 장의 내용물들을 서로 분리시킨다. 식사 후, 돌창자의 연공은 조임근을 이완시켜서 작은창자 내용물의 일부를

증례 연구 ▶ Part 3

처음 1리터의 생리식염수를 투여한 이후, 누운 상태에서 환자의 혈압은 110 mmHg(촉진상)으로 약간 증가되었고, 맥박은 110 회/분이다. 이제 당신은 신체 검진을 시작한다. 당신은 환자를 바로 눕힌 상태로 두고, 환자의 복부를 촉진하기 전에 손을 따뜻하게 한다.

신체 검진상의 소견은 다음과 같다:

- 머리: 창백한 피부
- 목: 편평한 목정맥
- 가슴: 흉터, 반흔, 의학적 신원확인용 목걸이나 팔찌 등이 없음
- 폐 청진: 모든 영역에서 깨끗함
- 복부: 부드럽고 만져지는 종괴는 없음, 전반적인 압통, 멍이나 착색은 없음
- 골반: 특이소견 없음
- 사지: 특이소견 없음
- 하지: 특이소견 없음

환자가 말하기를, 바로 누운자세에서 어지러운 증상은 좋아졌지만 메스꺼움은 여전하다고 한다. 당신은 환자에게 구토용 봉투를 주고 또 다른 구토가 있는지 예의 주시한다. 그동안 당신의 동료는 항구토제 투여를 준비한다.

기록한 시간: 15분	
외형	창백하고 축축함
의식 수준	명료(사람, 시간, 날짜에 지남력이 있음)
기도	개방
호흡	빠르지만, 호흡곤란 없음
순환	창백하고 축축한 피부, 빠른 맥박
맥박	120회/분, 빠르고 약함
혈압	110/70 mmHg
호흡	22회/분, 정상
SpO₂	97%
동공	양쪽 동일하고 빛에 반응함
심전도	정상동리듬; 이소성 리듬 없음

5. 복부 좌상 사분역의 기준점과 내부 장기들을 기술한다.

6. 위장관계에서 음식물의 소화 및 영양소 흡수의 주요 부위는?

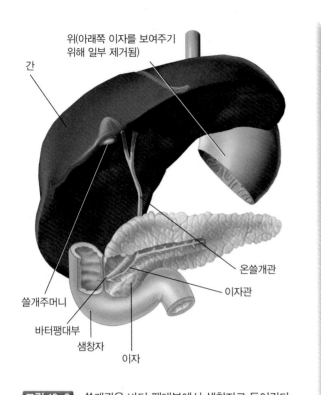

위(아래쪽 이자를 보여주기
위해 일부 제거됨)

간

온쓸개관

이자관

쓸개주머니

바터팽대부

샘창자

이자

그림 10-9 쓸개관은 바터 팽대부에서 샘창자로 들어간다.

막창자로 내보낸다.

큰창자

큰창자(대장)는 막창자에서 시작된다 **그림 10-10**. 전형적으로 돌창자는 회맹장 판막에서 막힌 주머니를 형성하면서 막

창자로 들어가고, 막창자의 끝에는 막창자꼬리(충수)가 있다. 막창자꼬리는 수많은 림프소절을 가지고 있다.

큰창자는 소화 기능을 거의 수행하지 않는다. 큰창자에는 수많은 관성형 샘이 분포하는데, 그 대부분은 술잔세포로 이루어진다. 큰창자에서 유일하게 중요한 분비물은 점액이다. 점액은 큰창자 벽을 상처 입지 않게 보호하고, 대변 입자와 결합한다. 점액은 알칼리성으로 큰창자의 pH 조절을 돕는다.

잘록창자는 네 부위로 구성된다: 오름잘록창자, 가로 잘록창자, 내림 잘록창자, 구불창자. 오름잘록창자는 막창자에서 위쪽 방향으로 이어진다. 오름잘록창자는 간의 하부 경계면 가까이에서 급격한 왼쪽 회전을 하는 간굴곡부에서 끝나게 된다. 가로 잘록창자는 가장 길고 운동성이 좋은 부분으로, 비장굴곡까지 복부를 횡단으로 가로지르며 이어진다. 비장굴곡에서 잘록창자는 두 번째로 급격히 꺾이면서 내림 잘록창자가된다. 구불창자는 내림 잘록창자에서 이어져서 S자 모양 관을 형성하면서 골반까지 연장되어 곧창자로 이어진다.

잘록창자에는 작은창자에 분포하는 주름 및 융모가 없고, 그 대신에 직선의 관상형 샘인 움이 무수히 분포한다. 움은 점액을 생산하는 술잔세포를 많이 가지고 있다. 큰창자벽의 세로 근육층의 일부인 주름창자띠는 큰창자의 둘레를 둘러싼다. 주름창자띠의 수축에 의한 팽대는 잘록창자에 오목한 모양을 만든다.

큰창사의 혼합 기능은 작은창자에 비해 느리다. 큰창자의 연동 파동은 하루에 2~3회만 일어난다. 이때, 장벽은 격렬하게 수축하여(덩어리의 움직임), 내용물을 곧창자로 밀어낸다. 이러한 운동은 대부분 식사 후에 일어나지만, 장 점막의 자극에 의해서도 일어날 수 있다. 대장염의 질환은 빈번한 장 운동을 유발한다.

곧창자는 직선의 근육 관으로 항문으로 이어진다. 곧창자의 기능은 대변을 저장하는 것이다. 대변에 의한 곧창자의 이완은 배변을 자극한다. 항문관은 매우 짧다(1~2인치). 항문관에는 두 개의 원형 괄약근(내부, 외부)이 있어 대변의 배설을 조절한다. 외부 괄약근은 수의적으로 조절된다.

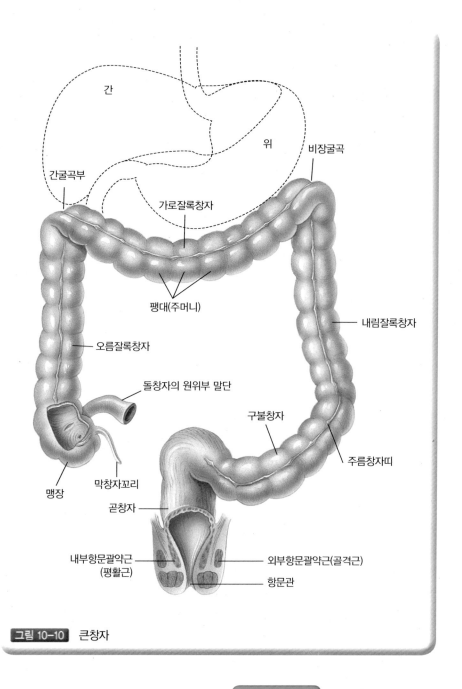

간

위

비장굴곡

간굴곡부

가로잘록창자

팽대(주머니)

내림잘록창자

오름잘록창자

돌창자의 원위부 말단

구불창자

주름창자띠

맹장

막창자꼬리

곧창자

내부항문괄약근
(평활근)

외부항문괄약근(골격근)

항문관

그림 10-10 큰창자

병태생리학

잘록창자, 특히 구불창자와 내림잘록창자의 악성종양은 매우 흔하다. 대장내시경을 이용해서 의사들은 잘록창자의 안쪽 면을 육안으로 확인하고 의심가는 병변을 생검한다. 대장암의 초기 증상으로는 배변 습관의 변화, 대변내 혈액등이 있다. 대부분의 의사들은 40세 이상의 성인에서 정기적인 대변 검사를 권장한다. 50세 이상의 성인과 고위험군(대장암의 가족력)은 정기적인 대장내시경 검사를 반드시 받아야 한다.

병태생리학

항문관 내부 표면에는 큰 정맥들이 분포한다. 이러한 혈관들은 곧창자정맥얼기를 구성한다. 곧창자내로 투여되는 약물은 이 혈관들을 통해 인체내로 재빨리 흡수된다. 곧창자정맥얼기내 정맥이 비정상적으로 확장되면 치핵이 발생한다.

쓸개

쓸개는 간의 아래쪽 면에 위치한 서양배 모양의 주머니이다
그림 10-9 참조). 쓸개는 쓸개주머니관에 연결되고, 쓸개주머니관은 온간관으로 합쳐진다. 쓸개 내측면은 상피세포가 덮고 있고, 그 벽은 강한 근육으로 이루어진다. 쓸개는 간에서 생성되는 소화효소인 쓸개즙을 저장하고, 수분을 재흡수한다. 쓸개주머니가 수축하면 쓸개즙이 작은창자로 분비된다.

온쓸개관과 쓸개주머니관이 합쳐져서 온쓸개관을 형성한다. 온쓸개관은 샘창지로 연결되는데, 여기서 정상적으로 간이자(간췌장) 조임근이 수축한다. 쓸개즙이 온쓸개관에 모이면, 쓸개주머니관으로 역류하여 쓸개주머니로 흘러들어가서 저장된다.

대부분 쓸개즙은 콜레시스토키닌이 쓸개주머니 수축을 자극하게 될 때, 샘창자로 들어간다. 수축해 있던 간이자(간췌장) 조임근은 샘창자 벽의 연동 파동에 의해 이완되고, 쓸개즙은 작은창자로 흘러 내려간다.

병태생리학

쓸개주머니내 소화효소는 때로는 쓸개돌을 형성한다. 쓸개돌이 쓸개주머니관을 막게되면, 쓸개는 부어오르게 되어 통증, 메스꺼움, 구토 등을 유발한다. 쓸개돌이 있는 상태를 쓸개돌증이라고 한다. 쓸개주머니염은 쓸개돌증으로 인한 증상으로, '쓸개주머니 발작'이라고도 한다.

■ 복부 고형 장기

주요 복부 고형 장기에는 간, 지라, 이자가 있다. 눌리거나 관통상을 입게 되면 이러한 고형 장기들에서 심한 출혈이 발생한다.

병태생리학

고형 장기의 외상은 복강내로 심한 출혈을 일으킬 수 있다.

간

간은 가로막 바로아래, 우상 사분역에 위치하는 인체 내 가장 큰 장기로 무게가 3파운드에 달한다. 간은 적갈색으로 혈관이 풍부하며, 5번째 갈비뼈사이공간에서부터 갈비뼈 하부 경계면 높이까지의 영역을 차지한다. 간은 섬유성 피막으로 둘러싸여 있고, 결합조직에 의해 여러 개의 엽으로 나누어진다. 간의 주기능은 포도당을 저장하고 단백질을 합성하며, 혈액내 노폐물을 여과하는 것이다.

간문맥계는 위와 장으로부터의 혈액이 대사를 위해 간으로 들어가는 순환계의 특수한 영역이다.

지라와 이자

지라는 좌상 사분역에서 위 뒤쪽으로 위치한다. 지라는 혈관이 매우 풍부하고, 감염에 대한 저항 및 순환계에서 적혈구의 제거에 필수적인 장기이다. 지라와 마찬가지로 이자의 대부분은 샘창자에서 외측으로 지라를 향해 이어지면서, 작은그물막 공간 내에서 위 뒤쪽으로 위치한다. 이자는 약 15 cm 길이의 길쭉한 모양의 장기이고, 무게는 약 3온스(ounces)이다. 이자는 인슐린, 글루카곤, 소화효소들을 만들고, 인슐린과 글루카곤을 혈액내로 분비한다.

소화효소는 이자관을 통해 온간관으로 들어가서 샘창자의 바터 팽대부로 분비된다. 단백질을 소화하는 이자의 효소들은 트립신, 키모트립신, 카르복시펩티드분해효소 등이다. 지질분해효소(리파제)라고 통틀어서 칭하는 기타 효소들은 지방을 분해한다.

복막과 장간막

소화 기관들은 두 층의 부드러운 결합조직 막인 복막에 의해 둘러싸인다. 벽쪽 복막은 복강을 감싸고, 내장쪽 복막은 복강내 장기와 직접 접촉한다. 벽측복막 후방의 후복막공간

에는 콩팥, 이자, 샘창자, 주요 혈관 등이 포함된다.

장간막은 복부 장기를 제자리에 고정하고, 장기로 가는 혈관과 신경의 통로를 제공하는 복막의 일부이다. 그물막은 위에서 인접 장기까지 이어진 복막의 주름이다. 작은 그물막은 장간막의 일부로, 위 작은굽이를 간, 가로막과 연결한다. 큰 그물막은 위 큰굽이를 가로잘록창자(가로결장) 및 후방 체벽과 연결한다. 장간막의 이중 주름에 의해 형성되어 위 하방으로 이어지는 공간은 그물막 주머니가 된다.

증례 연구 ▶ Part 4

병원으로 이송 중, 당신은 재평가를 수행한다; 일차 평가를 반복하고, 매 5분마다 연속적 활력징후를 측정하며, 산소 투여 및 목정맥 수액 감시등의 처치를 재평가한다. 환자는 여전히 매우 창백하지만 청색증을 보이지는 않는다. 환자는 호흡곤란은 없다고 한다. 환자는 다시한번 구토를 하고, 당신은 구토물을 일회용 플라스틱 흡인 통에 모아서 응급의학과 의사에게 전달할 것이다.

자율학습

■ 요점 정리

- 소화관의 모든 영역은 네 층으로 구성된다: 점막, 점막하층, 바깥막(근육층), 장막.

- 소화는 입에서 시작된다; 이후 음식물은 식도를 통과해서 위로 내려가고, 위에서 소화과정을 거친 후 작은창자로 이동한다.

- 복부는 배꼽을 중앙 기준점으로 네 개의 사분역으로 나누어진다.

- 우상 사분역에 주요 장기들은 간, 쓸개, 큰창자의 일부, 오른쪽 콩팥이다.

- 좌상 사분역에는 위, 지라, 이자, 큰창자 일부, 왼쪽 콩팥이 있다.

- 우하 사분역은 막창자, 큰창자의 일부, 오른쪽 난소, 오른쪽 요관, 자궁과 방광의 일부를 포함한다.

- 좌하 사분역은 큰창자의 일부, 왼쪽 난소, 왼쪽 요관, 자궁과 방광의 일부를 포함한다.

- 식도는 두꺼운 근육 벽을 가진 속이 빈 관이다. 식도의 주 기능은 고형의 음식물과 액체를 구강에서 위로 전달하는 것이다.

- 팽창가능한 장기인 위에서, 음식물은 소화액과 섞여서 반유동체 덩어리인 미즙을 형성한다.

- 위는 단백질의 소화 및 제한적 흡수를 시작하며, 음식물을 작은창자로 내려보낸다.

- 위벽의 두꺼운 주름은 위가 음식물로 가득찼을 때 이완될수 있도록 한다.

- 위 점막에는 벽세포, 으뜸세포, 내분비세포를 포함하는 수많은 위오목이 분포한다.

- 작은창자는 소화관에서 가장 긴 부분으로(성인에서 약 7 m), 음식물 소화와 영양소 흡수의 주요 부위이다.

- 작은창자는 세 부위로 이루어진다: 샘창자, 빈창자, 돌창자

- 큰창자는 막창자에서 시작된다. 막창자의 끝에 위치한 막창자꼬리에는 수많은 림프소절이 있다.

- 큰창자 소화 기능을 거의 수행하지 않는다.

- 잘록창자는 네 부위로 구성된다: 오름창자, 가로창자, 내림창자, 구불창자. 곧창자는 직선의 근육 관으로 항문으로 이어진다. 대변에 의한 곧창자의 이완은 배변을 자극한다.

- 소화효소인 담즙을 저장하는 쓸개는 간의 아래쪽 면에 위치한 서양배 모양의 주머니이다.

- 인체 내 가장 큰 장기인 간은 포도당을 저장하고, 단백질을 합성하며, 혈액내 노폐물을 여과하는 등의 다양한 기능을 수행한다.

- 이자는 혈관이 매우 풍부하고, 감염에 대한 저항 및 순환계에서 적혈구의 제거에 필수적인 장기이다.

- 길쭉한 모양의 이자는 소화효소 및 인슐린, 글루카곤 등의 호르몬을 만든다.

- 소화 기관들은 두 층의 부드러운 결합조직 막인 복막에 의해 둘러싸인다. 벽쪽 복막은 복강을 감싸고 내장쪽 복막은 복강내 장기와 직접 접촉한다.

- 벽측복막 후방의 후복막공간에는 콩팥, 이자, 샘창자, 주요 혈관등이 포함된다.

- 장간막은 복부 장기를 제자리에 고정하고, 장기로 가는 혈관과 신경의 통로를 제공하는 복막의 일부이다.

■ 증례 연구 정답

1. 환자가 짙은색 물질을 토하는 이유는?
   답: 환자는 상부 위장관 어디에선가 출혈이 있고, 따라서 혈액이 위 내부에 축적된다. 혈액은 위를 자극하여 급작스러운 오심과 구토를 유발한다. 짙은 커피색은 혈액이 일부 소화되었다는 것을 의미한다.

2. 위장관의 구성요소와 각 요소들의 기능을 설명하세요.
   답: 입안, 식도, 위는 상부 위장관을 구성한다. 소화는 입안에서 저작과 침의 분비에 의해 시작된다. 침은 녹말과 기타 다당류를 당으로 분해한다. 식도는 음식물과 액체를 위로 운반하고, 위에서 음식물이 소화액과 섞여서 반유동체의 미즙을 형성한다.

3. 환자는 소화성 궤양의 과거력이 있다. 이 질환이 위에 미치는 영향은 무엇인가?
   답: 위산 과다에 의한 소화성 궤양은 위와 샘창자 상피에 미란을 일으키고, 병변에서 위장관 출혈이 발

생할 수 있다. 소화성 궤양 환자는 위산의 과다 분비를 억제하여, 상피의 치유를 도와주는 약들을 처방받는다.

4. 위의 운동성을 증가 및 감소시키는 호르몬은?

   답: 위점막에서 분비되는 가스트린은 위 분비 및 위 배출 속도를 증가시킨다. 샘창자에서 분비되는 세크레틴은 위 분비와 운동성을 억제한다. 콜레시스토키닌은 운동성을 억제하고, 위억제 펩타이드는 위 분비와 운동성을 억제한다.

5. 복부 좌상 사분역의 기준점과 내부 장기들을 기술한다.

답: 복부의 가장 꼭대기 경계면은 가로막이다. 중심점은 배꼽으로, 배꼽을 서로 수직으로 교차하는 두 개의 가상의 선들이 사분역을 나눈다. 좌상 사분역에는 위, 지라, 이자, 큰창자 일부, 그리고 뒤쪽으로 왼쪽 콩팥이 있다

6. 위장관계에서, 음식물의 소화 및 영양소 흡수의 주요 부위는?

답: 작은창자는 소화관에서 가장 긴 부분으로, 세 부위로 이루어진다: 샘창자, 빈창자, 돌창자. 작은창자는 소화와 영양소 흡수의 주요 부위이다.

내분비계

The Endocrine System

학습목표

1. 내분비샘, 외분비샘, 호르몬, 프로스타글란딘의 정의를 내린다.
2. 프로스타글란딘의 구성요소 및 기능을 설명한다.
3. 내분비계의 기능 및 구조를 이해하는 것이 현장에서 흔히 볼 수 있는 질환에 어떻게 관련성이 있는지를 설명한다.
4. 단백질 호르몬과 스테로이드 호르몬의 작용 기전을 설명한다.
5. 주요 내분비샘과 그들이 분비하는 주요 호르몬을 열거한다.
6. 호르몬 분비에서 양성 되먹임과 음성 되먹임의 역할을 설명한다.
7. 뇌하수체 전엽과 후엽에서 분비되는 호르몬을 열거한다.
8. 갑상샘의 위치와 갑상샘에서 생산되는 호르몬을 설명한다.
9. 부갑상샘호르몬과 칼시토닌의 관계를 설명한다.
10. 인슐린과 글루카곤의 관계를 설명한다.
11. 부신의 위치, 구조, 일반적 기능을 서술한다.

■ 서론

내분비계는 인체기능을 조절하여 항상성을 유지하는데 신경계와 함께 작용한다. 내분비계와 그에 속한 샘에서 분비된 호르몬은 간질액에서 혈액으로 확산되어 들어가고, 표적세포에 작용하게 된다. 주변분비란 이웃한 세포들에만 영향을 주는 분비를 말하고 자가분비란 분비세포에만 영향을 주는 것을 말한다. 반면, 땀샘과 눈물관과 같은 외분비샘은 관을 통해 분비액을 체외로 배출하는 샘이다.

■ 내분비계

뇌는 신경계와 내분비계를 통해서 신체를 조절한다. 내분비계는 많은 신체기능을 통합하는 복잡한 신호전달 및 조절체계이다. 내분비계는 내분비샘을 통해 인슐린 등의 호르몬을 생산하여 혈액내로 분비한다. 각 내분비샘은 하나 이상의 호르몬을 생산한다. 각각의 호르몬은 일부 기관, 조직, 또는 체내 작용에 대해 특정한 효과를 가진다.

주요 내분비샘은 뇌하수체, 갑상샘, 부갑상샘, 부신, 이자(췌장), 솔방울샘(송과체), 가슴샘, 생식샘 등이다 그림 11-1 .

프로스타글란딘은 자궁, 뇌, 신장 등 다양한 인체 조직에서 생산되는 호르몬과 유사한 지방산들이다. 정액 또한 프로스타글란딘을 포함한다. 프로스타글란딘은 표적 장기에 작용하여 다양한 범주의 효과를 낸다; 자궁 수축, 혈압 조절, 평활근 수축, 통증과 염증. 아스피린과 비스테로이드성 소염제는 특정 프로스타글란딘의 합성을 저해한다고 여겨진다.

종류에 상관없이 모든 호르몬은 수용체에 결합하여 작용한다. 스테로이드와 갑상샘호르몬은 세포 내부의 수용체와 결합하고, 다른 모든 호르몬들은 일반적으로 세포 표면에 위치한 수용체와 결합한다. 호르몬은 세포내 단백질

증례 연구 ▶ Part 1

낮 12시, 당신이 속한 구급대는 경미한 저속 차량 충돌이 발생한 지역 쇼핑몰 주차장으로 출동한다. 이미 현장에 도착한 경찰은 당신에게 이상하게 행동하는 운전자를 확인해보라고 한다. 경찰관이 전해준 목격자 진술에 따르면, 환자가 쇼핑몰을 나와서 비틀거리며 차를 탄 후 후진해서 주차되어 있던 다른 두 대의 차에 충돌했다고 한다.

당신은 현장이 안전하다고 판단한 후, 환자 평가를 시작한다. 환자의 기도는 개방되어 있고 호흡의 문제는 없지만, 환자는 명백히 매우 힘들어하고 있다. 환자는 자신의 이름은 알지만, 날짜와 장소에 대해서는 약간 혼동하고 있다. 환자의 원위부 맥박은 약하고 빠르며, 외부 출혈 소견은 없다. 당신의 환자에 대한 일반적 소견은 땀을 아주 많이 흘리면서 혼동된 상태에 있는 40대 여자이다. 환자는 협조하고는 있지만, 마치 취한 것처럼 행동한다; 하지만, 술냄새가 나지는 않는다. 당신은 환자에게 비재호흡성 마스크를 씌우고, 차 후면이 찌그러진 상태임에도 환자에서 외상은 보이지 않음을 확인한다. 당신의 동료는 기저 활력징후를 측정한다.

기록한 시간: 5분	
외형	창백하고 진땀을 흘림
의식 수준	언어(자기 이름은 알고 있지만, 장소와 날짜에 대해 혼동함)
기도	개방
호흡	규칙적
순환	가는 원위부 맥박; 명백한 외부 출혈 없음
맥박	100회/분, 규칙적
혈압	120/70 mmHg
호흡	20회/분, 규칙적
SpO₂	98%

1. 이런 유형의 스트레스에 반응하여 교감신경계에 영향을 주는 호르몬은?
2. '주인 샘'이라고 불리는 기관은 무엇이고, 그렇게 불리는 이유는?

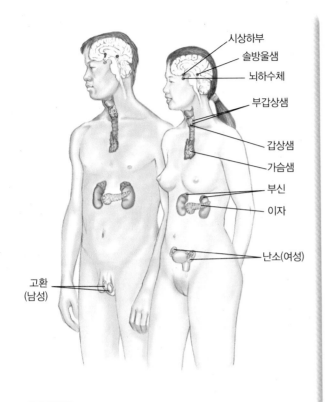

시상하부
솔방울샘
뇌하수체
부갑상샘
갑상샘
가슴샘
부신
이자
난소(여성)
고환
(남성)

그림 11-1 내분비계의 기관들: 내분비샘

과 기타 물질들의 생산을 촉진하고, 이들은 그 특정 호르몬이 관여하고 있는 신체 과정의 다음 단계를 수행한다 **그림 11-2** .

질병이 없는 상태에서, 호르몬은 서로 상호작용을 통해 체내 항상성, 즉 균형을 유지한다. 전형적으로, 이러한 상호작용은 <u>양성 되먹임</u>과 <u>음성 되먹임(되먹임 억제)</u>을 통해 일어난다. 음성 되먹임이란 어떤 호르몬이 그 기대효과를 발휘하게 되면, 다시 필요할 때까지는 더이상의 호르몬 생산이 억제되는 것을 말한다(예를 들면, 혈중 포도당 농도가 낮을 때, 인슐린 생산이 중단됨). 인체 내 대부분의 되먹임 기전은 음성이다.

산통의 진행 및 혈액응고 등에서 작용하는 몇 가지 호르몬은 <u>양성 되먹임</u>을 통해 작용한다; 필요한 호르몬 효과가 일단 시작되면, 호르몬 생산이 더욱 촉진된다.

■ 뇌하수체와 시상하부

<u>뇌하수체</u>는 '주인 샘'이라고 알려져 있다. 뇌하수체는 두개강 내에서 뇌 기저부에 위치하고, 체내 다양한 샘의 기능을 조절하는 호르몬을 분비한다. 간뇌 기저부인 <u>시상하부</u>는 뇌하수체 기능을 조절한다. <u>분비인자</u> 또는 <u>억제인자</u>는 <u>시상하부뇌하수체 문맥계</u>를 따라서 시상하부에서 뇌하수체로 내려간다. 시상하부와 뇌하수체의 상호작용을 <u>시상하부-뇌하수체 축</u>이라고 한다.

뇌하수체는 시상하부 아래쪽에서 누두에 의해 연결된다. 뇌하수체는 두 부위로 구성된다; <u>뇌하수체 전엽(샘뇌하수체)</u>, <u>뇌하수체 후엽(신경뇌하수체)</u> **그림 11-3** . 뇌하수체 후엽은 대부분 신경섬유와 신경아교세포로 구성되는 점에서 뇌하수체 전엽과 구별된다.

뇌하수체 후엽
뇌하수체 후엽은 뇌의 연장선으로 뇌와 직접 연결되어 있

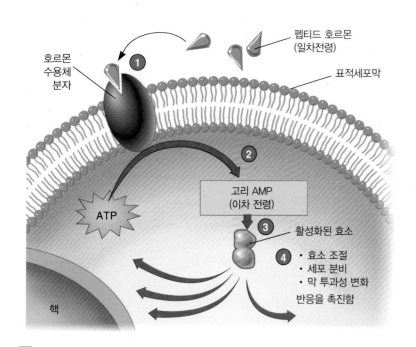

A

스테로이드
호르몬

세포막

① 호르몬

② 호르몬
수용체
분자

호르몬
수용체
복합체

단백질

세포질

핵

활성화된 DNA
(유전자)

③

④

리보솜에 mRNA는
단백질 합성을 지시한다.

B

그림 11-2 호르몬의 작용 기전. **A.** 펩티드 호르몬. **B.** 스테로이드 호르몬

항이뇨호르몬(ADH)은 바소프레신이라고도 불린다. 고농도에서 ADH는 혈관을 수축하고 혈압을 상승시킨다. ADH의 일차표적조직은 신장으로 수분의 저장과 소변량의 감소를 촉진한다. 특수한 신경세포인 삼투수용기와 혈관내 혈압 수용기에 의해 뇌에 전달되는 신호에 따라서 항이뇨호르몬의 분비가 조절된다.

옥시토신은 임신 중 자궁 평활근의 수축을 일으키고, 수유시 모유 분비를 가능하게 한다. 때로는 분만을 유도 또는 촉진하기 위해서, 그리고 분만후 출혈 예방을 위한 자궁 수축을 목적으로 옥시토신 제제가 사용된다.

뇌하수체 전엽
뇌하수체 전엽은 중추신경계의 일부가 아니므로, 여기서 생산되는 호르몬은 신경호르몬이 아니다. 시상하부에서 분비되는 물질은 혈관을 따라 직접 뇌하수체 전엽으로 운반된다. 뇌하수체 전엽의 분비 작용은 대부분 자극 효과 이고, 일부 억제 효과가 있다.

뇌하수체 전엽은 치밀한 콜라겐 결합조직으로 이루어진다. 뇌하수체 전엽에는 5가지 유형의 분비세포가 있고, 이 중 4가지는 단 하나의 호르몬을 분비한다─성장호르몬, 프로락틴, 갑상샘자극 호르몬, 부신겉질자극 호르몬. 5번째 유형은 난포자극호르몬과 황체형성호르몬을 분비한다.

성장 호르몬
성장호르몬(소마토트로핀)은 사지의 장

다. 이 부위는 중추신경계의 연장이므로, 여기서 생산되는 호르몬을 신경호르몬이라고 부른다. 신경뇌하수체에서 저장되고 분비되는 두 가지 주요 호르몬은 항이뇨호르몬과 옥시토신이다. 이들은 각각 시상하부의 다른 세포에서 분비되지만, 둘다 뇌하수체 후엽에 저장되었다가 방출된다.

골을 비롯한 수많은 조직의 성장을 촉진한다. 또한 성장호르몬은 단백질 합성과 에너지로서 지방의 이용을 증가시킨다. 성장호르몬은 간, 골격근, 기타 조직에서 소마토메딘 단백질의 생산을 자극한다. 소마토메딘은 혈액내에서 순환하고, 주로 소마토트로핀의 효과를 중개하여 표적조직에 영향

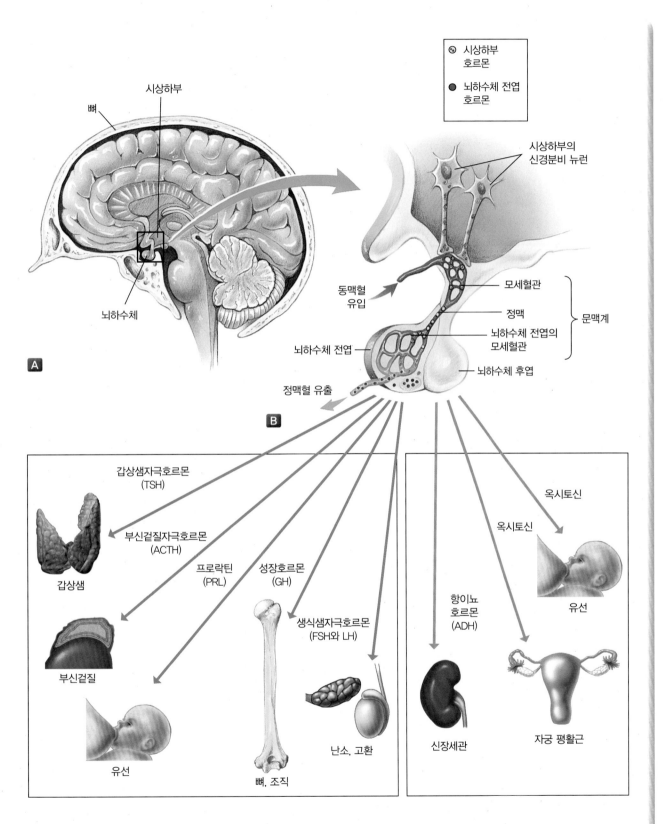

시상하부

뼈

시상하부의
신경분비 뉴런

⊙ 시상하부
호르몬

● 뇌하수체 전엽
호르몬

뇌하수체

동맥혈
유입

모세혈관

정맥

뇌하수체 전엽의
모세혈관

뇌하수체 후엽

문맥계

뇌하수체 전엽

A

정맥혈 유출

B

갑상샘자극호르몬
(TSH)

부신겉질자극호르몬
(ACTH)

프로락틴
(PRL)

성장호르몬
(GH)

옥시토신

옥시토신

갑상샘

생식샘자극호르몬
(FSH와 LH)

항이뇨
호르몬
(ADH)

유선

부신겉질

유선

난소, 고환

뼈, 조직

신장세관

자궁 평활근

그림 11-3   뇌하수체. **A.** 뇌하수체의 위치. **B.** 뇌하수체의 주요 구조와 뇌하수체에서 생성되는 호르몬

증례 연구 ▶ Part 2

당신은 환자가 들것으로 이동하는 것을 도와주다가, 환자 무릎에 떨어져있는 포장이 반쯤 벗겨진 사탕 몇개를 발견한다. 또한 당신은 환자가 착용하고 있는 의료 신원확인 팔찌를 발견하고, 환자가 인슐린 의존성 (제1형) 당뇨 환자임을 알게된다. 당신의 동료가 환자의 활력징후를 측정하는 사이, 당신은 2차 평가를 계속 수행하기 위해 병력을 청취하고 신체 검진을 한다.

환자는 병력상 체중 75 kg의 44세 여자이다. SAMPLE 병력은 다음과 같다:

- 나이, 성별, 체중: 44세 여자, 75 kg
- 징후와 증상(Signs and symptoms): 메스꺼움, 말이 어눌함, 어지러움.
- 약물에 대한 알레르기(Allergies to medications): 없음.
- 복용중인 약(Medications taken): 오늘 아침 인슐린을 투여한것 같음.
- 관련된 과거력(Past pertinent medical history): 제1형 당뇨.
- 마지막으로 음식/액체 섭취(Last food/ fluid intake): 어젯밤 자기전에 먹었지만 오늘 아침식사는 걸렀다.
- 발생전 상황(Events prior to onset): 쇼핑중에 환자는 갑자기 정신이 혼미하다고 느꼈다. 비틀거리며 쇼핑몰에서 나와서 차로 걸어간 다음, 차를 후진하다가 2대의 주차된 차들과 충돌했다.

OPQRST 병력은 다음과 같다.

- 증상 발현(Onset of symptoms): 지난 30분 이내에 갑작스럽게 발현됨.
- 악화 요인(Provoking factors): 환자는 오늘 아침식사를 걸렀다.
- 통증의 양상(Quality of discomfort): 환자는 양쪽 눈에 날카롭고 타는듯한 통증을 호소한다.
- 방사통/관련 징후/증상/완화요인(Radiating/related signs/symptoms/relief): 통증이나 국소 증상은 없음.
- 호소증상의 중증도(Severity of complaint): 지난번 비슷한 증상에 비해, 더욱 빨리 혼미해졌다.
- 시간(Time): 약 30분 전에 정신이 혼미한 증상이 시작되었고, 환자는 집으로 바로 돌아가야만 한다고 생각했다.

환자의 활력징후가 안정적이고 구역반사가 있으므로, 당신은 프로토콜에 따라서 환자에게 25 gm의 경구 포도당을 설압자로 투여한다.

기록한 시간: 5분	
외형	창백하고 진땀을 흘림
의식 수준	언어(장소와 요일을 혼동함)
기도	개방
호흡	빠르지만 힘든 호흡은 아님
순환	창백하고 매우 축축함; 생명을 위협하는 외부 출혈을 없음
맥박	100회/분, 가늘고 규칙적
혈압	118/78 mmHg
호흡	24회/분, 규칙적
동공	양쪽 동일하고 반응성
Spo₂	98%
심전도	이소성 박동을 동반하지 않은 동성 빈맥

3. 체내 대사와 혈당 수치의 조절에 필수적인 두 가지 주요 호르몬은 무엇이고, 그들이 생산되는 부위는?

4. 당뇨병이란?

을 준다. 소마토메딘과 소마토트로핀 모두 정상 성장에 필요하다고 여겨진다.

시상하부에서 분비되는 성장호르몬 방출호르몬은 성장호르몬의 분비를 자극한다. 성장호르몬 방출저해 호르몬(소마토스타틴)은 성장호르몬 분비를 억제한다. 쇼크와 저혈당 등의 체내 스트레스는 성장호르몬 분비를 증가시키는 반면, 고혈당은 성장호르몬 분비를 감소시킨다.

병태생리학

뇌하수체에서 성장호르몬의 과다 생산에 의해 야기되는 질환을 거인증, 또는 말단비대증이라고 한다. 반면, 난쟁이증은 성장호르몬 결핍에 의한 발육의 저해를 말한다.

갑상샘자극 호르몬

갑상샘자극호르몬(TSH, 타이로트로핀)은 갑상샘의 갑상샘호르몬 분비를 조절하는 호르몬이다. 갑상샘자극호르몬은 시상하부에서 분비되는 타이로트로핀-분비인자에 의해 영향을 받는다.

부신겉질자극 호르몬

부신겉질자극 호르몬(ACTH)은 공통 전구체인 프로오피오멜라노코르틴에서 유래되는 몇 가지 분자들 중 하나이다. ACTH는 부신겉질의 발달 및 코르티코스테로이드 분비에 필수적이다. 스트레스, 외상, 큰 수술, 열 등의 상태에서 ACTH 분비가 자극된다. 베타 엔도르핀 단백질은 몰핀등의 아편제제와 같은 효과를 가지고, 역시 프로오피오멜라노코르틴에서 유래된다. 베타엔도르핀은 시상하부와 뇌하수체 전엽에서 생성되고, 몰핀보다 80배 더 강력한 진통 효과를 가진다.

병태생리학

스트레스는 프로오피오멜라노코르틴의 생산을 증가시키고, 따라서 부신겉질 자극호르몬과 베타엔도르핀 수치가 모두 증가한다. 일부 연구자들에 의하면, 뇌에서 생산된 아편제는 혈압을 낮추어, 이미 심각한 쇼크 상태를 더욱 악화시킨다. 실험적으로 일부 연구에서는 아편류 길항제인 날록손을 투여하여 베타엔도르핀의 효과를 역전하기도 하였다. 동물 실험은 매우 희망적으로 보이지만, 아직 쇼크의 치료에 날록손의 사용을 뒷받침할 만한 인간에서의 연구결과는 부족하다.

임상에 유용한 정보

의학적 목적으로 합성 코르티코스테로이드를 환자에게 흔히 투여한다. 항염증 효과를 위해 가장 흔히 사용되며, 천식이나 관절염등의 치료에 이용된다.

병태생리학

대용량 코르티코스테로이드로 2주에서 3주 이상 치료받은 환자의 경우, 정상적인 시상하부-뇌하수체-부신 축의 반응 양상이 소실되고, 따라서 스트레스에 반응하여 체내 코티솔을 합성하는 능력을 상실한다. 감염, 수술 등의 스트레스 상태에서 이런 환자들에게는 자신의 신체가 생성하는 코르티코스테로이드외에도 부가적인 코르티코스테로이드 투여가 필요하다. 만약 코르티코스테로이드를 적절하게 투여하지 못할 경우, 생명을 위협하는 애디슨 발증이 발생할 수 있다.

임상에 유용한 정보

합성대사 스테로이드 복용의 심각한 부작용 중 하나는 환자가 쉽게 흥분하고, 공격적이며, 육체적으로 폭력적인 성향으로 변하는 것이다. 이러한 환자들은 응급구조사를 포함한 주변인들에게 신체적 위협을 가할 수 있다.

생식조절 호르몬

황체형성호르몬(LH)과 난포자극호르몬(FSH)은 난자와 정자, 그리고 생식호르몬(여성의 에스트로겐과 프로게스테론, 남성의 테스토스테론)의 생산을 조절한다. 시상하부에서 분비되는 생식샘자극호르몬분비호르몬은 황체형성호르몬과 난포자극호르몬의 분비에 영향을 준다. 프로락틴은 여성에서 모유 생산에 중요한 역할을 하고, 남성에서는 정자 생산 유지를 돕기도 한다. 프로락틴 수치가 증가하면 남성과 여성 모두에서 성기능을 저해한다. 시상하부에서 분비되는 프로락틴 분비 호르몬과 프로락틴 억제 호르몬은 프로락틴 분비에 영향을 준다.

갑상샘

갑상샘은 후두 바로 아래, 기관 앞 양 옆쪽으로 위치한다 그림 11-4 . 갑상샘은 띠 모양 조직인 협부에 의해 연결된 두 개의 큰 엽으로 구성되고, 결합조직 피막으로 덮여있으며, 소포라고 불리는 분비 영역을 가지고 있다. 소포에서 생성되는 호르몬을 저장하는 맑은 물질인 콜로이드는 갑상샘을 가득 채우고 있다. 갑상샘은 성장, 발달, 대사에 영향을 주는 호르몬을 합성하고 분비한다.

현미경 상에서, 갑상샘에는 갑상샘호르몬과 결합하는 단백질인 타이로글로불린으로 채워진 무수한 소포들이 있다. 갑상샘에서 소포들 사이에 위치한 소포곁세포는 칼시토닌 호르몬을 생산한다. 체내 칼슘 조절에 중요한 칼시토닌은 골파괴세포에 의한 뼈 분해를 감소시켜서, 혈중 칼슘과 인산 수치를 낮춘다.

갑상샘에서 생성되는 두 가지 주요 호르몬은 삼요오드 타이로닌(T3)과 티록신(T4)이다. 이 호르몬들은 뇌하수체 전엽에서 나온 TSH의 자극을 받아 생성된다. 혈액내에서 T3와 T4는 간에서 합성된 단백질인 티록신결합 글로불린과 결합한다. 대부분 T3가 표적 조직과 상호작용을 한다. T4의 약 40%는 조직 내에서 T3로 전환된다. 두 호르몬 모두 소아의 정상 성장 및 발달에 필수적이다. 또한 이들은 체내 대사 조절에서 중요한 역할을 한다.

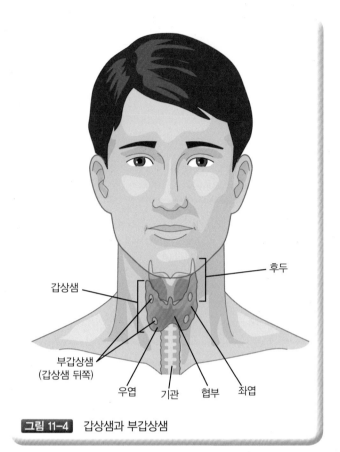

그림 11-4 갑상샘과 부갑상샘

후두
갑상샘
부갑상샘
(갑상샘 뒤쪽)
우엽 기관 협부 좌엽

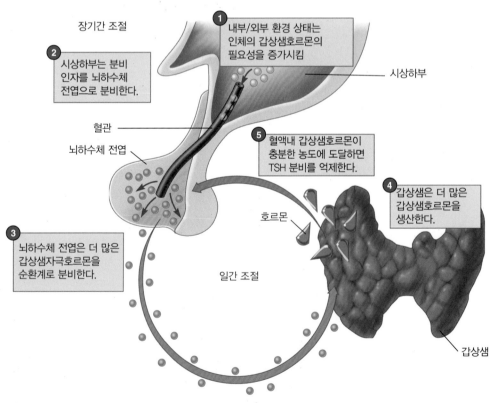

장기간 조절

1 내부/외부 환경 상태는 인체의 갑상샘호르몬의 필요성을 증가시킴

시상하부

2 시상하부는 분비 인자를 뇌하수체 전엽으로 분비한다.

혈관

뇌하수체 전엽

5 혈액내 갑상샘호르몬이 충분한 농도에 도달하면 TSH 분비를 억제한다.

4 갑상샘은 더 많은 갑상샘호르몬을 생산한다.

호르몬

3 뇌하수체 전엽은 더 많은 갑상샘자극호르몬을 순환계로 분비한다.

일간 조절

갑상샘

그림 11-5 부갑상샘호르몬과 칼시토닌의 작용으로 혈액내에서 적절한 칼슘 수치가 유지된다.

■ 부갑상샘

부갑상샘은 갑상샘의 후면에 위치한다. 대개의 경우 4개—갑상샘의 각 엽에서 상부샘과 하부샘 하나씩—의 부갑상샘이 있다. 부갑상샘은 얇은 결합조직 피막으로 덮여있고, 황갈색을 띤다. 부갑상샘에서 생성, 분비되는 부갑상샘호르몬은 혈중 칼슘 수치와 신경근 기능을 정상으로 유지한다 그림 11-5 . 부갑상샘호르몬과 칼시토닌은 서로 상반되는 효과를 가진다.

■ 이자

이자(췌장)는 호르몬을 분비하는 내분비샘과 소화효소를 분비하는 외분비샘 둘 다의 기능을 가진다. 이자는 후복막에서 위의 큰굽이와 샘창자(십이지장) 사이에 위치한다 그림 11-6 . 이자의 머리는 샘창자 가까이 위치한다; 이자의 몸통과 꼬리는 비장을 향하여 뻗어있다. 이자는 샘창자에 연결되어, 소화 효소를 소장으로 보낸다.

소화효소 뿐만 아니라, 이자는 인슐린과 글루카곤 호르몬을 생산한다. 이 두 호르몬은 체내 대사와 혈당 수치 조절에 필수적이다. 인슐린과 글루카곤은 랑게르한스섬이라고 부르는 이자 내 특수한 세포 무리에서 만들어진다 그림 11-6 의 B, C 참조). 각 섬내에는 글루카곤을 분비하는 알파세포와, 인슐린을 분비하는 베타세포가 있다.

글루카곤은 간과 신장을 자극하여 글리코겐(당원)의 분

증례 연구 ▶ Part 3

경구 포도당을 투여한 직후, 환자는 호전되어 보이고, 더이상 정신이 혼미한 증상이 없다. 그녀가 말하기를 오늘 아침에 측정한 혈당 수치가 정상이었고, 왜 이런 증상이 발생했는지 모르겠다고 한다. 그녀는 상점에서 몸이 이상하다고 느꼈고, 사탕을 먹기 시작했다고 한다. 보통 사탕을 먹으면, 식사를 할 때까지는 도움이 되었다고 한다. 환자는 지난 24시간 동안 장염이 걸려서 구토, 설사, 식욕저하 등의 증상이 있었다고 한다.

신체 검진상의 소견은 다음과 같다:

- 피부: 창백하고 축축함
- 머리: 창백한 얼굴에, 이마에는 땀방울이 맺혀있음
- 목: 편평한 경정맥
- 가슴: 흉터나 반흔 없음
- 폐 청진: 모든 영역에서 깨끗함
- 상지: 강하고 규칙적인 원위부 맥박
- 하지: 특이소견 없음

기록한 시간: 15분	
외형	창백하고 땀을 흘림
의식 수준	언어에 반응 그러나 점차 명료해지고 있음
기도	개방
호흡	빠른 정상 호흡
순환	창백하고 축축한 피부, 외부 출혈 없음
맥박	78회/분, 규칙적
혈압	124/80 mmHg
호흡	20회/분, 규칙적
SpO$_2$	98%

5. 이 환자에게 경구 포도당이 도움이 된 이유는?

6. 이 환자 상태의 치료가 매우 긴급한 이유는?

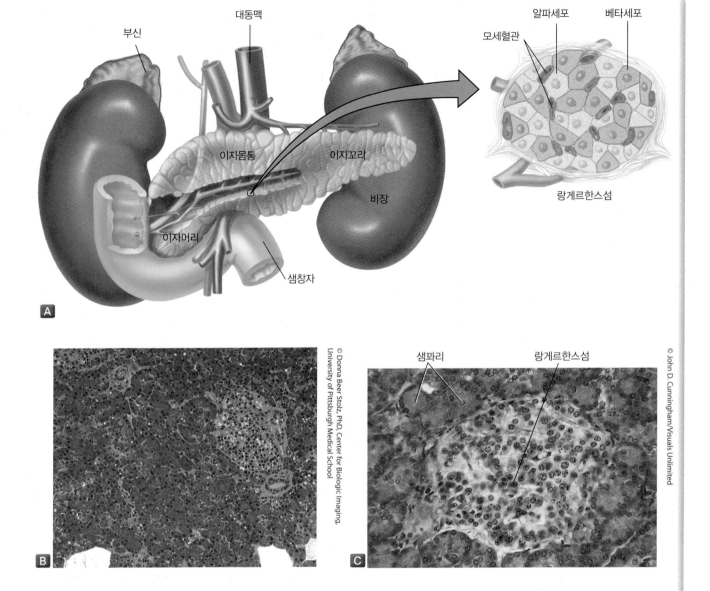

© Donna Beer Stolz, PhD, Center for Biologic Imaging,
University of Pittsburgh Medical School

© John D. Cunningham/Visuals Unlimited

그림 11-6 이자. **A.** 이자는 두 가지 호르몬(인슐린, 글루카곤)과 소화효소를 생산한다. **B.** 랑게르한스섬은 샘꽈리(소화효소를 생산하는 세포들의 아주 작은 무리) 사이에 위치한다. **C.** 호르몬은 랑게르한스섬 내부의 특수 세포에서 생성된다.

해를 촉진하고, 포도당신합성 과정을 통해서 아미노산 등의 비탄수화물 분자를 포도당으로 전환한다. 따라서 글루카곤은 에피네프린 보다 훨씬 더 효과적으로 혈중 포도당 농도를 상승시킨다. 글루카곤 분비는 음성 되먹임에 의해 조절되고, 저혈당의 발생을 예방한다. 또한, 글루카곤은 호르몬 민감성 리파제를 활성화하여, 트리글리세리드를 지방산과 글리세롤로 분해한다. 인슐린은 글루카곤과 반대로 작용하는데, 간에서 포도당으로부터 글리코겐 형성을 촉진하고,

비탄수화물 분자의 포도당으로의 전환을 억제한다. 인슐린은 영양소가 세포로 흡수되어 대사되도록 한다. 지방산은 트리글리세리드로 전환되어 지방으로 저장된다. 아미노산은 단백질 및 포도당으로 대사되어 에너지로 사용된다.

한 사람이 섭취하는 탄수화물의 양은 매우 다양하지만, 인슐린과 글루카곤이 함께 작용하여 혈당 농도를 안정적으로 유지한다. 신경세포는 혈당 농도의 변화에 특히 민감하고, 이러한 변화는 뇌기능에 영향을 준다.

병태생리학

당뇨병은 일생동안 건강에 영향을 주는 질환이다. 세포의 탄수화물 필요와 인슐린 호르몬의 균형을 유지하는 인체의 기능에 영향을 주는 세 가지 유형의 질환이 있다. 이자에서 만들어지는 인슐린은 탄수화물이 포도당의 형태로 세포내로 들어가는 것을 돕는다. 인슐린은 자동차 열쇠처럼 작용한다. 즉, 자동차가 진입로에 있어도, 열쇠 없이는 시동을 켤 수 없다. 충분한 양의 정상 인슐린이 없다면, 혈중 포도당은 세포내로 들어가지 못한다. 따라서, 인슐린은 혈당수치를 비교적 안정적이고 낮은 농도로 유지한다. 또한 인슐린은 탄수화물 대사를 촉진하여 지방 대사를 차단하므로, 지방 조직의 분해를 막는다. 소위 '스트레스 호르몬'이라고 불리는 글루카곤과 에피네프린은 반대의 효과를 가지므로, 혈중 포도당을 증가시킨다. 이자에서 생성되는 글루카곤은 글리코겐(당원)의 포도당 분해를 촉진하여 혈당을 증가시킨다.

당뇨병에는 세 가지 유형이 있다: 1형(소아 당뇨병), 2형(성인 당뇨병), 임신당뇨병. 1형(인슐린 의존성) 당뇨병 환자는 이자에서 인슐린을 생성할 수 없다. 이 환자들은 혈당을 자주 체크하고, 스스로 인슐린을 주사해야 한다.

2형(인슐린 비의존성) 당뇨병 환자의 경우, 이자에서 인슐린을 생성하기는 하지만 인슐린이 상대적으로 기능을 하지 못하는, 즉 인슐린 저항성을 가지고 있다. 또한, 점차적으로 세포표면 인슐린 수용체가 체내 인슐린에 저항성을 발현하여, 인슐린 비의존성이 진행된다. 최종 효과는 1형 당뇨병 환자의 경우와 동일하다. 대부분의 2형 당뇨병 환자는 경구 당뇨병 약물과 식이조절을 통해서 혈당/인슐린 균형을 조절할 수 있다. 많은 경우에서, 인슐린 저항성은 고령과 비만으로 인해 발생한다.

임신당뇨병은 임신한 여성에서 당뇨병의 모든 증상이 발병하는 것이다. 대부분의 경우, 출산 후 바로 호전되는 양상을 보인다. 임신당뇨병은 임신 중 탄수화물을 대사하는 능력을 상실하는 것이다. 이 경우, 산모와 태아 모두에게 고위험임신이 되고, 추후에 2형 당뇨병 발병의 위험 인자로 여겨진다. 혈당 수치가 너무 낮거나 높고,

인슐린 공급과 탄수화물 수요가 균형을 이루지 못할 때, 당뇨병성 응급이 발생한다. 정상 혈당 범위는 70~120 mg/dL이다. 비정상 혈당 수치와 연관되어 다음과 같은 상태들이 발생한다: 저혈당증, 고혈당증, 당뇨병성 케톤산증, 고삼투압 고혈당 비케톤산성 혼수(고삼투압성 비케톤산성 혼수). 흔히, 급성 질환 또는 외상 등의 신체적 스트레스 상태에서 경증에서 중증도의 고혈당 상태를 볼 수 있다.

저혈당증은 임상 증상을 동반한 저혈당(45 mg/dL 미만) 상태를 말하며, 당뇨병 치료의 매우 흔한 부작용이다. 너무 많은 인슐린을 투여하거나, 너무 적은 음식물을 섭취한 경우, 저혈당증이 발생한다. 또한 당뇨병 환자에서 운동이나 뜻하지 않은 신체활동을 위한 불충분한 탄수화물을 섭취한 경우에도 저혈당증이 발생한다. 혈당이 심하게 떨어지면, 뇌에 충분한 포도당이 공급되지 않아서 의식 장애가 나타난다. 일부 환자는 폭력적이 되기도 한다. 저혈당이 장시간 지속되면, 의식을 잃고 영구적인 뇌세포 손상 즉 인슐린 쇼크를 야기할 수 있다.

고혈당증은 정상 범위(80~120 mg/dL) 이상으로 혈당 수치가 증가 상태로, 임상 증상을 동반할 수도 아닐 수도 있다. 치료하지 않은 상태로 방치하면, 고혈당증은 당뇨병성 케톤산증으로 진행될 수 있다. 당뇨병성 케톤산증은 인슐린 결핍과 글루카곤 과다가 결합되어 발생한다. 그 결과, 혈당 수치가 상승하고, 케톤산증을 보이는 과다한 지방 분해가 일어난다. 탈수와 전해질 불균형이 흔히 동반된다.

당뇨병성 케톤산증을 적절히 치료하지 않으면, 당뇨병성 혼수가 발생한다. 당뇨병성혼수는 무의식상태로서, 케토산증, 과다한 배뇨로 인한 탈수, 고혈당 때문에 발생한다. 이때 혈당은 800 mg/dL 이상으로 상승한다.

고삼투압 고혈당 비케톤산성 혼수(고삼투압성 비케톤산성 혼수)는 매우 심한 고혈당(흔히 1,000 mg/dL 이상), 탈수, 혼수상태를 특징으로 하며, 인슐린 결핍에 의해 발생하고, 케톤 산증은 동반하지 않는다. 이는 주로 2형 당뇨병 환자에서 발생한다.

임상에 유용한 정보

위장관 출혈이 있는 환자에서 때로는 바소프레신이 사용된다. 바소프레신은 혈관을 수축시켜서, 출혈 속도를 감소시킨다. 이때, 심장동맥이 수축되어 심근 허혈이 발생하는 부작용이 발생할 수도 있다. 또한 바소프레신은 심실세동 환자에서 일어난 심정지의 치료에도 사용된다. 이때, 일회 용량 40 unit으로 투여하며, 에피네프린 첫 번째 또는 두 번째 용량을 대신하여 사용된다.

■ 부신

콩팥위샘이라고도 불리는 부신은 각각의 신장 맨 위에 모자처럼 얹혀있다. 부신은 인체의 수분 및 염분 균형을 유지하는데 필수적인 호르몬과 성호르몬을 생산하고 분비한다. 스트레스 상태에서 부신에서 만들어지는 아드레날린(에피네프린)은 교감신경계의 '공격－도피' 반응을 중개한다.

부신은 안쪽의 부신속질과 바깥쪽 부신겉질로 이루어

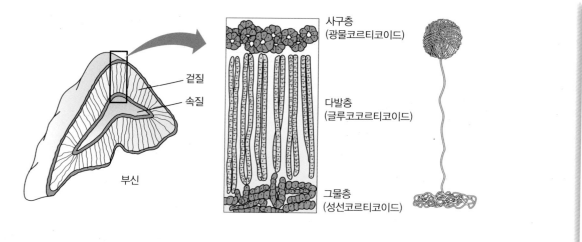

사구층
(광물코르티코이드)

다발층
(글루코코르티코이드)

겉질
속질

그물층
(성선코르티코이드)

부신

그림 11-7 부신

지며, 각각은 다른 호르몬들을 분비한다. 부신의 안쪽 부위인 속질(수질)은 에피네프린과 노르에피네프린을 생산한다. 이들 호르몬은 교감신경계의 기능에 필수적이다. 부신겉질은 세 부위의 세포층으로 구성된다: 사구층, 다발층, 그물층 **그림 11-7** .

사구층은 광물코르티코이드를 생산한다. 광물코르티코이드는 체내 수분과 염분 균형의 조절에 중요하다. 가장 중요한 광물코르티코이드인 알도스테론은 신장에서 나트륨의 흡수를 증가시키고, 수분 재흡수 속도 또한 증가시킨다. 결과적으로, 혈액량과 혈장내 나트륨 농도가 모두 증가하게 된다. 또한 알도스테론 분비는 신장에서 칼륨의 배출 속도를 증가시킨다.

다발층은 글루코코르티코이드, 즉 코르티코스테로이드를 생산한다. 가장 중요한 코르티코스테로이드인 코티솔은 혈당 조절, 지방 조직의 대사, 염증 억제 등의 다양한 역할을 수행한다. 뇌에서 혈액을 통해 부신으로 전달되는 화학 신호들의 복잡한 상호작용으로 구성되는 시상하부-뇌하수체-부신 축은 코르티코스테로이드의 분비를 조절한다.

그물층은 비교적 약한 남성호르몬인 안드로겐을 분비한다. 안드로겐은 남성과 여성 모두에서 생성되지만, 그 양이 다르다. 가장 흔한 안드로겐은 안드로스텐디온이다. 여성에서 부신의 안드로겐은 음모와 겨드랑털의 성장 및 성욕을 자극한다. 남성에서 생식샘에서 만들어지는 성호르몬에 비해서, 부신 안드로겐의 효과는 약하다.

병태생리학

콘증후근(일차성 고알도스테론증)은 알도스테론의 과다한 분비를 일으키는 질환이다. 염분과 수분의 불균형으로 쇠약, 간질발작, 근육 경련 및 씰룩거림, 피부 가려움과 작열감 등의 증상이 나타난다. 콘증후군의 가장 흔한 원인은 양성 종양이다.

임상에 유용한 정보

일부 보디빌더들은 근육량을 증가시키기 위해 합성 안드로겐인 합성대사 스테로이드를 사용한다. 이 물질은 암을 포함한 무수한 부작용을 가지고 있고, 대부분의 운동경기협회에서 위법으로 금지하고 있다.

■ 생식샘과 호르몬

생식샘은 여성의 난소와 남성의 고환을 포함한다. 테스토스테론은 고환에서 생산되는 주요 남성호르몬이다. 테스토스테론은 부신과 난소에서도 소량 만들어진다. 테스토스테론은 남성의 2차 성징(변성기, 수염 등)을 담당한다.

세 가지 주요 여성호르몬은 에스트로겐, 프로게스테론, 사람융모성 생식샘자극호르몬(hCG)이다. 수태후 자궁 내 발달 중인 배아에서 만들어지는 hCG는 자궁 내막을 두껍게하여 임신을 유지할 수 있게 해준다. 난소는 에스트로겐과 프로게스테론을 생산한다. 에스트로겐은 월경 주기와 사춘기 유방발달과 같은 2차성징의 발현에 작용한다. 난소의 황체에서 만들어지는 프로게스테론은 수정란의 착상을 위해 자궁을 준비시킨다. 남성에서도 소량의 에스트로겐과 프로게스테론이 고환과 부신에서 생성된다.

■ 기타 샘

솔방울샘은 대뇌반구 깊숙히, 제3뇌실 상부 가까이 시상에 부착되어 있다 **그림 11-8** . 솔방울샘은 외부 환경의 일광 변화에 반응하여 멜라토닌을 분비한다. 어두워지면 눈에서 오는 신경자극이 감소하고 멜라토닌 분비가 증가한다.

멜라토닌은 생물학적 시계로 작용하는 호르몬으로 외부 환경의 낮밤 주기와 연관된 하루주기 리듬을 조절한다. 이 리듬은 인체가 낮과 밤을 구별하는 것을 돕는다. 완전히 이해된 것은 아니지만, 멜라토닌은 생식샘자극호르몬의 분비를 억제하고 여성 생식 주기를 조절하며, 사춘기 발현 시기를 통제한다고 보여진다.

흉골 후방(양 폐 사이) 종격동 내부에 위치한 가슴샘은 소아에서는 크기가 크지만 나이가 들면서 크기가 줄어드는 샘으로, 초기 면역에 중요하다. 가슴샘에서 분비되는 호르

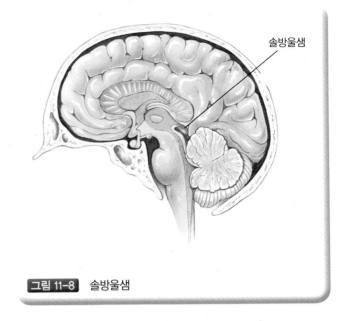

솔방울샘

그림 11-8   솔방울샘

몬 타이모신은 림프구의 생성과 분화에 영향을 준다.

호르몬을 분비하는 소화샘은 위와 소장의 내막에 분포한다. 심장은 소변에서 나트륨 배설을 촉진하는 심방나트륨이뇨펩티드를 분비한다. 신장은 적혈구 성장 호르몬인 적혈구형성인자를 분비한다.

증례 연구 ▶ Part 4

당신의 동료가 전체 활력징후를 측정하는 동안, 당신은 검사를 위한 환자의 병원 이송을 제안한다. 병원으로 이송 중, 재평가를 완료한다.

■ 요점 정리

- 신경계와 함께 작용하는 내분비계는 인체 기능을 조절하여 항상성을 유지한다.

- 내분비계와 그에 속한 샘에서 분비된 호르몬은 간질액에서 혈액으로 확산되어 들어가고, 표적 세포에 작용하게 된다.

- 프로스타글란딘은 다양한 인체 조직에서 생산되는 호르몬과 유사한 지방산으로, 표적 장기에 작용하여 다양한 범주의 효과를 낸다; 자궁 수축, 혈압 조절, 평활근 수축, 통증과 염증.

- 호르몬은 수용체에 결합하여 작용한다. 스테로이드와 갑상샘호르몬은 세포 내부의 수용체와 결합한다. 다른 모든 호르몬들은 세포 표면에 위치한 수용체와 결합한다.

- 호르몬은 서로간에 음성되먹임 즉 되먹임 억제 상호작용을 통해 항상성을 유지한다. 몇몇 호르몬은 양성되먹임 상호작용을 한다.

- 뇌하수체는 '주인 샘'이라고 알려져 있고, 뇌 기저부에 위치한다. 뇌하수체는 체내 다양한 샘의 기능을 조절하는 호르몬을 분비한다.

- 시상하부는 뇌하수체 기능을 조절한다.

- 뇌하수체 후엽은 뇌의 연장선으로 뇌와 직접 연결되어 있고, 신경뇌하수체라고 지칭한다. 여기서 생산되는 호르몬을 신경호르몬이라고 부른다.

- 신경뇌하수체에서 저장되고 분비되는 두 가지 주요 호르몬은 항이뇨호르몬과 옥시토신이다.

- 고농도에서 ADH는 혈관을 수축하고 혈압을 상승시킨다. ADH는 일차 표적 조직인 신장에서 수분의 저장과 소변량의 감소를 촉진한다.

- 옥시토신은 임신중 자궁 평활근의 수축을 일으키고, 수유시 모유 분비를 가능하게 한다.

- 뇌하수체 전엽은 중추신경계의 일부가 아니므로, 여기서 생산되는 호르몬은 신경호르몬이 아니다.

- 성장호르몬(소마토트로핀)은 사지의 장골을 비롯한 수많은 조직의 성장을 촉진하고, 단백질 합성과 에너지로서 지방의 이용을 증가시키며, 간과 골격근에서 단백질의 생산을 자극한다.

- 시상하부에서 분비되는 성장호르몬 방출호르몬은 성장호르몬의 분비를 자극한다. 성장호르몬 방출저해 호르몬(소마토스타틴)은 성장호르몬 분비를 억제한다.

- 갑상샘자극호르몬(TSH, 타이로트로핀)은 갑상샘의 갑상샘호르몬 분비를 조절하는 호르몬이다.

- ACTH는 부신겉질의 발달 및 코르티코스테로이드 분비에 필수적이다. 스트레스, 외상, 큰 수술, 열 등의 상태에서 ACTH 분비가 자극된다.

- 황체형성호르몬(LH)과 난포자극호르몬(FSH)은 난자와 정자, 그리고 생식호르몬의 생산을 조절하며, 생식샘자극호르몬분비호르몬의 영향을 받는다.

- 프로락틴은 여성에서 모유 생산에 중요한 역할을 한다.

- 갑상샘은 두 개의 엽으로 구성된 목 기저부의 큰 샘으로 띠 모양 조직인 협부에 의해 연결되있다.

- 갑상샘은 성장, 발달, 대사에 영향을 주는 호르몬을 합성하고 분비한다.

- 현미경 상에서, 갑상샘에는 갑상샘호르몬과 결합하는 단백질인 타이로글로불린으로 채워진 무수한 소포들이 있다. 갑상샘에서 소포들 사이에 위치한 소포 곁세포는 체내 칼슘 조절에 중요한 칼시토닌 호르몬을 생산한다.

- 갑상샘에서 생성되는 두 가지 주요 호르몬은 삼요오드 타이로닌(T3)과 티록신(T4)이다. 이 호르몬들은 뇌하수체 전엽에서 나온 TSH의 자극을 받아 생성된다.

- 부갑상샘은 갑상샘의 후면에 위치한다. 부갑상샘에서 생성, 분비되는 부갑상샘호르몬은 혈중 칼슘 수치와 신경근 기능을 정상으로 유지한다.

- 이자는 호르몬을 분비하는 내분비샘과 소화효소를 분비하는 외분비샘 둘다의 기능을 가진다. 소화효소 뿐만 아니라, 이자는 인슐린과 글루카곤 호르몬을 생산하고, 이 두 호르몬은 체내 대사와 혈당 수치 조절에 필수적이다.

- 인슐린은 글루카곤과 반대로 작용하는데, 간에서 포도당으로부터 글리코겐 형성을 촉진하고, 비탄수화

물 분자의 포도당 전환을 억제한다.

- 인슐린은 당, 지방, 아미노산이 세포로 흡수되어 대사되도록 한다.
- 글루카곤은 간과 신장을 자극하여 글리코겐(당원)의 분해를 촉진하고, 포도당신합성 과정을 통해서 아미노산 등의 비탄수화물 분자를 포도당으로 전환한다.
- 부신은 신장 가장 꼭대기에 위치한다. 부신은 인체의 수분 및 염분 균형을 유지하는데 필수적인 호르몬과 성호르몬을 생산하고 분비한다.
- 부신에서 만들어지는 아드레날린은 교감신경계의 '공격-도피' 반응을 중개한다. 부신은 또한 코르티코스테로이드를 분비한다.
- 생식샘은 여성의 난소와 남성의 고환을 포함한다.
- 테스토스테론은 고환에서 생산되는 주요 남성호르몬으로, 남성의 2차 성징 발현을 담당한다.
- 세 가지 주요 여성호르몬은 에스트로겐, 프로게스테론, 사람융모성 생식샘자극호르몬(hCG)이다.
- 난소는 에스트로겐과 프로게스테론을 생산한다. 에스트로겐은 여성의 월경 주기와 2차성징의 발현에 작용한다.
- 솔방울샘은 대뇌반구 깊숙히 위치하고, 외부 환경의 일광 변화에 반응하여 멜라토닌을 분비한다. 어두워지면 눈에서 오는 신경자극이 감소하고, 멜라토닌 분비가 증가한다.

■ 증례 연구 정답

1. 이런 유형의 스트레스에 반응하여 교감신경계에 영향을 주는 호르몬은?
   답: 부신에서 생성, 분비되는 아드레날린(에피네프린)은 스트레스 상태에서 교감신경계의 '공격-도피' 반응을 중개한다.

2. '주인 샘'이라고 불리는 기관은 무엇이고, 그렇게 불리는 이유는?
   답: 뇌하수체는 체내 다양한 샘의 기능을 조절하는 호르몬을 분비하므로 '주인 샘'이라고 알려져 있다.

3. 체내 대사와 혈당 수치의 조절에 필수적인 두 가지 주요 호르몬은 무엇이고, 그들이 생산되는 부위는?
   답: 인슐린과 글루카곤은 체내 대사와 혈당 수치 조절에 필수적이다. 이 두 호르몬은 랑게르한스섬이라고 부르는 이자 내 특수한 세포 무리에서 만들어진다.

4. 당뇨병이란?
   답: 당뇨병은 이자에서 인슐린 생성 장애에 의한 질환이다. 당뇨병은 유전적 요인과 환경적 요인의 조합에 의해 발생하며, 주로 탄수화물 대사에 영향을 준다.

5. 이 환자에게 경구 포도당이 도움이 된 이유는?
   답: 의식의 변화가 있는 모든 환자에서 우선적으로 저산소증과 저혈당증을 고려해야 하고 즉시 산소를 공급해야 한다. 이 환자의 경우, 환자 스스로가 1형 당뇨병 환자이고 식사를 걸렀으며, 지난 24시간동안 아팠다고 말할 정도로 반응하기 때문에, 당신은 혈당 체크를 하기 이전에 환자가 저혈당증이라고 추정할 수 있다.

6. 이 환자이 상태의 치료가 매우 긴급한 이유는?
   답: 뇌는 지속적인 포도당의 공급을 필요로 한다. 포도당의 공급이 없으면, 뇌의 에너지원이 소실되어 환자의 의식 상태가 급속히 나빠지게 된다. 빠른 처치가 없을 경우 환자의 상태는 급속히 악화되어 영구적인 뇌 손상이 발생할 수도 있다. 이 환자의 경우, 혈당이 매우 낮았으나, 상태를 재빨리 인식하여 포도당을 투여하였고 상태가 빠르게 호전되었다.

비뇨기계
The Urinary System

학습목표

1. 비뇨기계의 세 가지 주요 기능을 설명한다.
2. 콩팥의 위치와 구조적 특성을 설명한다.
3. 콩팥의 정상 혈액량과 혈압을 유지하는 기전을 설명한다.
4. 콩팥단위(네프론)의 각 부위들을 명명한다.
5. 콩팥의 정상 혈중 pH 및 전해질 균형을 유지하는 기전을 설명한다.
6. 정상 소변의 특징과 소변이 형성되는 과정을 설명한다.
7. 콩팥기능에 영향을 미치는 호르몬들에 대해 서술한다.

■ 서론

<u>비뇨기계</u>는 세 가지 주요 기능을 가지고 있다. :(1) 배출(대사산물과 같은 유기 노폐물을 체액에서 제거), (2) 제거(체액에서 제거된 노폐물을 체외로 배설), (3) 혈장의 용적과 전해질 농도의 항상성 조절.

　비뇨기계는 체내 전반에 걸쳐 세포에서 생성되는 노폐물을 제거하는 기능을 하는 것은 물론이며, 몇 가지 더욱 필수적인 항상성 기능을 가지고 있으며, 이에 대해 이번 장에서 자세히 다루고자 한다. 비뇨기계는 두 개의 콩팥, 두 개의 요관, 각각 하나의 방광과 요도로 구성된다 **그림 12-1**. 이러한 비뇨기계의 구조(물)들은 배안과 골반강 내에 위치하고 있어서, 소화기계 및 생식계와 밀접하게 얽혀있다.

병태생리학

방광염은 방광과 방광 내에 존재하는 물질들의 세균(성) 감염으로 성인 여성에서 가장 흔하게 발생한다. 증상은 빈뇨, 작열감 및 때로는 혈뇨가 나타난다. 이러한 증상은 환자에게 불편감을 느끼게 하지만, 대부분의 환자는 경구(용) 방광 이완제와 항생제로 쉽게 치료된다.

■ 콩팥

콩팥은 적갈색의 매끈한 강낭콩모양 장기이다 **그림 12-2**. 성

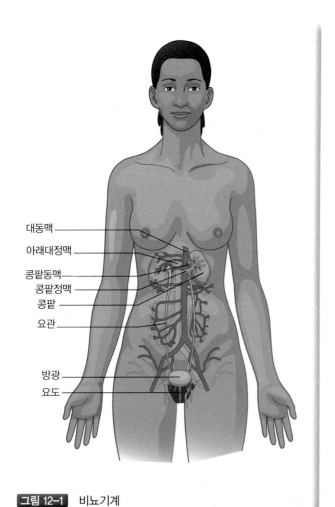

대동맥
아래대정맥
콩팥동맥
콩팥정맥
콩팥
요관

방광
요도

그림 12-1　비뇨기계

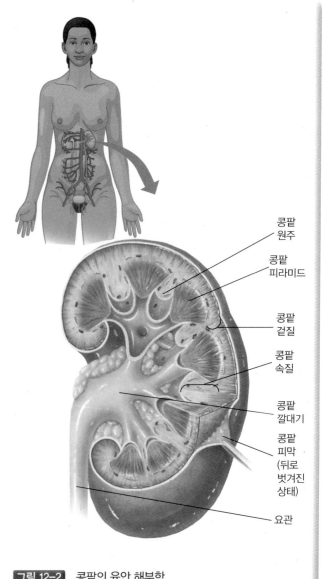

콩팥
원주
콩팥
피라미드

콩팥
겉질

콩팥
속질

콩팥
깔대기

콩팥
피막
(뒤로
벗겨진
상태)

요관

그림 12-2　콩팥의 육안 해부학

인의 콩팥은 각각 두꺼운 섬유성 피막으로 싸여있고, 콩팥의 길이는 약 12 cm, 넓이는 약 6 cm, 두께는 약 3 cm이다. 콩팥은 배안의 상부 후벽 움푹한 부위에 척추 양 옆으로 놓여있고, 상부 경계면은 12번 가슴뼈 부근이고, 하부 경계면은 3번 허리뼈 부근이다. 또한, 왼쪽 콩팥이 오른쪽 콩팥보다 약 1.5~2 cm 높게 위치하며, 그 이유는 오른콩팥은 간의 오른엽에 눌리기 때문이다.

콩팥은 벽측 복막 후방의 등 심부 근육에 놓여있고, (복강 뒤쪽 후복막강) 주위 결합조직과 지방조직에 의해 고정되어 있다. 각 콩팥의 외측면은 볼록하고 내측면은 오목하며, 오목한 내측 면은 콩팥굴(신장동)로 연결되고, 이 공간의 입구는 문이라고 하고, 이 문을 통해서 혈관, 신경, 림프관, 요관이 통과한다.

콩팥굴 내에 콩팥깔대기(신우, 깔대기 모양 주머니)가 요관 상부 말단까지 이어진다. 여러 개의 큰 뇨관으로 구성된 콩팥잔(신배)은 콩팥깔대기를 형성하기 위해 콩팥조직에서 모인다. 콩팥 잔은 큰콩팥잔(대신배)과 작은콩팥잔(소신배)으로 나뉜다. 작은 융기부인 콩팥꼭지(신유두)는 콩팥깔대기벽에서 콩팥굴 내로 연결되어 있고, 각 콩팥꼭지는 작은콩팥잔의 작은 속공간으로 돌출되어 있다.

콩팥에는 안쪽 속질과 바깥쪽 겉질로 나누어지고, 속질은 원뿔형 조직인 콩팥피라미드(신추체)로 형성되어 있고, 줄무늬가 있다. 콩팥겉질은 속질을 감싸고 있고, 콩팥기둥은 겉질이 속 부분까지 확장되어 콩팥피라미드를 서로 분리한다. 콩팥겉질은 콩팥의 기능적 단위인 콩팥단위(네프론)와 관련이 있는 미세관들로 인해 과립이 나타난다.

콩팥은 혈액 내 대사 노폐물을 제거하고, 이 노폐물들을 물과 전해질로 희석함으로써 콩팥 내의 조성물질, pH 및 세포외액 양을 조절하여 항상성 유지시키는데 도움을 준다. 이 과정을 통해 소변이 형성되고 콩팥을 통해서 배설된다. 콩팥의 주요 다른 기능들은 다음과 같다.

- 적혈구형성인자(erythropoietine) 호르몬을 분비하여 적혈구 생산을 조절한다.
- 비타민 D의 활성화를 돕는다.
- 레닌 효소를 분비하여 혈액량과 혈압을 유지한다.

콩팥은 복부대동맥에서 시작하는 콩팥동맥을 통해 혈액을 공급받고, 정상인의 경우 콩팥동맥은 전체 심장박출량의 15~30%의 혈액을 콩팥으로 보낸다.

콩팥동맥은 몇 개의 구역동맥으로 나뉘고, 각각의 구역

증례 연구 ▶ Part 1

오후 2시, 시내버스에서 극심한 허리 통증을 호소하는 24세 남자가 있는 시내 버스정류장으로 구급대가 출동한다. 처음에 구급대는 환자가 부상을 입었다고 생각한다; 그러나, 구급대는 빠른 시간 내 환자가 외상에 의한 부상이 없음을 확인한다. 환자의 일반적 소견은 창백하고 안절부절 못하고 있는 마른 체형의 20대 남자이다. 그는 잠시도 가만히 앉아있지 못한다.

일차 평가를 실시한 결과, 환자의 의식은 명료하고, 기도는 개방되어 있으며 호흡에 문제는 없음이 확인되었다. 구급대는 신속히 환자에게 비재호흡 마스크를 씌우고, 환자의 맥박을 측정한다. 환자는 과거 콩팥결석으로 극심한 허리통증이 있었다고 한다. 그 당시 환자의 통증을 완화시켜준 유일한 처방은 진통제였다고 한다.

기록한 시간: 0분

외형	창백하고 진땀을 흘림
의식 수준	명료(사람,장소,날짜에 대해 지남력이 있음)
기도	개방
호흡	규칙적
순환	창백하고 진땀을 흘림; 규칙적이고 강한 원위부 맥박; 명백한 외부 출혈 없음

1. 가장 흔한 비뇨기 질환의 네 가지 유형을 작성해 보세요.
2. 콩팥 결석이란 무엇이며, 통증이 극심한 이유는 무엇입니까?

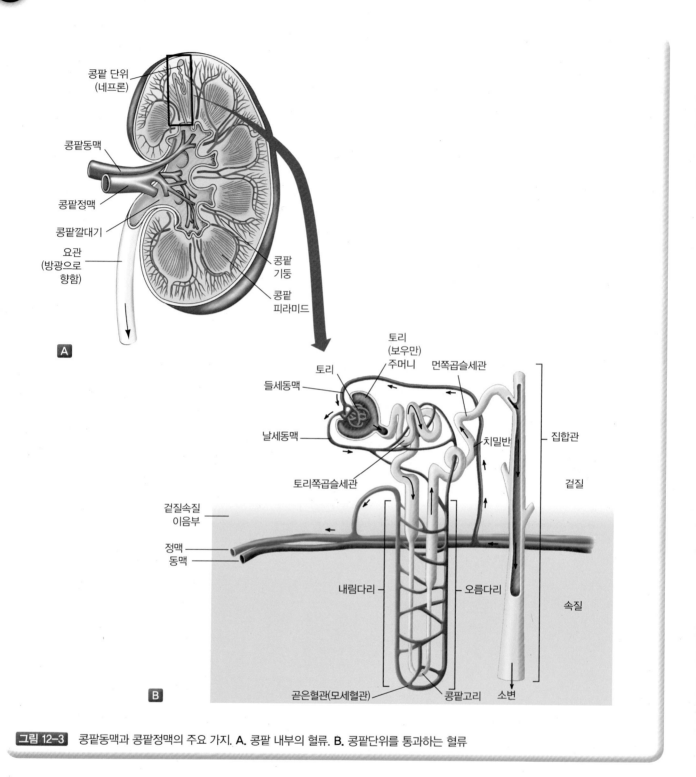

콩팥 단위
(네프론)

콩팥동맥

콩팥정맥

콩팥깔대기

요관
(방광으로
향함)

콩팥
기둥

콩팥
피라미드

A

토리
(보우만)
주머니

토리

들세동맥

날세동맥

먼쪽곱슬세관

치밀반

집합관

겉질

토리쪽곱슬세관

겉질속질
이음부

정맥

동맥

내림다리

오름다리

속질

곧은혈관(모세혈관)

콩팥고리

소변

B

그림 12-3 콩팥동맥과 콩팥정맥의 주요 가지. **A.** 콩팥 내부의 혈류. **B.** 콩팥단위를 통과하는 혈류

동맥은 엽사이동맥으로 분지하고, 엽사이동맥은 활꼴동맥, 활꼴동맥은 겉질부채살 동맥으로 분지된다. 콩팥단위에 도달하는 엽사이동맥으로부터 최종적으로 형성된 가지를 들세동맥이라고 한다 **그림 12-3** . 일반적으로, 콩팥정맥들은 같은 이름을 가진 콩팥동맥들의 이동 경로와 일치하며(단, 구역동맥과 상응하는 구역정맥은 없다) 콩팥정맥은 문으로 나가서 아래대정맥으로 이어진다.

병태생리학

콩팥은 체액 균형과 혈압 조절에 중요하다. 복잡한 호르몬에 의해 유도된 기전과 함께 생명에 필수적인 기능을 수행한다. 콩팥의 항이뇨호르몬은 체액 균형 조절에 관여하며 혈압 조절은 레닌-안지오텐신계에 밀접한 영향을 받는다.

병태생리학

콩팥단위(네프론)은 노폐물을 소변으로 배출할 뿐만 아니라, 체내 전해질과 산성 균형의 유지에도 필수적이다. 콩팥단위의 각 부위는 전해질, 수소 및 중탄산염에 대해 선택적 투과성을 갖고, 이러한 물질들의 균형은 항상성 유지에 도움을 준다.

■ 콩팥단위

하나의 콩팥에는 약 백 만개의 콩팥단위(네프론)가 있고, 각 콩팥단위는 하나의 콩팥소체(신소체)와 콩팥세관(신세뇨관)으로 구성된다. 콩팥세관에서 혈액이 정화되고 소변이 형성되어 체외로 배출되기 위한 일련의 과정이 일어난다. 콩팥소체는 토리(사구체)와 토리를 둘러싸고 있는 토리주머니로 이루어져 있고, 모세혈관의 엉킨 다발인 토리 모세혈관을 통해 많은 액체를 여과한다 그림 12-4 . 토리주머니는 콩팥세관의 가까운 말단에 위치하여, 토리에서 여과된 액체를 받는다. 여과된 액체는 토리 주머니에서 멀어지면서 나선형으로 꼬여서 토리쪽곱슬세관을 형성하고, 토리쪽곱슬세관은 토리주머니의 여과액으로부터 포도당, 아미노산, 단백질 및 각종 무기 염류 등을 주로 재흡수하고 일부 요산, 히스타민 및 항생제 및 살충제를 분비한다. 콩팥깔대기의 깊은 속질에서 콩팥고리(헨레고리)의 내림다리(하행각)를 형성하고 가장 깊은 끝부분에서 고리의 오름다리(상행각)를 형성하는 편자 모양이다. 먼쪽곱슬세관은 겉질에 위치한 콩판세관의 꼬인 코일부분으로 주로 분비기능을 하며 집합관은 집합관의 겉질부분에서 집합세관으로 이어진 활꼴집합세관과 속질 속으로 들어가는 곧은집합세관으로 구성되어 있다. 곧은집합세관은 콩팥피라미드의 꼭짓점 부근에서 여러 개가 합쳐진 큰관인 유두관이 되어 콩팥유두의 끝에서 작은 콩팥잔으로 열린다.

토리 모세혈관에 혈액(여과액을 제외한)이 토리주머니의 오목한 쪽인 혈관극을 통해 들어오는 들세동맥과 나가는 날세동맥이 존재한다. 날세동맥은 들세동맥보다 직경이 작아 혈액에 대한 저항성이 발생하여 토리 모세혈관 압력을

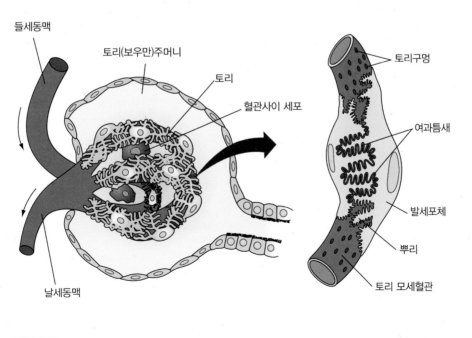

그림 12-4　콩팥소체의 구조

증가시킨다. 날세동맥은 복잡한 망과 같은 얼기를 형성하는 세뇨관주위모세혈관으로 분지되고, 세뇨관주위모세혈관은 콩팥세관 주위를 둘러싸고 있다. 세뇨관주위모세혈관의 압력이 낮으므로, 결국 콩팥 정맥계로 들어가게 된다. 먼쪽곱슬세관은 들세동맥과 날세동맥에 접하며, 들세동맥 쪽의 고리 끝에 치밀한 상피세포인 치밀반점(치밀반) 및 치밀반과 함께 들세동맥벽의 평활근 세포인 토리곁세포는 레닌을 분비하며 토리옆장치(사구체옆복합체)를 형성한다.

병태생리학

콩팥깔때기염(신우신염)은 콩팥깔때기(신우), 콩팥속질(신수질), 콩팥겉질(신피질)의 세균 감염으로 발생되며, 매우 심각한 상태로 입원치료 및 정맥으로 항생제 투여가 필요하다.

병태생리학

콩팥부전(신부전)은 여러 가지 원인으로 콩팥기능이 손상될 때 발생하며, 심각한 급성 및 만성 콩팥부전 환자들은 혈액투석 또는 콩팥이식으로 치료될 수 있다. 같은 인공적 콩팥의 사용이 필요할 수 있다.

■ 소변의 생성

토리여과(사구체여과)는 소변 생성과정의 시작이다. 토리모세혈관 에서 여과된 혈장의 대부분은 삼투압에 의해 혈중으로 재흡수된다. 두 개의 모세혈관을 이용한 아래의 일련의 과정에서 네프론은 삼투압에 의해 소변 생성을 돕는다. 첫 번째, 모세혈관은 간질액을 생성하는 대신 여과를 하고, 그 여과액은 콩팥세관으로 이동하여 소변을 형성한다. 토리여과는 1일 180리터로, 전체 체액량의 4배 이상이다. 혈액이 토리에서 여과되는 속도를 토리여과율이라고 한다. 그리고, 여과 뿐만 아니라 소변생성에 재흡수와 분비가 소변 생성에 관여한다. 요세관재흡수는 요세관에서 세관주위모세혈관 내 혈액으로 물질이 이동하는 과정으로 [그림 12-5] 대부분 인체에 필요로 하는 수분, 전해질, 포도당을 재흡수한다. 요세관분비는 세관주위모세혈관 혈액에서 콩팥세관으로 물질의 이동 과정으로 수소이온 및 일부 독소 등 반드시 체외로 배출되어야 하는 일부 물질들이 여과를 통해 신속히 제거된다. 이러한 과정의 최종산물이 소변이다.

소변이 콩팥고리를 통과해서 먼쪽곱슬세관(원위곡세관)으로 이동하는 동안 소변의 조성은 변화된다. 예를 들면, 혈압이 증가하면 체액균형을 유지하기 위해 여과 및 소변배출량을 증가시켜 모세혈관압은 전체 혈액량을 감소시키는데 영향을 준다. 반면에, 혈압이 낮을 때는, 체내 수분을 저류시켜 혈액량을 증가시킨다.

콩팥에서 재흡수되는 물의 99%는 에너지를 필요로 하지 않는 수동수 송에 의해 재흡수된다. 일부 염소와 나트륨 등의 전해질은 에너지를 필요하 는 능동수송에 의해 흡수된다. 소변이 콩팥단위의 각 부위를 따라 이동하면서, 소변 내의 액체와 고체물질(용질)이 함께 이동한다. 이 과정을 역류증폭 기전이라고 하고, 콩팥세관에서 곧은혈관까지(vasa recta) 소변의 이동과 관련이 있다. 역류증폭기전은 인체의 상황에 따라 농축되거나 희석된 소변의 생성을 가능하게 한다. 소변 생성량은 1일 0.6~2.5리터이고, 정상 소변 생성량은 시간당 50~60 mL로 시간당 30 mL 미만인 경우 콩팥(신)부전을 의미한다.

병태생리학

몇 가지 유형의 중추신경계 질환은 항이뇨호르몬(ADH) 생성을 감소시키는데 영향을 미친다. 요붕증은 항이뇨호르몬 감소로 일어나는 가장 잘 알려진 질환으로 환자는 다량의 희석된 소변을 배출하고 극심한 갈증을 호소한다.

임상에 유용한 정보

소변검사는 소변을 실험평가하는 것이다. 소변검사는 두 단계로 진행된다. 첫 번째, 화학적으로 코팅된 종이를 소변에 찍어서 수많은 화학적 지표를 평가하는 것이다. 두 번째, 소변 검체를 현미경상에서 검사하여 특정 세포 유형, 파편 및 요산 결정과 같은 기타 화학적 잔류물의 존재 유무를 평가한다 [표 12-1].

표 12-1 ▶ 정상 소변의 특징	
특징	설명
색깔	노란색 또는 호박색; 농도와 식이에 따라 다양함
성상	투명하거나 약간 뿌옇다.
부피	1~2 리터/24시간; 편차가 심하다.
pH	4.5~8.0
비중	1.015~1.025

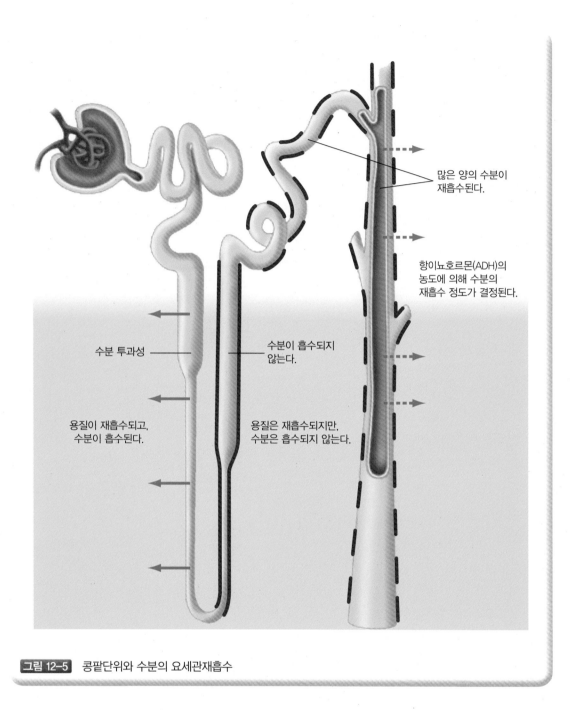

많은 양의 수분이
재흡수된다.

항이뇨호르몬(ADH)의
농도에 의해 수분의
재흡수 정도가 결정된다.

수분 투과성

수분이 흡수되지
않는다.

용질이 재흡수되고,
수분이 흡수된다.

용질은 재흡수되지만,
수분은 흡수되지 않는다.

그림 12-5   콩팥단위와 수분의 요세관재흡수

요도염은 요도의 세균 감염으로, 흔히 임질과 같은 성병이 원인
이다. 요도염에서 가장 유병률이 높은 질환인 비특이 비임균성
요도염은 클라미디아 균에 의한 요도의 감염이다.

■ **호르몬의 콩팥기능 조절**

몇 가지 호르몬이 콩팥(신)기능에 영향을 미친다 **그림 12-7** .

레닌은 혈압이 낮을때, 토리옆장치의 세포에서 생산되는
호르몬이다. 레닌은 몇 단계를 거쳐서 안지오텐신II의 생성
에 관여한다. 안지오텐신II는 혈관수축과 교감신경을 활성
화하고, 부신을 자극하여 알도스테론 생성을 증가시킴으로
써 혈압유지에 중요한 역할을 하는 키닌계이다. 알도스테론

증례 연구 ▷ Part 2

당신의 동료가 환자의 활력징후를 측정하는 동안, 당신은 집중병력문진과 신체검진을 포함하는 2차 평가를 수행한다. 환자는 통증으로 인해 들것에 가만히 앉아있지 못한다. 환자는 체중 70 kg의 24세 남자이다. SAMPLE 병력은 다음과 같다:

- 징후와 증상(**S**igns and symptoms): 허리에 극심한 통증(왼쪽 콩팥 부위, 뒤쪽 옆구리).
- 약물에 대한 알레르기(**A**llergies to medications): 설파계 약물과 땅콩.
- 복용중인 약(**M**edications taken): 타이레놀.
- 관련된 과거력(**P**ast pertinent medical history): 콩팥돌 – 2년 전 돌이 배출되었다.
- 마지막으로 음식/액체 섭취(**L**ast food/ fluid intake): 정오에 점심식사로 참치 샌드위치와 감자튀김.
- 발생전 상황(**E**vents prior to onset): 버스에 앉아 있던 중 통증이 시작되었다.

OPQRST 병력은 다음과 같다.

- 증상 발현(**O**nset of symptoms): 통증이 갑자기 시작되었다.
- 악화 요인(**P**rovoking factors): 환자가 오늘 물병을 가지고 오는 것을 잊었다.
- 통증의 양상(**Q**uality of discomfort): 환자는 왼쪽 옆구리에 날카롭고 찌르는 듯한 통증을 호소하지만, 복부 촉진상 압통은 없었다.
- 방사통/관련 징후/증상/완화요인(**R**adiating/related signs/symptoms/relief): 통증은 왼쪽 옆구리에 있고, 어떤 것도 통증을 완화시키지 못함. 지난번 콩팥돌로 인한 통증과 유사하지만 더욱 심하다.
- 호소증상의 중증도(**S**everity of complaint): 1~10 척도에서(10이 가장 심한 통증), 환자는 통증이 10이라고 한다.
- 시간(**T**ime): 약 20분 전부터 증상이 시작되었고, 통증은 더욱 심해진다.

기록한 시간: 4분	
외형	여전히 매우 힘들어함
의식 수준	명료(사람, 시간, 장소에 지남력이 있음)
기도	개방
호흡	정상
순환	창백하고 땀을 흘림
맥박	108회/분, 강하고 규칙적
혈압	160/92 mmHg
호흡	20회/분, 규칙적
동공	양쪽 동일하고 반응성
SpO$_2$	98%
심전도	이소성 박동을 동반하지 않은 동성 빈맥

3. 요관의 구조와 각각의 기능을 말할 수 있다.
4. 환자가 편안한 자세를 찾을 수 없는 이유는 무엇인가?

병태생리학

콩팥결석(신장결석)은 콩팥에서 칼슘, 인산염 등에 의해 형성된 단단한 결정 덩어리로 요로를 따라가다 끼어서 막힐 수 있다. 가장 흔히 끼이는 부위는 요관 내부이다 **그림 12-6** . 요관이 막히게 되면, 소변이 콩팥으로 역류하여, 피막을 이완하고 요관의 연축을 일으킨다. 콩팥결석(요석증) 환자는 흔히 극심한 통증, 메스꺼움, 구토 등의 증상을 호소한다. 흔히 환자들은 콩팥결석으로 인한 통증을 지금껏 경험한 가장 아픈 통증이라고 묘사한다.

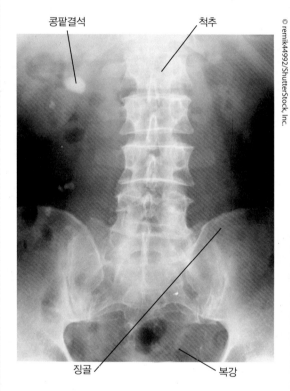

© remik44992/ShutterStock, Inc.

A

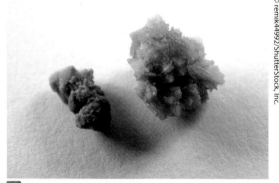

© remik44992/ShutterStock, Inc.

B

그림 12-6 콩팥결석. **A.** 콩팥결석의 방사선 사진. **B.** 외과적으로 제거된 콩팥결석

ADH 수치	콩팥에 주는 영향
ADH 수치 증가	H_2O ① H_2O 집합관과 먼쪽곱슬세관은 물에 대한 투과성이 높아지게 된다; 물이 혈액 내로 이동한다.
ADH 수치 감소	H_2O ② 집합관은 물에 대한 투과성이 낮아지게 된다; 여과액의 물은 재흡수 되지 않고 배출된다.

알도스테론 수치	콩팥에 주는 영향
알도스테론 수치 증가	K^+ ④ ③ Na^+ H_2O ⑤ 콩팥세관에서 여과액의 나트륨 재흡수가 증가하고 칼륨 재흡수는 감소한다; 따라서 물과 나트륨은 여과액에서 혈액내로 이동하고, 과량의 칼륨은 배출된다.
알도스테론 수치 감소	H_2O 콩팥세관에서 나트륨과 칼륨의 흡수는 정상이다; 여과액의 물은 재흡수되지 않고 배출된다.

그림 12-7 호르몬이 콩팥기능을 조절하는 기전

은 부신에서 생성되는 스테로이드 호르몬으로 나트륨과 염소를 혈중으로 능동 재흡수시킨다. 알도스테론 농도가 증가되면 나트륨과 염소가 체내 저류되고 , 반대로 알도스테론 농도가 감소되면 나트륨과 염소는 소변을 통해 배출된다.

항이뇨호르몬(ADH)은 시상하부에서 생성되어 뇌하수체 후엽에 저장된다. ADH는 먼쪽곱슬세관(원위곡세관)과 집합관의 투과성을 조절한다. ADH가 분비되면, 먼쪽곱슬세관과 집합관의 물에 대한 투과성이 증가하면 상대적으로 농축된 소변이 배출된다. 반면에, ADH가 부족하면, 먼쪽곱슬세관의 투과성이 감소하여 다량의 매우 희석된 소변이 배출된다.

■ 요관

요관은 콩팥에서 방광으로 소변을 운반하는 한 쌍의 두꺼운 벽을 가진 관으로 길이는 약 30 cm이고, 콩팥깔때기에서 시작하여 벽측 배막 후방에서 척추를 따라 내려 가서 방광바닥까지 이른다. 요관의 벽은 점막층, 근육층, 섬유층으로 구성되어있다. 요관의 근육벽은 소변을 방광으로 보낸다. 방광점막층의 덮개모양의 주름은 방광수축시 소변이 요관으로 역류하는 것을 방지한다.

■ 방광

방광은 콩팥에서 걸러진 소변을 저장했다가 일정한 양이 되면 요도로 배출시키는 주머니 모양의 근육성 속빈 장기이다. 방광은 두덩결합의 바로 뒤쪽인 골반 강에 위치하고, 편평한 위쪽면은 벽쪽 복막, 나머지는 섬유 바깥막으로 덮여 있다. 방광이 비어 있을 때는 피라미드형의 수많은 주름들이 보이지만, 소변으로 가득차게 되면 방광은 확대되어 배 안으로 솟아오르면서 주름이 매끈하게 펴진다. 방광바닥의 방광삼각은 밋밋한 점막으로 소변 배설이 잘 되도록 하기 위한 구조로 좌우 2개 요관구멍과 앞 아래쪽 1개의 속요도구멍이 만드는 삼각형 영역이다. 그림 12-8 은 남성과 여

증례 연구 ▶ Part 3

병원으로 이송 중, IV라인을 잡고 일련의 활력징후를 측정한다. 환자의 활력징후가 안정적이므로, 당신은 진통제 투여를 위해 의료본부와 연락하여 모르핀 5 mg 정맥 주사 처방지시를 확인하고, 모르핀을 투여한다.

환자는 메스꺼움을 호소하여 당신은 항구토제도 투여한다. 병원으로 이송 중 환자는 들것에서 편안한 자세를 찾지 못한다. 이때 당신은 모르핀 5 mg 추가 투여를 위해 의료본부와 다시 연락한다.

기록한 시간: 20분

외형	진통제는 통증을 경감시키지 못함
의식 수준	명료(사람,장소,날짜에 대해 지남력이 있음); 초조하고 통증으로 매우 힘들어함
기도	개방
호흡	빠른 정상 호흡
순환	창백하고 따뜻하고, 약간 축축함
맥박	112회/분, 강하고 규칙적
혈압	130/80 mmHg
호흡	24회/분, 규칙적
SpO$_2$	100%

5. 비뇨기계에 대한 어떤 추가 질문을 해야 하는가?

6. 콩팥 결석 보다는 요로감염을 의심하게 하는 신체 검진상 소견은 무엇인가?

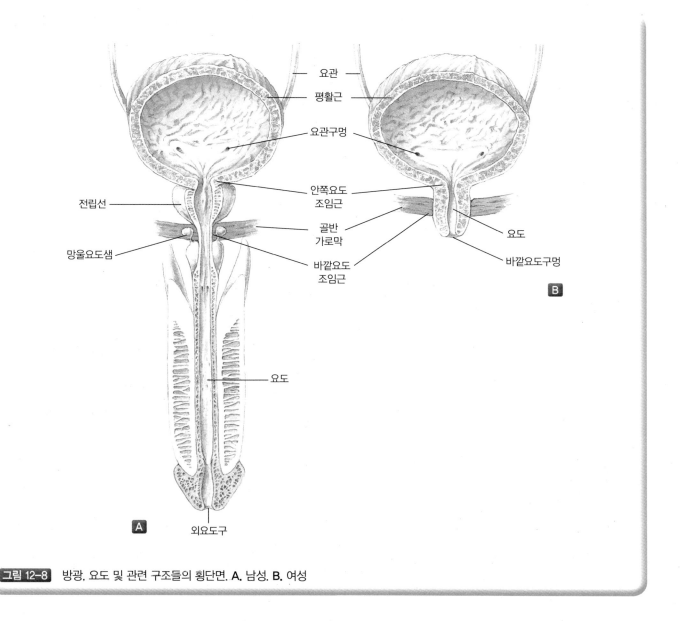

요관
평활근
요관구멍
안쪽요도
조임근
골반
가로막
바깥요도
조임근
전립선
망울요도샘
요도
외요도구

요도
바깥요도구멍

A
B

그림 12-8 방광, 요도 및 관련 구조들의 횡단면. **A.** 남성. **B.** 여성

성의 방광과 관련 구조물을 보여준다. 방광벽은 이행상피로 덮여 있는 점막층, 점막하층, 근육층 및 바깥막의 네 개의 층으로 이루어져 있고, 저장 소변의 양에 따라 세포의 두께가 변한다. 근육층의 평활근 섬유가 방광배뇨근을 형성하며, 방광 배뇨근의 일부는 방광 경부를 둘러싸서 내요도조임근을 형성한다. 부교감신경의 지배를 받는 방광배뇨근은 배뇨반사에서 작용한다. 배뇨는 방광에서부터 소변을 배출하는 과정을 말한다. 복벽 및 골반아래근과 함께 방광배뇨근이 수축하고, 바깥요도조임근은 이완한다. 척수의 배뇨반사 중추는 부교감 운동신경 자극을 방광배뇨근으로 전달하여 주기적 수축을 일으킨다.

수용체에 자극이 오기 전까지 방광은 소변을 1,000 mL까지 저장할 수 있지만, 방광에 150 mL의 소변이 차게 되면 배뇨 욕구가 생긴다. 바깥요도 조임근은 소변을 보겠다고 결정하고 배뇨반사가 일어나는 수의적 조절이 가능하고, 방광배뇨근이 수축하면 소변은 요도를 따라 배출된다.

■ 요도

소변은 방광에서 <u>요도</u>를 통과하여 체외로 배출된다. 요도는 점막과 한 층의 두꺼운 평활근 조직으로 이루어져 있고, 요

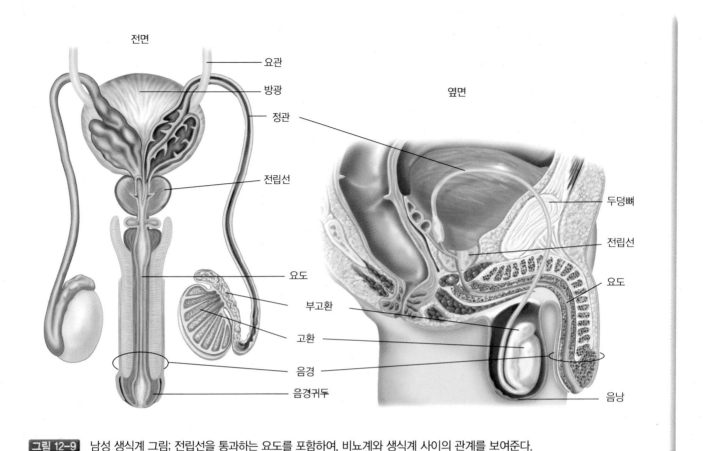

전면

요관

방광

정관

전립선

요도

부고환

고환

음경

음경귀두

옆면

두덩뼈

전립선

요도

음낭

그림 12-9 남성 생식계 그림; 전립선을 통과하는 요도를 포함하여, 비뇨계와 생식계 사이의 관계를 보여준다.

도벽에는 수많은 점막샘(요도샘)이 분포하여 점액을 요도관으로 분비한다.

남성 요도는 세 부위로 구성된다. 전립선요도는 전립선을 따라 지나가고 **그림 12-9** , 막요도는 전립선에서 음경 바닥까지 이어지며, 요도조임근은 요도막부분을 둘러싸고 있다. 해면체요도는 음경의 해면체 내부에 위치하고, 바깥요도구멍을 지나 음경을 통과하여 진행된다. 바깥요도구멍은 전체 요도에서 가장 좁은 부위이다.

여성 요도는 길이가 단지 4 cm이고, 질의 앞벽과 융합되어 있고, 요도는 음핵과 질 사이에서 끝난다.

병태생리학

50세 이상 남성에서 전립선의 비대는 흔히 볼 수 있다. 전립선 비대가 심할 경우, 전립선이 요도를 눌러서 배뇨를 하기 어렵고, 소량의 소변을 자주 보게 된다. 전립선이 매우 커져서 소변의 흐름을 완전히 막게 되면, 급성 요정체가 발생한다.

증례 연구 ▶ Part 4

병원에 도착 후 환자는 여전히 통증을 호소하지만 앉아있을 수 있을 정도로 안정되었다. 모르핀 2회 투여는 통증을 일부 경감시켰고, 환자를 졸리게 하였다. 환자는 다시 물을 마시는 것을 잊지 않을 것이라고 말했다.

자율학습

■ 요점 정리

- 비뇨기계는 복잡한 여과 과정을 통해 혈액에서 노폐물을 제거하여 소변을 생성한다.
- 비뇨기계는 두 개의 콩팥, 두 개의 요관, 하나의 방광과 요도로 구성된다.
- 비뇨기계는 몇 가지 필수적인 항상성 유지 기능을 가진다.
- 매끈한 강낭콩모양의 콩팥은 혈액을 여과하고 소변으로 노폐물을 배출한다.
- 콩팥은 콩팥 내의 조성물질, PH 및 세포외액의 양을 조절하여 항상성 유지를 돕는다.
- 콩팥의 기능적 단위인 콩팥단위에서 소변이 생성된다.
- 토리여과는 소변 생성을 시작하는 과정이다. 토리 모세혈관에서 여과되는 혈장의 대부분은 콜로이드 삼투압에 의해 혈액 내로 재흡수된다.
- 레닌, 안지오텐신II, 알도스테론 등의 몇 가지 호르몬이 콩팥기능에 영향을 미친다.
- 소변의 양과 농도는 항이뇨호르몬(ADH)과 알도스테론에 의해 서로 다른 방식으로 영향을 받는다.
- 항이뇨호르몬(ADH)은 시상하부에서 생성되어 뇌하수체 후엽에 저장된다. ADH는 먼쪽곱슬세관과 집합관의 투과(성)를 조절한다.
- 요관은 콩팥에서 방광으로 소변을 내보내는 한 쌍의 두꺼운 벽을 가진 관이다.
- 속이 빈 관 구조의 요도는 소변을 방광에서 체외로 배출한다.

■ 증례 연구 정답

1. 가장 흔한 비뇨기 질환의 네 가지 유형을 작성하세요.
   답: 방광염, 요로 결석, (콩팥)부전, 콩팥깔때기염
2. 콩팥돌증이란 무엇이며, 통증이 극심한 이유는 무엇인가?
   답: 콩팥돌증은 콩팥에서 여러 가지 무기 염류들로 형성된 단단한 결정덩어리이다. 결정덩어리가 요로로 들어가서 통증을 유발한다. 통증은 흔히 급성이고, 파동의 형태로 발생한다. 결정덩어리의 날카로운 면이 요관과 요도의 근육 벽을 찔러서 극심한 통증을 일으킬 수 있다. 대부분의 통증은 요관벽의 이완으로 인한 연동파와 요폐색과 관련이 있다. 흔히 환자들은 요석증으로 인한 통증을 지금껏 경험한 가장 아픈 통증이라고 묘사한다. 콩팥돌은 요관과 요도에 끼어서 요의 흐름을 막을 경우, 역압으로 인한 콩팥단위 손상이 일어날 수 있다.
3. 요로의 구조와 각각의 기능을 설명하세요.
   답: 콩팥, 요관, 방광, 요도, 매끈한 강낭콩모양의 콩팥은 혈액을 여과하고 소변의 형태로 노폐물을 배출한다. 요관은 콩팥에서 방광으로 소변을 운반하는 한 쌍의 두꺼운 벽을 가진 관이다. 방광은 소변을 배설될 때까지 저장하는 하복부 정중앙에 근육성의 속이 빈 주머니이다. 속이 빈 관 구조의 요도는 소변을 방광에서 체외로 운반한다.
4. 환자가 편안한 자세를 찾을 수 없는 이유는 무엇인가?
   답: 환자는 극심한 통증을 느끼고, 통증을 경감시켜 주는 자세를 찾을 수 없다. 종종 당신은 이런 환자들이 몸부림치고 있는 것을 보게 될 것이다. 일반적으로 요로결석에 의한 통증은 어떤 자세로도 완화되지 않는다. 적절한 치료는 진통제이다.
5. 비뇨기계에 대한 어떤 추가 질문을 해야 하는가?
   답: 상태의 중증도를 결정하기 위해서, 배뇨통이 있는지 물어봐야 한다. 만약 배뇨통이 있다면 소변을 보는 횟수 및 혈뇨의 여부도 확인해야 한다.
6. 콩팥돌증 보다는 요로감염을 의심하게 하는 신체 검진상 소견은 무엇인가?
   답: 만약 환자가 고열과 같은 감염의 징후들을 가지고 있다면, 콩팥돌증 보다는 요로감염일 가능성이 높다. 여성에서 요로감염이 더 흔하지만, 남성에서도 발생한다.

Skidplate: © Photodisc

생식계와 인류 유전학

The Reproductive System and Human Genetics

학습목표

1. 남성과 여성의 필수 생식 기관과 보조 생식 기관을 나열하고, 각각의 기능을 서술한다.
2. 생식세포 형성에 필요한 호르몬을 나열한다.
3. 정자발생과 난자발생의 차이를 설명한다.
4. 자궁벽의 세 층을 설명한다.
5. 난모세포 생활주기를 간략히 설명한다.
6. 호르몬 수치 변화와 자궁내막 상태와 관련하여, 월경주기를 설명한다.
7. 다음의 용어들을 정의한다: 두배수체, 홑배수체, 생식세포, 자궁내막, 유전질환, 상동염색체, 상염색체, 성염색체, 유전자, 대립유전자, 유전자형, 표현형, 동형접합, 이형접합.
8. 남성과 여성에서 외부생식기를 구성하는 구조를 확인하고 설명한다.
9. 정자의 구조물을 명명한다.
10. 수정에서 시작하여, 임신 동안의 주요한 발달의 변화들을 설명한다.
11. 태반과 탯줄의 구조 및 기능을 서술한다.
12. 평균 임신 기간을 언급한다.
13. 분만의 단계를 서술한다.
14. 태아 순환/호흡과 성인 순환/호흡의 차이를 설명한다.
15. 출생시 영아에서 일어나는 주요한 변화들을 서술한다.
16. 우성과 열성 소질의 차이를 설명한다.
17. 병원 안팎에서 볼 수 있는 몇 가지 중요한 유전질환을 나열한다.
18. 유전자가 질환을 일으키는 기전을 설명한다.

Skidplate: © Photodisc; Cells © ImageSource/age fotostock

■ 서론

생식계는 생존을 위해 반드시 필요하지 않은 유일한 신체계통이지만, 인류 존속을 위해 필요하다. 남성과 여성의 생식계는 성세포를 생산해서 수정이 일어나는 부위로 운반하는 기관과 샘을 포함한다. 남성과 여성 생식계는 기능적으로 아주 다르다. 남성의 성세포는 정자이다. 여성의 성세포는 난모세포 또는 난자이다. 생식계는 유전학과 연결된다. 성세포는 23개 염색체를 통해 유전 정보를 전달한다. 기타 체세포는 46개 염색체를 가진다. 남성과 여성의 성세포가 수정 과정에서 결합할 때, 각 배우자로부터 23개 염색체가 결합하여 46개 염색체를 형성한다. 특정 생식기관은 이차성징의 발달과 유지, 그리고 생식을 위해 필요한 호르몬을 분비한다.

■ 인간 생식계

인간 생식계는 성 생식을 담당하는 남성과 여성의 모든 구조들을 포함한다. 생식계와 통합적으로 연결된 유전학은 유전과 유전 소질(정상과 비정상 모두)을 다루는 생물학의 한 분야이다. 과학 지식이 발전하면서, 수많은 인간의 질병들에는 유전적 소인이 있다는 것이 점차 명확해졌다. 오래전부터 환자의 가족력은 병원전 평가의 필수 요소이다.

■ 여성 생식계

여성 생식기관은 난모세포를 생성하고 유지한다. 또한 여성 생식기관은 난모세포를 수정 부위로 운반하고, 발달중인 태아를 키우는 환경을 제공하고, 아기를 출산하며, 여성 호르몬을 생산한다. (난소 이외의) 여성생식기의 주요 장기로는 난관, 자궁, 질, 그리고 외부 생식기 구성요소들이 있다

증례 연구 ▶ Part 1

오전 10시, 당신이 속한 구급대는 진통중인 여성을 위해 고속도로로 출동한다. 당신이 도착하자 환자의 남편이 다가와서, '빨리 오세요. 아기가 나올 것 같아요'라고 불안하게 소리친다. 당신은 산과세트를 들고, 첫 번째 임신 및 첫 번째 출산 여부와 분만예정일을 남편에게 물어본다. 또한 당신은 산모가 받은 산전검사 및 합병증 유무에 대해서도 물어본다. 남편은 이번이 아내의 세 번째 임신이자 두 번째 출산이라고 한다; 첫 번째 임신은 유산되었다. 산모는 산전관리를 잘 받았고 합병증 가능성은 없어보인다. 분만예정일은 4일 전이었다. 이 부부는 어제 병원에서 집으로 돌려보내졌고, 오늘 아침 유도분만을 위해 다시 입원할 계획이었다.

당신이 차에 접근하자, 환자가 통증으로 소리치며 앞좌석에 누워있는 것이 보인다. 아기 머리가 보이고 출산이 임박하여, 당신은 곧바로 산과세트를 열어서 환자에게 소독포를 씌우고, 적절한 표준 예방지침을 따른다. 당신의 동료가 측정한 자궁수축은 1분 간격으로, 45초 동안 지속된다. 출산이 점점 더 임박해서, 당신은 현장에서 아기를 분만한 후 환자를 들것으로 옮겨 병원 이송을 계획한다. 당신은 추가인력이 도움이 될 것으로(특히, 신생아에 문제가 있을 경우) 판단한다. 따라서 당신의 동료는 응급의료출동지시 경보를 발하여, 추가인력을 위한 소방차대 및 교통 통제를 위한 경찰을 보내라고 요청한다.

기록한 시간: 0분	
외형	진통으로 힘겨워 함
의식 수준	명료(사람, 장소, 날짜에 대해 지남력이 있음)
기도	개방
호흡	규칙적
순환	홍조되었고, 이마에 땀방울이 맺힘

1. 여성 생식계의 주요 장기들은 무엇인가?
2. 기능적 벽을 포함한 자궁벽의 층들은 무엇인가?

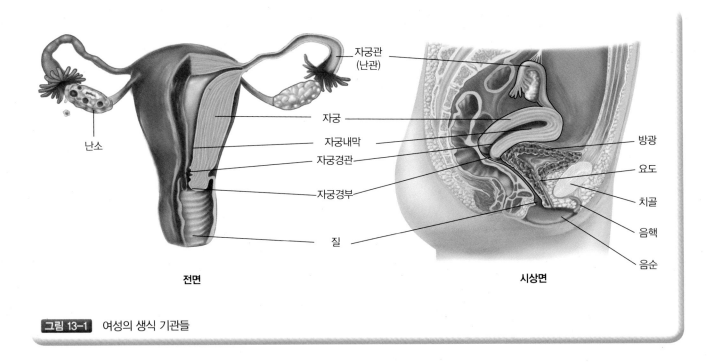

전면   시상면

그림 13-1 여성의 생식 기관들

그림 13-1. 일차 성 기관(성선)인 두 개의 난소는 여성의 성 세포와 성호르몬을 생산한다. 부속 성 기관들은 내부와 외부 생식 기관들이다. 남성처럼, 다양한 부속샘들이 여성 생식기로 분비물을 배출한다.

난소

난소는 길이 3.5 cm, 넓이 2 cm, 두께 1 cm의 타원형 고형 구조이다. 난소는 외측 골반강 벽에 얕은 오목에 놓여있다. 난소 조직은 내부 속질과 외부 겉질로 구성된다. 속질은 혈관, 림프관, 신경섬유가 풍부한 성긴 결합조직으로 구성된다. 겉질은 난포 덩어리로 인해 과립 성상을 보이는 치밀 조직을 가지고 있다. 난소의 자유면은 한 층의 치밀 결합조직 위쪽의 입방상피로 덮여있다. 지지인대와 난소인대, 그리고 복막의 주름인 난소간막이 난소를 제자리에 고정한다. 난소는 세 가지 주요 기능을 수행한다: (1) 미성숙 여성 생식세포(난모세포)의 생산, (2) 여성호르몬(에스트로겐, 프로게스테론 포함) 분비. (3) 인히빈(뇌하수체 난포자극호르몬 생산의 되먹임 조절에 관여) 분비. 성숙 난자의 전구체인 난모세포 또한 난소에서 생산된다. 난모세포는 난자발생의 성숙 과정을 거쳐 난자가 된다.

여성의 생식 가능 연령 동안, 뇌하수체는 대략 한달 주기로 호르몬을 분비한다. 난포자극호르몬과 황체형성호르몬은 하나의 난모세포를 자극하여 감수분열(성숙한 정자와 난자를 생산하는 세포 분열 과정)이 일어나도록 한다. 배란 시기에 하나의 난관으로 배출된 한 개의 성숙 난자는 정자에 의한 수정을 준비한다 **그림 13-2**.

감수분열 동안 미성숙 두배수체 난모세포는 일련의 두 세포 분열을 거쳐서 최종 홑배수체 난자를 형성한다. 이 과정 동안 염색체 수는 46개(두배수체 수)에서 23개(홑배수체 수)로 감소한다. 따라서, 최종 난자는 전체 유전 정보의 절반을 접합체 즉, 수정된 난자에게 준다.

난관

난관은 내측으로 자궁을 향해 연결되어 자궁벽을 뚫고 자궁 강 안으로 열리는 길고 가는 관이다. 난자와 정자의 수정은 대개 난관에서 일어난다.

각 난관은 누두라고 불리는 확장된 부위에서 가슴안으로 직접 열려있다. 난관 입구인 구멍은 길고 얇은 돌기인 자궁관술에 의해 둘러싸여 있다. 자궁관술은 배란 후 난모세포가 난관으로 향하도록 돕는다. 일단 난관 내로 들어오면, 세포 표면의 섬모 운동으로 인해 난모세포는 자궁을 향해 이동한다.

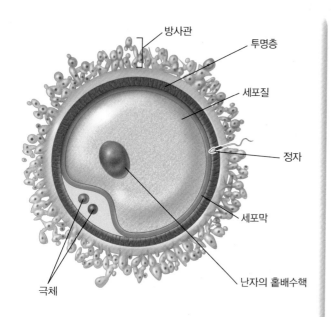

방사관

투명층

세포질

정자

세포막

난자의 홑배수핵

극체

그림 13-2 수정

병태생리학

자궁외임신에서 난자는 자궁내막 이외의 부위에 착상하게 되는 데 가장 흔히 난관 내에 착상한다. 따라서 종종 자궁외임신을 난 관임신이라고 말하기도 한다.

임상에 유용한 정보

여성이 가능한 빨리 임신을 확인하는 것은 매우 중요하다. 왜냐 하면 배아기는 출생시 결함을 일으킬 수 있는 외부 물질인 기형 유발물질에 매우 취약한 시기이기 때문이다.

병태생리학

임신검사(혈청 또는 소변)는 사람융모성 생식샘자극호르몬 (hCG)을 검사한다. 소변임신검사 음성은 믿을만하게 임신을 배 제한다; 그러나, 소변임신검사 양성은 비특이적이다. 때로는 감 염 등으로 인한 소변의 오염이 위양성 결과를 나타낸다. 따라서, 소변임신검사 양성은 반드시 혈액임신검사에 의한 확진을 필요 로 한다. 혈액검사상 위양성은 매우 드물다. 자궁외임신이 의심 될 경우, 정량적 혈액 hCG 수치를 검사하여 hCG 총량을 측정 한다. 자궁외임신이나 기타 비정상 임신이 의심될 때, 혈중 프로 게스테론 수치 또한 도움이 된다. 그러나, 정상 임신에서 이러한 수치를 검사하지 않는다.

자궁

자궁은 근육벽을 가진 서양배 모양의 속빈 장기이다. 난모 세포가 수정되어 접합체가 되면, 자궁은 발달 중인 배아를 받아서 유지한다. 정상 임신에서 태아는 자궁 내에 착상된 다. 자궁은 복강 전방, 질 상부에 위치하고, 대부분 방광 위 로 구부러져 있다. 자궁바닥은 자궁 몸통의 둥근 부위로 난 관 부착부 위쪽에 있다. 바닥은 자궁의 협부에서 끝난다. 자 궁경부는 자궁의 하부로, 협부에서 질까지 이어진다. 경부 구멍에서 자궁은 질로 일어진다.

자궁 벽은 두꺼운 세 층으로 구성된다. 안쪽 점막층인 자궁내막은 원주상피와 수많은 관상샘으로 덮여있다. 에스 트로겐에 의해 조절되어, 자궁의 샘, 혈관, 상피는 매달 월 경주기에 따라 변하게 된다. 자궁근육층은 자궁벽의 두꺼운 중간 근육층으로 평활근 섬유 다발을 가지고 있다. 여성의 생식주기와 임신기 동안, 자궁내막과 자궁근육층은 크게 변 화한다. 자궁외막은 자궁벽 바깥층을 이루는 장막층으로 자 궁의 몸통과 경부 일부를 덮고 있다.

자궁을 제자리에 고정해주는 지지인대들은 다음과 같다:

- 넓은인대: 난관 상부에서 외측으로 자궁 몸통 전체에 부 착된다.
- 자궁천골인대: 자궁 외측면에서 천골 전면으로 이어진 다; 자궁 몸통이 하방과 전방으로 움직이는 것을 방지 한다.
- 원인대: 난관 부착부 바로 아래쪽 후방의 자궁 외측 경 계면에서 기시한다; 서혜관(샅굴)을 통과해서 외부 생식 기 결합조직까지 이어진다. 주로 자궁의 후방 이동을 제 한한다.
- 외측인대: 자궁 기저부와 질에서 골반 외측면까지 연장 된다; 골반저근과 근막에 의해 추가적으로 지지되어, 자 궁의 하방 이동을 방지한다.

월경주기 동안 난자가 성숙되어 성숙난포를 형성한다. 배란시에 성숙난포는 난소 표면에서 파열된다. 수정이 일어 나면 수정란, 즉 배아는 난관을 통과하여 자궁내에 착상한 다. 수정이 일어나지 않을 경우, 일련의 호르몬 변화에 의해 난포의 잔여물, 즉 황체는 자궁 내막과 함께 탈락된다.

월경주기는 초경부터 폐경까지 반복되는 주기이다. 각 주기 동안, 자궁내막은 임신을 준비하여 증식한다. 임신이 일어나지 않으면 이 기능층은 월경 시 탈락된다. 월경 첫 째

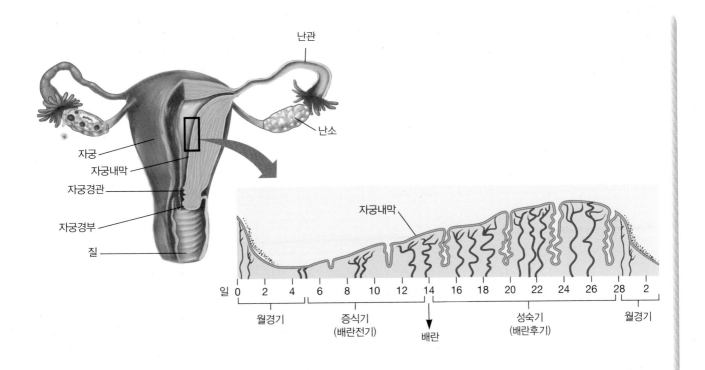

그림 13-3 여성의 생식주기동안 자궁내막의 변화

날을 월경주기 제1일로 하고, 평균 월경주기는 28일이다. 월경 기간은 개인차가 매우 크다. 시상하부에서 분비되는 생식샘자극호르몬분비호르몬, 뇌하수체에서 분비되는 난포자극호르몬과 황체형성호르몬, 난소에서 분비되는 에스트로겐과 프로게스테론은 월경주기의 여러 다른 단계에서 자궁내막을 자극한다. **그림 13-3** 은 여성 생식주기의 다양한 단계에서 자궁 내막을 보여준다.

병태생리학

자궁경부암은 여성에서 비교적 흔하다. 정기적인 부인과 검사에서 시행되는 파파니콜로 도말검사(Pap smear)는 자궁경부암을 조기에 진단할 수 있다. 첫 번째 월경주기 이후에 모든 여성은 매년 Pap smear 검사를 받도록 권장된다.

병태생리학

임신동안 자궁이 커지면 지지인대에 압력을 가하여 복통을 일으킬 수 있다. 임신 후반기로 진행되면서 원인대의 이완으로 인한 통증이 비교적 흔히 발생한다.

병태생리학

자궁내막염은 신생아 분만 후에 일어날 수 있는 자궁내막의 심각한 감염이다. 자궁내막염을 진단, 치료하지 못할 경우 산모 사망이 가능하다.

임상에 유용한 정보

월경기를 건너뛰는 것은 흔히 임신을 시사하는 첫 번째 소견으로, 이 시기는 배아기 제 3주와 일치한다. 따라서, 임신이 의심될 때 이미 배아는 2주의 발달기를 지난 상태이다.

질

질(산도)은 약 7.5 cm~9 cm 길이의 섬유성근육 관으로 자궁경부에서 외부생식기까지 이어진다. 질은 자궁 분비물을 전달하고, 성교시 발기된 음경을 받아들이며, 출산을 위한 통로이다. 질은 위쪽 후방으로 복강내로 이어지며, 방광과 요도의 후방, 그리고 곧창자 앞쪽으로 위치한다. 질은 결합조직에 의해 다른 구조들에 부착된다. 처녀막은 질 입구를 부분적으로 덮고 있는 결합조직과 상피의 얇은 주름이다. 처녀막 중앙에는 구멍이 있어서, 자궁과 질 분비물의 체외 배출을 가능하게 한다. 질의 세 가지 주요 기능은 다음과 같다: (1) 월경액의 배출을 위한 통로, (2) 성교 시 음경을 받아들임, (3) 자궁으로 이동하기 전의 정자를 수용함. 질은 출산시 태아가 통과하는 산도의 하부를 형성한다.

질 벽은 세층으로 구성된다:

■ 안쪽 점막: 점액선이 없는 중층편평상피의 층.

■ 중간 근육층: 대부분 평활근 섬유의 층; 질 입구를 닫아 준다.

■ 바깥쪽 섬유층: 치밀결합조직과 탄력섬유의 층.

병태생리학

질염은 질의 감염에 대한 비특이적 용어이다. 흔히, 질염은 성병이다. 그러나, 진균 감염은 비교적 흔하고 성병이 아니다.

외부생식기

여성 생식계의 외부 부속 기관들에는 대음순, 소음순, 음핵, 전정선 등이 속한다 **그림 13-4** . 이들은 요도와 질 입구를 둘러싸서 음문을 구성한다.

대음순은 다른 외부 생식기를 덮어서 보호한다. 대음순은 지방조직과 얇은 평활근의 둥근 주름을 피부가 덮어서 형성된다. 가까이 붙어있는 두 개의 대음순은 요도와 질의 입구를 포함하는 틈에 의해 세로로 나뉜다. 두 개의 대음순은 전방 끝에서 합쳐져서, 내측의 둥근 융기부인 치구를 형

성하는데 이 치구는 치골결합을 덮고있다.

소음순은 결합조직으로 형성된 편평한 세로주름과 대음순 사이에 위치한다. 소음순에는 혈액 공급이 풍부하여 핑크색을 띤다. 소음순은 후방에서 대음순과 합쳐진다. 전방에서 융합된 소음순은 음핵의 덮개를 형성한다.

음핵은 소음순 사이 음문의 앞쪽 끝에서 돌출된다. 음핵의 길이는 약 2 cm, 직경은 약 0.5 cm이다. 음핵은 남성의 음경에 부합된다. 음핵은 해면체로 구성되며 앞쪽 끝의 귀두에는 수많은 감각 신경 섬유가 분포한다.

소음순이 감싸고 있는 전정 후방으로는 질 입구가 있다. 전정 정중앙, 음핵 귀두 약 2.5 cm 후방으로 요도 입구가 있다. 전정선은 질 입구 양쪽에 하나씩 위치한다. 양쪽 전정 점막 아래쪽으로는 혈관성 발기 조직의 덩어리인 전정망울이 있다.

음핵과 질 입구의 발기조직은 성적인 자극에 반응한다. 부교감신경 자극은 산화질소를 분비하여 발기조직을 이완하고 혈류를 증가시켜, 조직의 부종을 일으킨다. 따라서 질은 더욱 길고 넓어진다. 충분히 강한 성적 자극이 지속되면, 부교감신경 자극은 전정샘에서 전정으로 점액 분비를 촉진하여 주변 조직에 윤활작용을 하고, 질의 위치를 더욱 낮추게 된다. 이러한 변화는 음경의 삽입을 용이하게 한다.

음핵은 국소 자극에 반응하고, 충분한 자극이 주어지면 극치감에 도달하게 된다. 극치감에 도달하기 바로 이전에, 질의 바깥쪽 1/3에 혈액이 몰리게 되는데, 이는 음경에 대한 마찰을 증가시키고, 극치감에 의한 요천추 척수 반사가 일어난다. 회음과 자궁벽 및 난관의 근육들이 주기적으로 수축하는데, 이는 정자가 난관 상부로 이동하는 것을 돕는다.

병태생리학

성폭행 피해자를 검사할 때 (일반적으로 병원 응급실에서), 의료인은 회음 주위에 상처 유무를 확인하고 의료 기록에 명시해야 한다.

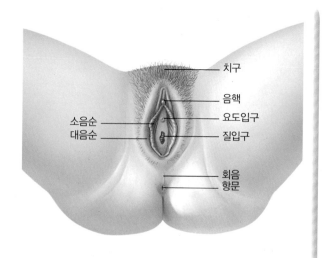

그림 13-4 여성의 외부 생식기

유선

유방은 모유를 생산하는 유선을 포함한다. 사실상 유선은 변형된 땀샘이다. 남성과 여성의 유방에는 돌출된 유두와 그 주변에 유륜이 있다. 여성 유방에서 유륜샘은 수유 시 유두와 유륜을 보호하는 분비물을 생산한다.

세 번 수축 후, 아기의 머리가 나온다. 당신은 아기의 어깨가 나오기 직전에, 아기의 코와 입을 흡인한다. 분만은 합병증 없이 진행되고, 신생아인 남자아기는 첫 울음을 운다. 당신의 동료가 수건을 건네주고, 당신은 아기를 닦아준 후 출생시간을 기록한다. 신생아가 건강하다는 것을 확인한 후, 아프가점수(신생아 평가 점수)를 기록한다. 당신이 아이의 아버지가 탯줄을 자르도록 준비할 동안, 산모의 기저 활력징후를 측정할 시간이 있다.

활력징후는 모두 정상 범주이고, 바로 그때 의료팀이 현장에 도착한다. 의료팀은 산모에 대한 추가적인 평가를 수행하고, SAMPLE 병력과 OPQRST 질문을 청취한다. 환자는 체중 80 kg의 26세 여자이고, SAMPLE 병력은 다음과 같다:

- 징후와 증상(Signs and symptoms): 머리출현을 동반한 진통(출산이 임박함).
- 약물에 대한 알레르기(Allergies to medications): 없음.
- 복용중인 약(Medications taken): 산전 비타민.
- 관련된 과거력(Past pertinent medical history): 세 번째 임신이자 두 번째 출산, 첫 번째 임신은 유산되었음; 산전 관리를 잘 받았고, 합병증 예상되지 않음.
- 마지막으로 음식/액체 섭취(Last food/fluid intake): 3시간 전 아침식사로 달걀과 토스트.
- 발생전 상황(Events prior to onset): 진통이 있어 병원으로 향하던 중이었음.

OPQRST 병력은 다음과 같다.

- 증상 발현(Onset of symptoms): 오늘 규칙적인 수축이 시작됨.
- 악화요인(Provoking factors): 분만예정일에서 4일 지난 상태.
- 통증의 양상(Quality of discomfort): 지난번 출산과 유사함
- 방사통/관련 징후/증상(Radiating/related signs/symptoms): 수축은 1분 간격으로 일어나며, 한 번에 45초 지속됨
- 호소증상의 중증도(Severity of complaint): 1~10 척도에서 10
- 시간(Time): 약 2시간.

출생 1분 후 신생아의 Apgar 아프가점수는 다음과 같다:

- 외형/피부색깔(Appearance/color) = 1
- 맥박(Pulse rate) = 2
- 찡그림/자극에 대한 반응(Grimace/reflex) = 2
- 활동/근긴장도(Activity/muscle tone) = 1
- 호흡(Respiratory effort) = 2
- 총점(Total) = 8

기록한 시간: 15분	
외형	매우 지쳤으나 행복함
의식 수준	명료(사람, 시간, 장소에 지남력이 있음)
기도	개방
호흡	빠르지만 정상
순환	홍조, 축축함
맥박	98회/분, 규칙적
혈압	128/66 mmHg
호흡	22회/분, 힘든 호흡 아님
SpO$_2$	100%
동공	양쪽 동일하고 반응성

3. 임신 배아기란 무엇이며, 이 시기가 매우 중요한 이유는?

4. 유전학적으로, 태아의 성별이 결정되는 기전은?

여성의 유선은 다량의 지방 조직으로 덮여있는 15~20개의 샘엽을 가지고 있다 그림 13-5 . 이러한 표재성 지방은 유방의 형태를 만든다. 그 엽에서 생산된 모유는 <u>유관동</u>에 저장되고, 유두를 통해 배출된다. 대흉근막에서 유선위 피부까지 이어진 유방인대는 유선을 지탱한다. 이 인대는 안쪽으로 이어져서 유방의 무게를 지탱하게 된다.

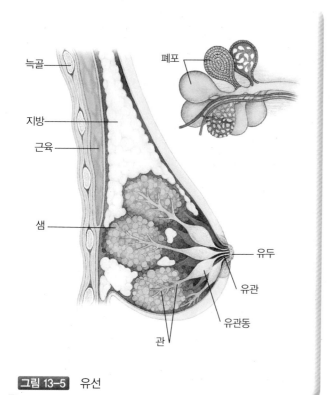

그림 13-5　유선

병태생리학

<u>유방암</u>은 여성 사망의 첫 번째 원인이다. 매월 자가 검진과 더불어, <u>유방조영술 선별검사</u>는 조기 진단을 확인시킨다.

■ 남성 생식계

남성 생식계는 정자를 생산, 유지, 체외로 운반하고, 남성호르몬을 분비한다. 남성의 주요 성 기관(성선)은 두 개의 고환으로 구성되고, 정자와 남성호르몬이 고환에서 생성된다. 부속 성기관들은 내부와 외부 생식기관이다 그림 13-6 .

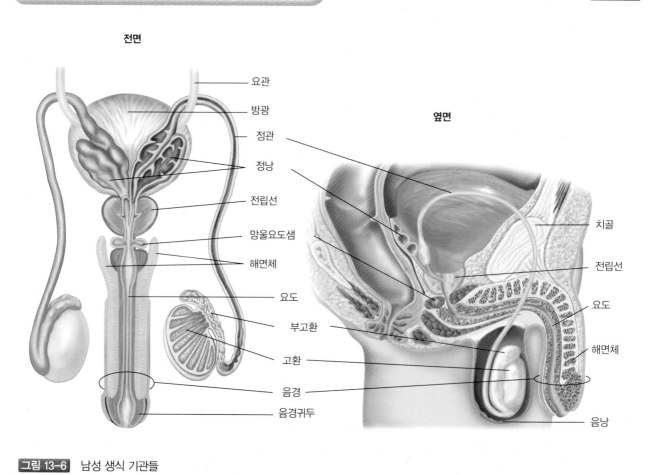

그림 13-6　남성 생식 기관들

고환

고환은 길이 약 5 cm, 직경 약 3 cm의 타원형 구조이다. 고환은 음낭 내부에 위치한다. 두 개의 내부 구획(하나의 고환에 하나씩)은 결합조직 벽에 의해 분리된다. 음낭 내 피부근층인 음낭근은 추운 날씨에 수축하여, 피부를 단단하고 주름지게 만든다. 고환을 몸통 가까이로 당기는 근육인 고환올림근의 작용과 함께, 음낭의 수축은 고환 주변으로 일정한 온도를 유지한다. 고환의 온도가 너무 따뜻하거나 차가우면 정상 정자생산이 일어날 수 없다.

각 고환은 특수한 세포와 관을 가지고 있다; 이중 일부는 테스토스테론 등의 남성호르몬을 생산하고, 또 다른 부분은 정자를 생성한다. 호르몬은 고환에서 혈액으로 직접 흡수된다. 정자는 고환의 정세관에서 정자발생 과정에 의해 생산되는 남성 생식세포이다 그림 13-7 . 이 과정은 약 64일 소요되고, 각각 23개 염색체를 포함하는 성숙한 홑배수체 정자를 만든다. 정자발생은 여성의 난자발생에 해당하는 과정이고, 고환에서 생성되는 호르몬(특히, 테스토스테론)의 영향을 받는다. 성숙한 정자는 머리, 목, 꼬리를 가진다. 정자의 꼬리는 채찍질하듯이 운동을 하고, 정자가 난자를 수정시키기 위해 여성 생식관의 심부로 나아갈 수 있게 한다.

관, 샘

정자가 고환에서 나가는 경로인 고환날세관은 고환 뒤쪽에 길고 꼬인 관인 부고환을 형성한다. 부고환은 정세관에

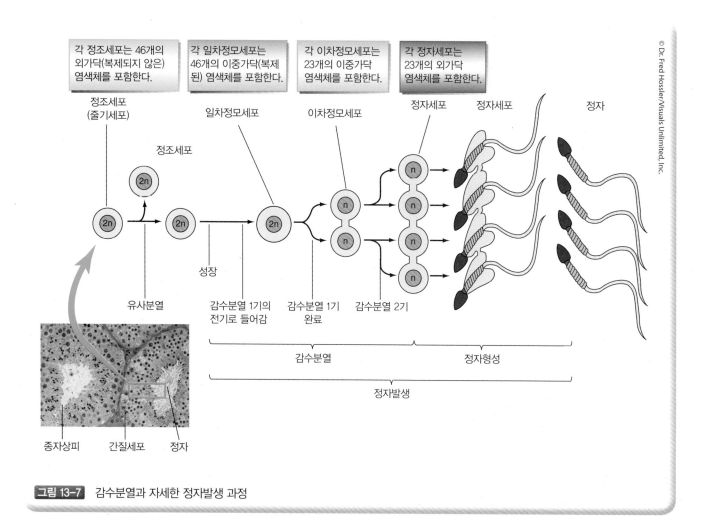

그림 13-7 감수분열과 자세한 정자발생 과정

서 생성되는 액체의 조성을 조절한다. 또한 부고환은 손상된 정자를 흡수해서 재활용하고, 세포 파편을 흡수한다. 정자는 부고환에서 최종 성숙 과정을 거친 후에, 정관으로 흘러간다. 고환동맥, 정맥얼기, 림프관, 신경, 결합조직, 고환올림근 등의 몇 가지 구조들이 부고환을 감싸서 정삭을 형성한다. 정삭은 서혜관을 통과하며 하복벽을 비스듬하게 지나서, 복강으로 들어간다.

전립선은 남성 샘이다. 밤 모양의 전립선은 요도 기저부에 위치한다. 전립선에서 분비되는 점액성 액체는 정액의 일부가 된다. 정관은 전립선에서 이완되어 주머니 형태의 팽대를 형성한다. 팽대는 정낭(당과 단백질 사정액이 분비되는 한 쌍의 주머니)과 결합하여 사정관을 형성한다. 정자와 사정액은 정낭에서 합쳐져서 정액을 형성한다. 전립선 양 측면에 위치한 망울요도샘과 전립선은 정액의 나머지 분비물을 생산한다. 정액은 사정관에서 요도를 통해 배출된다.

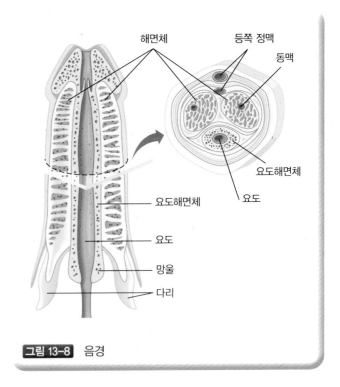

그림 13-8 음경

나이가 들면서 전립선의 비대는 흔히 나타난다. 불행히도 전립선암은 남성의 흔한 사망 원인이다. 혈액을 통한 전립선특이항원(PSA) 검사는 조기 진단을 가능하게 한다. 일반적으로 50세 이상의 남성에서 정기적으로 PSA를 검사한다.

음경

음경은 요도가 지나가는 남성의 외부 생식기이다. 발기시 음경은 단단하고 커져서, 성교시 질 내로 삽입이 가능하다 **그림 13-8**. 음경은 뿌리, 몸통, 귀두의 세 부위로 나뉜다. 뿌리는 음경을 체벽에 부착시키는 고정된 부위이다. 몸통은 관상의 움직임이 가능한 부위로, 발기조직의 세 개의 기둥을 가지고 있다. 음경 몸통에는 두 개의 등쪽 해면체와 하나의 배쪽 요도해면체가 있다. 음경 기저부에서 요도해면체는 확정되어 음경다리를 형성한다. 피막 내에서 치밀결합조직이 각 기둥을 감싸고 있다. 음경은 한 층의 결합조직, 한 층의 얇은 피하조직, 그리고 피부에 의해 싸여있다.

음경 귀두는 외요도구를 감싸고 있는 확장된 원위부 말단이다. 귀두는 해면체 끝을 덮으며 외요도구로 열린다. 이 부위의 피부는 얇고 모발이 없으며, 성적 자극에 대한 감각수용체를 가지고 있다. 출생시, 피부의 느슨한 주름인 음경꺼풀(포피)가 귀두를 덮는다. 흔히 포피는 출생후 포경수술

을 통해 외과적으로 제거된다.

음경의 혈관과 신경은 등쪽으로 지난다. 발기가 되면, 해면체와 요도해면체는 혈액으로 채워지므로 음경의 길이와 직경이 증대된다. 발기조직이 혈액으로 채워지면서 정맥혈의 환류가 일시적으로 막히게 되고 따라서 발기가 지속된다.

정관절제술은 양쪽 정관을 외과적으로 잘라서 묶어주는 피임의 한 형태이다. 복잡하기는 하지만 정관절제술을 복원하여 정관을 다시 연결하는 외과적 수술이 가능하다.

고환꼬임은 고환이 매달려 있는 정삭에서 고환이 꼬이는 것이다. 극심하고 갑작스러운 통증, 메스꺼움, 구토 등의 증상이 나타난다. 이환된 고환으로 혈액 공급이 되지 않으므로 진단과 치료가 늦을 경우 고환을 잃을 수 있다. 갑작스러운 메스꺼움과 구토를 동반한 급성 음낭 통증에서 고환꼬임을 반드시 의심해야 한다.

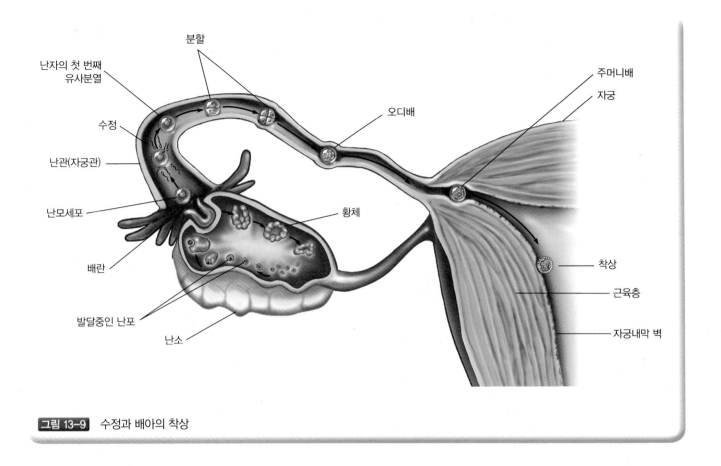

난자의 첫 번째 유사분열

분할

수정

난관(자궁관)

난모세포

배란

발달중인 난포

난소

오디배

황체

주머니배

자궁

착상

근육층

자궁내막 벽

그림 13-9 수정과 배아의 착상

병태생리학

발기는 주로 부교감신경에 의해 조절되지만, 교감신경 또한 정액의 사정을 조절하는 역할을 한다. 척수 손상으로 부교감 신경이 기능하지 못하는 사람들에서는 교감신경섬유가 발기 조절을 담당하게 된다. 척수 외상 환자에서 발기가 지속되는 것을 지속발기증(priapism)이라고 한다.

회음

여성 생식기와 마찬가지로, 요도입구와 항문 사이의 영역을 회음이라고 한다. 회음은 피부, 외부생식기, 항문, 기저 조직들을 포함한다. 회음은 음경 기저부를 포함하는 비뇨생식부위와 항문 입구를 포함하는 항문부위로 나뉜다. 남성과 여성 모두에서, 회음은 생식 분비계의 원위부 구조들을 지지한다.

■ 임신

전형적으로, 정자와 난자가 난관에서 만날 때 수정이 일어난다. 수정이 일어나면, 형성된 접합체는 난관을 따라서 자궁으로 이동한다. 그와 동시에, 접합체는 점진적인 세포분열을 거친다 **그림 13-9**. 접합체는 약 32개 세포를 가질 때 자궁벽에 착상된다. 착상은 수정 후 약 7일째 되는 날에 일어난다. 접합체가 자궁 내막에 착상하게 되면, 임신이 시작된다. 세포의 안쪽 무리(배아모체)는 배아가 되고, 세포의 바깥쪽 무리(영양막)는 태반이 된다.

태반의 한 쪽은 자궁내막에 부착되고, 반대쪽은 배아를 둘러싼다. 태반에는 혈관이 매우 풍부하게 분포하고, 태아는 탯줄을 통해서 산소, 영양소 및 기타 물질들을 산모로부터 흡수한다. 또한 태반은 이산화탄소와 기타 노폐물을 태아에서 산모로 전달한다. 태반은 분만 제 3기에 체외로 배출된다.

임신 기간은 세 개의 석달(임신 기간을 구분하는 각 3개월)로 나뉜다. 첫 번째 석달은 최종월경주기부터 임신 12주

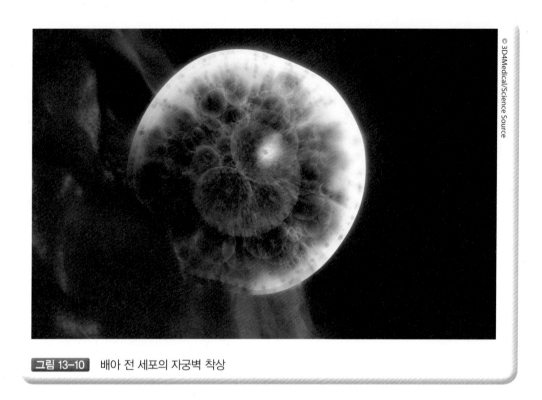

그림 13-10　배아 전 세포의 자궁벽 착상

까지이다. 첫 번째 석달에서 중요한 징후는 다음과 같다; 8~10일 양성 임신반응검사(혈액내 hCG), 12주에 치골결합에서 자궁 바닥 촉진, 도플러 초음파로 태아 심음 청진.

■ 임신

임신은 난자의 수정 후 일어나는 태아 발달의 과정을 말한다. 임신 과정은 영양막에서 생성되는 사람융모성 생식샘자극호르몬(hCG)에 의해 촉진된다. 이 호르몬은 황체를 자극하여 정상 임신의 유지에 필수적인 프로게스테론을 생성한다. 임신 첫 주 동안, 수정란은 지속적으로 분열하면서 난관을 통해 이동하여 자궁벽에 착상한다.

정상 임신 기간은 착상 후 266일이다 **그림 13-10**.

임신 두 번째주 동안, 배아를 감싸서 보호하는 태반과 막이 계속 발달한다. 집합적으로 이러한 양막은 양막낭을 형성한다. 양수는 태반 혈관을 통해 여과된 모체와 태아의 혈액 및 양막낭으로의 분비된 태아 소변에 의해 생성된다. 태아는 양수를 삼키고 태반은 양수를 모체 혈액으로 보내서 제거한다. 태반은 탯줄을 통해 태아로 연결한다 **그림 13-11**.

모든 주요 기관 계통은 배아기(임신 3주에서 7주 사이)에 발달하기 시작한다 **그림 13-12**. 임신 8주가 지나면 태반

이 프로게스테론의 생산을 담당하고, 황체는 태반 조직으로 흡수된다. 배아기부터 출산에 이르기까지 기관계는 지속적인 성숙과 발달을 거친다.

두 번째 석달은 임신 13주부터 임신 27주까지 기간이다. 두 번째 석달에서 중요한 징후는 다음과 같다; 한번 이상의 임신력이 있는 여성에서, 16주에 자궁 바닥이 치골결합과 배꼽 사이에서 촉진되고 16주에서 18주 사이에 태아 움직임이 느껴짐(첫 태동감), 17주에서 20주 사이에 태아청진기를 통해 태아 심음이 청진됨. 또한, 18주 초음파에서, 태아 외부 생식기(남성 또는 여성)가 구별된다. 첫 번째 임신인 여성에서 첫 태동은 18주에서 20주 사이에 느껴지고, 20주에 자궁 바닥이 배꼽에서 촉진된다. 25주와 27주 사이에 폐호흡이 가능해지고, 폐포를 덮는 액체 단백질인 표면활성제가 만들어진다. 두 번째 석달 말에 태어난 영아의 생존 확률은 70~80%이다.

세 번째 석달은 임신 28주부터 막달인 40주까지이다. 세 번째 석달에서 중요한 징후는 다음과 같다; 태아의 동공반사, 태아 머리가 골반입구로 하강(하강감), 양막 파열. 일단 양막이 파열되면 감염의 위험 때문에 태아는 24시간 내에 반드시 분만되어야 한다. 세 번째 석달 말, 평균 태아의 무게는 7.0~7.5 lb(3,300 g)이다.

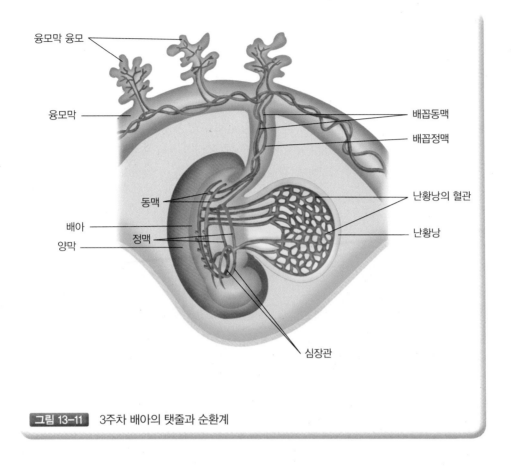

융모막 융모

융모막

동맥

배아

정맥

양막

배꼽동맥

배꼽정맥

난황낭의 혈관

난황낭

심장관

그림 13-11 3주차 배아의 탯줄과 순환계

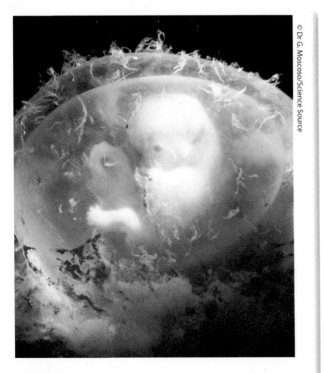

© Dr. G. Moscoso/Science Source

그림 13-12 모든 주요 기관 계통은 배아기 동안 발달하기 시작한다.

■ 진통

과학적으로 아직도 정확히 무엇이 진통을 유발하는지는 확실하지 않다. 가장 가능한 설명은 모체와 태아 자극의 조합이다. 평균 진통 시간은 첫 임신에서는 13시간, 두 번째 임신부터는 8시간이다. 진통(분만)은 세 단계로 이루어진다. 첫 단계에서, 자궁벽의 수축이 시작되고 자궁경부는 이완된다. 두 번째 단계에서 태아가 분만된다. 세 번째 단계에서는 태반이 배출된다.

■ 출산

출산은 신생아에게 큰 스트레스를 부과한다. 태아기의 폐는 액체로 차있고 기능을 하지 않는다. 모든 산소와 이산화탄소의 교환은 태반을 통해 일어난다. 태아는 탯줄을 통해 태반에 부착된다. 모체 순환의 산소화 혈액은 태반을 통과하고 배꼽 정맥을 거쳐서 태아의 간으로 들어가고, 그 다음 하대정맥을 통해 태아의 우심방으로 들어간다. 그 후 혈액은 타원구멍(태아의 두 심방 사이 구멍)을 통과해서 좌심방으로 간다. 좌심방에서, 혈액은 좌심실을 거쳐 머리와 상체로 순환한다. 돌아오는 혈액은 상대정맥을 통해 우심방으로 들어가고, 이후 낮은 압력에서 좌심실을 거쳐 폐동맥을 통과해 하행대동맥으로 간다. 폐동맥과 하행대동맥은 동맥관을 통해 연결되어, 이러한 혈류의 흐름을 가능하게 한다. 하행대동맥의 혈액은 하반신으로 순환한다. 배꼽동맥을 통해 태반으로 흐르는 혈액은 태아 노폐물을 운반한다. 태반에서, 태아 노폐물은 모체 혈류로 확산되어 결국 배출된다.

출생 시에는 몇 가지 변화가 일어난다. 타원구멍과 동맥관은 부분적 또는 완전히 닫히게 되므로, 혈액은 더 이상 우심방에서 좌심방으로, 폐동맥에서 하행대동맥으로 흐를 수 없게 된다. 태반 순환의 폐쇄로 인한 우심방 압력의 감소 및 폐로부터 폐정맥 환류 증가로 인한 좌심방 압력 증가에 의해, 이러한 순환계의 변화가 발생한다. 첫 호흡과 함께 신생아 폐를 통한 순환이 시작된다.

증례 연구 ▶ Part 3

당신은 신생아를 수건과 담요로 싸고, 산모에게 아기를 안아보도록 한다. 들것이 자동차 옆으로 운반되자, 당신과 응급구조팀은 산모와 신생아를 조심스럽게 들어서 들것으로 옮긴다. 현장에서 기다리는 대신에, 병원으로 이송 중 태반이 만출될 것이다. 당신이 들것을 구급차에 실을 때, 아기 아버지가 장모에게 전화로 소식을 전하는 것을 듣는다. 구급차 탑승 후, 신생아를 재평가하고, 아프가점수를 측정한다.

출생 5분 후 신생아의 Apgar 아프가점수는 다음과 같다:

- 외형/피부색깔(Appearance/color) = 2
- 맥박(Pulse rate) = 2
- 찡그림/자극에 대한 반응(Grimace/reflex) = 2
- 활동/근긴장도(Activity/muscle tone) = 2
- 호흡(Respiratory effort) = 2
- 총점(Total) = 10

기록한 시간: 15분	
외형	흥분하고 지치고, 행복한 상태
의식 수준	명료(사람, 장소, 날짜에 대해 지남력이 있음); 초조해하고 통증으로 매우 힘들어 함
기도	개방
호흡	약간 빠른 정상 호흡
순환	창백하고 축축함, 출혈 멈춤
맥박	100회/분, 규칙적
혈압	110/70 mmHg
호흡	22회/분, 힘든 호흡이 아님
SpO$_2$	100%
동공	PEARRL (양쪽 동일하고 원형, 빛과 조절에 반응함)

5. 출생 시 영아에서 일어나는 두 가지 중요한 순환계의 변화는?

6. 이 시점에서, 진통(분만)의 몇 번째 단계가 일어나고 있는가?

7. 유전질환과 관련하여, '보인자 상태'란 무엇인가?

유전학

유전학이란 유전, 즉 부모에서 자손으로 소질(성향)과 특성이 전달되는 것에 대해 연구하는 학문이다. 유전의 많은 원칙들은 식물과 동물에서 인간까지, 모든 생물체에 유사하게 적용된다. 발달학적으로 서로 다른 종들의 상동염색체(염색체 내용물, 즉 유전체) 사이에는 뚜렷한 유사점이 있다.

한 유기체에서 관찰되는 모든 특성이 유전에 의한 것은 아니다. 환경적 요인이 유전적 소질과 조건에 영향을 줄 수 있다. 이러한 환경적 요인들에는 영양소, 독소와 병원소에 대한 노출, 신체적 활동 등이 있다. 키, 피부색, 지능 등의 다유전자 소질에서 환경적 요인이 매우 중요하다.

유전 물질은 세포핵 내부의 염색체에 들어있다. 세포가 능동적으로 분열할 때를 제외하면 염색체는 분리되지 않는 상태로 염색질(DNA와 단백질의 다발) 내부에 들어있다 그림 13-13 .

유전자, 핵산, 염색체

유전자는 유전의 기본 단위이다. 세포 핵 내 핵산의 형태로, 유전자는 세포를 형성하고 조절하는 기전에 대한 정보를 저장하고 내보낸다. 핵산은 염색체에 포함된 복잡한 화학물이다. 인간의 염색체는 디옥시리보핵산(DNA)을 가지고 있다. DNA는 유전부호, 즉 인체의 다양한 기능을 수행하는 단백질들을 합성하는 수천 개의 다양한 유전자를 포함한다. 성숙한 세포에는 리보핵산(RNA)이 세포핵내 DNA에서 만들어진다. 이 후 RNA는 세포질로 이동하여 단백질 합성을 위한 틀로 기능한다. 생명에 대한 중심 학설은 1958년 Francis Crick이 주장한 가설이다; "DNA는 RNA가 되고, RNA는 단백질이 되며, 단백질은 세포가 된다".

두배수체 세포와 홀배수체 세포

부모는 각각 자녀에게 모든 유전자의 하나의 복제본을 제공한다. 체세포는 부모에서 각각 하나씩을 받아서 형성된 두 세트의 염색체, 즉 두 세트의 유전자를 가지고 있다. 수정이 일어날 때, 두 세트의 유전자가 함께 모여서 양쪽 부모로부터 한쪽씩의 유전자를 똑같이 받는다. 양쪽 유전자 세트의 상호작용은 한 사람의 특징을 결정한다. 앞서 설명한대로,

환경 또한 유전 정보 발현에 중요한 역할을 한다.

성숙한 인간 세포에서 총 염색체 수는 46개로 두배수체(2세트)이다. 하나의 성세포, 즉 생식세포는 성숙한 세포의 전체 염색체 짝의 절반인 23개 염색체를 가진다. 하나의 성세포의 염색체수는 홀배수체이다 그림 13-14 . 홀배수체 정자와 난자의 결합으로 형성되는 접합체(수정된 난자)는 두배수체 염색체를 가진다.

상염색체연관 소질과 성연관 소질

체세포와 성세포 모두 두 가지 서로 다른 유형의 염색체를 포함한다. 상염색체는 성별과 무관한 수많은 체내 단백질을 전달하는 유전자를 지닌다. 반면 성염색체는 성별을 결정하는 단백질 및 기타 단백질을 전달한다. 각각의 성은 서로 다른 성 염색체를 가진다.

X와 Y, 두 가지의 성 염색체가 있다. 하나의 난자는 하나의 X염색체를 가지고, 하나의 정자는 X 또는 Y염색체를 가진다. 수정 후의 접합체는 XX염색체를 가져서 여성 배아가 되거나, XY염색체를 가져서 남성 배아가 된다.

소질은 염색체의 유형에 따라 분류된다. 상염색체연관 소질은 상염색체에 위치한 유전자에 있다. 일반적으로, 성별 간 유전의 차이가 없다. 성연관 소질은 성염색체에 위치한 유전자에 있다. 남성과 여성은 정상적으로 성염색체의 서로 다른 짝을 가지므로, 부모의 유전자에 따라 특정 소질은 한쪽 성별의 자손으로 전달될 확률이 더 크다.

병태생리학

양수천자에서 초음파나 CT로 실시간으로 보면서 주사바늘을 자궁 내로 찔러서 소량의 양수 표본을 채취한다. 그리고는 다양한 화학적 이상소견에 대해 양수를 분석한다. 또한, 태아의 세포가 양수 내로 탈락되므로, 특수 표본을 이용해서 이러한 태아 세포의 염색체를 검사하여 다운증후군 등의 유전 질환을 진단한다.

대립유전자, 우성소질과 열성소질

특정 형질에 대해 부모 중 한쪽으로부터 받은 하나의 유전자를 대립유전자라고 한다. 수많은 유전되는 특징에 대해서, 하나 이상의 대립유전자가 있을 수 있다. 하나의 유전되는 특징에 대해서, 부모 중 한쪽은 하나의 유전자(대립유전자)

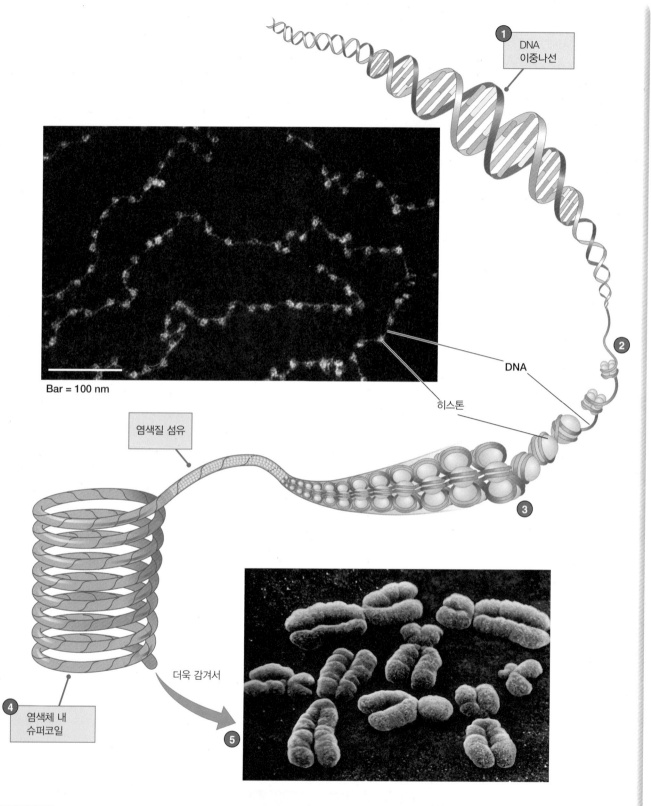

Bar = 100 nm

그림 13-13 염색질과 염색체. 세포 내에서 단백질과 DNA는 염색질을 구성한다. 염색질이 단단히 감겨서 압축될 때 염색체가 형성된다.

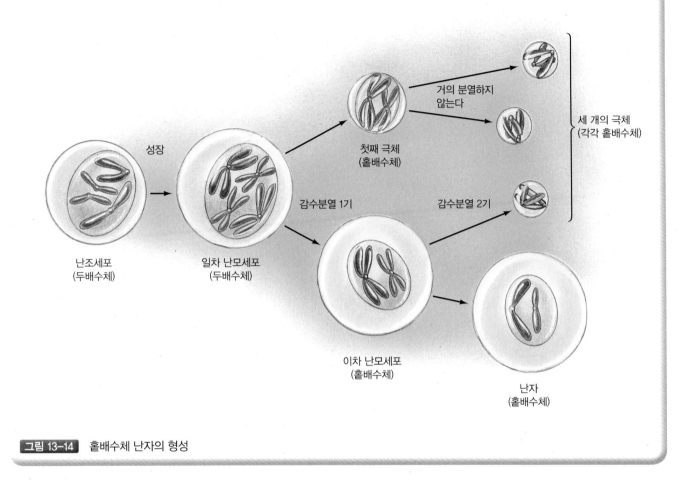

성장

첫째 극체
(홑배수체)

거의 분열하지
않는다

세 개의 극체
(각각 홑배수체)

감수분열 1기

감수분열 2기

난조세포
(두배수체)

일차 난모세포
(두배수체)

이차 난모세포
(홑배수체)

난자
(홑배수체)

그림 13-14 홑배수체 난자의 형성

를 제공하고, 최종 결과는 부모 양쪽 대립유전자의 결합으로 나타난다.

유전학에서 대립유전자와 유전 소질은 열성이거나 우성이다. 열성 소질이 표현되기 위해서는, 부모 양쪽으로부터 동일한 열성 대립유전자를 받아야만 한다. 반면 우성 소질의 발현을 위해서는, 단 하나의 우성 대립유전자만이 필요하다. 상염색체에 위치한 유전자의 경우, 부모 중 어느 쪽이 우성 대립유전자를 제공하든 상관이 없다; 하지만, 성염색체의 경우는 다른 문제이다.

다양한 대립유전자를 나타내기 위해 알파벳을 사용한다. 우성 대립유전자는 대문자로 쓰고, 열성 대립유전자는 소문자로 쓴다. 하나의 생식세포는 하나의 대립유전자를 가진다. 수정란은 두 개의 대립유전자(각 부모의 생식세포에서 하나씩)를 가진다.

특정 소질이 우성 또는 열성으로 유전되는지에 따라, 그리고 각 부모로부터 받은 대립유전자에 따라서, 한 사람의 최종 형상은 그 소질을 나타낼 수도 있고 아닐 수도 있다. 예를 들어, 어떤 소질이 상염색체 열성이라면, 그 사람은 두 개의 열성 대립유전자(각 부모로부터 하나씩)를 가져야만 그 소질을 나타내게 된다. 만약 그 사람이 한쪽 부모에서는 열성 대립유전자를, 다른 쪽 부모에서는 우성 대립유전자를 받는다면, 임상적으로 그 열성 소질은 표현되지 않는다.

■ 유전자형과 표현형

표현형이란 유전적 요소와 환경적 요인에 의해 나타나는 유기체의 관찰 가능한 특징이다. 유전자형이란 같은 형질에 대한 유전적 요소이다. 우성 형질의 경우 유전자형에 하나의 우성 대립유전자만 있어도 그 형질이 표현된다. 그러나, 열성 형질의 경우 유전자형이 그 형질에 대한 두 개의 열성 대립유전자를 모두 가져야 임상적으로 표현된다.

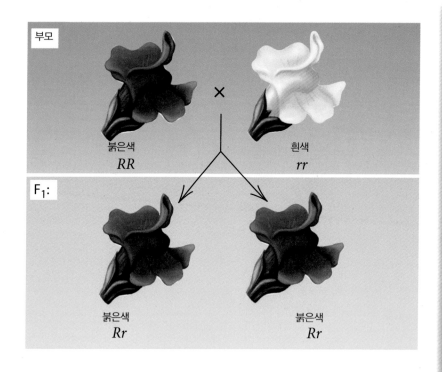

그림 13-15 F1 세대

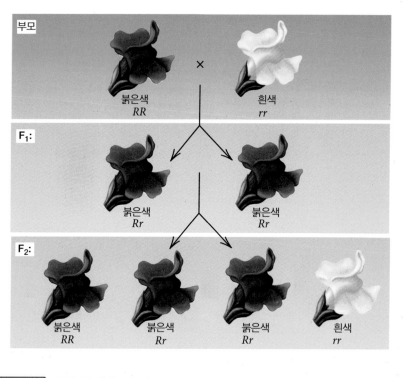

그림 13-16 F1과 F2 세대

■ 고전유전학

19세기 중반, 오스트리아의 수도사 Gregor Mendel은 '고전 유전학'의 첫 번째 실험을 시행했다. 사실상 고전유전학을 흔히 멘델 유전학 또는 멘델의 유전법칙이라고 지칭한다. 완두콩 모종에서 꽃의 색깔을 연구하던 멘델은 붉은색 꽃의 모종과 흰색 꽃의 모종을 교배하면, 모든 자손은 붉은색 꽃을 가진다는 사실을 발견했다. 그는 이러한 모종을 첫 번째 세대, F1이라고 불렀다 그림 13-15.

그 다음으로 멘델은 두 F1 모종을 교배하였다. 두 번째 세대(F2) 식물은 붉은색꽃과 흰색꽃을 예측 가능한 3 : 1의 비율로 생산했다 그림 13-16.

이 실험을 기반으로, 멘델은 유전 가설을 제시했고, 이 가설은 그 후로 여러 번 입증되었다. 멘델은 이 식물의 색깔은 두 개의 대립유전자(R, r)를 가진 하나의 유전자에 의해 결정된다고 주장했다. 우성 대립유전자(R)는 붉은색 꽃을 전달하고, 열성 대립유전자(r)는 흰색 꽃을 전달한다. 식물이 붉은색 꽃을 가지기 위해서는 단 하나의 R 대립유전자가 필요하다. 그러나, 흰색 꽃을 가지기 위해서는 두 개의 r 대립유전자가 필요하다.

멘델은 F1 세 개의 붉은색 꽃 부모 식물은 두 개의 R 대립유전자를 가져야 하고, 흰색 꽃 부모 식물은 두 개의 r 대립유전자를 가졌다고 추론했다. 붉은색 표현형을 나타내기는 하나, F1 세대 식물은 모두 Rr 유전자형을 가졌다. R 대립유전자는 r 대립유전자에 대해 우성이므로, 유전자형에 단 하나의 R 대립유전자만 있어도 그 식물은 붉은색 표현형을 나타냈다.

■ 유전 질환

한 소질에 대해 두 개의 동일한 대립유전자(rr 또는 RR)를 가지는 유기체는 그 형질에 대해 <u>동형접합</u>이라고 한다. 한 소질에 대해 두 개의 서로 다른 대립유전자(Rr)를 가지는 유기체는 그 형질에 대해 <u>이형접합</u>이라고 한다. 이형접합체가 임상적으로(표현형으로) 어떤 형질을 표현하는 것은 그 형질이 우성 또는 열성인지에 따라 결정된다. 열성형질의 경우, 두 개의 동일한 열성 대립유전자(rr)가 있어야만 표현형으로 나타난다. 그러나 우성형질의 경우에는, 대립유전자

가 동형접합이건(RR) 이형접합이건(Rr) 항상 표현된다.

유전질환이란 유전자형의 이상이 관찰 가능한 표현형으로 나타나는 유전적 상태이다. 일부 상염색체-열성 질환에서, 하나의 비정상 대립유전자를 가지고 있지만 임상적으로 완전히 정상일 수 있다. 이러한 상태를 흔히 <u>보인자 상태</u>라고 한다. 보인자가 또 다른 보인자와 결혼할 경우, 2세에서 질환이 발병할 수 있다.

많은 인간 유전질환은 단 하나의 유전자에 문제가 있고, 멘델의 방식으로 유전된다(예, 상염색체 우성유전) 표 13-1.

표 13-1 ▶ 상염색체와 X연관 질환들
상염색체 우성
당뇨병(일부 유형)
가족성 고콜레스테롤혈증
헌팅톤병(무도병)
말판 증후군
근긴장디스트로피
신경섬유종증
불완전골생성증
상염색체 열성
알파-지중해빈혈
백색증
베타-지중해빈혈
낭성섬유증
왜소증
갑상선기능저하증
조로증
낫적혈구빈혈
X연관 열성
근디스트로피
혈우병 A, B
고환여성화증후군
미토콘드리아
심장율동장애(일부 유형)
심근병증(일부 유형)
유전성 시신경병증
다인성
암
구순열
구개열
만곡족
선천성 심장질환
관상동맥질환
간질
고지방단백혈증
류마티스열
1형 당뇨병
2형 당뇨병

많은 질환에서 단 하나의 유전자기 이환되지만, 몇 가지 질환에서는 작지만 동일하고 누적된 효과를 나타내는 여러 개 유전자들의 이상을 보인다. 유전적 요소와 환경적 요소가 결합되어 한 사람을 특정 질환의 유전에 취약하게 만든다. 이러한 형태의 유전을 다인성이라고 한다. 두 개 이상 유전자의 작용에 의해 유전되는 질환을 다유전자 질환이라고 한다.

병태생리학

유전자의 이상으로 RNA의 결함이 생기고, 따라서 단백질 결함으로 이어진다. 이 과정의 어느 단계에서든지 오류가 발생하면, 유전 질환이 나타난다.

인간 세포의 미토콘드리아는 DNA와 유전자의 자체 독립적인 보완물을 가지고 있다.

이것은 발달학적으로 미토콘드리아가 독립적인 유기체였다가 최종적으로 인간 세포 안으로 통합된 것으로 설명된다. 비록 미토콘드리아 유전체내에 들어있는 유전자 수는 적지만, 이 유전자의 결함은 몇 가지 질환의 원인이 된다고 최근 밝혀졌다.

병태생리학

많은 상염색체연관 소질 또는 질환은 상염색체에 단 하나의 우성 또는 열성 유전자의 결과이다. 멘델의 완두콩 모종과 같은 도표를 이용하여, 임상의사는 특정 유전질환이 2세에서 발생할 확률을 예측할 수 있다. 유전상담이란 2세에서 특정 유전질환이 발현될 가능성이 있는 부부를 상담하는 의학적 과정을 말한다.

병태생리학

DNA에 유전자가 비정상이 되는 무수한 기전들이 있다. 인체는 자동적으로 이러한 결함을 복구한다. 만약 복원되지 않는다고 해도, 비정상 DNA를 가지는 대부분의 세포는 인체 방어기전에 의해 파괴된다. 정상 복구 체계가 이러한 비정상 DNA를 놓치거나, 자궁내 사망을 일으킬 만큼 심각한 이상이 아닐 경우, 질환이 발생한다.

병태생리학

몇 가지 인간 질환은 X 또는 Y 염색체의 결함에 의해 발생한다(더 흔히, X염색체의 결함). 이러한 질환을 성연관 질환이라고한다. 상염색체연관 질환과는 다르게, 성연관 질환은 남성과 여성 후손에게 동등하게 전달되지 않는다. 우성 질환이 Y염색체에 연결되어 있다면, 여성 후손은 Y염색체를 받지 않으므로 그 질환을 물려받지 않을 것이다. X연관 질환이 Y연관 질환보다 훨씬 흔하다. 남성에서 (XY), 단 하나의 X연관 대립유전자만 있으면, 그 대립유전자가 우성이거나 열성이거나 관계없이, 질환이 발생한다; 왜냐하면, Y염색체에는 반대되는 대립유전자가 없기 때문이다. 최종 결과를 결정하는데 있어서, Y염색체는 기본적으로 '중립'이다. 어머니가 아들에게 열성 성연관 질환을 전달할 확률은 50%이다 그림 13-17 .

그림 13-17 색맹의 유전. 색맹과 같은 성연관 열성 유전자가 후손에게 전달될 수 있는 네 가지 가능한 기전. 남성은 박스로, 여성은 원으로 나타내었다. 이 도표에서, 초록색 박스와 원은 색맹인 남성과 여성을 나타낸다. 하늘색 박스와 원은 보인자인 남성과 여성을 나타낸다. 하얀색 박스와 원은 색맹 유전자가 없는 남성과 여성을 나타낸다. Xc는 색맹 유전자를 가지는 X염색체를 나타낸다.

증례 연구 ▶ Part 4

병원으로 이송 중, 산모와 신생아 모두 모니터링되며, 연속적 활력징후를 측정한다. 신생아를 따뜻하게 유지하면서, 재평가한다. 의료본부는 당신에게 병원 도착 시 곧바로 분만실로 가서 환자의 산과 주치의를 만나라고 지시한다. 몇 분 후, 산모가 자궁 수축을 느낀다고 말하고, 태반이 분만된다. 당신은 태반이 완전한지 확인하기 위해 신중히 검사한 뒤, 병원에서 추가 검사를 위해 태반을 비닐봉투에 담는다.

■ 요점 정리

- 생식계는 성 생식을 담당하는 구조로 구성되고, 유전학과 통합적으로 연결된다. 유전 정보는 각 세포 핵 내 염색체에 들어있다.

- 생식계는 생존을 위해 반드시 필요하지는 않은 유일한 신체계통이지만, 인류의 존속을 위해 필요하다.

- 여성 생식기관인 난소는 난모세포와 여성생식기능을 조절하는 호르몬을 생산한다.

- 난소 내에서 난모세포는 성숙과정과 난자발생을 거쳐서, 난자를 생성한다.

- 난관은 난소의 난자와 자궁에서 오는 정자의 이동을 위한 경로를 제공한다.

- 자궁은 임신 동안 태아의 착상, 성장, 영양공급을 가능하게 한다.

- 자궁 경부는 질로 일어진다.

- 자궁 벽은 세 층으로 구성된다. 바깥쪽에서 안쪽으로 자궁외막, 자궁근육층, 자궁내막이 있다.

- 평균 월경주기는 28일이다.

- 전형적으로, 정자와 난자가 난관에서 만날때 수정이 일어난다. 수정이 일어나면, 형성된 접합체는 난관을 따라서 자궁으로 이동한다. 그와 동시에, 접합체는 점진적인 세포분열을 거친다.

- 태반은 배아를 둘러싼다. 그리고 태아는 탯줄을 통해서 산소, 영양소를 산모로부터 흡수하고, 이산화탄소와 기타 노폐물을 산모로 전달한다.

- 질은 여성 생식관 하부를 구성하는 근육형 관이다. 질은 여성의 성교 기관으로 성교 시 음경을 받아들인다.

- 질의 근육 벽은 늘어날 수 있어서, 출산 시 질의 이완을 가능하게 한다.

- 여성 외부 생식기를 음문이라고 한다. 한 쌍의 피부 주름, 소음순, 전정의 경계면, 질과 요도의 입구가 있는 공간.

- 음핵은 전정의 전방 경계면에 위치한다. 소음순은 음핵 위에서 합쳐진다. 소음순 외측으로, 두 개의 뚜렷하게 둥근 피부 주름인 대음순이 있다.

- 유방에는 모유를 생성하는 유선이 있다.

- 음낭은 고환이 들어있는 피부와 근육의 주머니이다. 음낭근은 추운 날씨에 고환을 수축시켜, 음낭의 피부를 단단하고 주름지게 만든다.

- 고환올림근은 고환을 몸통 가까이로 당겨서, 고환 주위로 일정한 온도를 유지한다.

- 남성 생식기인 고환은 정자와 테스토스테론을 생성한다. 정자는 고환에서 정자발생 과정에 의해 생산된다.

- 음경은 요도가 지나가는 남성의 외부 생식기이다. 정낭은 정액의 대부분 액체를 생산한다. 망울요도샘과 전립선은 정액의 나머지 분비물을 생산한다.

- 임신은 난자의 수정 후 일어나는 태아 발달의 과정을 말한다. 임신 첫 주 동안, 수정란은 지속적으로 분열하면서 난관을 통해 이동하여, 자궁벽에 착상한다. 정상 임신 기간은 착상 후 266일이다.

- 첫 번째 석달은 최종월경주기의 제1일부터 임신 12주까지이다. 두 번째 석달은 임신 13주부터 임신 27주까지의 기간이다. 세 번째 석달은 임신 28주부터 마지막달인 40주까지이다.

- 평균 진통 시간은 첫 임신에서는 13시간, 두 번째 임신부터는 8시간이다.

- 분만의 첫 단계에서, 자궁벽의 수축이 시작되고 자궁 경부는 이완된다. 두 번째 단계에서 태아가 분만된다. 세 번째 단계에서는 태반이 배출된다.

- 태아기의 폐는 액체로 차있고 기능을 하지 않는다. 모든 산소와 이산화탄소의 교환은 태반을 통해 일어난다. 태아는 탯줄을 통해 모체의 태반에 부착된다.

- 출생 시에는 몇 가지 변화가 일어난다. 타원구멍과 동맥관은 부분적 또는 완전히 닫히게 되므로, 혈액은 더 이상 우심방에서 좌심방으로, 폐동맥에서 하행대동맥으로 흐를 수 없게 된다. 첫 호흡과 함께 신생아 폐를 통한 순환이 시작된다.

- 유전학이란 유전, 즉 부모에서 자손으로 소질(성향)과 특성이 전달되는 것에 대해 연구하는 학문이다.

- 성숙한 세포는 23쌍의 염색체를 가진다. 이 염색체의 절반은 한 부모에서 각각 성세포를 통해 받은 것이다.

- 발생학적으로, 서로 다른 종들의 상동염색체(염색체 내용물, 즉 유전체) 사이에는 뚜렷한 유사점이 있다.

- 환경적 요인이 유전 정보의 발현에 영향을 줄 수 있다.
- 유전자는 유전의 기본 단위로, 세포를 형성하고 조절하는 기전에 대한 정보를 저장하고 내보낸다. 인간의 염색체는 디옥시리보핵산(DNA), 즉 인체 다양한 기능을 수행하는 단백질들을 합성하는 수천 개의 다양한 유전자를 포함한다.
- 성숙한 세포에는 리보핵산(RNA)이 세포핵내 DNA에서 만들어진다. 이 후 RNA는 세포질로 이동하여 단백질 합성을 위한 틀로 기능한다.
- 부모는 각각 자녀에게 모든 유전자의 하나의 복제본을 제공한다. 체세포는 부모에서 각각 하나씩을 받아서 형성된 두 세트의 염색체를 가지고 있다. 체세포는 두배수체, 46개 염색체를 가진다. 성세포는 그 양의 절반을 가진다.
- 상염색체는 남성과 여성에서 수많은 체내 단백질을 전달하는 유전자를 지닌다. 모든 사람은 같은 수의 상염색체를 가진다.
- 성염색체는 성별을 결정하는 단백질 및 기타 단백질을 전달한다. X와 Y, 두 가지의 성염색체가 있다. 아버지의 생식세포는 둘 중 어느 하나를 포함하고, 어머니의 생색세포는 하나의 X염색체를 포함한다.
- XX 염색체를 가진 접합체는 여성 배아로 발달한다. XY 염색체를 가진 접합체는 남성 배아로 발달한다.
- 상염색체연관 소질은 상염색체에 위치한 유전자에 있다. 반면, 성연관 소질은 성염색체에 위치한 유전자에 있다.
- 특정 형질에 대해, 부모 중 한쪽으로부터 받은 하나의 유전자를 대립유전자라고 한다. 수많은 유전되는 특징에 대해서, 하나 이상의 대립유전자가 있을 수 있다.
- 대립유전자와 유전 소질은 열성이거나 우성이다. 열성 소질이 표현되려면, 부모 양쪽으로부터 동일한 열성 대립유전자를 받아야만 한다. 반면 우성 소질의 발현을 위해서는, 단 하나의 우성 대립유전자만이 필요하다. 상염색체에 위치한 유전자의 경우, 부모 중 어느 쪽이 우성 대립유전자를 제공하든 상관이 없다.
- 표현형이란 유전적 요소와 환경적 요인에 의해 나타나는 유기체의 관찰 가능한 특징이다.
- 유전자형이란 같은 형질에 대한 유전적 요소이다. 우성 형질의 경우, 유전자형에 하나의 우성 대립유전자만 있어도 그 형질이 표현된다.
- 열성 형질의 경우, 유전자형이 그 형질에 대한 두 개의 열성 대립유전자를 모두 가져야 임상적으로 표현된다.
- **Gregor Mendel**은 '고전유전학'의 첫 번째 실험을 시행하였고, 완두콩 모종의 꽃 색깔 연구를 기반으로 유전 가설을 제시했다.
- 한 소질에 대해 두 개의 동일한 대립유전자를 가지는 유기체는 그 형질에 대해 동형접합이라고 한다.
- 한 소질에 대해 두 개의 서로 다른 대립유전자를 가지는 유기체는 그 형질에 대해 이형접합이라고 한다. 이형접합체가 임상적으로(표현형으로) 어떤 형질을 표현하는 것은 그 형질이 우성 또는 열성인지에 따라 결정된다.
- 유전질환이란 유전자형의 이상이 관찰가능한 표현형으로 나타나는 유전적 상태이다.

■ 증례 연구 정답

1. **여성 생식계의 주요 장기들은 무엇인가?**
   답: 난소는 하복부 사분역 양 측면에 하나씩 놓여있고, 복막 주름과 두 개의 인대에 의해 지지된다. 난관(자궁관)은 난자와 정자의 이동 경로이자 수정의 장소로서 기능하는 속빈 관이다. 자궁은 하복부 정중앙에 위차한 서양배 모양의 장기이다. 자궁은 몇개의 인대에 의해 제자리에 고정되고, 임신 동안 태아의 착상, 성장, 영양공급을 가능하게 한다. 유선은 모유를 생산하는 기관으로 유방인대에 의해 지지된다.

2. **기능적 벽을 포함한 자궁벽의 층들은 무엇인가?**
   답: 자궁벽은 세 층으로 구성된다. 바깥쪽에서 안쪽으로 자궁외막, 자궁근육층, 자궁내막이 있다. 자궁내막은 두 층으로 구성된다; 심부층은 자궁근육층에 연결되고, 기능층은 자궁강의 내막을 형성한다. 월경

주기 동안, 기능층은 월경 변화와 탈락을 겪는다.

3. 임신 배아기란 무엇이며, 이 시기가 매우 중요한 이 유는?

답: 배아기는 임신 3주에서 7주사이의 기간이다. 모든 주요 기관 계통은 배아기 동안 발달하기 시작한다. 배아기는 약물, 알코올, 바이러스, 외부 물질 등에 매우 취약한 시기로, 임신 여부를 인식하기도 전에 선천적 결함을 유발할 수 있다.

4. 유전학적으로, 태아의 성별이 결정되는 기전은?

답: 성염색체는 성별을 결정하는 단백질을 전달한다. XX염색체를 가진 접합체는 여성 배아로 발달한다. XY염색체를 가진 접합체는 남성 배아로 발달한다.

5. 출생 시 영아에서 일어나는 두 가지 중요한 순환계의 변화는?

답: 첫 호흡 및 타원구멍과 동맥관의(최소한 부분적) 폐쇄와 함께 신생아 폐를 통한 순환이 시작된다.

6. 이 시점에서, 진통(분만)의 몇 번째 단계가 일어나고 있는가?

답: 환자는 신생아를 분만하면서 2단계를 완료했고, 태반의 분만인 3단계가 곧 시작될 것이다. 분만의 1단계는 자궁벽의 수축과 자궁 경부의 이완이다.

7. 유전질환과 관련하여, '보인자 상태'란 무엇인가?

답: 일부 상염색체−열성 질환에서, 하나의 비정상 대립유전자를 가지고 있는 사람은 임상적으로 정상일 수 있다; 그러나, 이 사람은 보인자이고, 또 다른 보인자와 결혼할 경우 2세에서 질환이 발병할 수 있다.

특수 감각계
Special Sensory System

학습목표

1. 감각의 일반적 목적을 설명한다.
2. 감각로를 구성하는 부위명과 각 부위의 일반적 기능을 말한다.
3. 감각의 특징을 서술한다.
4. 눈의 각 부위명과 시각에서 담당하는 기능을 설명한다.
5. 후각로와 미각로에 대해 서술하고, 후각과 미각이 상호 연

관되는 기전을 설명한다.
6. 귀의 각 부위명과 청각에서 담당하는 기능을 설명한다.
7. 평형의 생리학을 서술한다.
8. 연관통을 설명하고, 병원전 치료에서 연관통의 중요성을 서술한다.

■ 서론

인체의 특수감각계는 빛, 소리, 맛, 냄새, 위치, 피부 및 체외 감각을 인지하는 특수 신경 수용기로 구성된다. 각 계통의 특수한 기전들이 서로 다르기는 하지만, 이들은 모두 공통된 특징을 가지고 있다. 감각은 수용기에서 감지된 다음, 신경 신호로 전환된다. 이러한 신경 신호는 뇌신경을 통해 직접적으로 또는 척수신경을 통해 간접적으로 대뇌로 들어간다. 대뇌에서 처리된 신호들은 의식적으로 인지된다.

■ 시각

시각 기관인 눈은 눈꺼풀, 눈물기관, 외근 등의 부속기관과 더불어 작용한다. 이러한 모든 기관들은 머리뼈(두개골)의 눈확(안와) 내부에 들어있다. 각 눈확은 또한 혈관, 지방, 결합조직, 신경 등을 포함한다. 각 눈꺼풀은 피부, 근육, 결합조직, 결막층을 가진다. 눈꺼풀은 피부의 가장 얇은 부위로, 안검의 외부 표면을 덮으면서 경계부 가까이에서 안쪽으로

합쳐진다. 눈꺼풀은 눈둘레근(안륜근)과 눈꺼풀올림근에 의해 움직인다.

눈물기관은 눈물을 분비하는 눈물샘을 포함한다. 또한 눈물기관은 눈물을 비강으로 전달하는 일련의 관들을 가진다 그림 14-1 . 사실상 눈물은 지속적으로 분비되고, 눈 내측 하방으로 흘러서 세관을 통해 배출된다. 눈물샘에서 만들어지는 눈물은 눈물점(눈 모서리에 작은 구멍)을 통해서 눈물관으로 들어간다. 그 다음 눈물은 눈물주머니(누낭)로 들어가서, 코눈물관을 통해 비강으로 들어간다.

여섯 개의 외근은 눈을 여러 방향으로 움직인다. 하나의 외근은 한 가지 일차 작용을 나타낸다. 그림 14-2 는 이러한 외근을 보여준다.

눈은 구형이고 그 직경은 약 1인치로, 눈확 안에 꼭 들어맞는다 그림 14-3 . 성인에서 안구의 80% 이상은 뼈로 만들어진 눈확 내부에서 보호된다. 눈확은 인접한 얼굴과 머리뼈의 뼈로 구성되며, 두개강의 바닥을 형성한다. 대뇌 이마엽(전두엽)은 눈확 바로 상부에 위치한다. 양쪽 눈확 사이는 코뼈(비골)이고, 눈확 하부는 코곁동굴(부비동)이다.

안구는 전방과 후방 내부에 들어있는 액체의 압력에 의

증례 연구 ▶ Part 1

낮 12시, 당신이 속한 구급대는 화상 가능성이 있는 환자가 극심한 통증을 호소하고 있는 자동차 수리센터로 출동한다. 당신이 수리센터 밖에 주차를 하는 사이 두 남자가 다가와서 급하게 상황을 설명한다; 점심시간에 그들이 개인 작업을 하고 있는 동안, 동료 중 한명이 통증으로 비명을 지르기 시작했다고 한다. 환자는 적절한 보호장구 착용 없이 아크 용접기를 작동하려고 시도하다가 눈에 섬광 화상을 입은 듯 했다.

당신은 현장이 안전하다고 판단하고, 가게로 뛰어들어가서 환자에게 다가간다. 환자는 비명을 지르고 있고, 극심한 통증을 호소하고 있다. 당신은 일차평가를 시작하고, 환자의 의식이 명료하고 기도는 개방되어 있으며 적절한 호흡을 하고 있음을 확인한다. 명백한 외부 또는 내부 출혈 소견은 보이지 않는다. 환자의 피부는 불빛에 노출되어 붉게 상기되어 있지만, 피부 상태는 정상이다. 환자는 용접기 근처에 앉아있고, 안면 보호구를 착용하지 않았었다고 말한다. 환자는 울면서, "제발 도와주세요… 앞을 볼 수 없어요!"라고 소리친다..

기록한 시간: 0분	
외형	피부가 붉어진 남자
의식 수준	명료(사람, 시간, 날짜에 지남력이 있음)
기도	개방
호흡	규칙적
순환	규칙적이고 빠르며 강한 맥박; 명백한 외부 출혈 없음

1. 이러한 유형의 외상에 의해 즉시 손상될 수 있는 눈의 부위는?
2. 눈이 빛을 감지하는 기전은?

해 구 형태를 유지한다. 눈 후방에 있는 투명한 젤리와 같은 물질은 유리체액이다. 안구가 파열되어 유출된 유리체액은 대체되거나 재생산 될 수 없다. 안구 전방의 투명한 수용성 액체는 눈방수라고 한다. 눈의 관통상에 의해 소실된 눈방수는 서서히 재생된다.

섬세한 투명막인 결막은 공막의 외측면과 눈꺼풀 내측면을 덮고있는데, 홍채를 덮는 것은 아니다. 결막 표면은 눈물샘에서 생산되는 액체에 의해 촉촉하게 유지된다. 인간은 무의식적으로 일분당 여러번 눈을 깜박인다. 이러한 작용은

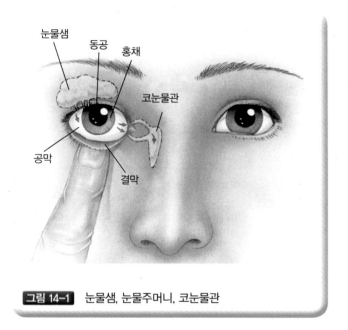

그림 14-1 눈물샘, 눈물주머니, 코눈물관

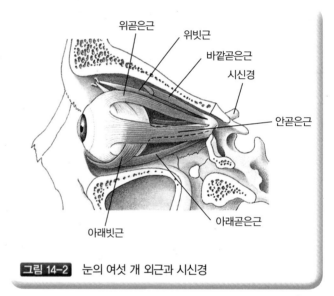

그림 14-2 눈의 여섯 개 외근과 시신경

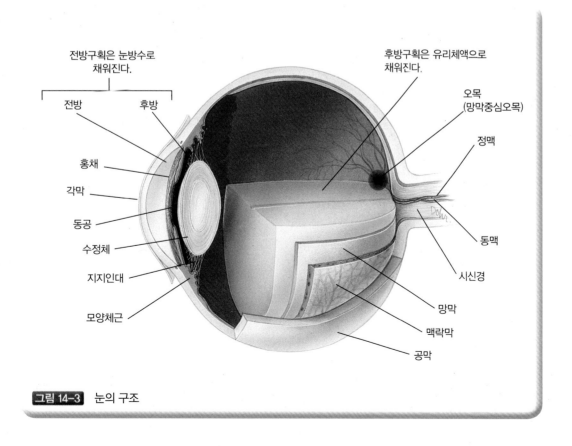

그림 14-3 눈의 구조

눈물샘에서 분비된 액체로 눈 표면을 쓸어내어 깨끗하게 한다. 눈의 흰색 부위인 공막은 안구 표면 위로 분포한다. 매우 질긴 섬유성 조직인 공막은 눈의 모양을 구형으로 유지하고, 섬세한 내부 구조들을 보호한다. 눈 앞쪽에서, 공막을 대체하는 투명막인 각막은 빛이 눈으로 들어올 수 있게 한다. 각막 뒤쪽으로는 원형근이 있고, 그 중앙에는 구멍이 있다. 카메라 셔터와 같이, 원형근은 이 구멍의 크기를 조절하여 눈에 들어오는 빛의 양을 조절한다. 이러한 원형 조임근과 주변 조직을 합쳐서 홍채라고 한다. 홍채의 색소는 눈동자의 특징적인 색깔을 결정한다(갈색, 초록색, 푸른색).

홍채 중앙에 구멍인 동공을 통해서 빛이 눈 후방으로 들어간다. 정상적으로, 동공은 검은색으로 보인다. 카메라 구멍과 마찬가지로, 동공은 밝은 빛에서 작아지고, 희미한 빛에서 커진다. 또한 가까이 보거나 멀리 볼때, 동공은 작아지거나 커진다; 이러한 조절은 거의 즉각적으로 일어난다. 정상적으로, 양쪽 눈의 동공은 크기가 같다. 일부 사람들은 크기가 동일하지 않은 동공을 가지고 있다; 그러나, 의식이 없는 환자에서 동공의 크기가 동일하지 않은 경우, 뇌 또는 눈에 심각한 손상을 시사한다.

홍채 뒤쪽으로는 수정체가 있다. 수정체와 홍채 사이는 후방이다. 카메라 렌즈처럼, 수정체는 이미지를 안구 뒤쪽 빛에 민감한 영역인 망막에 초점을 맞춘다. 망막을 카메라 필름과 같이 생각하면 된다. 망막 내에 있는 무수한 신경 말단은 빛에 반응하여, 시신경공을 통과한 시신경을 통해서 신경 자극을 뇌로 전달한다. 뇌에서 신경자극은 시각으로 변환된다.

광선은 동공을 통해 눈으로 들어가서, 수정체에 의해 초점이 맞춰진다. 수정체에 의해 형성된 이미지는 망막에 투사되고, 망막에는 시신경을 형성하는 감각 신경섬유가 위치한다. 시신경은 이미지를 대뇌로 전달하고, 전달된 이미지는 대뇌 시각피질에서 의식적인 이미지로 전환된다.

병태생리학

수정체가 불투명해져서 시각을 흐리게 할 때, 백내장이 발생한다. 백내장이 심각할 경우, 수정체는 외과적으로 제거되고 인공 수정체로 대체된다.

병태생리학

외상 및 헤르페스 바이러스 등의 감염에 의해 각막이 손상될 수 있다. 각막 이식은 가장 오래되고 성공적인 이식술 중 하나이다. 환자의 시각이 아주 심하게 손상된 경우, 안과의사는 손상된 각막을 시신공여자의 각막으로 대체할 수 있다. 때로 응급구조사는 사망한 환자의 장기 공여 가능성을 결정할 필요가 있다.

병태생리학

안구의 관통상은 환자의 시각을 위협할 수 있다. 명백한 상처 여부와 관계없이, 사고 경위에 근거하거나 눈 주변에 젤리와 같은 물질이 보일 경우 안구 관통상을 의심해야 한다.

병태생리학

이물질, 선천적 결함, 감염 등에 의해 눈물관의 폐쇄가 일어나면 눈꺼풀과 안면 상부에 통증을 동반한 부종이 발생한다. 이러한 상태가 불편하기는 하지만, 대개의 경우 시각에 손상을 일으키지는 않는다.

병태생리학

결막염(충혈안)은 결막의 염증이다 그림 14-4. 결막염은 대부분 박테리아, 바이러스, 알레르기에 의해 발생하고, 매우 전염성이 높다. 결막염 가능성이 있는 환자와 접촉할때는 반드시 적절한 개인 보호 장비를 사용해야만 한다.

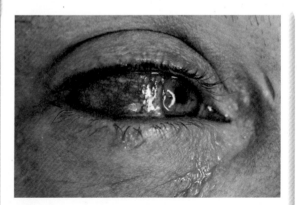

그림 14-4   결막염

© Christine Langer-Pueschel/ShutterStock, Inc.

미각

구강과 혀의 맛봉오리(미뢰), 즉 미각수용기는 미각을 담당한다. 맛봉오리의 수는 10,000개 이상이다. 대부분의 맛봉오리는 혀표면에 존재하고, 유두라 불리는 작은 융기부를 가지고 있다 그림 14-5 .

또한, 약 1,000개의 맛봉오리가 입천장과 목구멍 벽에 분포한다. 하나의 맛봉오리에는 최대 150개 미각세포가 있고, 이 세포들은 3일마다 재생된다. 구형의 맛봉오리는 맛구멍이라고 불리는 구멍과 작은 돌출부인 미각모를 가지고 있다. 미각모는 미각 수용세포의 감각부이다. 자극은 주변 신경섬유에 신경자극을 유발하여 대뇌로 전달된다.

화학물질의 맛이 감지되기 위해서는 우선 타액내에서 용해되어야 한다. 맛봉오리내 미각세포들의 모양은 유사하지만 5가지 유형으로 나뉜다.

- 단맛(설탕)을 감지하는 세포
- 신맛(레몬)을 감지하는 세포
- 짠맛(소금)을 감지하는 세포
- 쓴맛(카페인)을 감지하는 세포
- 감칠맛을 감지하는 세포(특정 아미노산과 글루탐산모노나트륨 MSG와 같은 유사 화학물에 반응함)

다른 미각들은 알칼리성과 금속 감각이다.

일차 감각들의 조합에 의해 맛이 느껴진다. 후각 또한 맛에 영향을 준다. 미각세포는 혀 전반에 분포하지만, 일반적으로 혀의 특정 부위에 다음과 같이 집중되어 있다.

- 혀 끝: 단맛
- 혀 측면: 신맛
- 혀 전면과 옆면: 짠맛
- 혀 후면: 쓴맛과 감칠맛(풍미가 있고 기분 좋은)

후각처럼 미각 또한 빨리 적응된다. 혀의 감각 자극은 안면, 혀인두, 미주 신경을 통해서 연수로 전달된다. 이후 자극은 시상과 미각피질(대뇌 두정엽에 위치)로 전달되어, 인지 가능한 감각으로 전환된다. 맛봉오리는 짠맛과 단맛을 구별하여 감지한다.

청각, 위치감각과 균형감

청각

귀는 바깥귀(외이), 가운데귀(중이), 속귀(내이)의 세부분으로 나누어진다 그림 14-6 . 바깥귀는 귓바퀴, 바깥귀길(외이

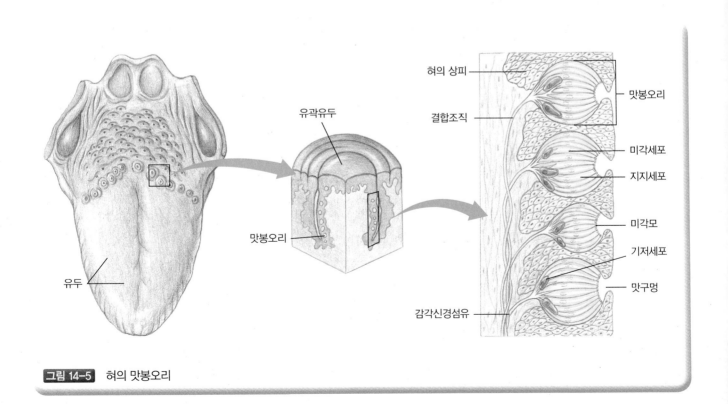

그림 14-5 혀의 맛봉오리

혀의 상피 — 맛봉오리
결합조직 — 미각세포
— 지지세포
— 미각모
— 기저세포
— 맛구멍
감각신경섬유 —

유곽유두
맛봉오리
유두

도), 고막의 외부로 구성된다. <u>가운데귀</u>는 고막의 내부와 귓속뼈로 구성된다. 속귀는 달팽이관과 반고리뼈관으로 구성된다.

<u>귓바퀴</u>(귀의 바깥쪽 큰 부위)는 음파를 모은다. 음파는 <u>바깥귀길</u>을 통과하여 <u>고막</u>을 두드린다. 진동은 <u>귓속뼈</u>(고막 안쪽에 세 개의 작은 뼈)로 전달된다. 이후 진동은 <u>난원창</u>을 통과하여 <u>달팽이관</u>으로 전달된다. 난원창의 움직임은 <u>달팽이관</u>(속귀 내부에 코르티기관을 포함하는 조개껍데기 모양의 구조) 내부 액체의 진동을 유발한다. <u>코르티기관</u>에서 진동이 털의 움직임을 자극하여 형성된 신경자극은 청신경을

증례 연구 ▶ Part 2

당신은 동료와 함께 환자를 돕기 위해 가능한 모든 것을 할 것이라고 환자를 안심시킨다. 당신이 사고에 대해 환자에게 물어보는 동안, 당신의 동료는 환자의 활력징후를 측정한다. 환자는 넘어지지도 않았고 의식을 잃지도 않았다고 말한다. 당신은 2차 평가를 수행하기로 결정하고, 병력을 청취하고 신체 검진을 한다.

환자는 병력상 체중 90 kg의 22세 남자이다. SAMPLE 병력은 다음과 같다:

- 징후와 증상(Signs and symptoms): 눈에 극심한 통증.
- 약물에 대한 알레르기(Allergies to medications): 페니실린과 설파계 약물.
- 복용중인 약(Medications taken): 처방약이나 일반의약품을 복용하지는 않지만, 종종 마약을 사용함.
- 관련된 과거력(Past pertinent medical history): 작년 겨울 스키 사고로 정강뼈(경골) 골절.
- 마지막으로 음식/액체 섭취(Last food/ fluid intake): 아침식사.
- 발생전 상황(Events prior to onset): 점심시간에 자동차 수리센터 장비를 가지고 서둘러 개인 작업을 하러 가는 중이었다.

OPQRST 병력은 다음과 같다.

- 증상 발현(Onset of symptoms): 매우 갑자기 시작됨.
- 악화 요인(Provoking factors): 환자는 아크용접기를 사용할 때 안면보호구를 착용하지 않았다.
- 통증의 양상(Quality of discomfort): 환자는 양쪽 눈에 날카롭고 타는듯한 통증을 호소한다.
- 방사통/관련 징후/증상/완화요인(Radiating/related signs/symptoms/relief): 환자는 눈과 주변 피부의 통증과 시각이 침침하다고 호소한다.
- 호소증상의 중증도(Severity of complaint): 1~10 척도에서(10이 가장 심한 통증), 환자는 통증이 10이라고 한다.
- 시간(Time): 약 20분전 사고 발생시 통증이 시작되었다.

기록한 시간: 5분	
외형	초조하고 심한 통증을 느낌
의식 수준	명료(사람, 시간, 날짜에 지남력이 있음)
기도	개방
호흡	정상
순환	명백한 출혈없이 강하고 빠른 맥박. 얼굴과 목에 표재성 화상, 따뜻하고 축축한 피부
맥박	96회/분, 강하고 규칙적
혈압	140/80 mmHg
호흡	20회/분, 규칙적
동공	양쪽 동일하고 주위 빛에 반응함
SpO₂	99%

3. 시신경의 위치를 서술한다.
4. 눈물은 어떻게 생성되는가?

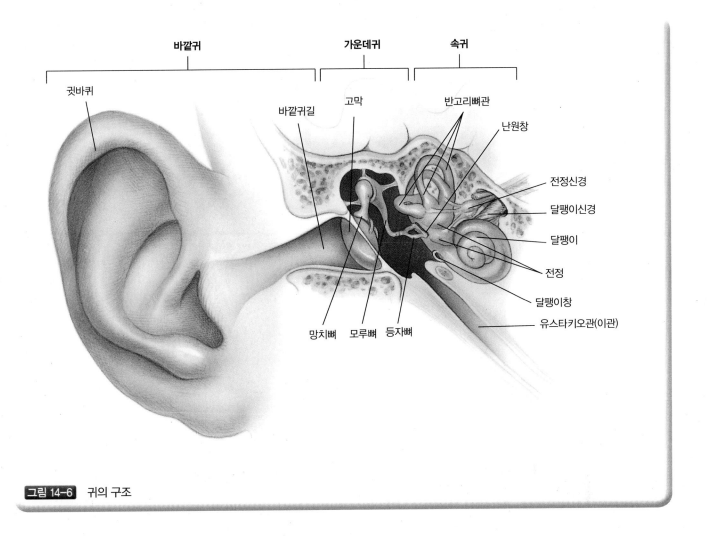

바깥귀   가운데귀   속귀

귓바퀴

바깥귀길   고막   반고리뼈관

난원창

전정신경

달팽이신경

달팽이

전정

달팽이창

유스타키오관(이관)

망치뼈   모루뼈   등자뼈

그림 14-6   귀의 구조

통해 뇌로 전달된다. 이후 뇌는 이 신경자극을 청각으로 전환한다 **그림 14-7**.

위치감각과 균형감

균형감은 두 가지 기전을 포함한다: 운동 미로계와 정적 미로계. 운동 미로계는 머리의 움직임을 감지한다. 운동 미로계는 뼈 미로 내에 서로 수직인 세개의 반고리뼈관으로 구성된다. 머리의 움직임은 내림프(귀 막미로 내의 액체)가 능선(각 바깥귀길 내 작은 융기부)에 젤라틴 조직의 뚜껑인 마루에 놓인 털을 자극하도록 한다. 머리와 내림프는 서로 다른 속도로 움직인다. 따라서, 뇌는 머리의 움직임을 나타내는 마루의 움직임과 내림프의 움직임 사이에 차이를 감지한다.

정적 미로계는 중력에 대한 머리의 위치 및 선형 가속/

감속을 감지한다. 막미로에 두 개의 막성 주머니인 타원낭과 소낭은 특수 조직 판인 황반을 포함한다. 황반의 털세포는 이석막 아래에 있다. 이석막은 탄산칼슘의 작은 입자인 이석과 단백질의 젤라틴 덩어리이다. 이석막은 중력, 가속, 감속에 반응하여 움직인다. 황반의 털은 구부러져서 신경을 자극한다. 이 자극은 뇌에서 움직임 감각으로 전환된다.

평형에 대한 특수 감각 수용기는 반고리뼈관에 타원낭, 소낭, 황반, 능선이다. 두 가지 유형의 평형–동적평형과 정적평형이 있다. 동적평형에서, 머리와 몸이 움직이거나 회전할 때 움직임이 감지되고, 균형유지를 돕는다. 동적평형 기관은 미로에 세개의 반고리뼈관이다. 반고리뼈관 말단에 부풀어오른 팽대에는 감각 기관이 있다. 각각의 감각 기관은 팽대능선이라 불리며, 위쪽 젤라틴 덩어리(마루)로 연장되는 감각 털세포를 가지고 있다 **그림 14-8** 은 팽대 내부에 팽대능선을 보여준다.

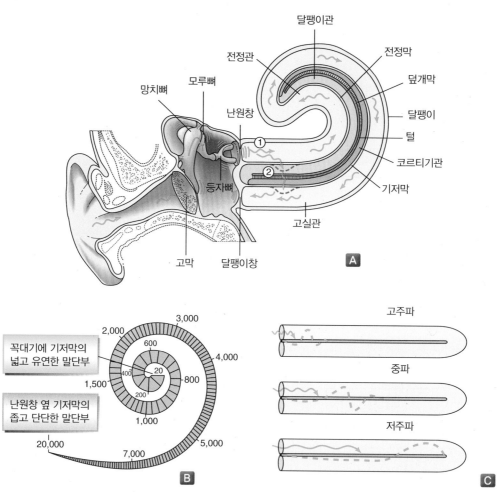

숫자는 기저막의 다양한 부위가 최대로 진동하는 빈도를 나타낸다.

그림 14-7 달팽이를 통한 음파의 전달

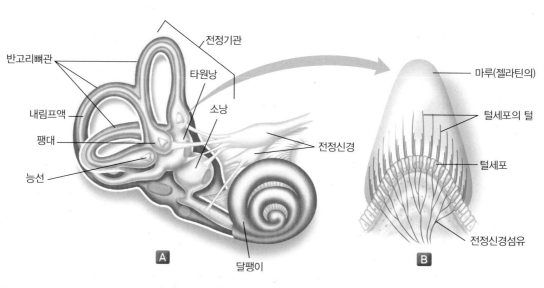

그림 14-8 팽대능선은 각 반고리뼈관의 팽대 내부에 위치한다.

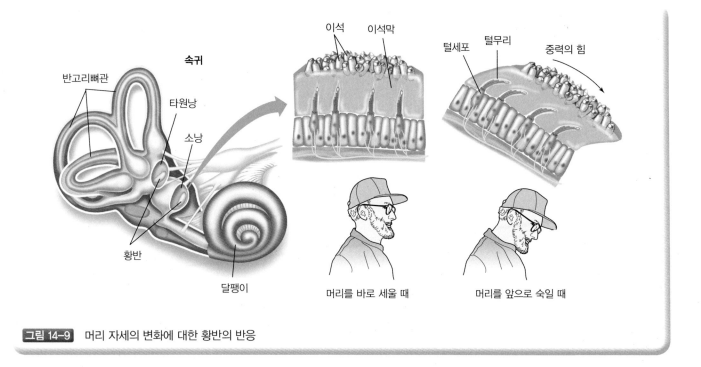

속귀

이석 이석막
털세포 털무리 중력의 힘

반고리뼈관
타원낭
소낭
황반
달팽이

머리를 바로 세울 때   머리를 앞으로 숙일 때

그림 14-9 머리 자세의 변화에 대한 황반의 반응

머리나 몸이 급속히 회전할때, 팽대능선의 털세포는 자극되지만 관 내부 내림프는 움직이지 않는다. 마루 내 털세포가 구부러지면서, 신호를 뇌로 보낸다. 소뇌는 급속한 인체 움직임의 결과를 예측하여 골격근이 균형을 유지할 수 있도록 유도한다. 또한, 목관절과 연관된 기계적수용기는 위치 변화에 대해서 뇌와 소통하고, 눈은 균형 유지를 돕는다.

정적평형에서, 머리와 몸이 움직이지 않을 때, 머리의 위치가 감지되어 안정성이 유지된다. 머리가 똑바로 서있을 때, 털은 위쪽 젤라틴 물질로 뻗어있다. 머리를 앞쪽, 뒤쪽, 또는 양옆으로 구부릴때, 털이 구부러지면서 신경섬유에 신호를 보낸다. 신경자극은 전정달팽이신경을 통해 중추신경계로 이동하고, 뇌는 골격근을 통제하여 균형을 유지한다. **그림 14-9** 는 황반이 머리의 위치에 반응하는 기전을 보여준다.

■ 후각

후각 수용기 세포는 코의 후상부 안쪽 표면에 분포한다. 이 세포들은 냄새를 첫번째로 감지한다. 후각은 미각과 밀접히 연관되어 작용한다. 냄새를 내는 분자가 자극하는 다양한 후각 수용기 단백질은 냄새를 감별한다. 이러한 분자는 우선 부분적으로 기체에서 액체로 응축되어야만, 수용기에 의해 감별될 수 있다. 여기서, 후각수용기 세포의 축삭은 체판을 통과하여 후각망울로 향한다. 후각망울에서 분석된 후각 자극은 후각로를 통해 변연계로 전달된다 **그림 14-10**. 대부분의 후각은 뇌 관자엽(측두엽)과 이마엽(전두엽) 하방, 시상하부 전방의 후각피질에서 처리된다.

생화학적 경로가 활성화되고 나트륨이온이 유입되어 활동전위가 발생되면서, 후각 자극이 발생한다. 수백가지 유형의 후각 수용기 세포가 존재한다. 이러한 후각 수용기 세포들은 수백가지 유형의 냄새 분자들과 결합한다. 후각 기관은 비강 상부에 위치하므로, 희미한 냄새는 감지하기 어렵다. 후각은 새로운 냄새에서 처음에 강력하고, 시간이 지나면서 약해진다.

병태생리학

후각과 미각은 서로 상호보완적이다. 코 통로가 막히거나 후각이 손상되면 미각이 심히 제한된다.

■ 촉각

피부의 촉각수용기는 압력, 통증, 온도를 감지한다. 말초원심신경은 이러한 자극을 척수, 그리고 뇌로 전달한다. 이 때, 사람은 피부의 감각을 의식적으로 인지하게 된다.

촉각과 압력 감각은 다음의 세 가지 수용기에서 기원한다 그림 14-11 .

- 자유 신경 말단: 자유 말단이 상피세포 사이에 연장된 상피조직에서 흔하다; 가려운 감각을 통제한다.
- 마이스너(촉각) 소체: 결합집 내 난원형의 편평한 결합조직으로, 두 개 이상의 섬유가 각 소체로 가지를 쳐서 작은 마디에서 끝난다; 털이 없는 피부에 위치하여(손가락, 입술, 손바닥, 발바닥, 외부생식기, 유두), 피부에 가벼운 촉감에 반응한다.
- 파치니(층판) 소체: 비교적 큰 결합조직 구조로, 심부 진피, 피하조직, 힘줄, 인대에 흔하다; 무거운 압력에 반응한다.

온수용체와 냉수용체에 의해 온도가 감지된다. 온수용체는 25℃ 이상의 온도에 가장 민감하고, 45℃ 이상이면 반응

증례 연구 ▶ Part 3

당신은 살균 습윤 드레싱과 패드로 환자의 눈을 가린다. 그리고 들것을 환자 옆으로 가져와서 환자를 들것에 눕히고, 병원까지 20분 소요되는 이송을 준비한다.

병원으로 이송 중, 당신은 재평가를 수행하고 비재호흡마스크를 통해 환자에게 산소를 공급한다. 또한 진통제 투여 지시를 위해, 의료본부와 연락한다. 의료본부는 환자의 극심한 통증을 경감시키기 위해 몰핀 투여를 지시한다.

재평가 중, 당신은 다음과 같은 소견을 발견한다:

- 머리: 얼굴에 표재성 화상, 수포는 없음
- 목: 표재성 화상
- 가슴: 흉터, 반, 의료 식별용 목걸이나 팔찌는 없음
- 폐 청진: 모든 영역에서 깨끗함(특이사항 없음)
- 상지: 특이사항 없음
- 하지: 특이사항 없음

기록한 시간: 5분

외형	여전히 통증을 호소하고 가려진 눈에 대해 불안해한다.
의식 수준	명료(사람,장소,날짜에 대해 지남력이 있음)하지만, 매우 놀란 상태
기도	개방
호흡	정상
순환	강하고 빠른 맥박, 명백한 출혈은 없음
맥박	90회/분, 강하고 규칙적
혈압	132/74 mmHg
호흡	20회/분, 규칙적
SpO$_2$	99%

5. 안구 내에 두 가지 유형의 액체는 무엇이며, 이런 유형의 손상은 그 액체들에 어떤 영향을 주는가?

6. 진통제 사용은 이런 환자에게 적합한가?

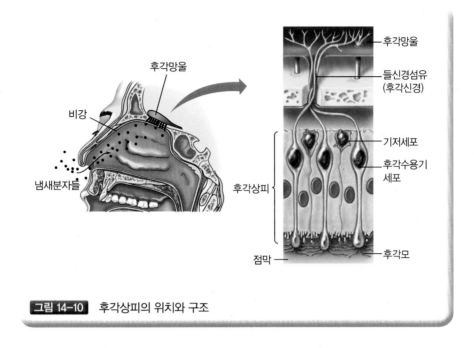

후각망울

들신경섬유
(후각신경)

기저세포

후각수용기
세포

후각망울

비강

냄새분자들

후각상피

점막

후각모

그림 14-10 후각상피의 위치와 구조

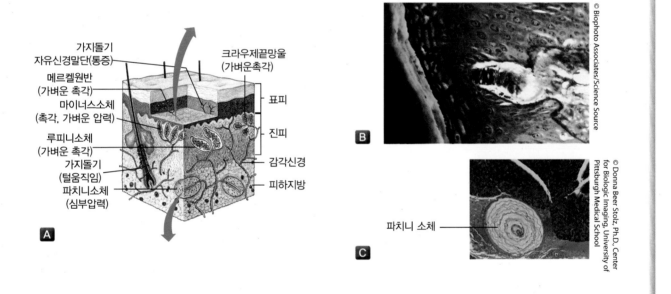

가지돌기
자유신경말단(통증)

크라우제끝망울
(가벼운촉각)

메르켈원반
(가벼운 촉각)

표피

마이너스소체
(촉각, 가벼운 압력)

진피

루피니소체
(가벼운 촉각)

가지돌기
(털움직임)

감각신경

파치니소체
(심부압력)

피하지방

A

B

C

파치니 소체

© Biophoto Associates/Science Source

© Donna Beer Stolz, Ph.D., Center for Biologic Imaging, University of Pittsburgh Medical School

그림 14-11 촉각과 압력 감각은 피부의 다양한 수용체에서 기원한다. A. 조직층의 다양한 수용체 위치. B. 마이스너 소체. C. 파치니 소체

증례 연구 ▶ Part 4

당신은 몰핀을 환자에게 투여하고, 환자에게 가족에 대한 질문을 하면서 환자를 안정시키려고 한다. 환자는 당신에게, "내가 시력을 잃게 될까요?"라고 묻는다. 당신은 응급구조 강사가 "지킬 수 없는 약속을 하지 마세요."라고 말한 것을 분명히 기억한다. 따라서 당신은 환자에게 외상이 심각하여 장기적 손상 여부를 판단하기 위해서는 안과 전문의에 의한 정밀 검사가 필요하다고 설명한다.

하지 않는다. 45℃에서, 통증 수용체가 자극되어 타는듯한 감각을 생산한다. 냉수용체는 10℃에서 20℃ 사이 온도에 가장 민감한다. 이러한 수용체들은 급속히 작용하여, 약 1분의 지속적 자극 후에는 감각이 소실되기 시작한다.

병태생리학

촉감 또는 추위 등의 자극에 대한 피부의 과민감도를 일으키는 상태를 <u>감각과민(증)</u>이라고 한다.

■ 연관통증

연관통증이란 실제로 자극되는 부위가 아닌 다른 부위에서 기원하는 통증이다. 예를 들어, 심장 통증은 어깨나 왼위팔(좌상완) 통증으로 나타날 수 있다. 배아 발달은 이러한 유형의 연관통증을 설명한다. 심장과 팔은 목에서 기원하고, 따라서 배아 신경 분포에서 심장과 팔은 동일한 척수 분절에서 통증 신경섬유를 받는다. 따라서, 통증의 위치가 항상 그 원인 부위를 나타내지는 않는다.

자율학습

■ 요점 정리

- 특수감각계는 빛, 소리, 맛, 냄새, 위치, 피부 및 체외 감각을 인지하는 특수 신경 수용기로 구성된다.
- 눈은 눈확 내에 위치하고, 성긴 결합조직과 몇 가지 근육들에 의해 제자리에 고정된다.
- 시신경은 시신경공을 통해 안구 후방으로 들어간다.
- 눈의 각 부위는 안구, 공막, 홍채, 동공, 수정체, 각막, 전방, 후방, 결막, 유리체액, 망막 등이 있다.
- 눈물샘에서 만들어지는 눈물은 눈물점을 통해서 눈물관, 눈물주머니, 코눈물관으로 들어간다.
- 망막은 섬세한 신경 조직의 10층 구조로, 뇌로 전달되는 신경 신호를 생성한다.
- 구강과 혀에는 짠맛과 단맛을 감별하는 미각 수용기가 있다.
- 다섯 가지 유형의 주요 맛은 단맛, 신맛, 짠맛, 쓴맛, 감칠맛이다.
- 귀는 바깥귀, 가운데귀, 속귀의 세부분으로 나누어진다.
- 음파는 귓바퀴를 통해 귀 속으로 들어가서, 바깥귀길을 통과하여 고막으로 전달된다. 고막의 진동은 귓속뼈의 진동을 유발한다.
- 귓속뼈의 진동은 난원창을 통과하여 달팽이관으로 전달되고, 달팽이관 내부 액체의 진동을 유발한다. 진동은 코르티기관에서 털을 자극하고, 형성된 신경 자극은 청신경을 통해 뇌로 전달된다.
- 균형감각은 정적평형과 동적평형으로 구성된다.
- 정적평형에서, 머리와 몸이 움직이지 않을때, 머리의 위치가 감지되어 안정성이 유지된다.
- 동적평형에서, 머리와 몸이 움직이거나 회전할 때 움직임이 감지되고, 균형유지를 돕는다.
- 비강 내면 후각 수용기세포에서 감지된 후각은 체판을 통과하여 후각망울로 전달된다. 후각망울에서 냄새 자극은 후각로를 통해서 대뇌 후각피질로 들어간다.
- 특수 촉각은 말초신경계의 기능과 상호 연관된다. 피부의 수용기는 촉감을 감지한다.

■ 증례 연구 정답

1. 이러한 유형의 외상에 의해 즉시 손상될 수 있는 눈의 부위는?

   답: 화상 당시 눈꺼풀이 어느 정도 닫혀있었는가에 따라서 외상의 범위는 매우 다양하다. 닫힌 눈꺼풀은 안구 외막(결막과 각막)을 아크 용접기의 열과 섬광으로부터 보호한다. 눈꺼풀이 열려 있었다면, 결막, 각막, 공막, 홍채, 동공 등에 직접 손상을 입을 수 있다. 이 환자에서 망막이 손상되어 시각 손실의 즉각적 원인이 될 수 있다.

2. 눈이 빛을 감지하는 기전은?

   답: 홍채와 동공을 덮고 있는 각막은 동공을 통해 광선을 받아들인다. 수정체에 의해 촛점이 맞춰진 광선은 안구 뒤 쪽 망막(시신경과 연결된 10층의 신경 조직)으로 투사된다. 망막에서 생성된 신경 신호는 시신경을 통해 뇌로 전달된다.

3. 시신경의 위치를 서술한다.

   답: 시신경은 12쌍의 뇌신경 중 두 번째 신경이다. 중뇌에서 기원한 시신경은 시신경공을 통과하여 안구 후방으로 들어간다.

4. 눈물은 어떻게 생성되는가?

   답: 눈물샘에서 만들어지는 눈물은 눈물점을 통해서 눈물관, 눈물주머니, 코눈물관으로 들어간다.

5. 안구 내에 두 가지 유형의 액체는 무엇이며, 이런 유형의 손상은 그 액체들에 어떤 영향을 주는가?

   답: 눈방수는 각막과 수정체 사이 안구 전방부를 채우는 수용성 액체이다. 유리체액은 수정체 뒤쪽 안구 후방부를 채우는 젤리와 같은 물질이다. 이러한 유형의 손상에 의해 눈방수나 유리체액이 손상될 가능성은 적다. 이러한 액체에 직접 영향을 주는 손상의 유형은 관통상이다.

6. 진통제 사용은 이런 환자에게 적합한가?

   답: 어느 부위의 화상이든 매우 통증이 심하고, 눈의 화상은 특히 고통스럽다. 통증과 더불어, 환자는 영구적인 시각 손실의 가능성에 대해 극도로 불안감을

가질 수 있다. 이러한 환자에게 진통제 사용은 반드시 필요하다. 환자의 의식 상태가 좋고, 환자는 의식소실이나 기타 외상이 없으며, 진통제 사용의 금기가 되는 기저 질환 또한 가지고 있지 않다. 몰핀과 같은 진통제는 이러한 유형의 외상에 동반되는 통증 및 불안감을 경감시키는데 도움이 된다.

영양과 대사
Nutrition and Metabolism

학습목표

1. 영양을 정의한다.
2. 영양소의 두 그룹을 서술한다.
3. 킬로칼로리를 정의한다.
4. 지방, 포도당, 단백질의 대사 역할을 설명한다.
5. 이화작용과 동화작용의 기능을 설명한다.
6. 세포호흡의 산물과 그들의 인체내 처리 기전을 서술한다.
7. 열이 체내에서 생성되고 소실되는 다양한 방법을 설명한다.
8. 체온의 정상 범위를 말한다.
9. 시상하부가 인체의 체온조절기인 이유를 설명한다.
10. 체액 구획과 그 안의 물질명을 서술한다.
11. 체액이 구획 사이에서 이동하는 기전을 설명한다.
12. 액체가 체내로 들어가고 체외로 배출되는 기전을 설명한다.

Skidplate: © Photodisc; Cells © ImageSource/age fotostock

■ 서론

전형적인 식사는 탄수화물, 지질, 단백질, 물, 전해질, 비타민 등을 섭취하는 것이다. 소화계는 이러한 성분 각각을 달리 다룬다. 소화는 흡수가 일어나기 이전에 큰 유기 분자를 분해한다. 물, 전해질, 비타민은 예비 분해 없이 흡수될 수 있지만, 특수 수송 기전을 필요로 한다. 소화계 내에서 영양소의 활동을 이해하기 위해, 다양한 영양소에 대한 이해가 필수적이다.

영양소와 인체가 영양소를 사용하는 기전에 대한 연구를 영양학 이라고 한다. 영양소는 탄수화물, 지질, 단백질, 비타민, 무기질, 물 등이며 다음과 같이 크게 분류된다.

- **다량영양소**　대량으로 필요한 영양소(탄수화물, 지질, 단백질); 에너지를 공급하고 기타 특수한 기능을 수행한다. 잠재적 에너지는 칼로리(열의 단위)로 표현된다.
- **미량영양소**　소량 필요한 영양소(비타민, 무기질); 직접 에너지를 공급하지는 않지만, 다량영양소에서 에너지를 추출하는 생화학적 반응을 일으킨다.

■ 소화와 영양소 흡수

칼로리(열량)는 물 1 gram을 1℃ 올리는데 필요한 열의 양을 말한다. 음식의 에너지를 측정하는데 사용되는 칼로리는 1,000배 더 크다. 음식의 에너지 측정을 위해 사용되는 칼로리는 실제 칼로리의 1,000배와 동일하다. 흔히 칼로리로 칭하지만, 사실상 에너지의 킬로칼로리이다.

세포 산화는 다음과 같은 칼로리를 생산한다:

- 탄수화물 1gram 은 약 4칼로리를 생산한다.
- 단백질 1gram은 약 4칼로리를 생산한다.
- 지방 1gram은 약 9칼로리를 생산한다.

증례 연구 ▶ Part 1

저녁 8시 30분, 당신이 속한 구급대가 지역의 생활 지원 공동주거 시설로 출동한다. 당신은 종종 그 곳에서 응급구조 요청을 받는다. 경찰관과 함께 한 직원이 당신을 문에서 맞이한다. 한 노인 거주자가 오후 내내 보이지 않았다. 그는 저녁식사에 나타나지 않았고, 경찰이 출동하였다. 부지를 수색하여, 건물 뒤 벤치에 앉아있는 그 거주자를 발견했다. 외부 온도는 28℉ (-2℃)였고, 외투, 모자, 장갑 등을 착용하지 않고 있었으며, 혼동된 상태인 듯 했다. 환자를 건물 안으로 옮기고 담요를 덮어 주었다.

현장은 안전하다고 판단되고, 당신은 적절한 표준 예방조치를 취하고 일차평가를 시작한다. 환자의 의식 상태는 언어로 자신의 이름을 알지만 요일과 위치를 혼동한다. 기도는 개방되어 있고, 호흡은 느리고 얕다. 당신의 동료가 비재호흡마스크를 장착하는 동안, 당신은 환자의 순환을 평가한다. 생명을 위협하는 외부 출혈은 없고, 노뼈(요골) 맥박은 느리고, 피부는 차고 창백하고 건조하다.

환자의 피부가 차갑기 때문에, 당신은 동료에게 체온계를 가져와서 환자 체온을 측정하라고 한다. 그동안 당신은 의식수준 변화에 대한 다른 가능한 원인들을 고려한다. 구조 계획은 기저 활력징후와 혈당을 측정하는 것이다. 또한 당신은 이차평가를 수행하고 병력을 청취할 필요가 있다..

기록한 시간: 0분	
외형	창백하고 혼동된 행동을 보임
의식 수준	언어(사람에 대해 지남력이 있으나, 장소와 날짜를 혼동함)
기도	개방
호흡	느리고 얕음
순환	외부 출혈 없음; 피부는 차갑고 창백하며 건조함

1. 체온의 정상 범위는?
2. 인체의 체온조절기로 여겨지는 구조는?

소화는 영양소를 분해하여 혈액내로 흡수되어 운반되도록 한다. 필수 영양소는 인간 세포가 합성할 수 없는(특정 아미노산 등의) 영양소이다.

탄수화물은 당과 녹말을 포함하는 유기 화합물이다. 탄수화물의 에너지는 대부분 세포내 과정을 위한 에너지로 사용된다. 탄수화물은 곡류, 채소, 당원(고기), 이탄당(사탕수수 설탕, 사탕무 설탕, 당액), 단당류(과일, 꿀)의 형태로 섭취된다. 소화는 탄수화물을 단당류(과당, 포도당, 갈락토오스)로 분해하여 흡수를 용이하게 한다. 간효소는 과당과 갈락토오스를 포도당으로 전환한다. 포도당은 세포 연료로 사용되기 위해 가장 흔히 산화되는 탄수화물의 형태이다.

셀룰로오스는 인체에서 소화될 수 없는 복합 탄수화물이다. 셀룰로오스는 덩어리(섬유소)를 형성하여 소화계 근육벽이 소화관을 통해 음식물을 밀어내는 것을 돕는다. 세포 대부분이 지방산을 산화하여 에너지를 얻지만, 신경세포는 생존을 위해 지속적인 포도당을 필요로한다. 단기간의 포도당 결핍에 의해서도 중추신경계는 심각하게 손상될 수 있다. 탄수화물이 충분히 섭취되지 않을 경우, 간은(단백질의) 아미노산을 포도당으로 전환한다.

일부 과도한 포도당은 글리코겐(당원)으로 전환되어, 간과 근육에 저장된다. 포도당은 글리코겐에서 급속히 합성되지만, 글리코겐의 일정 양만 저장될 수 있다. 과다한 포도당은 대부분 지방으로 전환되어 지방조직에 저장된다. 에너지를 위해 인체는 첫번째로 포도당을 대사하고, 그 다음 글리코겐을 포도당으로, 마지막으로 지방과 단백질을 대사한다.

RNA와 DNA 생산에 필요한 라이보스, 데옥시라이보스 등의 필수 생화학 물질을 합성하기 위해서, 세포는 탄수화물을 이용한다. 또한 모유 분비시 이당류 유당을 합성하기 위해서도 탄수화물이 필요하다. 신체적으로 활동적인 사람들은 활동적이지 않은 사람들에 비해 더 많은 연료를 필요로 하지만, 과도한 탄수화물 섭취는 비만과 심혈관질환의 위험을 증가시킨다. 탄수화물 섭취는 사람마다 다르지만, 단백질 분해 및 대사 장애를 피하기 위해서는 약 125~175 gram 사이의 탄수화물이 날마다 섭취되어야 한다.

지방, 지방 유사 물질, 기름 등을 지질이라고 한다. 지방은 체내 과정과 특정 구조를 만들기 위한 에너지를 공급한다. 지질은 지방, 콜레스테롤, 인지질을 포함한다. 식이에서 가장 흔한 지질은 트리글리세리드로 알려진 지방으로, 식물과 동물성 음식 모두에 존재한다. 포화지방은 대부분 고기,

달걀, 우유, 동물 지방(라드), 팜유, 코코넛 오일 등에 있다. 포화지방의 과다한 섭취는 심혈관 질환의 위험을 증가시킨다. 불포화지방은 견과류, 씨앗, 식물성 오일에 존재한다. 단불포화 지방은 올리브, 땅콩, 카놀라유에 존재하며, 가장 건강한 유형의 지방이다. 콜레스테롤은 간, 난황, 우유, 버터, 치즈, 고기 등의 동물성 제품에 있지만, 식물성 음식에는 존재하지 않는다.

지질은 많은 기능을 가지는데, 대부분은 에너지를 공급한다. 트리글리세리드 분자는 먼저 가수분해를 거쳐야만 에너지를 방출할 수 있다. 이때, 지방산과 글리세롤이 유리되어 림프와 혈액에서 흡수되고 조직으로 수송된다. 일부 지방산 부분은 베타 산화 과정을 통해서 아세틸 보조효소A 분자를 형성한다. 과다한 양의 보조효소는 아세톤과 같은 케톤체로 전환되고 필요시 재전환된다.

간에서 합성될 수 없는 특정 지방산을 필수 지방산 이라고 한다. 예를 들어, 인지질 합성, 세포막 형성, 지질 수송 등에 필요한 필수 지방산인 리놀레산은 옥수수, 목화씨, 대두유 등에 존재한다. 또다른 필수지방산으로는 아라키돈산이 있다.

트리글리세리드, 인지질, 지질단백질을 간에서 합성하기 위해서 유리지방산이 이용된다. 지질은 단백질에 비해 덜 치밀하다; 따라서, 입자의 밀도가 감소할수록, 지질단백질의 지질 비율이 증가한다. 반대의 경우 또한 성립한다. 초저밀도지질단백질(VLDLs)은 트리글리세리드 농도가 상대적으로 높다. 서밀도지질단백질(LDLs)은 트리글리세리드 농도가 상대적으로 낮다. 고밀도지질단백질(HDLs)은 단백질 농도가 상대적으로 높고, 트리글리세리드 농도는 낮다.

간은 인체내 콜레스테롤을 조절한다. 간은 콜레스테롤을 합성해서 혈액내로 보내고, 혈액에서 콜레스테롤을 제거하여 담즙으로 배설하거나 담즙산염을 생성한다. 콜레스테롤은 에너지를 생산하지는 않지만, 세포막의 구조 물질을 공급하고 성호르몬과 부신호르몬의 합성에도 중요하다. 트리글리세리드는 지방조직에 저장되고, 금식에서 처럼 혈중 지질 농도가 떨어질때 지방산과 글리세롤로 가수분해된다.

지질이 건강을 위해 필요한 방식은 다양하다. 지방 섭취는 지용성 비타민을 운반하기에 충분해야만 한다. 또한 지질은 음식의 맛을 더욱 좋게 한다. 지질 섭취가 하루 열량의 30%를 초과하지 않는 것이 권장된다.

아미노산에서 합성되는 단백질은 효소, 혈장 단백질, 근

육 성분(액틴과 미오신), 호르몬, 항체 등을 포함한다. 단백질이 소화되어 아미노산으로 분해되면, 에너지 공급을 위해 사용될 수도 있다. 이들은 간으로 운반되어 탈아미노화를 통해서 질소 포함 부분이 소실된다. 이후 요소로 전환되어 소변으로 배설된다.

단백질이 풍부한 음식으로는 고기, 생선, 가금류, 치즈, 견과류, 우유, 달걀, 씨리얼 등이 있고, 콩에도 더 작은 양으로 존재한다. 9가지를 제외한 나머지 모든 아미노산은 성인 체내에서 합성된다. 인체가 스스로 합성할 수 없는 아미노산을 필수 아미노산 이라고 한다. 인체의 성장과 조직 회복을 위해서는 이 모든 아미노산이 필요하다.

단백질의 세 유형은 완전, 불완전, 부분 완전 단백질이다. 완전단백질은 (우유, 고기, 달걀 등) 적절한 양의 필수 아미노산을 가지고 있다. 불완전 단백질은 (옥수수 등) 인체 조직을 유지하고 성장 및 발달을 보조하기에는 너무 적은 양의 트립토판과 리신을 가진다. 부분 완전 단백질은 (밀의 글리아딘) 성장 촉진을 위해서는 충분하지 않지만 생명 유지는 할 수 있는 정도의 리신을 가지고 있다.

단백질은 필수 아미노산을 공급하고, 질소와 기타 원소들을 제공한다. 몸의 크기, 대사, 활동량과 기타 요인들에 따라 단백질 요구량이 다르다. 영양사는 매일 체중 1 kg 당 0.8 gram의 단백질을 섭취하도록 권장한다; 따라서, 대부분의 평균 성인은 날마다 약 50~80 gram의 단백질을 섭취해야만 한다.

비타민은 정상 대사를 위해 필요한 기타 유기 화합물이다. 체세포는 적절한 양의 비타민을 합성할수 없으므로, 음식을 통해서 비타민을 섭취해야만 한다. 비타민은 용해도에 따라 분류된다. 지용성 비타민은 A, D, E, K이고, 수용성 비타민은 B군과 C이다 표 15-1 .

소장의 담즙산염은 지용성 비타민의 흡수를 촉진한다. 지용성 비타민은 다양한 조직에 축적될 수 있으므로, 적절한 섭취가 필요하다. 예를들면, 과량의 비타민A 섭취시, 과도한 베타카로틴으로 인해 피부가 오렌지색을 띨 수 있다. 표 15-1 은 지용성비타민과 성인의 하루섭취권장량(RDA)을 설명하고 있다.

수용성 비타민은 비타민B군과 C이다. 비타민B는 정상 대사에 필수적인 화합물로 구성되며 탄수화물, 지질, 단백질의 산화를 돕는다. 이들은 흔히 음식 내에 함께 존재하므로 비타민B군으로 칭한다. 요리와 가공 과정은 수용성 비타민 일부를 파괴한다. 비타민C(아스코르빈산)는 가장 불안정한 비타민 중 하나이다. 수많은 식물성 음식에 있는 비타민C는 인체가 콜라겐을 생성하고, 엽산을 디히드로엽산으로 전환하며, 특정 아미노산을 대사하기 위해 필요하다. 또한 비타민C는 콜레스테롤로부터 호르몬의 합성을 촉진하고 철 흡수를 위해 반드시 필요하다.

무기질은 인체 대사에 필수적인 무기 원소이다. 인간은 식물성 음식이나 식물을 섭취한 동물에서 무기질을 얻는다. 무기질은 뼈와 치아에 가장 농축되어 있으며, 체중의 약 4%를 차지한다. 특정 무기질은 종종 (인지질의) 인, (헤모글로빈의) 철, (티록신의) 요오드 등의 유기 분자에 포함된다. 기타 무기질은 칼슘인산염(뼈에 존재) 등의 무기화합물의 일부이다. 나머지 무기질은 혈중에 자유 이온(나트륨, 염화물,

표 15-1 ▶ 지용성 비타민

비타민	원천	성인 하루섭취권장량(RDA)	특징	기능
A	간, 생선, 우유, 버터, 달걀, 녹색 잎 채소, 노란색과 주황색 채소, 과일	4,000~5,000 IU(국제단위)	몇 가지 유형; 카로틴에서 합성됨; 간에 저장; 열, 산, 염기에서 안정적; 빛에 불안정	시각 색소, 뮤코단백질, 뮤코다당류의 합성에 필요; 정상 뼈와 치아 발달에 필요; 상피 세포의 유지에 필요함
D	피부가 자외선에 노출될 때 생성됨; 우유, 난황, 생선 간유, 강화 식품에도 있음	400 IU	한 그룹의 스테로이드; 열, 산화, 산, 염기에 저항성; 간, 피부, 뇌, 비장, 뼈에 저장됨	칼슘과 인의 흡수 및 뼈와 치아 발달을 촉진함.
E	곡류 종자유, 샐러드 오일, 마가린, 쇼트닝, 과일, 견과류, 채소	30 IU	한 그룹의 복합물; 열과 가시광선에 저항성; 산소와 자외선에 불안정함; 근육과 지방조직에 저장됨	항산화제; 비타민 A와 다불포화지방산의 산화를 방지함; 세포막 안정성 유지를 돕는다.
K	녹색 잎 채소, 난황, 돼지 간, 대두유, 토마토, 꽃양배추	55~70 microgram	몇 가지 형태로 존재함; 열에 저항하지만, 산, 염기, 빛에 의해 파괴됨; 간에 저장됨	혈액응고 과정에서 작용하는 프로트롬빈의 합성에 필요함

칼슘)으로 존재한다.

무기질은 모든 세포 구조의 일부를 구성하고, 효소에 존재하고, 삼투압에 영향을 주며, 신경 자극 전도에 필요하다. 무기질에 의존하는 다른 기능들로는 혈액응고, 근섬유 수축, 체액 pH 등이 있다. 무기질인 칼슘과 인은 인체 무기질 원소의 약 75%(무게로)를 차지한다. 이들을 주요 무기질이라고 한다.

미량원소는 매우 소량으로 발견되는 필수 무기질로서, 각각의 미량원소는 성인 체중의 0.005% 미만을 차지한다.

식이에 필수 영양소가 결핍되면 영양실조가 발생한다. 이는 영양부족 또는 과영양에 의해 발생한다. 원인으로는 음식 부족, 질이 낮은 음식, 과식, 과량의 비타민 보충제 복용 등이 있다. 과식이나 운동 부족은 과체중과 비만(신체질량지수 30 또는 그 이상으로 정의)을 유발한다. 신체질량지수(BMI)는 적정체중, 과체중, 비만을 결정하기 위해 사용된다. BMI는 체중(kg)을 키의 제곱(m^2)으로 나눈 값이다. 예를 들어, 키 1.65 m, 체중 82 kg 인 경우, 82 kg을 1.65 m의 제곱으로 나누면 BMI는 29 kg/m^2이고, 이는 과체중이지만 비만은 아니다.

소화 후, 각 세포들은 영양소를 공급받아서 다양한 과정에 사용한다. 세포 내에서 일어나는 모든 과정을 총괄하는 용어가 세포대사이다.

증례 연구 ▶ Part 2

기저 활력징후를 측정한 후에, 당신은 환자가 몸을 떨고 있지 않다는 것을 확인한다. 당신이 저체온 온도계를 사용하여 측정한 환자의 체온은 92°F (33℃) 이다. 당신의 동료가 측정한 환자의 혈당은 100 mg/dL로 정상 범위에 속한다.

당신은 단지 눈에 보이는 것에만 집중하지 않기 위해서, 환자의 의식 변화의 다른 원인들을 고려한다. 당신은 체중 90 kg의 72세 남자 환자의 외상 검사를 완료한다. 당신은 가족과 전화 통화로 SAMPLE 병력을 청취한다. SAMPLE 병력은 다음과 같다:

- 징후와 증상(Signs and symptoms): 차가운 몸
- 약물에 대한 알레르기(Allergies to medications): 페니실린
- 복용중인 약(Medications taken): 아스피린, 항고혈압제
- 관련된 과거력(Past pertinent medical history): 고혈압에 대해 의사가 처방하고 관리중, 3년전 일과성허혈발작, 오래전 어깨 탈구
- 마지막으로 음식/액체 섭취(Last food/ fluid intake): 약 7시간 전, 점심으로 구운 치즈 샌드위치와 튀김
- 발생전 상황(Events prior to onset): 환자가 혼돈되어 밖으로 나간건지, 아니면 추운 외부에 있어서 혼동된건지 명확하지 않음

기록한 시간: 10분	
외형	여전히 혼동된 상태이고 몸이 차가움
의식 수준	언어(사람에 지남력이 있지만, 장소와 날짜를 혼동함)
기도	개방
호흡	얕고 빠름
순환	창백하고 건조하며 차가움
맥박	60회/분, 규칙적
혈압	128/66 mmHg
호흡	24회/분, 힘든호흡이 아님
동공	**양쪽 동일하고 반응함**
SpO₂	97%

3. 세포호흡의 산물은?

4. 인체는 세포호흡의 산물을 어떻게 처리하는가?

■ 세포 대사

대사는 살아있는 세포 내에서 일어나는 화학적 변화들로 이루어진다. 대사 결과 유기체는 성장하고, 기능을 유지하고, 에너지를 방출 또는 저장하고, 영양소를 소화하고, 독소를 파괴한다. 이러한 반응들은 기질의 화학적 성상을 변화시키고, 항상성을 유지한다. 다양한 상태들이 이러한 필수적 균형에 영향을 주어 질환을 유발한다.

두 가지 주요한 대사 반응의 유형은 세포가 에너지를 사용하는 기전을 통제한다. 작은 분자들로부터 큰 분자를 만드는 것이 동화이고, 큰 분자를 작은 분자로 분해하는 것은 이화이다. 이러한 작용은 모두 에너지 소모를 필요로 한다.

■ 동화

동화는 인체 내에서 작은 물질로부터 복잡한 분자를 생성하는 과정이다. 건강하고 영양소 섭취가 적절할 때, 인체는 단순 영양소(아미노산, 지방, 포도당 등)를 이용하여 세포의 기능을 지탱하고 생명을 유지하는 기본 화합물을 생성한다.

동화는 세포가 성장하고 스스로를 복구하는데 필요한 생화학물을 공급한다. 단당류로 불리는 당 분자가 연결되어 고리를 형성하고 글리코겐 분자(탄수화물)를 만드는 과정은 동화의 한 예라고 할 수 있다. 이러한 동화 과정을 탈수합성이라고 부른다. 이 고리 내에 연결이 형성되면서, 한 분자에서 OH(하이드록실기)가 제거되고, 또다른 분자에서 H(수소원자)가 제거된다. OH와 H는 함께 물분자(H_2O)를 생성한다. 다음으로 단당류가 공유 산소 원자에 의해 결합되어 고리가 길어진다.

지방세포에서 글리세롤과 지방산을 연결하는 탈수합성은 지방 분자(트리글리세리드)를 형성한다. 이는 하나의 글리세롤 분자에서 세개의 수소 원자가 제거될 때 발생한다. 세 개의 지방산 분자 각각에서 하나의 하이드록실기(OH)가 제거된다. 이는 세 개의 물분자와 한개의 지방 분자를 생성한다. 그 다음으로 글리세롤과 지방산 단백질 사이에서 산소 원자가 공유된다.

또한 세포는 아미노산 분자를 결합히여 단백질 분자를 형성하기 위해서도 탈수합성을 이용한다. 두 개의 아미노산이 결합할때, 한 아미노산에서 OH분자가 이환되고, 다른 아미노산의 NH_2 그룹에서는 H분자가 이환된다. 이후 질소

원자와 탄소원자 사이에 형성된 결합(펩티드 결합)에 의해서 아미노산 분자들이 결합된다.

서로 결합된 두 개의 아미노산에서 디펩티드가 형성되고, 하나의 고리로 결합된 수많은 아미노산에서 폴리펩티드가 형성된다. 대부분의 폴리펩티드는 특수한 기능을 가진다. 폴리펩티드가 100개 이상의 분자를 가질 때 단백질로 간주한다. 특정 단백질 분자는 하나 이상의 폴리펩티드를 형성한다.

■ 이화

이화는 저장된 탄수화물, 지방, 단백질의 대사 분해를 통해 에너지를 공급하는 과정이다. 이화는 지속적으로 다양한 정도로 일어난다. 과다한 이화는 조직의 소모를 유발한다. 이화의 한 예는 가수분해 과정으로, 사실상 탈수합성의 정반대 과정이다. 이것은 탄수화물, 지질, 단백질의 분해를 포함한다.

가수분해는 하나의 물분자를 분할한다; 예를 들어, 자당 (이당류)이 가수분해 되면, 물분자가 분할되면서 포도당과 과당(두 개의 단당류)이 생성된다. 화학 등식은 다음과 같다:

$$자당 + 물 \longrightarrow 포도당 + 과당$$

이 등식에서 보여지듯이, 자당 분자 내에서 단순 당 사이의 결합이 깨진다. 물분자는 당분자 하나에는 수소 원자를 공급하고, 다른 당분자에는 하이드록실기를 공급한다.

탈수합성과 가수분해 모두 가역적이고, 다음의 등식으로 요약된다:

$$가수분해 \longrightarrow 이당류 + 물 \longleftrightarrow$$
$$단당류 + 단당류 \longleftarrow 탈수합성$$

소화가 일어날 때, 가수분해는 탄수화물을 단당류로 분해한다. 또한 가수분해는 지방을 글리세롤과 지방산으로, 핵산을 뉴클레오티드로, 단백질을 아미노산으로 분해한다.

■ 대사반응의 조절

신경, 근육, 혈액 세포는 특수한 화학 반응을 수행하도록 특

수화된 세포이다; 그러나, 모든 유형의 세포는 기본적인 화학 반응을 수행한다. 이러한 기본적 화학 반응들은 탄수화물, 지질, 핵산, 단백질의 합성과 분해작용이다. 효소는 수백 가지의 급속 화학 변화를 조정하여 대사 반응을 조절한다.

■ 효소와 그 작용

앞서 언급하였듯이, 효소란 생화학 반응의 촉매로 작용하는 단백질이다. 효소는 가장 중요한 인체 단백질들 중 하나이다. 효소는 생명을 유지하는 반응들에 촉매 역할을 한다. 인체 내에서 일어나는 거의 모든 작용은 특정 효소에 의존한다. 인체 내에서 효소는 음식물의 소화, 약물의 대사, 단백질의 생성 및 기타 수많은 반응들을 돕는다. 효소는 세포내에서 온도를 조절하여 대사반응이 일어날 수 있도록 한다.

효소는 복잡한 분자이다. 효소는 대사반응이 일어나는데 필요한 활성화 에너지를 낮춰준다. 이는 촉매작용의 과정에서 반응 속도를 빠르게 한다. 촉매작용에서 사용되지 않은 효소는 재활용된다. 활성화 에너지란 특정 반응이 일어나기 위해서 원자 또는 분자 체계에 추가되어야만 하는 에너지를 말한다.

효소는 매우 특정한 반응에 촉매작용을 한다. 각 효소는 기질(효소에 의해 영향을 받는 특정 화학물)에 작용한다. 흔히 효소는 그 기질의 이름에 접미사 –ase를 붙여서 명명한다. 예를 들어, 지질(lipid)은 지질분해효소(lipase)에 의해서 촉매된다. 또다른 효소인 과산화수소분해효소(catalase)는 과산화수소를 물과 산소로 분해한다. 과산화수소는 특정 대사 반응의 부산물로 생성되는 독성 물질이다.

모든 세포는 수백개의 서로 다른 효소들을 가지고 있고, 각 효소는 특정 기질을 인지한다. 효소분자는 삼차원 모양(입체형태)을 가지므로, 그 기질을 식별할 수 있다. 각 효소의 고리모양으로 감기고 꼬인 폴리펩티드 사슬은 그 기질의 형태에 들어맞는다. 한 효소 분자의 활동성 부위는 기질 분자 일부와 일시적으로 결합하여 효소-기질 복합체를 형성한다.

효소-기질 복합체가 형성될 때, 기질내 일부 화학 결합은 일그러지거나 압박된다. 결과적으로 더 적은 에너지를 필요로 하면서 효소는 원래 구성 그대로 방출된다. 효소-촉매 반응은 다음과 같이 요약될 수 있다:

기질분자 + 효소분자 ⟶ 효소-기질 복합체 ⟶

생성물(변화된 기질) + 효소분자

이 반응은 흔히 가역적이다. 때로는, 동일한 효소가 양 방향의 반응을 모두 촉진한다. 효소와 기질 분자의 수에 따라서 그 반응은 다양한 속도로 일어난다. 일부 효소는 매초마다 몇개의 기질분자를 처리하는 반면, 다른 효소는 같은 시간 동안 수천 개의 기질분자를 처리할 수 있다.

병태생리학

기초대사율(BMR)이란 인체의 기저 대사량, 즉 인체가 휴식시 에너지를 사용하는 기본량을 말한다. BMR의 계산에는 꽤 복잡한 실험 장비가 필요하다. BMR은 생리학 실험실 또는 내분비 대사 전문의 등 특수한 임상 조건에서 유용하게 사용되는 정보이다. BMR은 한 시간에 체표면 1 m²에서 대사되는 킬로칼로리를 숫자로 표기한다. 킬로칼로리(Cal)는 열측정의 단위이다. 1 킬로칼로리(1 Cal)는 1 kg 물의 온도를 14.5℃에서 15.5℃로 올리는데 필요한 열의 양이다. (Cal는 '작은 칼로리 cal'와 구분하기 위해서 항상 대분자로 표기한다.)

■ 효소의 변형

효소 대부분은 열, 전기, 화학물질, 방사선, 극도의 pH 값을 가진 액체 등에 노출되면 변할 수 있는 단백질이다. 대부분 효소는 45℃에서 불활성이고, 55℃에서 변성된다. 변성이란 효소 구조의 변화 내지 변형을 의미한다. 칼륨시안화물 등의 독약은 효소들을 변성하여 그 효과를 발휘한다. 이러한 독약은 세포가 영양소 분자에서 에너지를 방출하는 능력을 정지시킨다.

일부 효소는 비단백 성분과 결합해야만 활성화될 수 있다. 이러한 비단백 성분을 보조인자 라고 칭하고, 한 원소의 이온(칼슘, 마그네슘, 구리, 철, 아연 등)일 수도 있다. 보조인자는 또한 보조효소 라고 불리는 작은 (비단백질) 유기 분자일 수도 있다. 인체는 수많은 비타민을 필수 보조효소로 전환한다. 세포호흡에 관여하는 보조효소A가 한 예이다.

■ 화학 에너지

작업을 수행하고 물질을 변화 또는 이동시키는 것은 에너지를 필요로 한다. 대부분의 대사 과정은 화학 에너지를 사용한다. 다른 유형의 에너지로는 열, 빛, 전기 에너지, 기계적 에너지, 소리 등이 있다.

■ 화학 에너지 유리

분자내 원자 사이의 결합이 깨질 때 화학 에너지가 방출된다. 예를 들어, 기질이 연소되면 결합은 깨지고 에너지는 빛과 열의 형태로 방출된다. 산화 과정 동안 세포는 포도당 분자를 "연소"하여 화학 에너지를 방출하고, 이 에너지는 동화과정의 연료로 사용된다; 그러나, 산화는 세포 외부에서 일어나는 기질의 연소와는 다르다.

세포 내에서 효소는 세포 호흡의 일부로서 산화에 필요한 에너지의 양, 즉 활성화 에너지를 줄여준다. 에너지는 영양소 분자의 결합에서 방출된다. 그후 세포는 방출된 에너지의 약 40%를 특수한 에너지 수송 분자로 이송한다. 나머지 에너지는 열로 방출되어 인체가 정상 체온을 유지할 수 있도록 돕는다.

■ 세포 호흡

세포 호흡, 즉 산소대사는 유기 화합물에서 에너지가 방출되는 과정이다. 이 과정은 세 가지 유형의 반응을 필요로 한다: 해당작용, 시트르산 회로, 전자전달계. 세포호흡에서 포도당과 산소가 필요하다. 이러한 반응의 산물은 이산화탄소, 물, 그리고 에너지 이다. 따라서, 세포호흡에서 상당량의 에너지를 생산하기 위해서는 산소의 존재가 필수적이다. 산소 수치가 낮은 경우 이러한 반응들이 일어나지 못하므로 세포는 무산소대사로 전환한다. 무산소대사가 일어나면 산소대사에서 보다 더 적은 에너지가 생산되고, 대사 노폐물로 젖산이 생산된다.

■ 해당작용

해당작용은 일련의 효소 촉매 반응들을 통해 포도당이 분해되어 젖산과 피루브산을 생산하는 과정이다. 이러한 분해는 에너지를 아데노신삼인산(ATP) 형태로 방출한다 [그림 15-1] . 6개의 탄소로 구성된 포도당은 세포액에서 분해된다: 포도당은 3개의 탄소로 구성된 2개의 피루브산이 되고, 2개의 ATP 분자를 얻어서 고에너지 전자를 방출한다.

해당작용은 세포호흡 과정을 시작한다. 이 반응은 세포액(세포질의 액체 부위)에서 일어난다. 해당작용은 산소를 필요로 하지 않으므로 종종 무산소기라고 칭한다. 적절한 양의 산소가 충분하다면 해당작용에 의해 생성된 피루브산은 산소 호흡의 더욱 에너지 효율이 높은 경로로 들어간다. 이러한 경로들은 미토콘드리아(사립체)에서 일어난다.

산소 반응은 하나의 포도당 분자에서 36개 ATP를 생성한다. 완전히 분해된 포도당 분자는 최대 38개의 ATP를 생성할 수 있다; 대부분은 산소 반응에서 생성되고, 단지 2개만이 해당작용을 통해 만들어진다. 방출된 에너지의 약 절반이 ATP 합성을 위해 사용되고 나머지는 열이 된다. 또한 포도당의 산화는 이산화탄소(호흡으로 배출)와 물(내부 인체 환경으로 흡수)을 생성한다. 대사에 의해 생성되는 물의 양은 인체 필요량보다 적으므로, 물을 마시는 것은 생존에 필수적이다.

■ 시트르산 회로

시트르산 회로는 삼카르복실산(TCA)회로라고도 칭한다. 이것은 포도당, 지방산, 아미노산의 대사를 포함하는 일련의 효소 반응으로 이산화탄소, 물, 고에너지 인산 결합(ATP)을 생산한다 [그림 15-2] . 탄소가 3개인 피루브산은 사립체로 들어가서 하나의 탄소를 잃는다. 이후 피루브산은 보조효소와 결합하여 탄소가 2개인 아세틸 CoA를 형성하고 더욱 고에너지의 전자를 방출한다; 그리고, 하나의 아세틸 CoA는 탄소가 4개인 옥살아세트산과 결합하여 탄소 6개의 시트르산을 만든다.

일련의 반응은 탄소 2개를 제거하고 한 개의 ATP를 합성하며, 더욱 고에너지의 전자를 방출한다. 음식을 섭취할 때 큰 거대분자는 단순한 분자들로 분해된다. 단백질은 아미노산으로, 탄수화물은 단순 당(포도당)으로, 지방은 글리세롤과 지방산으로 분해된다. 단순 분자가 아세틸 CoA로 분해되면 (해당작용에 의해) 제한된 양의 ATP와 고에너지 전자가 생성된다.

포도당은 해당작용을 통해서 피루부산으로 전환된다. 글리세롤과 아미노산 또한 피루브산으로 분해된다. 사실상 다양한 방법으로 일어나는 이러한 모든 과정의 결과물은 아세

틸 CoA이다. 아세틸 CoA가 물
과 이산화 탄소로 완전히 산화
되면 고에너지 전자가 만들어
지고, 여기서 전자전달계를 통
해서 더 많은 양의 ATP가 생성
된다. TCA회로에서 산화의 과
정은 더 많은 ATP 분자를 공급
한다.

■ 전자전달계

전자전달계에서 고에너지 전자
는 여전히 근원 포도당 분자의
화학 에너지 대부분을 가지고
있다. 특수 전달 분자는 그들을
효소로 운반하고, 효소는 남은
에너지 대부분을 더많은 ATP
분자에 저장한다; 또한 열과 물
도 생성된다. 이 단계에서 최종
전자 수용체는 산소이다; 따라
서 전체 과정을 산소 대사라고
지칭한다.

　세포호흡을 위해서는 포도
당과 산소가 필요하다. 이 과정
은 이산화탄소, 물, 에너지를 생
산한다. 에너지의 거의 절반은
ATP 합성을 통해 고에너지 전
자로 되찾아져서 세포내에 저
장된다.

　각 ATP 분자는 세 가지 화
학 그룹으로 이루어진 하나의
고리를 가진다. 이러한 그룹들
을 인산염 이라고 한다. 에너지
의 일부는 인산염 말단의 결합
에서 되찾아진다. 추후에 에너
지가 필요하면 말단 인산염 결
합이 깨져서 저장된 에너지를
방출한다. 세포는 능동수송 및
필요 화합물의 합성 등 많은 기

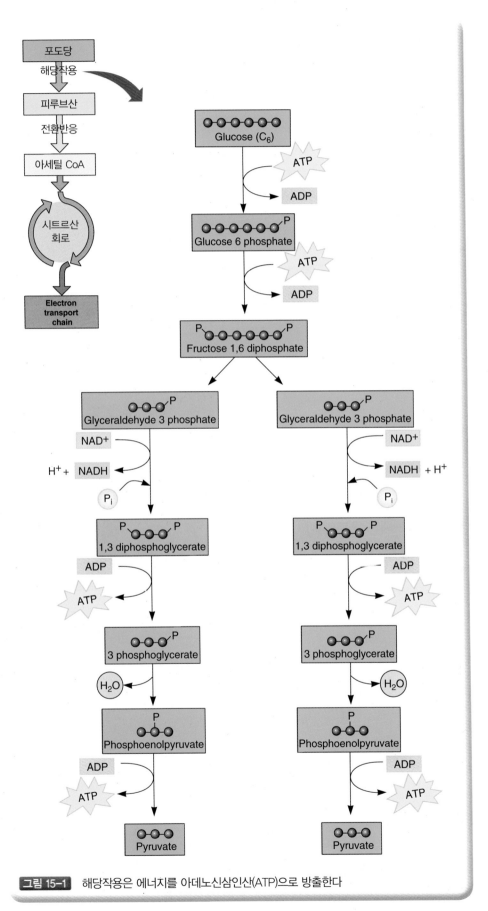

그림 15-1　해당작용은 에너지를 아데노신삼인산(ATP)으로 방출한다

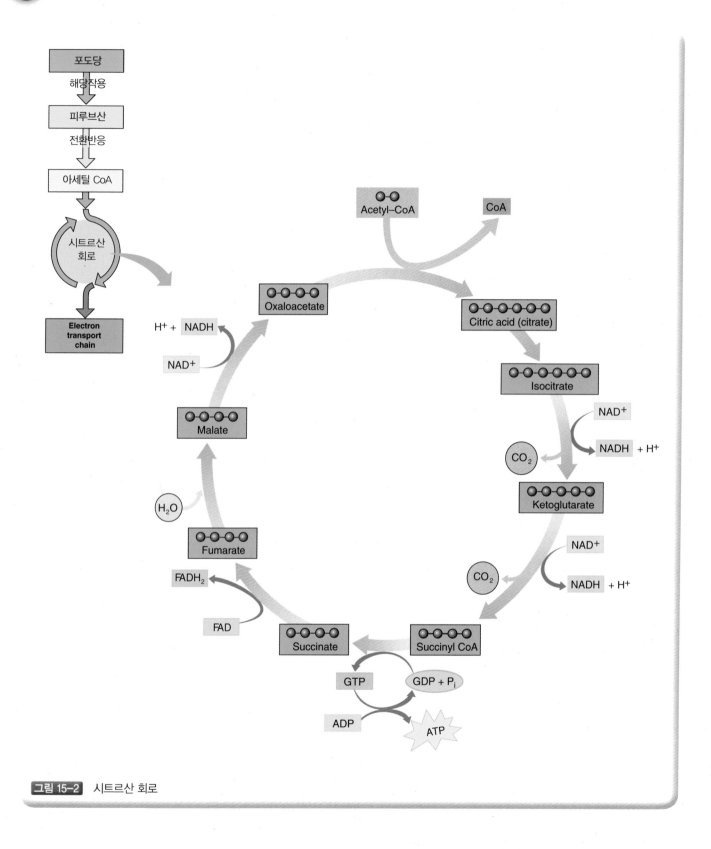

그림 15-2 시트르산 회로

능을 위해 ATP를 사용한다.

ATP 분자가 그 말단 인산염을 잃으면 ADP(아데노신이

인산) 분자가 된다. ADP에 에너지와 세번째 인산염을 추가하면 ATP로 다시 전환될 수 있다. ATP와 ADP 분자는 세

포호흡의 에너지 방출 반응과 세포의 에너지 소모 반응 사이를 오간다 그림 15-3 .

대사경로

세포호흡, 동화 반응, 이화 반응의 각 과정은 수많은 단계들로 이루어진다. 특정한 연속적 효소 활동이 이 반응들 각각을 통제한다; 따라서, 효소는 통제하는 반응과 정확히 같은 순서로 배열된다. 효소 조절 반응의 각 차례를 대사경로 라고 한다.

기질분자 또는 효소분자의 수가 증가하면 대부분 효소 조절 반응의 속도가 증가한다; 그러나 흔히 반응 단계들 중 하나를 조절하는 하나의 효소에 의해 그 속도가 결정된다. 조절 효소 분자는 제한되어있고, 기질 농도가 일정 수치를 초과하면 효소 공급은 포화된다. 이 경우, 기질분자의 개수 또는 농도의 증가는 더이상 반응속도에 영향을 주지 못한다. 따라서, 단지 하나의 효소가 전체 경로를 통제할 수 있다.

속도제한효소는 대부분 일련의 과정에서 첫 번째 효소이다. 속도제한효소가 화학경로 중간에 위치할 경우, 중간

화학물이 축적될 수 있기 때문에, 첫번째 효소가 속도제한 효소가 되는 것이 매우 중요하다. 지방, 단백질, 포도당은 모두 분해되어 ATP 합성에 필요한 에너지를 방출할 수 있다. 세 경우 모두에서 여전히 산소 호흡이 이러한 분해과정의 최종 결과이다. 가장 흔한 진입점은 아세틸 CoA로서 시트르산회로에 들어가는 것이다.

체온

대사 과정의 주요 역할 중 하나는 체온조절, 즉 정상 체온(37℃)의 유지이다. 인체 온도조절기로 불리우는 뇌의 시상하부는 열 조절의 말초 반응을 주로 통제한다. 열발산은 인체에서 열을 손실 또는 획득하는 정상 인체 기전을 말한다. 근육의 활동과 대사 과정을 통해서 열이 생성된다. 체온이 증가하면서 각 기관계에서 변화가 일어난다. 사람이 더운 환경에 점차적으로 노출되면, 인체는 열에 적응하게 된다. 열은 네 가지 기전에 의해 체외로 발산된다: 복사, 전도, 대류, 증발. 복사가 일어날때, 열은 복사 난방기 또는 벽난

증례 연구 ▶ Part 3

당신은 환자를 들것에 눕히고 담요를 덮어준 다음, 폐 청진상 깨끗하므로 따뜻한 정맥 수액의 투여를 시작한다. 들것을 구급차로 옮긴 후, 응급구조사는 심전도를 검토하는데 이상소견은 보이지 않는다. 일과성허혈발작의 과거력과 더불어 의식의 변화가 있으므로, 신경학적 검사를 간단히 수행하고, 새로운 활력징후 측정을 포함한 재평가를 실시한다.

기록한 시간: 15분	
외형	얼굴과 손에 피부색이 약간 돌아오고 있음
의식 수준	언어(사람에 지남력이 있지만, 장소와 날짜를 여전히 혼동함)
기도	개방
호흡	지금은 정상
순환	창백하고 건조하며 여전히 차가움
맥박	64회/분, 규칙적
혈압	110/70 mmHg
호흡	22 회/분, 힘든호흡이 아님
동공	양쪽 동일하고 빛에 반응함
SpO₂	98%

5. 고체온증은 무엇이고 어떻게 처치하는가?

6. 저체온증은 무엇이고 어떻게 처치하는가?

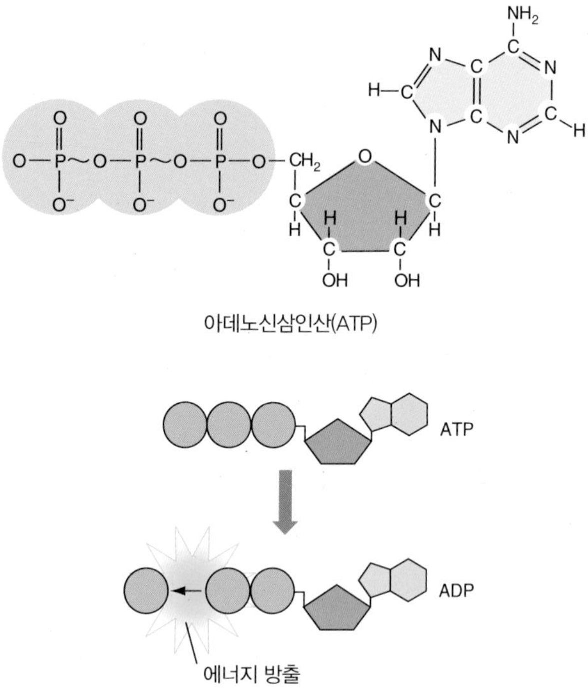

아데노신삼인산(ATP)

ATP

ADP

에너지 방출

그림 15-3 아데노신삼인산과 아데노신이인산 분자

극도로 높거나(고체온증) 낮은(저체온증) 체온은 위험하다. 인간에서 의복을 제거하고 차가운 표면에 누워있지 않는 이상, 전도는 효과적인 열손실 기전이 아니다. 의복은 대류 또한 방해한다. 평상 기온에서, 열발산의 75%는 복사와 대류에 의해 일어난다. 피부와 호흡시 폐에서 수분의 소실을 통한 증발은 정상 열손실의 25%를 차지한다.

대기 온도가 체온에 근접하면, 복사는 더이상 열 발산에 효과적이지 않다. 사실상 인체는 전도와 대류에 의해 열을 얻을수도 있다. 고온에서는, 증발이 열 발산에 유일하게 효과적인 방법이다. 높은 습도에서는 증발이 느리게 일어나므로 열발산이 심각하게 저해된다.

로에서 나오는 열기처럼 공간을 통해 전달된다. 전도는 차가운 표면을 만지거나 찬 바닥에 눕는 것처럼, 직접 접촉에 의해 따뜻한 물체에서 차가운 물체로 열이 전달되는 것이다. 대류는 풍속냉각, 찬물에 노출, 수프를 불어서 식히는 것에서 볼 수 있는 것처럼, 열입자의 순환에 의한 열의 전달이다. 증발은 땀을 흘리거나 체온을 식히기 위해 몸에 물을 뿌리는 것처럼, 액체의 증발로 인해 표면의 열이 손실될 때 발생한다. 또한 열은 호흡시 대부분 증발에 의해 소실된다.

■ 체액 균형

체액에는 두 가지 유형이 있다: 외세포액은 세포 외부 액체이고, 내세포액은 세포 내부 액체이다. 체액의 미세한 균형은 항상성 유지에 필수적이다. 외세포액은 총 체액의 약 25%를 차지한다. 외세포액은 혈관 내부의 혈관내액(혈장)과 혈관 밖의 간질액으로 구성된다. 내세포액은 세포내 액체로 총 체액의 약 75%를 차지한다. 평균 성인의 총 체액은 성별과 연령에 따라서 체중의 50%에서 70%를 차지한다. 유아에서는 체액의 비율이 더 높다.

날마다 인체의 물 섭취와 배설이 동일하지 않지만 체액 균형은 항상성을 유지한다. 인체 어느 구획에서든지 심각한 체액의 손실은 항상성을 방해하여 쇼크에 이르게 될 수 있다. 인체에는 체액 균형을 유지하는 몇 가지 기전이 있다. 체액의 감소는 뇌하수체에서 항이뇨호르몬(ADH)의 분비를 자극한다. 이는 신장에서 체액의 보존을 초래하며 더

증례 연구 ▶ Part 4

병원으로 이송 중, 연속적 활력징후를 측정하고 심전도를 모니터한다. 환자는 자신의 가족과 철도원으로 은퇴전 했던 일에 대해 얘기하기 시작한다. 그는 여전히 자신이 왜 적절한 의복을 갖추어 입지 않은 채로 밖에 앉아있었는지 명확하지 않다. 따라서, 의식수준 변화의 다른 가능한 원인들이 여전히 감별진단에 포함된다. 이 환자는 병원으로 이송 후, 의사의 진찰과 약물 또는 알코올 투여 검사를 받을 것이며, 뇌 CT 촬영을 할 수도 있다. 환자의 딸은 응급실에서 당신을 만나기로 되어있다. 당신은 환자의 체온이 오르기 시작하는지를 확인하기 위해 응급실 도착전 체온을 한번 더 측정하기로 한다.

많은 물이 인체내에 남아있고, 소변으로 배출되는 물의 양이 감소한다. 결과적으로 체액 부피가 증가한다. 또한 갈증은 체액균형의 주요한 기전이다. 체액이 감소할 때, 갈증을 느낀 사람은 더 많은 액체를 섭취한다. 반면, 체액의 증가는 갈증을 억제하고 신장에서 소변을 통한 체액의 배설을 증가시킨다.

인체가 체액균형을 유지하는 또 다른 기전은 외세포 구획과 내세포 구획 내부 및 사이에서 물의 이동이다. 삼투압과 호르몬 자극은 물의 이동을 유도한다. 적절한 체액 균형이 없으면, 인체 내 액체와 전해질 수치의 변동은 질환을 유발하고 더 나아가 생명을 위협할 수도 있다.

■ 요점 정리

- 영양소와 인체가 영양소를 사용하는 기전에 대한 연구를 영양학이라고 한다.
- 인체는 탄수화물, 지질, 단백질 등의 다량영양소(대량으로 필요한 영양소)뿐만아니라, 비타민과 무기질 등의 미량영양소(소량 필요한 영양소)를 필요로 한다.
- 대사는 인체에서 일어나는 모든 화학적 과정을 총칭하며, 대사의 결과 에너지를 저장하거나 방출한다.
- 동화는 인체 내 에너지 저장소 및 분자의 형성과정으로 대사의 건설적 요소이다.
- 이화는 인체내 에너지의 분해 – 즉, 대사의 파괴적 요소이다.
- 포도당, 아미노산, 지방이 위장관에서 일단 흡수되면, 체내에서 대사되어 에너지를 생산한다. 일부 포도당은 간에서 글리코겐으로 저장되어 혈당 수치를 높여야 할때 분해된다.
- 포도당, 지방, 단백질은 세포호흡을 통해 에너지를 생성한다. 세포호흡은 ATP 분자의 형태로 에너지를 생산하는 생화학적 과정이다.
- 세포호흡(산소대사)은 정상적으로 산소가 있을 때 일어난다.
- 산소 수치가 낮은 경우, 세포는 무산소대사로 전환한다. 무산소대사가 일어나면 산소대사에서 보다 더 적은 에너지가 생산되고, 대사 노폐물로 젖산이 생산된다.
- 인체 "온도조절기"로 불리우는 뇌의 시상하부는 체온조절을 일차적으로 통제한다. 열발산은 인체에서 열을 손실 또는 획득하는 정상 인체 기전을 말한다.
- 열은 네 가지 기전에 의해 체외로 발산된다: 복사, 전도, 대류, 증발.
- 평균 성인의 총 체액은 체중의 50~70%를 차지한다.
- 체액은 세포 내부 내세포액과 세포막 외부의 외세포액으로 구분된다.
- 외세포액은 혈관내액(혈장)과 간질액으로 더욱 세분화된다.
- 인체 어느 구획에서든지 심각한 체액의 손실은 항상 성을 방해하여 쇼크에 이르게 될 수 있다. 정상적으로, 총 체액량과 분포는 비교적 일정하게 유지된다.
- 체액의 감소는 뇌하수체에서 항이뇨호르몬(ADH)의 분비를 자극한다. 따라서 신장 세관에서 더 많은 물이 혈액내로 재흡수되고, 소변으로 배출되는 물의 양이 감소한다.
- 갈증 또한 액체 섭취를 조절한다. 체액이 감소할 때, 갈증을 느낀 사람은 더 많은 액체를 섭취한다.
- 체액의 증가는 갈증을 억제하고 ADH 분비를 감소시킨다. 따라서 신장이 활성화되어 소변을 통한 체액의 배설이 증가한다.
- 인체는 또한 외세포 구획과 내세포 구획 사이에서 물의 이동을 통해서 체액균형을 유지한다.

■ 증례 연구 정답

1. 체온의 정상 범위는?
   답: 대사 과정의 주요 역할 중 하나는 체온조절, 즉 정상 체온(37℃)의 유지이다.
2. 인체의 체온조절기로 여겨지는 구조는?
   답: 인체의 체온조절기는 시상하부 이다.
3. 세포호흡의 산물은?
   답: 세포호흡, 즉 산소대사는 유기 화합물에서 에너지가 방출되는 과정이다. 이 과정은 세 가지 유형의 반응을 필요로 한다: 해당작용, 시트르산 회로, 전자전달계. 세포호흡에서 포도당과 산소가 필요하다. 이러한 반응의 산물은 이산화탄소, 물, 그리고 에너지이다. 따라서, 세포호흡에서 상당량의 에너지를 생산하기 위해서는 산소의 존재가 필수적이다.
4. 인체는 세포호흡의 산물을 어떻게 처리하는가?
   답: 세포호흡의 산물은 혈류에 의해 세포에서 제거된다. 이산화탄소는 폐를 통해 호흡으로 배출되고, 물은 신장에서 제거된다.
5. 고체온증은 무엇이고 어떻게 처치하는가?
   답: 고체온증은 체온이 비정상적으로 높은 것을 말한다. 인체의 온도조절기가 체온을 적절하게 조절하

지 못하면서 환자가 더운 환경에 있게되면, 체온이 급격히 상승하여 궁극적으로 뇌세포를 파괴시킨다. 처치는 체온을 급속히 떨어뜨리고, 동시에 환자 상태를 모니터하면서 응급실로 이송하는 것이다.

6. 저체온증은 무엇이고 어떻게 처치하는가?

답: 저체온증은 체온이 비정상적으로 낮은 것을 말한다. 인체의 온도조절기가 체온을 적절하게 조절하지 못하면서 환자가 추운 환경에 있게되면, 체온이 급격히 하강하여 궁극적으로 뇌세포를 파괴시킨다. 처치는 몸 중심에서 바깥쪽을 향하여 재온열 과정을 시작하는 것이다. 심실잔떨림(세동)의 위험을 피하기 위해서는 너무 급속히 온도를 높이지 않는 것이 매우 중요하다. 환자가 저체온일 때는, 심정지에 사용되는 약물이나 처치가 효과적이지 않다. 제세동 등의 처치나 약물의 효과를 위해서는, 우선 환자의 체온을 올릴 필요가 있다.

생물학의 어근
Biological Roots

해부학과 생리학 과정에서 힘든 부분 중 하나는 새로운 용어를 습득하는 것이다. 기술적인 용어들을 배우고 기억하는 가장 좋은 방법 중 하나는 우선 그 용어들의 부문―즉, 어근을 학습하는 것이다. 공부를 시작하기 전에 생물학 용어들의 흔한 라틴어와 그리스어 근원을 먼저 공부하는 것이 도움이 될 수 있다. 학습 초반에 이러한 일반적인 어근들을 학습하는데 몇 분을 투자하면, 새로운 용어를 이해하는데 도움될 뿐만 아니라 암기하는 것이 더 쉬워진다.

- a-, an- [그리스어. 없는, 부족한]: 무산소, 무생물, 빈혈
- ad- [라틴어. –향하여. –로]: 부신
- amphi - [그리스어. 두 개의, 양쪽의]: 양서류
- ana- [그리스어. 위쪽, 가까이 접하는]: 후기, 합성대사의, 해부학
- andro- [그리스어. 나이든 남자]: 안드로겐(남성호르몬)
- anti- [그리스어. 반대되는, 반대의]: 항생제, 항체, 항원, 항이뇨호르몬
- arthro- [그리스어. 관절]: 절지동물, 관절염
- auto- [그리스어. 스스로의, 동일한]: 자가면역, 자력영양생물
- bi-, bin- [라틴어. bis, 두번; bini, 쌍으로 나란히 서 있는]: 이분열, 양안시, 중탄산염
- bio- [그리스어. 생명]: 생물학, 생물집단, 생태군, 생명권, 생물
- blasto-, -blast [그리스어. 새싹; 배아에 관련]: 주머니배, 영양막, 골모세포

- broncho- [그리스어. 기관, 숨통]: 기관지, 세기관지, 기관지염
- carb- [라틴어. 석탄.]: 탄소, 탄수화물
- carcino- [그리스어. Karkin, 게, 암]: 발암물질
- cardio- [그리스어. Kardia, 심장]: 심장의, 심근, 심전도
- cat- [그리스어. Kata, 아래, 아래쪽으로]: 분해대사의
- chloro- [그리스어. 초록색]: 엽록소, 엽록체, 염소
- chromo- [그리스어. 색깔]: 염색체, 염색질
- coelo-, -coel [그리스어. Koilos, 속이 빈, 동공]: 체강
- com-, con-, col-, co- [라틴어. Cum, 함께, 같이]: 조효소, 공유
- cranio- [그리스어. Kranios, 라틴어. Cranium, 두개골]: 두개골의, 머리뼈(두개골)
- cuti- [라틴어. 피부]: 피부의, 각피
- cyto-, cyte [그리스어. 관 또는 용기; 현재는 '세포']: 세포질, 세포질분열, 적혈구, 백혈구
- de- [라틴어. 멀어지는, 제거, 분리]: 젖니, 분해자, 탈수
- derm-, dermato- [그리스어. 피부]: 진피, 표피, 외배엽, 내배엽, 중배엽
- di- [그리스어. 두 번, 두 개, 두 배]: 이당류, 이산화물
- dia- [그리스어. 통과하는, 철저한, 철저히]: 당뇨병, 투석, 횡격막
- diplo- [그리스어. 두 배의]: 두 배수체
- eco- [그리스어. 집]: 생태학, 생태계, 경제학
- ecto- [그리스어. 바깥쪽]: 외배엽
- endo- [그리스어. 안쪽]: 내배엽, 자궁내막
- epi- [그리스어. 위에, 위쪽에]: 표피, 부고환, 후두덮

게, 상피

- equi- [라틴어. 동일한]: 평형
- eu- [그리스어. 좋은; 잘하는, 진실인]: 진핵생물
- ex, exo-, ec-, e- [그리스어. 라틴어. 바깥으로, ~로 부터, ~넘어서]: 방출, 사정, 배설, 에너지방출, 숨을 내쉬다, 세포외배출, 외골격
- extra- [라틴어. 바깥쪽의, 넘어선]: 외세포의, 배아바깥의
- -fer [라틴어. 낳다]: 수정하다, 수정, 침엽수
- gam-, gameto- [그리스어. 결혼; 현재는 대개 생식세포를 지칭]: 생식세포
- gastro- [그리스어. 위]: 위의, 가스트린, 위혈관강
- gen- [그리스어. 태어난, 생산된; 종; 라틴어. 생산하다, 낳다]: 다유전자형, 계통학, 당원, 발열원, 비균질
- gluco-, glyco- [그리스어. 달콤한; 현재는 당을 의미]: 포도당, 글리코겐, 해당작용, 당단백질
- hemo-, hemato-, -hemia, -emia [그리스어. 혈액]: 혈액학, 혈색소, 혈우병
- hepato- [그리스어. 간]: 간염, 간문맥계
- hetero- [그리스어. 다른]: 비균질, 이형접합체
- histo- [그리스어. 조직; 생물 조직으로 국한됨]: 조직학, 히스타민, 항히스타민
- homo-, homeo- [그리스어. 동일한; 유사한]: 항상성, 균질, 동종, 동형접합체
- hydro- [그리스어. 물 또는 수소]: 탈수, 탄수화물
- hyper- [그리스어. 상부, ~이상의]: 갑상선항진, 긴장항진
- hypo- [그리스어. 아래쪽, ~이하의]: 진피하, 저혈당, 시상하부, 가설, 긴장저하
- ion- [그리스어. 작은]: 이온, 이온의
- inter- [라틴어. ~사이의, 함께, ~동안]: 이종교배, 세포간, 늑간
- intra-, intro- [라틴어. 내부]: 세포내, 자궁내, 정맥내
- -itis [라틴어. ~염증]: 관절염, 기관지염, 피부염
- leuko-, leuco- [그리스어. 흰색]: 백혈구, 백혈병
- libra- [라틴어. 균형]: 평형
- lip- [그리스어. 지방]: 지질, 지방흡인, 지방소체
- -logy [그리스어. ~연구/공부, 단어]: 인류학, 생물학, 발생학
- -lysis, lys-, lyso-, -lyze, -lyte [그리스어. 용해]: 가수분해,

분석, 촉매

- macro- [그리스어. 큰]: 거대분자, 큰포식세포
- mega, megalo-, megaly [그리스어. 큰, 강력한]: 말단비대증
- -mere, -mer, mero- [그리스어. 부분]: 중심절, 중합체
- meso-, mes- [그리스어. ~중간]: 중배엽
- meta-, met- [그리스어. ~뒤에; 변화]: 대사, 전이
- micro- [그리스어. 작은]: 미생물, 현미경
- mono- [그리스어. 하나. 한개]: 단핵구증, 단당류
- myo- [그리스어. 근육]: 심근, 미오글로빈, 미오신
- neuro- [그리스어. 신경, 힘줄]: 신경원 세포, 신경전달물질
- -oma [그리스어. 종양, 부종]: 악성종양, 녹내장, 혈종, 육종
- oo- [그리스어. 난자]: 난자발생, 난모세포
- -osis [그리스어. ~상태]: 동맥경화증
- osteo-, oss- [그리스어. 뼈; 라틴어. 뼈]: 골화, 골모세포, 골막
- patho-, -pathy, -path [그리스어. 고생하는; 질병 또는 질병의 치료를 지칭함]: 병원체, 병리학, 병리학직
- peri- [그리스어. ~주위의]: 심장막, 골막
- phago-, -phage [그리스어. 먹다]: 포식세포, 포식작용, 박테리오파지
- plasm-, -plasm, -plast, -plasty [그리스어. 만들어진 것]: 혈장, 형질막, 플라스미드, 세포질, 핵질, 엽록체
- -pod [그리스어. 발]: 두족류, 위족
- poly- [그리스어. 여러개의, 많은]: 다유전자, 중합체, 폴리펩티드
- pro- [그리스어. 이전의]: 원핵생물
- prot- [그리스어. 첫번째, 근원의]: 단백질, 양성자, 원생생물
- -rrhea [그리스어. 흐름]: 콧물, 비루
- -some, somat- [그리스어. 몸, 체]: 염색체, 리보소체
- -stat, -stasis, stato- [그리스어. 서다, 서있다]: 전이, 온도조절기, 정전기의, 정수의
- sub- [라틴어. ~아래, 아래쪽]: 원자내의, 경막하
- sym-, syn- [그리스어. 함께]: 공생자, 공생, 대칭, 접합
- taxo-, -taxis [그리스어. 배열하다; 정돈된 움직임을 지칭]: 분류학, 화학주성

- tomo-, -tome, -tomy [그리스어. 자르다; 얇게 자르다]: 원자 (자를 수 없음을 의미), 해부학

- tropho-, -troph, -trophy [그리스어. 영양]: 영양 수치, 영양막, 퇴화, 독립영양생물, 종속영양생물

- ur-, -uria [그리스어. 소변]: 우라실, 요소, 요관, 페닐케톤뇨증

용어해설

가골(callus) 애벌뼈, 뼈 골절부 주변으로 삼출물과 결합조직이 형성하는 회복 부위로서, 회복의 마지막 단계에 정상 뼈 조직으로 바뀐다.

가로결장(transverse colon) 주름창자(결장)의 네 부위 중 하나; 간굴곡부에서부터 지라(비장)굴곡까지 복부를 횡단으로 가로지르며 이어진다.

가로무늬 근조직(striated muscle tissue) 현미경상 줄무늬를 가지고 있는 수의근(다리근육) 또는 불수의근(심장근육).

가로무늬(striations) 뼈대근(골격근) 섬유의 교차되는 색깔의 띠.

가로세관[transverse tubules (T-tubules)] 안쪽으로 연장되어 근섬유를 통과하는 막성 통로.

가수분해(hydrolysis) 물을 첨가하여 분자를 분해하는 것.

가스트린(gastrin) 위 내분비세포에서 생성되는 호르몬으로, 위 분비 및 위배출 속도를 증가시킨다.

가슴샘(thymus) 소아에서 큰 샘(gland)이지만, 나이가 들면서 크기가 줄어든다; 가슴샘(흉선)에서 분비되는 타이모신은 림프구의 생성과 분화에 영향을 주는, 초기 면역에 중요한 물질이다.

가슴쓰림(heartburn) 위산이 식도로 역류되어 나타난 증상; 역류식도염.

가시층(stratum spinosum) 표피의 과립층과 종자층 사이의 층; 케라틴의 전구체인 각질유리질을 합성하는 각질세포를 포함하고 있다.

가역 반응(reversible reaction) 반응 산물이 원래의 반응물로 다시 변하는 화학 반응.

각막(cornea) 홍채와 동공을 덮고 있는 눈 전방의 투명한 부위.

각질(케라틴, keratin) 표피의 강도와 투과성을 담당하는 피부 단백질.

각질세포(keratinocytes) 케라틴을 생성하는 표피 세포.

각질유리질(keratohyalin) 표피 과립층에 있는 케라틴의 전구체.

각질층(stratum corneum) 표피의 바깥층; 새로운 세포들이 밀고 올라오면서, 지속적으로 떨어져 나가는 25층의 죽은세포를 포함한다.

간(liver) 가로막(횡격막) 바로아래, 우상 사분역에 위치하는 큰 복부 장기; 쓸개즙(담즙)을 생산하고, 즉시 이용가능한 포도당을 저장하며, 면역반응을 조절하는 많은 물질들을 생산한다.

간굴곡부(hepatic flexure) 오름주름창자(상행결장)의 말단과 가로주름창자(가로결장)의 시작부에서, 큰창자(대장)의 첫번째 굴곡(간의 하부 경계면 가까이에서 급격한 왼쪽 회전).

간뇌(diencephalon) 뇌줄기와 대뇌 사이의 영역으로, 시상과 시상하부를 포함한다.

간문맥계(hepatic portal systems) 간, 위, 창자, 지라(비장)의 혈액이 연결되는 특수 정맥계.

간문맥계(hepatoportal system) 위와 창자로부터의 혈액이 대사를 위해 간으로 들어가는 순환계의 특수한 영역.

간정맥(hepatic veins) 굴모양혈관내 간세포에서 영양소 추출, 혈액 여과, 약물 대사 작용을 거친 후에, 혈액이 연결되어 나가는 정맥.

간질액(interstitial fluid) 혈관 밖, 체세포 사이 공간에 있는 액체.

감각과민(증)(hyperesthesia) 촉감 또는 추위 등의 자극에 대한 피부의 과민감도를 일으키는 상태.

감각신경(sensory nerves) 촉각, 미각, 열감, 냉감각, 그리고 기타 감각 양상을 중추신경계로 전달하는 신경.

감수분열(meiosis) 성숙한 정자와 난자를 생산하는 특별한 형태의 세포 분열.

감염(infection) 박테리아, 바이러스, 기생충 등의 병원균이 숙주 또는 조직으로 침입하여 질병을 일으키는 상태; 임상 증상이 나타날 수도 있고, 나타나지 않을 수도 있다.

감염병(infectious disease) 감염에 의한 질병 또는 직접적인 접촉 유무와 상관없이 다른 사람에게 전파될 수 있는 질병.

갑개(conchae) 코인두 외측벽 내부에 3개의 뼈 능선.

갑상샘(thyroid gland) 목 기저부에 위피한 큰 내분비샘; 성장, 발달, 대사에 영향을 주는 호르몬을 생산하고 분비한다.

갑상샘자극호르몬[thyroid-stimulating hormone (TSH)] 갑상샘호르몬 분비를 조절하는 호르몬; 타이로트로핀.

갑상샘종(고이터, goiter) 갑상샘 비대로 인해, 목 전면에 생긴 큰 종괴.

갑상샘항진증(hyperthyroidism) 갑상샘의 기능항진으로 인한 질환; 대사율 상승, 체중 감소, 빈맥, 혈압 상승, 설사 등의 증상과, 때로는 안구의 비정상적 돌출을 동반한다.

강제호기폐활량(forced expiratory vital capacity)　강제날숨 후 폐에서 나오는 공기의 양.

강직(테타니, tetany)　저칼슘혈증등의 몇가지 상태에서 발생하는 통증을 동반한 근 연축.

개방골절(open fracture)　골단이 피부를 뚫고 나오는 골절; 복합골절이라고도 지칭.

거골(talus)　정강뼈(경골), 발꿈치뼈(종골), 발배뼈(주상골)과 접하여 발목 관절의 하부를 형성하는 뼈.

거인증(gigantism)　뇌하수체에서 성장호르몬의 만성적인 과다 생산에 의해 야기되는 질환; 납작뼈(아래턱), 손과 발, 복부 장기, 코, 입술, 혀의 점진적이고 영구적인 비대를 특징으로 한다; 말단비대증.

거짓중층상피(pseudostratified epithelium)　다양한 높이를 가진 한 층의 상피세포; 모든 세포가 바닥막에 부착되어 있지만, 모두다 자유 표면까지 도달하지는 않는다.

게실(diverticuli)　결장 벽에 약해진 부위(외번).

게실염(diverticulitis)　게실의 염증.

견갑(scapula)　어깨뼈를 구성하는 삼각형 모양의 뼈로서 어깨이음구조의 필수적 부분.

견봉돌기(acromion process)　어깨의 가장 높은 부위로, 빗장뼈(쇄골)와 어깨 근육의 부착부위.

견봉쇄골 분리[acromioclavicular (AC) separation]　빗장뼈(쇄골)가 어깨뼈(견갑골)의 봉우리 끝(견봉돌기)에서 분리되는 상해.

견봉쇄골관절[acromioclavicular (AC) joint]　빗장뼈(쇄골)가 봉우리 끝(견봉돌기)에 부착되는 지점.

견인차(prime mover)　한 근육 그룹 내에서 운동에 주요 역할을 담당하는 근육.

결막(conjunctiva)　공막과 눈꺼풀 내측면을 덮고있는 얇은 투명막.

결막염(conjunctivitis)　박테리아, 바이러스, 알레르기 등에 의한 결막의 염증으로, 매우 전염력이 높다; 충혈안.

결장(colon)　작은창자(소장)에서 곧창자(직장)까지 이어진 위장관계의 일부로, 수분을 흡수하고 분비하여 수분 균형을 유지한다; 큰창자(대장)라고도 칭함.

경골(tibia)　정강이뼈; 종아리의 두 개의 뼈 중 더 크다.

경골신경(tibial nerve)　엉덩(고)관절 신전, 무릎 굴곡, 발바닥쪽 굽힘, 발가락 굽힘 등에 관여하는 근육들을 지배하는 종아리 신경.

경골정맥(tibial veins)　발 정맥들의 연장선으로 무릎에서 합쳐져 오금(슬와)정맥을 형성하고, 이후 오금(슬와)정맥은 넙다리(대퇴)정맥으로 이어진다.

경구개(hard palate)　코안(비강)의 바닥.

경동맥관(carotid canals)　머리덮개뼈에 목동맥(경동맥)이 들어가는 구멍.

경동맥동(carotid sinus)　목동맥(경동맥)분기에 약간 이완된 부위로, 혈압조절에 중요한 구조들을 포함한다.

경동맥분기(carotid bifurcation)　목동맥(경동맥)이 턱뼈각(하악각)에서 내·외 목동맥(경동맥)으로 나뉘는 부위.

경동맥삼각(carotid triangle)　목동맥(경동맥)과 속목정맥(내경정맥)을 포함하는 목의 앞쪽 삼각부.

경부림프절(cervical nodes)　목에 위치한 림프절의 큰 집단.

경사골절(oblique fracture)　뼈 몸통에서 기울어진 각도의 골절.

경정맥(jugular veins)　머리목부(두경부) 혈액을 받는 두 개의 주요 정맥.

경질막(dura mater)　뇌와 척수를 감싸는 세층 뇌막의 가장 바깥층; 가장 질긴 막이다.

경추(cervical vertebrae)　목에 있는 일곱 개의 가장 작은 척추.

계통 해부학(systemic anatomy)　특정한 기관 계통(organ system)과 연관된 해부학.

고나트륨혈증(hypernatremia)　혈청 나트륨 수치 145 mEq/L 이상.

고리뼈(atlas)　첫 번째 목뼈(경추, C1)이며, 머리를 지탱함.

고막(eardrum)　가운데귀(중이)와 속귀(내이)를 분리하고, 진동을 귓속뼈로 전달하는 얇은 막; tympanic membrane.

고막(tympanic membrane)　가운데귀(중이)와 속귀(내이)를 분리하고, 진동을 귓속뼈로 전달하는 얇은 막; Eardrum.

고삼투압성 고혈당성 비케톤산성 혼수[hyperosmolar hyperglycemic nonketotic coma (HHNC)]　상대적 인슐린 결핍에 의한 당뇨병성 응급 상태로서, 고혈당, 고삼투압과 더불어 케톤증의 부재를 특징으로 함.

고열, 고체온(증)(hyperthermia)　체온의 상승.

고유감각(proprioception)　몸의 자세와 자기 몸의 부위 및 중력과의 관계에서의 정보.

고칼륨혈증(hyperkalemia)　혈액내 칼륨 과다.

고환(testes)　정자를 생성하고 남성호르몬을 분비하는 남성 생식기관; testicles.

고환꼬임(testicular torsion)　고환이 매달려있는 정삭에서 고환이 꼬이는 것으로 음낭의 통증과 부종이 나타나며, 의학적 응급이다.

고환날세관(efferent ductule)　정자가 고환에서 나가는 경로.

고환올림근(cremaster muscle)　추운 날씨에 고환을 수축시켜 몸통 가까이로 당기는 근육.

골간(diaphysis)　긴뼈(장골)의 몸통.

골간단(metaphysis)　뼈몸통(골간)과 뼈끝(골단)이 융합하는 긴뼈(장골)의 부위; 성장판이 위치.

골격근(skeletal muscle)　뇌의 직접적인 수의적 통제하에 있는 가로무늬근육(횡문근); 수의근이라고도 한다.

골격근조직(skeletal muscle tissue)　뼈에 부착된 수의근 조직으로서 밝고 어두운 줄무늬를 가진 긴 실모양의 세포들로 구성.

골내막(endosteum)　뼈의 내부 표면을 덮고 있는 층.

골다공증(osteoporosis)　뼈조직 양의 감소.

골단(epiphyses)　긴뼈(장골)의 성장판.

골막(periosteum)　뼈의 바깥쪽 표면을 덮고 있는 이중층의 결합 조직.

골모세포(osteoblasts)　뼈를 형성하는 세포.

골반(pelvis)　다리가 몸통에 부착되는 부위로, 엉치뼈(천골)와 두 개의 골반뼈로 구성.

골반이음구조/다리이음뼈(pelvic girdle)　엉덩관절(고관절) 뼈.

골세포(osteocyte)　골 기질에 둘러싸인 뼈모세포; 성숙한 뼈세포.

골수(bone marrow)　뼈 내부의 특수 구조로 대부분의 적혈구를 생산.

골수강(medullary cavity)　긴뼈(장골) 뼈 몸통(골간)의 내부 공간으로 골수를 지니고 있음.

골수염(osteomyelitis)　감염에 의한 뼈와 근육의 염증.

골연화증(osteomalacia)　칼슘 손실로 인해 뼈가 비정상적으로 부드러워짐.

골원/뼈단위(osteons)　혈관을 포함하는 치밀뼈의 단위; 하버스계라고도 한다.

골절(fracture)　뼈의 연속성이 깨어짐.

골지체(golgi apparatus)　당과 복합 단백질의 생성에 관여하는 원형질내 일련의 막구조.

골화(ossification)　뼈모세포에 의한 뼈의 생성.

공막(sclera)　눈의 흰색 부위.

공유결합(covalent bond)　원자가 바깥쪽의 전자를 함께 공유하는 결합.

공장(jejunum)　작은창자(소장)의 중간부; 작은창자의 다른 부위에 비해 벽이 두껍고 주름이 많다.

과굴곡(hyperflexion)　신체 일부가 최대치 혹은 정상 운동 범주를 벗어나서 굴절되는 것.

과립구(granulocytes)　큰 세포질 과립을 가진 백혈구의 한 유형으로 단순 광학현미경으로 쉽게 관찰됨.

과립층(stratum granulosum)　피부의 투명층과 가시층(극세포층) 사이의 층; 각질유리질 과립을 함유한 편평한 세포들로 구성된다.

과신전(hyperextension)　신체 일부가 최대치 혹은 정상 운동 범주를 벗어나서 신전되는 것.

과호흡(hyperventilation)　깊고 빠른 호흡; 혈액내 이산화탄소 수치를 낮춘다.

관골(zygomatic bones)　광대뼈(권골); 양쪽 뺨의 튀어 나온 부위를 형성.

관상동맥(coronary arteries)　왼심실에서 나온 직후의 대동맥에서 기시하는 동맥; 심장에 산소와 영양분을 공급.

관상동맥질환(coronary artery disease)　심장동맥(관상동맥) 벽에 죽상동맥경화 또는 동맥경화가 진행된 상태.

관상면[frontal (coronal) plane]　머리부터 발끝까지 관통하며 몸을 전방과 후방으로 나누는 가상의 평면.

관상봉합(coronal suture)　이마뼈(전두골)와 좌·우 마루뼈(두정골)가 만나는 봉합.

관상정맥동(coronary sinus) 심장벽으로부터 돌아오는 혈액을 모으는 정맥.

관절(joint) 두 개 이상의 뼈가 합쳐지는 지점으로, 운동을 가능하게 함.

관절와(glenoid fossa) 어깨의 절구공이관절에서 공이를 형성하는 어깨뼈(견갑골)의 부분.

관통창(penetrating wound) 날카로운 물체로 피부를 관통하는 창상으로, 관통하는 경로의 모든 조직에 손상을 준다.

광물코르티코이드(mineralocorticoids) 부신겉질(부신피질) 사구층에서 생산되는 호르몬으로 체내 수분과 염분 균형의 조절에 중요하다.

교감신경로(sympathetic pathway) 충격이나 스트레스에 대한 인체의 반응을 담당하는 자율신경계의 일부.

교뇌(pons) 중간뇌(중뇌) 아래쪽에 자리잡은 뇌줄기(뇌간)의 일부로, 수면과 호흡에 영향을 주는 신경섬유를 포함한다.

교환 반응(exchange reaction) 반응 분자의 일부가 뒤섞여서 새로운 반응 산물을 생성하는 것.

구개골/입천장뼈(palatine bones) 코안(비강) 뒤쪽에 불규칙한 모양의 뼈.

구개편도(palatine tonsils) 편도를 구성하는 세 쌍의 림프 기관 중 하나; 목구멍 뒤쪽, 입안(구강)의 뒤쪽 구멍의 양 옆으로 위치하여, 입과 코로 유입된 박테리아로부터 인체를 보호한다.

구루병(rickets) 비타민D 결핍에 의한 질환.

구넝(foramina) 머리덮개뼈에 있는 작은 구멍.

구멍(ostium) 난관에 의해 형성된 누두의 입구.

구불창자(sigmoid colon) 주름창자(결장)의 네 부위 중 하나; 내림주름창자(하행결장)에서 이어져서 S자 모양 관을 형성하면서 골반까지 연장되어 곧창자(직장)로 이어진다.

구속성 폐질환(restrictive lung disease) 폐 확장능력을 제한하는 질환.

구획(compartments) 근막에 의해 둘러싸인 해부학적 공간.

구획증후군(compartment syndrome) 전형적으로 외상후에 발생하는 근막 구획내 혈액 또는 액체의 축적으로, 혈관 압박 및 허혈에 의한 이차적 조직 손상이 발생한다. 신속한 진단과 치료가 이루어지지 않을 경우, 근괴사 및 사지의 손실을 가져올 수 있다.

국소 해부학(regional anatomy/topographic anatomy) 특정 신체 부위에 대한 해부학.

국소 해부학(topographic anatomy) 특정 신체 부위에 대한 해부학 = regional anatomy.

굴곡(flexion) 관절을 구부려 팔다리 먼부위를 몸통에 가까이 움직이는 것.

굴근(flexor muscles) 수축시 굴전을 일으키는 근육 그룹.

굴근반사(flexor reflex) 불쾌한 자극에 반응해서 수축하는 사지의 굽힘근의 회피반응.

굴모양혈관(굴맥관, sinusoids) 혈액이 모여있는 간문맥계의 일부; 간세포가 혈액에서 영양소를 추출하고, 혈액을 여과하며, 다양한 약물을 대사하는 부위.

굴심방결절[sinoatrial (SA) node] 위대정맥(상대정맥)과 우심방의 이음부에 위치한 지배적 박동조율기.

귀두(glans) 요도해면체의 일부가 연장되어 음경끝에 형성된 덮개.

귀밑샘(parotid glands) 세 쌍의 침샘중 한 쌍.

귓바퀴(auricle) 음파가 귀로 들어가는 바깥쪽 큰 부위; pinna라고도 한다.

귓바퀴(pinna) 음파가 귀로 들어가는 바깥쪽 큰 부위; Auricle.

귓속뼈(auditory ossicles) 가운데귀(중이)에 존재하는 세 개의 작은 뼈: 망치뼈(추골), 모루뼈(침골), 등자뼈(등골).

그물막 주머니(omental bursa) 창자간막의 이중 주름에 의해 형성된 공간으로 위 하방으로 이어져 있다.

그물층(zona reticularis) 부신겉질(부신피질)의 세 부위 중 하나; 비교적 약한 남성호르몬인 안드로겐을 분비한다.

극성분자(polar molecule) 전자를 동등하게 공유하지 않는 공유 결합으로 구성된 분자로서 불균등한 극성 분포를 지닌다.

근골격계(musculoskeletal system) 뼈와 수의근.

근막(fascia) 근육바깥막 외측에 한 층의 섬유결합조직으로, 개개의 근육과 근육 그룹을 분리한다.

근원섬유(myofibrils) 근섬유 한쪽 끝에서 다른 끝으로 이어지는 실같은 구조.

근위(proximal) 몸통 가까이 혹은 몸통을 향하여 위치.

근위곡세관(proximal convoluted tubule) 콩팥(신장)단위의

두 가지 복합 부위 중 하나; 말단 팽대부인 토리주머니(사구체주머니)를 포함한다.

근육 자극(muscle impulse) 아세틸콜린에 의해 자극된 후, 근섬유막 위 여러 방향으로 통과하는 자극.

근육(muscle) 수축해서 움직임을 유발하는 섬유; 세 가지 유형의 근육이 존재함: 골격근, 평활근, 심근.

근육다발(muscle fasciculus) 결합조직에 의해 함께 묶인 골격근세포 다발로, 근육의 구성요소 중 하나를 형성.

근육다발막(perimysium) 근육을 둘러싸서 근섬유다발의 집을 형성하는 결합조직 싸개(sheath).

근육바깥막(epimysium) 골격근을 단단히 둘러싸는 한 층의 결합조직.

근육속막(endomysium) 개개의 근섬유를 둘러싸는 섬세한 결합조직.

근육원섬유마디(sarcomeres) 각각의 골격근 섬유를 따라서 나타나는 반복되는 양상의 가로무늬 단위.

근피신경(musculocutaneous nerve) 어깨와 팔꿈치를 굽히는 근육을 지배하는 위팔(상완) 신경.

근형질세망(sarcoplasmic reticulum) 근세포에서 물질을 수송하는 막의 체계.

글루카곤(glucagon) 대사와 혈중 포도당 수치의 조절에 필수적인 이자(췌장) 호르몬; 글리코겐(당원)의 포도당으로의 분해를 촉진한다.

글루코코르티코이드(glucocorticoids) 곁콩팥(부신)의 다발층에서 분비되는 호르몬으로, 대사에서 중요하고 염증을 억제한다.

글리코겐(당원, glycogen) 간에서 포도당으로 전환되는 긴 중합체(동물 녹말).

급성 요정체(acute urinary retention) 소변 흐름의 완전한 폐쇄를 말하며, 때로는 전립선 비대에 의해 발생한다.

기계적 소화(mechanical digestion) 음식물을 씹는 것.

기관(organs) 특정 기능을 수행하기 위해 함께 작용하는 다양한 형태의 조직.

기관(trachea) 폐로 유입되는 공기의 통로; 약 10~12 cm 길이의 관 구조로서, 일련의 C자 모양 연골 고리로 구성된다.

기관계(organ system) 뼈대나 근육처럼 공통의 목적을 가진 기관들의 집단.

기관지동맥(bronchial arteries) 가슴대동맥에서 분지하여 폐조직에 혈액을 공급하는 동맥.

기관지연축(bronchospasm) 기관지의 심각한 수축.

기관지정맥(bronchial veins) 산소가 제거된 혈액을 폐에서 심장으로 돌려보내는 정맥.

기관지확장제(bronchodilator) 기관지를 확장하여 폐기능을 향상하도록 설계된 약물.

기능잔기용량(functional residual capacity) 호기예비량 + 잔기용량.

기시(origin) 가동관절에서 뼈대근육(골격근)이 고정되는 비교적 불가동 부위.

기억T세포(memory T cells) 항원에 의해 활성화될 때 T세포가 분화되는 형태; 기억T세포는 체내에 남아서 두 번째 공격에 대비한다.

기저막(basement membrane) 상피세포의 비세포 층으로서 위쪽의 상피조직을 고정.

기질(substrate) 효소 작용의 목표물.

기초대사율[basal metabolic rate (BMR)] 휴식 시 영양소가 인체에서 소비되는 양.

기흉(pneumothorax) 가슴막(흉막)강내 공기의 과도한 축적.

긴모음근(adductor longus) 엉덩관절(고관절)을 내전시키는 긴 근육.

길(meatus) 각 비갑개 아래쪽의 길.

길(로, tracts) 신경을 포함하는 척수 내부의 경로.

길항제(antagonists) 서로 반대로 작용하는 근육들.

깊은종아리신경(deep peroneal nerve) 발등을 굽히고 발가락을 신전하는 근육들을 지배하는 온종아리신경의 가지.

꼬리뼈(coccyx) 3~5개의 작은 꼬리뼈(미추)가 융합되어 이룬 작은 삼각형의 뼈.

꼭지근(papillary muscles) 힘줄끈이라 불리는 근육 가닥에 의해 심실을 판막 첨판에 부착하는 특수한 근육.

나트륨–칼륨 이온교환펌프(sodium–potassium exchange pump) 능동수송을 통해 나트륨을 세포 밖으로, 칼륨을 세포 안으로 이동시키는 기전.

나트륨-칼륨펌프(sodium-potassium pump) 나트륨이 능동적으로 세포 밖으로 내보내지고, 칼륨은 세포내로 들어오는(이온수송) 분자의 기전.

난관(자궁관, fallopian tubes) 자궁에서 양쪽 난소로 이어지는 속빈 관으로 난자와 정자의 경로가 된다.

난관임신(tubal pregnancy) 난모세포가 비정상적으로 난관에 착상되는 자궁외임신.

난모세포(oocytes) 난소에서 생성되는 성숙 난자의 전구체.

난소(ovaries) 난모세포를 생성하는 여성 생식기관.

난소간막(mesovarium) 난소를 제자리에 고정하는 배막(복막) 주름.

난소인대(ovarian ligament) 난소를 제자리에 고정하는 두 개의 인대 중 하나.

난원창(oval window) 가운데귀(중이)와 안뜰(전정) 사이에 난원형 구멍.

난자발생(oogenesis) 사춘기에 시작되는 난자 형성의 과정.

난포자극호르몬[follicle-stimulating hormone (FSH)] 대략 한달 주기로 뇌하수체에서 분비되어, 하나의 난모세포의 감수분열을 자극한다.

날세동맥(efferent arteriole) 토리(사구체)로부터 혈액이 흘러나가는 신장의 구조.

날신경(원심신경, efferent nerves) 뇌에서 말초 근육으로 명령을 전달하는 신경; 운동신경이라고도 지칭.

내강(lumen) 정맥, 동맥, 기타 관 구조의 내부와 같이 혈관의 안쪽으로 열린 부분.

내림프(endolymph) 귀 막 미로 내의 액체.

내분비 세포(endocrine cells) 조절 호르몬을 분비하는 위점막 세포.

내분비계(endocrine system) 호르몬 분비를 포함한 인체의 다양한 기능을 통제하고 전달하는 복잡한 체계.

내분비샘(endocrine glands) 호르몬을 생산하여 혈액내로 분비하는 샘.

내비공(interior nares) 코인두(비인두)에서 인두로 향하는 뒤쪽 구멍.

내세포 물질(intracellular membrane substances) 세포소기관과 같이 세포막 안쪽에 위치하는 물질.

내세포액(intracellular fluid) 각 세포 내의 액체로 전체 중의 약 45%를 차지한다.

내세포액[intracellular fluid (ICF)] 세포 내부의 액체로서, 체내 칼륨의 대부분을 공급하고, 총체중의 45% 정도를 차지한다.

내이(inner ear) 귀의 세 가지 해부학적 부위 중 하나; 달팽이와 반고리뼈관을 포함한다.

내이도(internal auditory meatus) 청신경과 얼굴신경(안면신경)이 통과하는 짧은 관.

내인 인자(intrinsic factor) 위의 벽세포에서 생성되는 화학물질로, 비타민 B_{12}의 흡수에 중요하다.

내인성 자발성(intrinsic automaticity) 스스로 전기적 활동을 발생시키는 근육의 능력.

내장 부위(visceral portion) 내부 장기의 바깥쪽을 덮고 있는 장막 부위.

내장쪽 복막(visceral peritoneum) 복강내 장기와 직접 접촉하는 부드러운 결합조직 막.

내장측흉막(허파쪽가슴막, visceral pleura) 허파(폐)를 덮고 있는 가슴막(흉막).

내장평활근(visceral smooth muscle) 소화관, 생식관, 비뇨관에서 발견되는 근육.

내전(adduction) 사지가 정중선을 향하여 움직이는 것.

내측(medial) 정중앙선 또는 내부 구조나 장기를 향하여 위치.

내측복사(medial malleolus) 정강뼈(경골) 원위부 말단; 발목 관절의 내측 벽을 형성.

내회전(internal rotation) 사지를 정중앙선을 향하여 내측으로 회전.

널힘줄(aponeuroses) 뼈에 부착되거나 다른 근육들을 덮고 있는 넓은 섬유의 막.

넓은인대(broad ligaments) 자궁을 지지하는 몇 개의 인대 중 하나.

넙다리빗근(sartorius muscle) 인체내 가장 긴 근육으로, 허벅지 전방구획에 위치함; 엉덩관절(고관절)과 무릎의 굴곡을 담당.

노르에피네프린(norepinephrine) 부신에서 생성되는 호르몬으로, 교감신경계 기능에 필수적이다.

노르에피네프린(norepinephrine) 자율신경계에서 분비되는 신경전달물질.

노르에피네프린(약물)[norepinephrine (medication)] 알파수용체에 더 큰 자극 효과를 지닌 자연적으로 분비되는 호르몬; 심장 약물로 투여되기도 한다.

노족피부정맥(cephalic vein) 팔에 두 개의 주요 정맥 중 하나; 자족피부정맥과 결합하여 겨드랑정맥(액와정맥)이 된다.

농도 기울기(concentration gradient) 세포 내·외부에서 물질이 고농도 부위로 부터 저농도 부위로 이동하는 자연적 성향.

뇌(brain) 인체의 통제 기관, 의식의 중심; 인지, 환경에 대한 반응 조절, 감정 반응, 판단 등의 기능을 수행.

뇌간(brainstem) 척수와 대뇌 사이, 소뇌에 의해 둘러싸인 뇌의 한 부분; 호흡과 같은 생존에 필요한 기능을 통제한다.

뇌막염(meningitis) 주로 감염에 의해 발생하는 뇌막과 뇌척수액의 염증.

뇌바닥동맥(basilar artery) 좌·우 척추동맥(추골동맥)이 대공을 통해 뇌로 들어간 다음 합쳐져서 형성하는 동맥.

뇌신경(cranial nerves) 뇌 기저부에서 기시하는 12쌍의 신경.

뇌실(뇌)[ventricles (brain)] 뇌 안에 액체로 채워진 특수 공간.

뇌졸중(stroke) 뇌 순환의 장애로 발생하는 뇌 손상으로, 비정상 신경학적 소견을 보인다.

뇌척수막(meninges) 뇌를 둘러싸는 세 층의 막; 경막(경질막), 거미막(지주막), 연막(연질막).

뇌척수액[cerebrospinal fluid (CSF)] 뇌실에서 생성되어 거미막 밑(지주막하) 공간을 따라 흐르는 액체이며, 뇌막이 뇌척수액에 담겨 있음.

뇌하수체 전엽[anterior pituitary (lobe)] 뇌하수체의 두 부위중 하나로, 신경호르몬 이외의 호르몬을 생산한다; 샘뇌하수체.

뇌하수체 후엽[posterior pituitary (lobe)] 뇌하수체의 두 부위 중 하나; 중추신경계의 연장으로 신경호르몬을 분비한다; 신경뇌하수체.

뇌하수체(hypophysis) 체내 다양한 샘의 기능을 조절하는 호르몬을 분비하는 내분비샘.

뇌하수체(pituitary gland) 뇌 안장에 위치한 내분비샘으로, 직/간접적으로 모든 신체 기능에 영향을 준다.

누두(생식계)[infundibulum (reproductive system)] 난관 원위부 말단에 의해 복막에 형성된 공간.

누두(신경계)[infundibulum (nervous system)] 시상하부와 뇌하수체를 연결하는 줄기.

누운 자세(recumbent) 환자가 누워있거나 뒤로 기대 있는 자세.

눈(eyes) 시각 기관.

눈꺼풀(eyelid) 눈을 덮어서 보호하는 얇은 피부 주름.

눈물관(lacrimal ducts) 눈물주머니에서 나오는 눈물이 지나가는 눈꺼풀의 코쪽 경계면에 위치한 관.

눈물기관(lacrimal apparatus) 눈에서 눈물이 분비되어 배액되는 구조.

눈물뼈(lacrimal bones) 눈확(안와)의 일부와 눈물주머니를 구성하는 뼈.

눈물샘(lacrimal gland) 눈물이 만들어지는 구조.

눈물점(punctum lacrimale) 눈 모서리에 작은 구멍으로, 눈물샘에서 나오는 눈물은 이 눈물점을 통과하여 눈물관으로 들어간다.

눈물주머니(lacrimal sac) 눈물샘으로부터 눈물이 배액되는 주머니.

눈방수(aqueous humor) 안구 전방의 투명한 수용성 액체.

늑골(ribs) 가슴우리(흉곽)를 구성하고, 후방으로는 등뼈(흉추)에 연결되는 12개의 뼈.

늑연골염(costochondritis) 갈비뼈(늑골)를 복장뼈(흉골)에 부착하는 늑연골의 염증.

능동수송(active transport) 세포막을 통해 화합물을 운반하여 전하의 불균형을 생성하거나 유지하는 방법; 대부분의 경우 농도차에 역행하여 일어나고 에너지 소비를 요함.

능선(crista) 각 외이도 내 작은 융기부.

니코틴 수용체(nicotinic receptors) 실험실에서 알칼로이드 니코틴에 의해 자극될 수 있는 신경절 이후 신경세포의 수용체.

다단위성 평활근(multiunit smooth muscle) 두 가지 유형의 평활근 중 하나로, 여러장의 근육(혈관벽), 근육의 작은 다발

(눈의 홍채), 또는 단세포(비장 피막)의 형태로 이루어진다.

다발층(zona fasciculata)　부신겉질(피질)의 세 부위 중 하나; 코르티코스테로이드를 생산한다.

다유전자 질환(polygenic disease)　다인성질환의 유전적 요소.

단골(short bones)　길이만큼 넓은 뼈.

단백질(proteins)　아미노산으로부터 만들어지며, 인체 구조 및 기능, 에너지, 효소 기능, 항체 면역, 호르몬 등을 포함.

단층상피(simple epithelium)　바닥막(기저막)과 맞닿아 있는 한 층의 상피세포.

단핵구(monocytes)　감염에 대한 반응으로 혈액에서 나와서 조직으로 이동하는 무과립구.

단핵성 식세포계(mononuclear phagocytic system)　림프와 혈액에서 외부 입자를 제거하는 포식세포.

달팽이(cochlea)　속귀(내이) 내부에 코르티기관을 포함하는 조개껍데기 모양의 구조.

달팽이관(cochlear duct)　귓속뼈로부터 진동을 받아들이는 달팽이 내부 관.

담낭(gallbladder)　간의 아래쪽 면에 위치한 주머니 모양의 장기로, 쓸개즙(담즙)의 저장소이다.

담낭관(cystic duct)　쓸개주머니(담낭)가 쓸개즙(담즙)을 분비하는 경로.

담낭염(cholecystitis)　쓸개돌증으로 인한 증상; 쓸개주머니(담낭) 발작이라고도 한다.

담석(gallstones)　쓸개주머니(담낭)내 소화효소에 의해 형성된 단단한 돌.

담석증(cholelithiasis)　담석이 있는 상태.

담즙(bile)　간에서 생성되어 쓸개주머니(담낭)에 저장되는 소화 효소.

당뇨병(diabetes mellitus)　이자(췌장) 인슐린 생산 장애에 의한 질환.

대공(foramen magnum)　뇌 기저부의 큰 구멍으로, 척수가 머리뼈(두개골)를 빠져나가는 부위.

대뇌 피질(cerebral cortex)　뇌에서 가장 큰 부분으로, 고위 사고 과정을 지배한다; 대뇌라고도 부름.

대뇌(cerebrum)　뇌에서 가장 큰 부분으로, 운동의 조절, 청각, 균형, 언어, 시각, 감정, 인성 등의 고위 사고 과정을 지배한다; 대뇌 겉질(피질)이라고도 지칭.

대뇌고랑(sulci)　대뇌이랑 사이의 홈.

대뇌동맥(cerebral arteries)　대뇌 겉질(피질) 대부분에 혈액을 공급하는 동맥.

대뇌이랑(gyri)　대뇌에 수많은 주름으로, 대뇌 겉질(피질)의 표면적을 매우 증가시킨다.

대동맥(aorta)　왼심실에서 기시하여 산소화된 혈액을 운반하는 주요 동맥; 인체내 가장 큰 동맥.

대동맥판막(aortic valve)　좌심실에서 대동맥으로 향하는 혈류를 조절하는 반월상 판막.

대동맥활(aortic arch)　대동맥의 세 부분 중 하나; 오름(상행)대동맥과 내림(하행)대동맥 사이의 영역으로, 팔머리동맥(무명동맥), 왼온목동맥(좌총경동맥), 왼빗장밑동맥(좌쇄골하동맥)이 나온다.

대립유전자(allele)　DNA 서열에서 동일하거나 약간 다른 한 유전자의 변이 형태.

대사(metabolism)　영양소의 에너지를 세포에 공급하는 화학적 과정.

대음순(labia majora)　여성 외부생식기의 소음순 외측으로 둥글게 돌출된 두 개의 피부 주름.

대장(large intestine)　소장에서 직장까지 이어진 위장관계의 일부로, 수분을 흡수하고 분비하여 수분 균형을 유지한다; 주름창자(결장)라고도 칭함.

대장내시경(colonoscope)　주름창자(결장)의 육안적 검사에 사용되는 굴곡경.

대퇴골(femur)　허벅지뼈; 가장 길고 가장 강한 뼈 중 하나.

대퇴동맥(femoral arteries)　허벅지의 주요 동맥으로 외장골동맥의 연장; 허벅지, 외부생식기, 앞 복벽, 무릎에 혈액을 공급.

대퇴사두근(quadriceps femoris)　허벅지 전방구획에 속한 근육; 무릎의 신전을 담당.

대퇴신경(femoral nerve)　엉덩관절(고관절)을 굴곡하고 무릎을 신전하는 근육들을 지배하는 허리엉치 신경얼기의 가지.

대퇴이두근(biceps femoris)　다리의 후방구획에 위치; 무릎의 굴곡과 외회전, 엉덩관절(고관절)의 신전을 담당.

대퇴정맥(femoral vein)　두렁정맥(복재정맥)의 연장; 바깥엉덩정맥(외장골정맥)으로 내려간다.

대흉근(pectoralis major) 가슴벽(흉벽)의 가장 큰 근육; 어깨를 내전하고 내회전 한다.

도르래신경(trochlear nerve) 안구의 하방 주시를 조절하는 안구의 위빗근에 분포하는 9번 뇌신경.

동공(pupil) 수정체로 향하는 빛이 통과하는 눈 중앙에 원형의 입구.

동맥(arteries) 근육성의 두꺼운 벽을 지닌 혈관으로 심장으로부터 혈액을 이송한다.

동맥경화(arteriosclerosis) 동맥 벽이 두꺼워지고 탄성을 소실하는 병적 상태.

동안신경(oculomotor nerve) 안구와 위눈꺼풀의 운동을 일으키는 근육들을 지배하는 3번 뇌신경.

동위 원소(isotope) 원자내 여러 개의 핵(nuclei)이 같은 수의 양자와 다른 수의 중성자를 가지고 있을 때를 지칭; 방사능이 있을 수도 있고 없을 수도 있음.

동적평형(dynamic equilibrium) 머리와 몸이 갑자기 움직이거나 회전할 때, 균형을 유지하는 것.

동형접합(homozygous) 한 소질에 대해 두 개의 동일한 대립유전자를 가지는 유기체.

되먹임억제(feedback inhibition) 인체 활동을 감소시키는 음성 되먹임.

두개강(cranial cavity) 머리뼈(두개골)의 빈 공간.

두개골(skull) 뇌가 들어있는 척추뼈(추골격) 가장 위쪽 구조로서, 귓속뼈, 머리뼈, 얼굴뼈를 이루는 28개의 뼈로 구성됨.

두개골/머리뼈(cranium) 뇌를 감싸고 보호하는 뼈로, 마루뼈(두정골), 관자뼈(측두골), 이마뼈(전두골), 뒤통수뼈(후두골), 나비뼈(접형골), 벌집뼈(사골)를 포함.

두렁정맥(saphenous vein) 체내에서 가장 긴 정맥으로 발등, 종아리, 허벅지 혈액이 모아진다.

두정골(parietal bones) 머리뼈(두개골)의 위쪽 지붕을 형성하는 뼈.

두정엽(parietal lobe) 후각, 청각, 시각을 제외한 대부분의 감각 정보를 수용하고 평가하는 뇌부위.

들세동맥(afferent arteriole) 사구체에 혈액을 공급하는 신장의 구조.

들신경(구심신경, afferent nerves) 뇌로 정보를 보내는 신경; 감각신경이라고도 부름.

등쪽(dorsal) 척추쪽 또는 손등을 포함한 몸의 뒤쪽을 지칭.

디옥시리보핵산[deoxyribonucleic acid (DNA)] 세포 핵내 염색체에서 발견되는 유전 물질.

땀구멍(sweat pores) 땀이 분비되는 피부의 구멍.

랑게르한스섬(islets of Langerhans) 인슐린과 글루카곤을 생산하는 췌장 내 특수한 세포 무리.

랑비에 결절(nodes of Ranvier) 유수신경세포에서 개개의 슈반세포들 사이의 영역; 활동전위는 랑비에 결절 사이를 건너뜀.

레닌(renin) 혈압이 낮을 때, 토리(사구체)옆장치의 세포에서 생산되는 호르몬.

레닌-앤지오텐신 계통(renin-angiogensin system) 체액균형과 혈압을 조절하는 신장내 계통.

레이노현상(Raynaud phenomenon) 감정적 스트레스 또는 추위에 노출된 후 발생하는 손가락동맥의 연축에 의해 손가락 끝이 희고 차갑게 변하는 현상.

류마티스열(rheumatic fever) 연쇄구균 감염에 의한 염증성 질환으로 승모판과 대동맥판의 협착을 유발한다.

리보소체(ribosomes) RNA와 단백질을 포함하는 세포소기관.

리보핵산[ribonucleic acid (RNA)] 세포 핵내 DNA에서 만들어지는 핵산; 세포질로 이동하여 단백질 합성을 위한 틀로 기능한다.

리소좀(lysosomes) 세포의 소화를 담당하는 다양한 효소를 함유하는 세포막 결합 소포.

림포카인(lymphokines) T세포에서 생성되는 시토카인; 비만세포와 다른 비특이 염증 매개체를 끌어들여, 항원의 파괴를 돕는다.

림프(lymph) 조직을 담고 있는, 간질액 또는 외세포액에서 형성되는 혈장과 비슷한 묽은 액체.

림프경로(lymphatic pathway) 모세림프관에서 형성되어 더 큰 관으로 합쳐지는 작은 관들.

림프계(lymphatic system) 림프(조직을 담고 있는 혈장과 비슷한 묽은 액체)를 운반하는 수동적 순환계.

림프관(lymphatic duct) 2개의 큰 림프관 중 하나; 빗장밑정맥(쇄골하정맥)으로 들어간다.

림프관(lymphatic vessels) 림프의 인체 내 순환이 일어나는 얇은 벽의 관; 주요 동/정맥 가까이에서 주행한다.

림프관염(lymphangitis) 감염이 국소 부위를 벗어나서 림프관으로 퍼진 상태; 감염 부위에서 근위부로 붉은색의 기다란 줄이 나타난다.

림프관줄기(lymphatic trunks) 림프관에서 림프를 받아서 가슴림프관(흉관) 또는 오른림프관으로 합쳐지는 구조.

림프구(lymphocytes) 인체 면역 보호에 큰 역할을 하는 백혈구.

림프굴(림프동, lymph sinuses) 림프가 이동하는 복잡한 통로를 이루는 림프절 내부의 공간.

림프소절(lymph nodules) 분산된 림프 조직보다 더 치밀한 조직; 소화기계, 호흡계, 비뇨계의 성긴 결합조직에서 볼 수 있다.

림프절(lymph nodes) 림프관을 따라 산재되어 있는 둥근 콩 모양 구조; 림프를 여과하고 림프구의 원천이 된다.

림프절병증(lymphadenopathy) 림프절의 부종; 통증은 있을 수도 있고 없을 수도 있다.

림프절염(lymphadenitis) 감염에 의한 림프절의 염증.

마디뼈(phalanges) 손가락과 발가락의 작은 뼈.

마루(꼭대기, cupula) 귀 속에서 균형과 움직임을 감지하는 젤라틴 조직의 뚜껑.

막창자꼬리(충수, vermiform appendix) 막창자의 발단에 부착된 부속기로, 수많은 림프소절을 가지고 있다.

만성기관지염(chronic bronchitis) 기관지의 만성 염증 상태로, 기도 점액선의 과성장으로 인한 과도한 점액 생성과 연관된다.

만성폐쇄성폐질환[chronic obstructive pulmonary disease (COPD)] 기도의 비가역적 진행성 질환으로, 흡기와 호기 폐용적의 감소를 특징으로 한다.

말단비대증(acromegaly) 뇌하수체에서 성장호르몬의 만성적인 과다 생산에 의해 야기되는 질환; 편평골(아래턱), 손과 발, 복부 장기, 코, 입술, 혀의 점진적이고 영구적인 비대를 특징으로 한다; 거인증이라고도 지칭.

말초신경(peripheral nerves) 뇌, 척수로부터 연장되어 척추뼈 사이를 빠져나가 다양한 부위로 분포하는 신경.

말초신경계(peripheral nervous system) 31쌍의 척수신경과 총 12쌍 중 11쌍의 뇌신경으로 구성된 신경계의 일부; 감각, 운동, 또는 연결 신경을 포함한다.

말총(cauda equina) 제2허리뼈(요추) 높이의 척수에서 연장된 수많은 개개의 신경근들을 지칭.

맛봉오리(taste buds) 짠맛과 단맛을 별도로 감지하는 혀와 입에 수용기; 미각수용기.

망막(retina) 안구 안쪽 후방에 위치한 10층의 미세한 신경조직; 빛을 수용하여 신경 신호를 생성하고, 이 신호는 시신경을 통해 대뇌로 전달된다.

망상척수로(reticulospinal tracts) 불수의적 운동에 관여하는 하행로.

망울요도샘(bulbourethral glands) 성교 전 음경에 윤활액을 분비하는 전립선 하부에 위치한 샘.

맥락얼기(choroid plexus) 뇌실의 빈 공간 내에 특수화된 세포로 뇌척수액을 생산한다.

맥버니점(Mcburney point) 전형적인 충수돌기염과 연관된 통증의 위치를 나타내는 복부 우하 사분역의 해부학적 기준점.

맹장(막창자, cecum) 대장의 첫 번째 부위로, 돌창자(회장)가 연결되는 부위이다.

멜라닌(melanin) 피부를 자외선으로부터 보호하는 짙은 색소.

멜라닌세포(melanocytes) 멜라닌을 생성하여 피부색에 영향을 주는 표피세포.

멜라토닌(melatonin) 송과체에서 분비되는 생물학적 시계로 작용하는 호르몬으로, 하루주기 리듬을 조절한다.

면역(immunity) 생리학적으로 감염성 질환으로부터 스스로를 방어하는 인체의 능력을 지칭한다.

면역계(immune system) 외부 물질과 병원체에 대한 방어를 시작하도록 설계된 모든 구조를 포함하는 신체 계통.

면역글로불린(immunoglobulins) 항체 참조.

모간(털줄기, hair shafts) 모발에서 피부위쪽으로 이어지는 부분.

모낭(hair follicels) 모발이 자라나는 관상형 구조; 피부 표면부터 진피까지 연장된다.

모발(hair) 피부 바깥층의 실같이 가늘고, 케라틴을 함유한 부속기.

모세림프관(lymphatic capillaries) 조직에서 큰 림프관으로 액체를 수송하는 림프계의 관.

모세혈관(capillaries) 산소와 영양분을 세포로 전달하고, 세포의 이산화탄소와 노폐물을 혈액으로 전달하는 얇은 벽의 혈관.

목젖(uvula) 샌드백 형태의 연조직 구조; 구강 후면, 혀 바닥부(기저부)에 위치.

몸통·뼈대/축골격(axial skeleton) 머리뼈(두개골), 척추, 가슴우리(흉곽)를 이루는 골격계의 부분.

무과립구(agranulocytes) 과립이 없는 백혈구.

무기(inorganic) 탄소와 수소원자 모두를 가지지 않는 것.

무기질(minerals) 인체 대사에 필수적인 무기 원소.

무딘톱날꼴(crenation) 삼투압에 의해 과도한 수분이 세포를 빠져나가서 만들어진 세포의 수축.

무산소대사(anaerobic metabolism) 산소 수치가 낮을 때 일어나는 대사의 대체 형태로 산소대사에서 보다 더 적은 에너지가 생성된다; 이 과정에서 대사 노폐물로 젖산이 생산된다.

무수 축삭(unmyelinated axons) 수초 또는 백색질이 없는 신경세포.

무스카린 수용체(muscarinic receptors) 아세틸콜린에 의해 자극되는 표적 조직에 수용체; 또한 실험실에서 무스카린 버섯에서 추출된 복합물에 의해서도 자극될 수 있다.

문(림프절)[hilum (lymph node)] 림프절에서 혈관과 신경이 부착되는 들어간 부위.

문(신장)[hilum (kidney)] 콩팥(신장)동맥과 신경이 들어가고 콩팥(신장)정맥과 요관이 나가는 각 콩팥의 내측면의 부위.

문(폐)[hilum (lung)] 기관지, 혈관, 신경이 각 폐로 들어가는 지점.

미각(gustation) 맛을 느끼는 감각.

미각모(taste hairs) 맛봉오리의 미각세포의 머리카락 모양 융기부.

미각수용기(taste receptors) 짠맛과 단맛을 별도로 감지하는 혀와 입에 수용기; 맛봉오리.

미량원소(trace elements) 매우 소량으로 발견되는 필수 무기질; 크로뮴, 코발트, 구리, 불소, 요오드, 철, 망간, 셀레늄,

아연 등을 포함한다.

미생물(microorganisms) 현미경으로 볼 수 있는 크기의 작은 생물.

미세섬유 슬라이딩 모델(sliding filament model) 근육원섬유마디가 짧아지는 방식과 연관되어, 근수축이 일어나는 방법; 두꺼운 미세섬유와 얇은 미세섬유가 미끄러져 서로를 지나치면서, 근육원섬유마디의 양쪽 끝에서 중심을 향해 이동함.

미세소관(microtubules) 세포의 다양한 부속기를 구성하는 관형태의 섬망 구조.

미오글로빈(myoglobin) 근섬유 내에 존재하는 철을 함유한 적색소; 혈색소와 유사함.

미오신(myosin) 근원섬유의 굵은 단백질 미세섬유의 대부분을 차지하는 구성요소.

미주신경(vagus nerve) 물렁입천장(연구개), 인두, 후두로 운동 기능을 공급한다. 또한 혀 뒤쪽으로 부터 맛봉오리 섬유를, 하인두/후두/흉부와 복부 기관들로 부터 감각 섬유를, 그리고 흉부와 복부 기관들에 부교감 신경섬유를 전달하는 10번 뇌신경.

미즙(chyme) 음식물이 소화되어 위에서 나가는 물질을 말함; 섭취한 음식물과 분비된 위산의 조합이다.

민무늬의(nonstriated) 평활근 조직.

바깥막(adventitia) 소화관 벽의 근육 층.

바닥(fundus) 속빈 장기의 바닥. 위에서 들문부 상부에 팽창된 부위로, 일시적인 저장 영역으로 작용한다.

바닥(자궁)[fundus (uterus)] 자궁의 가장 상부.

바닥판(basal lamina) 상피 표면 아래쪽 바탕질의 얇은 무세포 층으로, 표피를 인접 진피의 성근 조직과 분리한다.

바닥핵[basal ganglia (basal nuclei)] 대뇌, 간뇌, 중뇌 내부 깊숙히 위치한 구조로서, 운동 조정과 자세에 중요한 역할을 담당.

바로누운 자세(supine position) 얼굴이 위를 향하게 누운 자세.

바소프레신(vasopressin) 뇌하수체 후엽에서 분비되는 호르몬으로, 혈관을 수축하고 혈압을 상승시킨다; 항이뇨호르몬.

바터 팽대부(ampulla of Vater) 온쓸개관(총담관)과 이자관(췌장관)이 열리는 샘창자(십이지장)의 구멍.

박리(avulsion) 피부와 조직의 판이 헐겁게 찢어져서 완전히 떨어져나간 상처.

박출률(ejection fraction) 심장이 한 번 수축할 때마다 방출되는 혈액의 분률.

반달(lunula) 손발톱 기저부에 하얀색의 반달모양 구조.

반달연골(menisci) 일부 윤활관절 내부에 충격을 흡수하는 섬유화연골 패드.

반월판(semilunar valves) 대동맥판막과 폐동맥판; 심장을 대동맥과 폐동맥으로부터 분리한다.

반투성(semipermeable) 특정 성분만 선별적으로 통과시킬 수 있는 세포막의 특성.

발꿈치뼈/종골(calcaneus) 발꿈치 뼈.

발등동맥(dorsalis pedis artery) 발에서 앞정강동맥(전경골동맥)의 연장.

방광(urinary bladder) 배설될 때까지 소변을 저장하는 하복부 정중앙에 근육성의 속이 빈 주머니.

방광배뇨근(detrusor muscle) 방광 경부를 둘러싸서 내요도 조임근을 형성하는 근육으로, 배뇨반사에서 작용한다.

방광염(cystitis) 방광과 그 내용물의 세균 감염.

방귀(flatus) 결장내 가스.

방사성 동위원소(radioisotopes) 불안정한 핵을가진 원자.

방실결절[atrioventricular (AV) node] 심방심실이음부에 위치한 특수 구조로, 심방심실이음부를 통한 전도를 느리게 한다.

방실판막(atrioventricular valves) 심방에서 심실로의 혈액이 통과하는 승모판과 삼첨판.

방추섬유(spindle fibers) 중심소체로부터 방사상으로 뻗어나가는 미세관.

배꼽(umbilicus) 복부 사분역에서 장기의 위치를 결정하는 중앙 기준점이 된다.

배뇨(micturition) 방광에서부터 소변을 배출하는 과정.

배란(ovulation) 성숙 난자가 난소에서 난관으로 배출되는 것.

배아(embryo) 수정란.

배아기(embryonic period) 임신 3주에서 7주사이의 기간으로 주요 기관계가 발달하기 시작한다.

배아모체(embryoblast) 접합체 내부 안쪽 세포들의 무리로 배아로 발달한다.

배틀징후(Battle sign) 유돌기 위의 멍. 대개 기저 머리뼈(두개골) 골절의 경우 나타남.

백내장(cataracts) 눈 수정체와 그 주변 투명막이 뿌옇게 변하는 것; 주로 노화의 결과.

백색증(albinism) 멜라닌을 합성하지 못하는 피부 질환.

백색질(white matter) 유수신경 다발.

백신(vaccine) 특정 병원체에 대한 면역 반응을 자극하는 항원을 포함하는 물질.

백혈구(leukocytes) 감염에 대항하는 역할을 하는 백혈구.

백혈구(white blood cells) 질환, 특히 감염에 대항해서 인체를 보호하는 세포.

백혈병(leukemia) 특정 백혈구 세포가 비정상적으로 빠르게 증식하여 다른 조직을 침범하는 암성 질환.

베타 세포(beta cells) 랑게르한스섬 내에서 인슐린을 분비하는 세포.

베타 수용체(beta receptors) 두 개의 아드레날린 수용체 중 하나로. 베타-1, 베타-2, 베타-3 수용체로 다시 분류된다.

베타 엔도르핀(beta-endorphins) 시상하부와 뇌하수체 전엽에서 생성되는 단백질로, 몰핀등의 아편제제와 같으나 80배 더 강력한 효과를 가진다.

베타차단제(beta-blockers) 흔히 사용되는 심장 약물의 한 유형으로 베타효과를 차단하여, 수축의 속도 및 혈압을 감소시켜 심장의 부하를 줄임.

베타효과(beta effect) 베타수용체 자극으로 인한 수축촉진, 변전도, 변시효과의 증대.

벨마비(Bell palsy) 외상이나 감염에 의한 안면신경의 손상으로, 침범부위 안면근육을 움직일 수 없다.

벽세포(parietal cells) 염산을 생산하는 위점막의 세포.

벽쪽 복막(parietal peritoneum) 복강을 감싸고 있는 부드러운 결합조직막.

벽쪽 흉막(parietal pleura) 가슴막(흉막)강의 벽을 덮고 있는 막.

벽측 부위(parietal portion) 몸안(체강)의 벽 안쪽을 감싸고 있는 장막 부위.

벽층(parietal layer) 장막심장막의 두 층 중의 하나; 소량의 심장막액에 의해 장측심장막과 분리됨.

변시효과(chronotropic effect) 심장 수축 속도에 영향.

변연계(limbic system) 대뇌와 간뇌 내부의 구조로 감정, 동기, 기분, 통증 및 유쾌한 감각에 영향을 준다.

변전도효과(dromotropic effect) 심장 전도율에 영향.

볏돌기(crista galli) 앞머리뼈우묵 중앙에 뚜렷한 뼈 능선으로 뇌막의 부착 부위.

병원체(pathogen) 질병을 유발하는 물질; 바이러스, 박테리아, 진균, 원생동물 등.

병태생리학(pathophysiology) 질환이 있을 때 생체의 기능을 연구하는 학문.

보인자 상태(carrier state) 하나의 비정상 대립유전자만 가지는 상염색체 열성 상태로 질환 상태는 아니지만, 보인자가 또다른 보인자와 결혼할 경우 2세에서 질환이 발병할 수 있다.

보조T세포(helper T cells) 세포매개면역시 다른 백혈구를 도와주는 세포; B세포의 형질세포와 기억B세포로 성숙, 세포독성 T세포와 큰포식세포의 활성화.

복막(peritoneum) 배안(복부내) 한 무리의 소화기관을 둘러싸고 있는 두 층의 부드러운 결합조직 막.

복막염(peritonitis) 복막(복강과 골반강 안쪽 벽면을 감싸는 보호막)의 염증.

복직근(rectus abdominis) 복부 정중선에 직선 근육.

복측(ventral) 몸의 전방.

봉합(sutures) 머리뼈들이 서로 합쳐지는 머리뼈(두개골)의 부착부.

부가성장(덧붙이성장, appositional growth) 뼈 표면에서 새로운 뼈의 형성.

부갑상샘(parathyroid glands) 갑상샘의 후면에 묻혀 있는 네 개의 샘으로 부갑상샘호르몬을 생산한다.

부갑상샘항진증(hyperparathyroidism) 부갑상샘 호르몬의 과다 분비에 의한 질환으로 뼈에서 칼슘이 손실되고 혈청 칼슘 수치가 증가한다.

부갑상샘호르몬(parathyroid hormones) 부갑상샘에서 생성, 분비되는 호르몬; 혈중 칼슘 수치와 신경근 기능을 정상으로 유지한다.

부고환(epididymides) 고환내 관으로 연결되는 단단히 꼬여 있는 관; 부고환은 정관이 된다.

부교감신경 차단제(parasympathetic-blocking drug) 신경효과기 시냅스에서 아세틸콜린을 차단하는 약물.

부교감신경계(parasympathetic nervous system) 인체를 이완시키는 자율신경계의 일부.

부분샘분비샘(에크린샘)[merocrine (eccrine) glands] 염분과 요소를 함유한 용액을 생성하는 땀샘; 생성된 용액은 피부 표면으로 직접 분비되어 땀구멍을 통해 배출된다.

부분층 화상(partial-thickness burns) 표피와 진피의 일부를 침범하는 화상; 2도 화상.

부비동(paranasal sinuses) 머리 앞쪽에 뼈의 빈 공간, 점막으로 덮여있고 비강으로 배액; 이마뼈동굴(전두동), 위턱뼈동굴(상악동).

부비동염(sinusitis) 코곁동굴(부비동)의 염증.

부속부(appendicular region) 사지와 그 부착 부위를 포함하는 골격계의 한 부분.

부신(adrenal glands) 신장의 꼭대기에 위치한 내분비 샘; 교감신경 자극시 에피네프린과 노르에피네프린을 분비한다.

부신경[accessory nerve (척수부신경, spinal accessory nerve)] 물렁입천장(연구개)과 인두의 근육, 목빗근(흉쇄유돌근), 등세모근(승모근)에 운동신경을 공급하는 11번 뇌신경.

부신피질(adrenal cortex) 부신의 바깥 층으로, 인체의 수분 및 염분 균형을 유지하는데 필수적인 호르몬을 분비한다.

부신피질자극 호르몬[adrenocorticotropic hormone (ACTH)] 부신피질을 표적으로 하여, 코티솔을 분비하게 하는 호르몬.

부착(insertion) 가동관절에서 골격근이 고정되는 가동 부위.

부착반점(데스모솜, desmosomes) 세포간 부착에 특화된 세포 구조.

부푼 추간판/섬유륜 팽창(bulging disk) 확연한 탈출 소견 없이 척추사이원반(추간판)이 팽창하는 것.

분극(polarized) 세포가 휴지기에 있을때, 이온은 세포 안팎으로 능동수송되어 세포막을 통한 전기화학적 기울기를 생성한다.

분극상태(polarized state) 휴지기 세포의 상태; 정상적으로, 세포 외부에 비해 음전하를 지닌다.

분비인자(releasing factors) 시상하부에서 뇌하수체로 특수한 혈관을 따라 이동하는 화합물; 억제인자라고도 칭함.

분압(partial pressure) 각각의 기체가 확산에 기여하는 압력의 양.

분자(molecule) 두 개 이상의 원자가 결합할 때 형성되는 입자.

분절(segmentation) 인접하지 않은 소장에서 번갈아서 일어나는 평활근의 수축과 이완.

분해 반응(decomposition reaction) 반응물 분자 내부의 결합이 깨져서 더 단순한 형태의 원자, 분자, 또는 이온을 생성하는 화학 반응.

분해대사(catabolism) 큰 분자를 작은 분자로 분해하는 것.

불완전골생성증(osteogenesis imperfecta) 유전적 골 질환으로 부러지기 쉬운 뼈를 가지고 있음.

비갑개(turbinates) 코인두 갑개에 의해 형성된 한 세트의 뼈이랑으로 부드러운 공기흐름을 유지한다.

비강(nasal cavity) 코 내부 공간으로, 머리뼈(두개골) 바닥과 입천장 사이에 위치.

비골(fibula) 종아리 외측면의 긴 뼈.

비골(nasal bones) 코의 능선을 형성하는 얇고 섬세한 뼈.

비뇨기계(urinary system) 혈액에서 여과되어 소변으로 배설되는 특정 노폐물의 처리를 담당하는 장기들.

비뇨생식부위(urogenital triangle) 비뇨 생식기계 구조물들을 포함하는 골반내 부위.

비만세포(mast cells) 항원에 반응해서 항체가 부착되는 세포. 알레르기항원이 비만세포 표면의 항체와 결합하면, 비만세포는 강력한 염증 매개물질을 분비하여 알레르기 증상 또는 심한 경우 아나필락시스가 발현된다.

비빔소리/마찰음(crepitus) 비벼서 문지르는 소리 또는 촉감.

비장(spleen) 가장 큰 림프 기관; 림프구와 거대포식세포의 작용을 통해서 혈액을 여과한다.

비장굴곡(splenic flexure) 대장이 두 번째로 급격히 꺾이는 부위로, 가로주름창자(횡행결장)와 내림주름창자(하행결장)를 연결함.

비장절제술(splenectomy) 지라(비장)의 외과적 제거.

비전위골절(nondisplaced fracture) 정상 위치에서 벗어나지 않은 골절.

비중격(nasal septum) 오른쪽과 왼쪽 콧구멍을 분리시키는 단단한 칸막이 구조로 뼈와 연골로 구성.

비타민(vitamins) 정상 대사에 필요한 유기 화합물.

비특이 비임균성 요도염(nonspecific nongonococcal urethritis) 클라미디아 균에 의한 요도의 감염.

빈맥(tachycardia) 빠른 맥박

빈혈(anemia) 혈색소 수치가 정상보다 낮은 경우

빌리루빈(bilirubin) 적혈구 파괴의 노폐물로 간에서 대사된다.

빠른호흡(tachypnea) 1분에 20회 이상 비정상적으로 빠르게 호흡하는 것.

뿌리(pedicles) 척추뼈고리에서 발과 같은 구조.

사각근(scalene muscles) 들숨시 첫 번째와 두 번째 갈비뼈(늑골)를 들어올리는 호흡근.

사골/벌집뼈(ethmoid bone) 비강의 주요 지지 구조; 눈확(안와)의 일부도 형성.

사구체(glomerulus) 콩팥소체(신소체)를 구성하는 모세혈관의 엉킨 다발.

사구체여과(glomerular filtration) 소변 생성을 시작하는 과정.

사구체여과율(glomerular filtration rate) 혈액이 토리(사구체)에서 여과되는 속도.

사구체옆세포(juxtaglomerular cells) 토리(사구체)의 들세동맥에 위치한 한무리의 세포; 인체 용적 상태를 부분적으로 조절한다.

사구체옆장치(juxtaglomerular appratus) 날세동맥과 원위곡세관이 만나는 부위에서 형성된 구조; 토리(사구체)옆복합체라고도 한다; 체액 균형을 조절하는데 중요한 역할을 한다.

사구체주머니(glomerular capsule) 토리(사구체)를 둘러싸는 주머니 모양의 구조로, 토리(사구체)에서 여과된 액체를 받는다.

사구층(zona glomerulosa) 부신겉질(피질)의 세 부위 중 하나; 광물코르티코이드를 생산한다.

사람면역결핍바이러스[human immunodeficiency virus (HIV)] 후천면역결핍증(에이즈)으로 진행될 수 있는 바이러스; 면역계 세포가 파괴되어, 인체는 감염 및 특정 암에 저항할 수 없다.

사람융모성 생식샘자극호르몬[human chorionic gonadotropin (hCG)] 임신 첫 8주 동안 황체를 자극하여 프로게스테론을 생성하는 호르몬.

사립체(mitochondria) 세포 대사의 중심으로서 ATP를 생산하는 역할을 하는 긴 막대기 모양의 작은 세포소기관.

사이원반(intercalated disks) 활동전위를 세포에서 세포로 통과시키는 심근내 가지 섬유.

사정관(ejaculatory duct) 정관과 정낭관의 결합에 의해 형성된 구조; 전립선을 통과해서 요도로 배출된다.

사지골격/부속골격(appendicular skeleton) 팔, 다리, 골반, 어깨이음구조를 이루는 골격계의 부분.

산성(acids) 물 속에서 수소 이온을 해리하는 전해질.

산소 부채(oxygen debt) 간세포가 젖산을 포도당으로 전환하기 위해 필요로 하는 산소의 양 & 근육세포가 아데노신삼인산과 크레아틴인산 수치를 회복하기 위해 필요로하는 산소의 양.

산소대사(aerobic metabolism) 산소가 있을 때 일어나는 생화학적 과정으로 ATP 형태의 에너지를 생산한다; 세포호흡이라고도 한다.

산소분압[partial pressure of oxygen (Pa O_2)] 혈액내 산소 비율의 측정값.

산화혈색소(oxyhemoglobin) 혈액내로 확산된 산소와 혈색소 분자의 결합.

삼각봉합(lambdoid suture) 뒤통수뼈(후두골)가 마루뼈(두정골)에 부착되는 부위.

삼요오드 타이로닌[triiodothyronine (T3)] 갑상샘에서 생산되는 두 가지 주요 호르몬 중 하나; 체내 대사 및 소아의 정상 성장, 발달에 필수적이다.

삼차기관지(tertiary bronchi) 이차기관지가 분지되어 형성되는 폐의 호흡기도.

삼차신경(trigeminal nerve) 두피, 이마, 얼굴, 아래턱의 감각을 제공하고, 또한 씹기근육(저작근)과 목구멍 및 속귀(내이)의 근육에 분포하는 5번 뇌신경.

삼첨판막(tricuspid valve) 우심방과 우심실을 분리하는 심장 판막.

삼투(osmosis) 선택적 투과막을 통해 용매(solvent)가 저농도에서 고농도 부위로 이동하여 막 양측 용질(solute)의 농도의 평행을 이루는 현상.

삼투수용기(osmoreceptors) 항이뇨호르몬의 분비를 조절하는 뇌의 특수 뉴런.

삼투압(osmotic pressure) 삼투현상에 의한 물의 이동을 측정.

상과염(epicondylitis) 팔꿈치 관절 근육의 염증; 흔히, 테니스팔꿉증으로 알려짐.

상대불응기(relative refractory period) 세포가 평소보다 강한 자극에 반응할 수 있는 재분극 후기.

상대정맥(superior vena cava) 인체내 두 개의 가장 큰 정맥 중 하나; 팔(상지), 머리, 목, 가슴부위(흉부)의 혈액을 심장으로 이송.

상동염색체(homologous chromosomes) 반대 부모로부터 받은 같은 수의 짝을 이룬 염색체.

상부(superior) 기준점으로부터 더 높이, 또는 머리에 더 가까이 있음.

상승제(synergists) 특정 운동을 수행하기 위해 함께 작용하는 근육들.

상악골(maxillae) 위 턱을 이루는 뼈.

상염색체(autosomes) 성별을 결정하는 유전자를 가지고 있지 않은 염색체.

상완골(humerus) 위팔(상완)의 뼈.

상지(upper limbs) 위팔뼈(상완골), 노뼈(요골), 자뼈(척골), 손목뼈(수근골), 손허리뼈(중수골), 손가락뼈.

상처(wounds) 외피계의 연속성이 깨진 상태.

상행결장(ascending colon) 주름창자(결장)의 네 부위 중 하나; 막창자(맹장)에서 부터 위쪽으로 연장된다.

상행대동맥(ascending aorta) 대동맥의 세 부분 중 첫 번째 부위; 좌심실에서 기사하여 두 개의 분지, 좌/우 주심장동맥(관상동맥)을 낸다.

상행로(ascending tracts) 말초에서 뇌로 감각 정보를 전달하는 섬유; 구심로(afferent tract)라고도 한다.

상행성 망상활성계(ascending reticular activating system) 뇌간 전반에 위치한 몇 개의 구조로서, 의식의 유지를 책임진다.

색전(embolus) 혈액응고 조각이 한 부위에서 또다른 부위로 이동한 것; 잠재적으로 혈류의 폐쇄를 초래함.

샘(glands) 혈액내 물질을 선별적으로 제거, 농축, 변형시켜서, 다시 체내로 분비하는 세포/세포의 무리/기관.

샘뇌하수체(adenohypophysis) 뇌하수체의 두 부위 중 하나로, 신경호르몬 이외의 호르몬을 생산한다; 뇌하수체 전엽.

생리학(physiology) 신체의 기능과 과정에 대한 학문.

생식샘(gonads) 난소와 고환같이 생식세포를 생산하는 샘.

생식샘자극호르몬분비호르몬[gonadotropin-releasing hormone (GnRH)] 시상하부에서 분비되어 월경주기 동안 자궁내막을 자극하는 호르몬.

생식세포(gamete) 성세포; 인간에서 정자와 난자.

서골(vomer bone) 코중격(비중격)의 아래쪽 후방을 구성하는 납작한 뼈.

서혜관(inguinal canal) 정삭이 하부복벽에서 복강 내로 들어가면서 통과하는 관.

서혜림프절(inguinal nodes) 샅굴부위(서혜부)에 위치한 림프절의 무리.

석달(trimesters) 임신 기간을 구분하는 각 3개월로 구성된 기간의 세 구획.

석면증(asbestosis) 석면 입자 흡입에 의해 발생하는 폐 질환.

선천 (비특이) 방어[innate (nonspecific) defense] 인체가 특정 공격에 노출될 때마다 일어나는 예측 가능한 면역 반응. 물리적 장벽, 화학적 장벽, 자연살해세포, 포식작용, 발열, 종 저항 등을 통해서, 병원체로부터 인체를 보호한다.

선택투과성(selective permeability) 세포의 현재 필요에 따라 선택적으로 화합물을 세포내로 받아들이는 세포막의 특성.

설골(hyoid bone) 혀와 혀의 근육을 지탱하는 뼈.

섬모(cilia) 세포 표면에 머리카락 같은 형태의 미세소관으로서 물질을 세포표면 위로 이동시킴.

섬유륜(anulus fibrosus) 고리 모양의 섬유/섬유연골 조직으로, 추간판의 일부분.

섬유모세포(fibroblasts) 골절된 뼈 말단 사이와 다른 상해 부위에서, 단백질과 콜라겐을 분비하여 결합조직을 형성하는 세포.

섬유소(fibrin) 혈액응고 과정에서 섬유소원으로부터 만들어지는 백색의 불용성 단백질.

섬유소원(fibrinogen) 혈액응고에 중요한 혈장 단백질.

성대(진성대, true vocal cords) 진동하여 소리를 생산하는 성대 하부.

성대문(glottis) 성대와 그 사이 구멍.

성세포(sex cells) 생식세포; 남성의 정자, 여성의 난세포(난자).

성숙난포(graafian follicle) 성숙 난자.

성연관 질환(sex-linked diseases) X 또는 Y 염색체의 결함에 의한 질환.

성염색체(sex-chromosomes) 성별을 결정하는 X, Y 염색체.

성장판(physis) 골단과 골간단 사이에 장골의 말단에 위치하는 뼈 길이 성장의 주요 부위.

성장호르몬 방출저해 호르몬(growth hormone release-inhibiting hormone) 시상하부에서 분비되는 호르몬으로, 성장호르몬 분비를 억제한다; 소마토스타틴.

성장호르몬 방출호르몬(growth hormone-releasing hormone) 성장호르몬 분비를 자극하는 시상하부에서 분비되는 호르몬.

성장호르몬[growth hormone (GH)] 사지의 장골을 비롯한 수많은 조직의 성장을 촉진하는 호르몬; 소마토트로핀.

세관주위 모세혈관(peritubular capillary) 날세동맥에서 분지하는 복잡하게 연결된 모세혈관 망의 하나.

세근(잔뿌리, rootlets) 작은 신경.

세기관지(bronchioles) 기관지가 세분화된 5개 영역으로 폐포관을 형성한다; 민무늬근(평활근)으로 이루어지고, 다양한 자극에 반응하여 이완 또는 수축한다.

세동맥(arterioles) 동맥의 얇은 세부구조로, 벽의 근육은 교감신경의 지배를 받는다.

세정맥(venules) 모세혈관과 정맥을 연결하는 현미경적 혈관.

세크레틴(secretin) 샘창자(십이지장)에서 생성되는 호르몬; 위액의 분비를 억제하고, 알칼리성의 이자액(췌장액) 생성을 촉진한다.

세포 용해(lysis) 삼투압에 의해 과고한 수분이 세포내로 유입되어 발생하는 세포의 붕괴/분해 현상.

세포(cells)　세포질로 이루어진 생명체의 기본 구성단위; 특정 기능을 위해 특화됨.

세포내이입(endocytosis)　세포막 소포와의 융합에 의해 세포 내로 물질을 흡수하는 방법.

세포대사(cellular metabolism)　세포내에서 영양소가 복잡한 형태에서 단순한 형태로 분해되거나, 단순한 형태로부터 복잡한 형태가 만들어지는 과정.

세포막(cell membrane)　세포벽; 세포 내부를 둘러싸고 세포 안팎으로 물질의 이동을 통제하는 선택적 투과성을 가진 세포층.

세포매개면역(cell-mediated immunity)　T림프구와 큰포식세포가 병원체 또는 외부물질을 공격하고 파괴하는 면역 과정; 항원을 인식하고, 시토카인(특히 림포카인)을 분비해서, 다른 세포들을 끌어들이거나 감염된 세포를 죽이는 세포독성세포의 생성을 촉진한다.

세포매개면역(cellular immune response)　T세포가 박테리아 세포와 같은 외부 항원 함유 세포에 부착되어, 직접적인 세포간 접촉을 통한 상호작용이 일어날 때 발생한다.

세포소기관(organelles)　세포의 특정 기능을 수행하는 세포 내 구조.

세포액(cytosol)　세포질의 맑은 액체 부분.

세포질(cytoplasm)　세포 내부의 젤 gel과 같은 물질. 세포 부피의 대부분을 차지하며, 세포소기관을 지탱한다; 원형질 protoplasm이라고도 칭한다.

세포질그물(endoplasmic reticulum)　단백질과 지방이 만들어지는 세포질 내에 넓게 퍼져있는 망상 구조물.

세포호흡(cellular respiration)　산소가 있을 때 일어나는 생화학적 과정으로 ATP 형태의 에너지를 생산한다; 산소대사라고도 한다.

소골(ossicles)　속귀(내이)에 존재하는 세 개의 작은 뼈: 망치뼈(추골), 모루뼈(침골), 등자뼈(등골).

소관(canaliculi)　뼈에 미세한 관.

소낭(saccule)　속귀(내이) 막미로의 확장 부위로, 위치와 움직임의 감지를 돕는 특수 조직 판을 가지고 있다.

소뇌(cerebellum)　다리뇌(교뇌) 등쪽에 위치한 뇌의 일부로, 조정과 균형을 담당.

소뇌다리(cerebellar peduncles)　소뇌가 중추신경계의 다른 부위와 소통하는 세개의 신경섬유 띠 중 하나.

소마토메딘(somatomedins)　성장호르몬의 자극으로 간, 골격근, 기타 조직 등에서 만들어지는 단백질.

소마토스타틴(somatostatin)　시상하부에서 분비되는 호르몬으로, 성장호르몬 분비를 억제한다; 성장호르몬 방출저해 호르몬.

소마토트로핀(somatotropin)　사지의 긴뼈(장골)를 비롯한 수많은 조직의 성장을 촉진하는 호르몬; 성장호르몬.

소변(urine)　요세관재흡수와 요세관분비의 최종 산물; 노폐물을 체외로 운반하는 맑은 노란색의 액체.

소변검사(urinalysis)　소변의 실험실 검사.

소음순(labia minora)　여성 외부생식기에서 전정의 경계를 이루는 한 쌍의 피부 주름.

소장(small intestine)　샘창자(십이지장), 빈창자(공장), 돌창자(회장)로 구성된 위장관계의 일부로, 음식물의 소화와 영양소 흡수의 주요 부위이다.

소포(follicles)　갑상샘 내에서 타이로글로불린을 함유한 작은 공간의 샘.

소포곁세포(parafollicular cells)　갑상샘에서 소포들 사이에 위치한 세포로 칼시토닌 호르몬을 생산한다.

소화(digestion)　음식물의 기계적, 화학적 분해와 체세포에 의한 분해된 영양소의 흡수.

소화계(digestive system)　기계적, 화학적 소화의 과정들을 수행하는 신체 계통; 위장관계라고도 한다.

소화관(alimentary canal)　입, 인두, 식도, 위, 소장, 대장, 직장, 항문.

소화성 궤양(peptic ulcer disease)　위산에 의해 위와 샘창자(십이지장) 점막의 미란이 생긴 상태.

속귀신경(vestibulocochlear nerve)　속귀길(내이도)을 통과하여 청각과 균형감각에 중요한 정보를 전달하는 8번 뇌신경.

속질핵(nucleus pulposus)　추간판 중앙의 젤라틴 같은 덩어리.

손목굴증후근[carpal tunnel syndrome (CTS)]　손목굴 내에서 정중신경의 압박.

손바닥동맥활(palmar arches)　노뼈(요골)와 자뼈(척골) 동맥에 의해 형성되는 두 개의 활; 깊은 손바닥동맥활, 얕은 손바닥동맥활.

손발톱 바닥(nail bed)　손발톱 몸통이 놓이는 부분.

손발톱(nail)　손가락/발가락 끝에 표피의 케라틴으로 만들어진 편평한 구조.

송과체(pineal body)　간뇌에서 시상상부의 일부.

송과체(pineal gland)　일광 환경의 변화에 반응하여 멜라토닌을 분비한다.

쇄골(clavicle)　빗장뼈; 복장뼈(흉골)의 외측과 어깨뼈(견갑골)의 전방에 위치.

쇄골중간선(midclavicular line)　정중선에 평행해서 빗장뼈(쇄골)의 중앙부를 수직으로 지나는 선.

쇄골하동맥(subclavian artery)　팔의 주요 동맥의 근위부; 뇌, 목, 전방 흉벽, 어깨 부위 혈액을 공급한다.

쇄골하정맥(subclavian vein)　팔의 주요 정맥의 근위부; 속목정맥(내경정맥)과 합쳐져서 위대정맥(상대정맥)에서 끝난다.

수근골(carpals)　팔목뼈; 손배뼈(주상골), 반달뼈(월상골), 세모뼈(삼각골), 콩알뼈(두상골), 큰마름뼈(대능형골), 작은마름뼈(소능형골), 알머리뼈(유두골), 갈고리뼈(유구골)를 포함.

수산화인회석(hydroxyapatite)　칼슘과 인산염을 함유하는 무기질 화합물로서, 콜라겐과 함께 뼈의 구성 성분임.

수상돌기(dendrites)　신경세포의 구성요소로서 축색돌기(axon)로부터 전기충격을 전달받고, 신경전달물질을 분비하는 수포를 가지고 있다.

수소결합(hydrogen bond)　한 극성분자의 양성 수소 말단이 또다른 극성분자의 음성 질소 또는 산소 말단을 끌어당기는 것.

수정체(lens)　눈의 투명한 부분으로, 이미지가 수정체를 통과하여 망막에 모인다.

수질[medulla (endocrine system)]　곁콩팥(부신)의 안쪽 부위로 에피네프린과 노르에피네프린을 생산한다.

수초(myelin sheath)　슈반세포에 의해 형성된 막으로 특정 신경세포의 축삭을 감싼다.

수축기(systole)　심방 또는 심실이 수축하는 기간; 심방 수축기 또는 심실 수축기라고도 지칭한다.

수축력(contractility)　심근 수축의 강도.

수축촉진효과(inotropic effect)　근조직, 특히 심근의 수축력에 영향.

순환계(circulatory system)　복잡하게 배열된 동맥, 세동맥, 모세혈관, 정맥, 세정맥; 혈액, 산소, 영양분, 이산화탄소, 세포노폐물을 몸전체로 운반함.

술잔세포(goblet cells)　위 상피를 보호하는 점액을 분비하는 세포.

슈반세포(Schwann cells)　특정 신경세포 주위로 수초 형성을 돕는 신경 조직.

스테로이드(steroid)　콜레스테롤(cholesterol), 에스트로겐(estrogen), 황체호르몬(progesterone), 코티졸(cortisol), 에스트라디올(estradiol) 등을 포함하는 탄소원자가 결합된 네 개의 고리를 가진 분자.

슬개골(patella)　무릎뼈.

슬와(popliteal fossa)　무릎 뒤쪽 공간.

승모판(mitral valve)　왼심방과 왼심실을 나누는 판막.

시각교차(optic chiasm)　각 눈에서 오는 신경섬유의 대략 절반이 반대쪽 뇌로 교차하는 지점.

시각로(optic tracts)　뇌 기저부에서 기시하는 시각신경의 일부로, 시각교차를 형성한다.

시각피질(visual cortex)　시신경으로부터 자극이 시각적 이미지로 전환되는 대뇌 영역.

시냅스 소포(synaptic vesicles)　신경전달물질을 포함하는 소포.

시냅스 틈새(synaptic cleft)　전기적 자극이 신경전달물질의 분비를 유발하고, 이어서 인접 신경세포에서 전기적 반응을 자극하는 신경세포들 사이의 공간.

시냅스(synapse)　신경 자극이 전달되는 신경세포들 사이의 이음부; 시냅스틈새, 시냅스소포를 포함하는 시냅스이전 세포막, 축삭종말, 시냅스이후 세포막 등을 포함한다.

시냅스이전 종말(presynaptic terminal)　신경전달물질이 시냅스틈새로 분비되는 신경의 말단.

시냅스이후 종말(postsynaptic terminal)　시냅스틈새로 부터 전기 자극을 받아들이는 신경의 말단.

시상(thalamus)　간뇌의 일부; 대부분의 감각 자극을 처리하고, 특히 공포, 분노와 연관된 감정 및 일반적 운동에 영향을 준다.

시상면[sagittal (lateral) plane]   신체를 좌·우로 나누는 가상의 평면.

시상밑부(subthalamus)   운동 기능의 조절에 관여하는 간뇌의 일부.

시상봉합(sagittal suture)   머리뼈(두개골)에서 마루뼈(두정골)가 서로 합쳐지는 지점.

시상상부(epithalamus)   감정 및 일간리듬과 연관된 기능을 수행하는 간뇌의 일부로, 변연계를 다른 뇌부위와 연결한다.

시상하부(hypothalamus)   간뇌의 가장 하부; 맥박, 소화, 성발달, 체온 조절, 감정, 허기, 갈증, 수면주기 조절 등의 많은 인체 기능을 통제한다.

시상하부–뇌하수체–부신축(hypothalamic–pituitary–adrenal axis)   스트레스에 대한 반응을 통제하는 신경내분비계의 주요 부위; 코르티코스테로이드 분비를 조절한다.

시상하부–뇌하수체축(hypothalamic–pituitary axis)   시상하부와 뇌하수체의 상호작용을 포함하는 신경내분비계의 일부.

시상하부뇌하수체 문맥계(hypothalamo–hypophyseal portal system)   시상하부에서 뇌하수체 전엽으로 분비 인자를 전달하는 특수 혈관계.

시신경(optic nerve)   시각에 대한 정보를 뇌로 전달하는 2번 뇌신경; 중추신경계의 일부로 여겨지는 유일한 뇌신경.

시신경공(optic foramen)   눈알(안구)로 향하는 시신경이 통과하는 눈알(안구) 뒤쪽 눈확(안와)의 구멍.

시신경공(optic foramina)   시신경이 각 눈알(안구)로 도달하기 위해 통과하는 구멍.

식도 구멍(esophageal hiatus)   식도가 통과하는 가로막(횡격막)의 구멍.

식도 조임근(esophageal sphincters)   식도 안팎으로 물질의 이동을 조절하는 두 개의(상부와 하부) 근육 고리.

식도(esophagus)   인두부터 위까지 이어진 접혀질 수 있는 관; 식도벽 근육의 수축은 음식물과 액체를 위로 내려보낸다.

신경(nerve)   신경계를 인체의 부위 또는 기관과 연결하는 신경 조직.

신경계(nervous system)   인체의 거의 모든 활동(수의적 및 불수의적 활동)을 통제하는 체계.

신경근육 차단제(neuromuscular blockers)   마취시 근육 이완을 유도하기 위해 사용되는 쿠라레에서 유래된 약물 그룹.

신경근이음부(neuromuscular junction)   운동신경세포와 근섬유 사이 이음부; 시냅스의 한 유형.

신경뇌하수체(neurohypophysis)   뇌하수체의 두 부위 중 하나; 중추신경계의 연장으로 신경호르몬을 분비한다; 뇌하수체 후엽.

신경섬유(nerve fibers)   함께 묶여진 신경세포의 무리.

신경세포(뉴런, neurons)   신경계의 기본 신경세포로 세포체 내에 핵을 포함하고 하나 이상의 돌기를 낸다; 신경세포는 무리지어 존재하여 신경조직을 형성한다.

신경아교(신경교, neuroglia)   신경조직의 두 가지 기본 유형 중 하나; 손상된 신경조직의 회복을 지지, 보호, 방어, 보조하고, 신경계 간질액의 조성을 조절한다.

신경얼기(plexuses)   척수신경의 주요 부위들의 조합으로 이루어진 복잡한 그물(망상) 구조.

신경자극(nerve impulse)   신경세포에 의해 다른 신경세포와 신경계 외부 세포로 전달되는 전기화학적 변화.

신경전달물질(neurotransmitters)   신경세포에서 생성되어 인접세포에 전기적 반응을 자극하는 화학물질.

신경절 시냅스(ganglionic synapse)   두 신경(신경절이전과 신경절이후 신경세포) 사이에 분리된 부위로 중추신경계와 신경지배를 받는 기관을 연결하는 기능을 한다.

신경절(ganglia)   중추신경계 외부에 위치한 신경세포체의 집합.

신경절이전 신경세포(preganglionic neuron)   중추신경계와 신경지배를 받는 기관 사이에서, 신경절 시냅스에 의해 분리된 두 신경 중 첫 번째 신경.

신경절이후 신경세포(postganglionic neuron)   중추신경계와 신경지배를 받는 기관 사이에서, 신경절 시냅스에 의해 분리된 두 신경 중 두 번째 신경.

신경조직(nervous tissues)   신경세포(neuron)와 신경교(neuroglia).

신경호르몬(neurohormones)   뇌하수체 후엽에 의해 분비되는 호르몬.

신경효과 세포(neuroeffector cells)   자율신경계의 표적 조직.

신근(extensor muscles) 신전을 일으키는 근육 그룹.

신동맥(renal arteries) 콩팥에 혈액을 공급하는 혈관; 배대동맥(복부대동맥)에서 시작한다.

신배(calyces) 콩팥(신장) 조직에서 콩팥깔때기(신우)로 들어가는 큰 관.

신부전(renal failure) 외상이나 질병에 의해 이차적으로 발생하는 신기능의 손실.

신세뇨관(renal tubule) 사구체에서 여과되는 요세관액을 포함하는 콩팥(신장)단위의 일부.

신소체(renal corpuscle) 콩팥(신장)단위의 최초 혈액 여과 부위.

신수질(renal medulla) 콩팥(신장)의 안쪽 부분; 원추형 콩팥피라미드(신추체)로 구성되고, 줄무늬를 가진다.

신우(renal pelvis) 신장동 내부의 깔대기 모양 주머니로 큰 술잔(대신배)과 작은술잔(소신배)으로 나뉜다.

신우신염(pyelonephritis) 콩팥(신장) 내막의 염증.

신유두(renal papillae) 각 콩팥피라미드(신추체)의 꼭대기로 속질(수질)내로 연장되어 있으며, 작은술잔(소신배) 구멍이 감싸고 있다.

신장 결석(kidney stones) 콩팥(신장)에서 형성된 단단한 결정 덩이리로 요로를 따라가다 끼어서 막힐 수 있다.

신장(kidneys) 2개의 후복막 장기; 대사의 최종 산물을 소변으로 배설하고 체내 염분과 수분량을 조절한다.

신장단위(nephrons) 소변을 생성하는 콩팥(신장)의 구조, 기능적 단위; 토리(사구체), 토리주머니(사구체주머니), 토리쪽곱슬세관(근위곡세관), 헨레고리, 먼쪽곱슬세관(원위곡세관)으로 구성된다.

신장동(renal sinus) 콩팥(신장) 문에 형성된 공간으로 지방과 결합조직으로 채워진다.

신전(extension) 신체 일부가 굴곡된 자세에서 해부학적 자세로 다시 돌아가는 과정에서 일어나는 움직임.

신정맥(renal vein) 콩팥(신장)을 하대정맥에 연결하는 혈관.

신추체(renal pyramids) 콩팥속질(신수질)에 위치한, 소변 집합관들의 원뿔형 평행 다발.

신피질(renal cortex) 콩팥(신장)의 바깥 부분; 콩팥(신장)원주를 형성하고, 콩팥(신장)단위와 연결된 미세한 세관들을 가지고 있다.

심근(cardiac muscle) 심장에만 존재하는 근육으로, 혈액을 순환계로 방출하는데 필요한 수축력을 제공한다.

심근(myocardium) 심장의 근육.

심근경색(myocardial infarction) 심장에 산소를 공급하는 하나 또는 그 이상의 동맥이 폐쇄되어 심근 일부의 괴사가 일어남.

심근조직(cardiac muscle tissue) 전기충격을 발생, 전도 할 수 있는 가로무늬 불수의 근육.

심낭(pericardial sac) 심장을 감싸는 두꺼운 섬유성 막; 심장막이라고도 불린다.

심낭삼출(pericardial effusion) 주로 외상에 의해 발생하며, 심장막(심낭)에 과다한 액체가 축적되어 심장이 적절하게 이완하고 수축할 수 없는 상태.

심낭천자(pericardiocentesis) 심장압전을 치료하여 생명을 구하는 술기; 주사바늘을 심장막(심낭)내로 넣어서, 심장의 수축과 이완을 제한하고 있는 액체를 제거한다.

심내막염(endocarditis) 심장판막의 감염.

심막압전(pericardial tamponade) 심장 주위에 액체가 축적되어 심장의 일회박출량(stroke volume)을 제한하는 상태.

심박장애(dysrhythmias) 불규칙한 심장 박동

심방(atria) 심장의 위쪽 방; 심장으로 되돌아오는 혈액을 받는다.

심실(심장)[ventricles (heart)] 혈액을 심장에서 방출하는 두 개의 아래쪽 방.

심외막(epicardium) 심장에 가까이 붙어있는 장막심장막 층; 다른 이름은 장측심장막.

심장(heart) 혈액을 몸 전체로 방출하는 속이 빈 근육성 기관.

심장막(pericardium) 심장을 감싸는 두꺼운 섬유성 막. 심낭이라고도 한다.

심장막공간(pericardial cavity) 심장을 둘러싸고 있는 부위.

심장막액(pericardial fluid) 장측심장막과 벽측심장막 사이의 공간을 채우는 장액으로 마찰을 감소시킴.

심장막염(pericarditis) 심장막의 감염이나 염증으로, 심한 흉통을 일으킴.

심장박출량(cardiac output) 일분당 심장에서 방출되는 혈액

의 양; 일회박출량과 분당심박수를 곱한 값.

심장압전(cardiac tamponade) 심장막(심낭)에 액체나 혈액이 축적되어 발생하는 심장수축의 제한, 심장박출량의 하강, 쇼크.

심장전도계(cardiac conduction system) 심장 내 복합 전기조직; 심근을 수축하는 자극을 발생시키고 전달함.

심장주기(cardiac cycle) 심장박동; 각 심장주기는 심실수축(수축기)과 심실이완(이완기)으로 구성.

심전도[electrocardiogram (ECG)] 심장의 전기적 활동을 그래프로 기록한 것.

심정맥(cardiac veins) 가지를 치고 심근 모세혈관의 혈액을 받아서 관상정맥동과 합쳐지는 정맥.

십이지장(duodenum) 작은창자(소장)의 세 부위 중 첫번째; 위에서 후방으로 이어져 후복막강 내에서 180도 아치를 형성한다.

십이지장공장 굴곡(duodenojejunal flexure) 샘창자(십이지장)과 빈창자(공장) 사이 작은창자(소장)의 급격한 굴곡.

아나필락시스(anaphylaxis) 알레르기 반응의 극단적 전신성 형태로, 2개 이상의 신체 계통에서 일어난다.

아데노신 삼인산염[adenosine triphosphate (ATP)] 체내 모든 화학 반응을 위해 세포호흡에 의해 생산되는 주요 에너지원.

아드레날린 수용체(adrenergic receptors) 교감신경과 연관되어, 에피네프린과 노르에피네프린에 의해 자극되는 수용체의 유형.

아드레날린(adrenaline) 알파, 베타 효과를 가지는 자연적으로 생성되는 호르몬으로, 심장약으로 투여되기도 한다; 에피네프린.

아드레날린성(adrenergic) 신경화학물질 노르에피네프린을 분비하는 신경세포를 의미함.

아세틸콜린(acetylcholine) 교감신경계와 부교감신경계에서 매개체로 작용하는 화학적 신경전달물질.

아세틸콜린에스테라아제(acetylcholinesterase) 아세틸콜린의 분해를 도와서 근육 이완을 유발하는 효소.

아킬레스건(achilles tendon) 다리 뒤쪽 근육을 발꿈치뼈에 연결하는 강한 힘줄.

아포크린샘(apocrine glands) 주로 겨드랑(액와), 생식기, 항문 주변의 털주머니(모낭)에 분포하는 나선관상선.

안구(globe) 섬유막층, 혈관막층, 신경막층으로 구성된 시각기관.

안구돌출(exophthalmos) 눈확(안와)내 정상 위치에서 벗어나서 안구가 돌출된 상태.

안드로겐(androgens) 남성호르몬.

안드로스텐디온(androstenedione) 부신겉질(부신피질), 고환, 난소에서 분비되는 스테로이드 성호르몬.

안뜰주름(vestibular folds) 성대 상부; 거짓성대라고도 부름.

안면골격(facial skeleton) 위턱뼈(상악골), 볼기뼈(관골), 코뼈(비골), 보습뼈(서골), 아래코선반(하비갑개), 입천장뼈(구개골), 아래턱뼈(하악골).

안면신경(facial nerve) 모든 얼굴 표정근의 운동, 혀 앞쪽 2/3의 미각, 바깥귀(외이), 혀, 입천장(구개)의 피부감각을 지배하는 7번 뇌신경.

안와(orbit) 머리뼈(두개골) 이마부위(전두부)에 뼈로 이루어진 공간으로 눈알(안구)을 감싸서 보호.

안장(sella turcica) 뇌하수체가 있는 나비뼈(접형골) 중앙부에 움푹 들어간 부분.

안장관절(saddle joint) 두 개의 안장 모양의 서로 직각인 관절면으로, 접합부가 상호 보완적; 엄지(모지)에서 볼 수 있음.

안지오텐신II (angiotensin II) 혈관수축과 교감신경을 활성화하고, 곁콩팥(부신)을 자극하여 알도스테론 생성을 증가함으로서 혈압유지에 중요한 역할을 하는 키닌의 한 유형.

알도스테론(aldosterone) 소변의 최종 조성 조절을 담당하는 두가지 주요 호르몬 중 하나; 나트륨과 염소의 혈액으로의 능동 재흡수 속도를 증가시키고, 칼륨 재흡수를 감소시킨다.

알레르기항원(allergens) 항원; B세포를 자극해서 항체생성 또는 알레르기를 유도하는 화학물질.

알부민(albumins) 가장 작은 혈장 단백질; 혈장 단백질 무게의 60%를 차지.

알파 세포(alpha cells) 랑게르한스섬 내에서 글루카곤을 분비하는 세포.

알파 수용체(alpha receptors) 두 개의 아드레날린 수용체 중 하나로, 알파-1과 알파-2 수용체로 다시 분류된다.

알파효과(alpha efect) 알파 수용체의 자극에 의한 혈관수축.

압력수용기(baroreceptors) 혈관, 신장, 뇌, 심장에 있는 수용기로, 심장과 주요 동맥내 압력 변화에 반응하여 항상성 유지를 돕는다.

압박골절(compression fracture) 척추체가 무너져 내리며 생기는 골절.

앞척수시상로(anterior spinothalamic tracts) 가벼운 촉감, 압력, 간지럽고 가려운 감각에 대한 정보를 뇌로 전달하는 오름 신경섬유의 통로.

애디슨 발증(Addisonian crisis) 급성 부신겉질(부신피질) 기능부전.

액와(axilla) 겨드랑이.

액와림프절(axillary nodes) 액와(겨드랑이)에 위치한 림프절의 큰 집단.

액와신경(axillary nerve) 팔신경얼기로 부터 나오는 주요 신경들 중 하나 ; 어깨세모근(삼각근)과 큰원근(대원근)에 분포하여, 팔의 외전과 외회전을 가능하게 한다.

액와정맥(axillary vein) 자쪽피부정맥과 노쪽피부정맥의 결합으로 형성 ; 빗장밑정맥(쇄골하정맥)으로 합쳐진다.

액와중간선(midaxillary line) 겨드랑이부터 허리까지를 관통하는 정중선에 평행인 수직선.

액틴/가는근육미세섬유(actin) 근원섬유의 단백질 미세섬유 대부분을 차지하는 구성요소.

양막(amniotic membranes) 발달 중인 배아를 둘러싸서 보호하는 막과 태반.

양막낭(amniotic sac) 발달 중인 배아를 둘러싸서 보호하는 양막으로 부터 형성된 주머니.

양성 되먹임(positive feedback) 필요한 호르몬 효과가 일단 시작되면, 호르몬 생산이 더욱 촉진되는 것을 말한다.

양수(amniotic fluid) 태반 혈관을 통해 여과된 모체와 태아의 혈액 및 양막낭으로의 분비된 태아 소변에 의해 생성된 액체.

양수천자(amniocentesis) 주사기와 초음파 CT 등을 이용하여 자궁으로부터 양수를 뽑아내는 것.

양이온(cation) 양극성을 띠는 이온

양자(protons) 원자내 양전하를 가지는 입자.

얕은종아리신경(표재비골신경, superficial peroneal nerve) 발의 외번을 담당하는 근육에 분포하는 종아리 신경.

어깨관절(shoulder joint) 위팔뼈머리(상완골두)와 턱뼈오금(하악와)으로 이루어진 절구공이관절.

억제인자(inhibiting factors) 시상하부에서 뇌하수체로 특수한 혈관을 따라 이동하는 화합물 ; 분비인자라고도 칭한다.

엎드린 자세(prone position) 얼굴이 아래를 향하게 똑바로 엎드림.

에스트로겐(estrogen) 난소에서 분비되어 월경주기동안 자궁내막을 자극하는 호르몬 ; 세 가지 주요 여성호르몬 중 하나.

에피네프린(epinephrine) 알파, 베타 교감신경작용을 가지는 부신 호르몬으로, 교감신경계의 '공격−도피' 반응을 중개한다 ; 아드레날린.

엘레이딘(eleidin) 각질유리질에서 형성되는 투명층 내 과립으로 결국 각질(케라틴)으로 변형된다.

역류식도염(reflux esophagitis) 위산이 식도로 역류하는 것 ; 가슴쓰림.

역류증폭기전(countercurrent multiplier mechanism) 인체의 필요에 따라서, 농축되거나 희석된 소변을 생성하는 기전.

연골(cartilage) 골격계의 지지 구조로서, 뼈 사이에서 완충 작용을 한다. 또한, 코중격(비중격)과 바깥귀(외이) 일부를 형성함.

연골내 성장(endochondral growth) 성장판(골단판)에서 연골의 싱장으로 최종적으로 뼈로 대체됨.

연골모세포(chondroblasts) 연골을 생성하는 세포.

연동(peristalsis) 소화관 벽 민무늬근(평활근)의 수축으로 음식물을 밀어내는 과정.

연수[medulla (nervous system)] 중뇌의 하부 영역으로, 상행 신경로 및 하행 신경로의 전도 경로로서 기능한다.

연수호흡중추(medullary respiratory center) 연수의 등쪽 및 배쪽 호흡집단과 교뇌의 호흡집단.

연질막(pia mater) 뇌와 척수를 감싸는 세 개의 뇌막의 가장 안쪽 막 ; 뇌와 척수에 직접 붙어있다.

열공탈장(hiatal hernia) 식도 구멍의 약화로 위가 가로막(횡격막) 상부로 빠져나가서, 위산 역류로 인한 가슴쓰림을 유발한다.

열발산(thermolysis) 인체에서 열을 증발시키는 정상 인체 기전.

열상(laceration) 찢기고, 긁히고, 베어서 생기는 매끈하거나 들쭉날쭉한 경계면을 가진 상처.

염기(bases) 수소이온과 결합하는 이온을 해리하는 전해질.

염산(hydrochloric acid) 위의 벽세포에서 생성되는 산으로 소화를 돕는다.

염색질(chromatin) 세포내 염색체가 들어있는 단백질.

염색체(chromosomes) 세포 핵내 DNA를 섬유와 단백질을 포함하는 구조로 유전정보를 가지고 있다; 체세포는 23쌍의 염색체로 구성.

염증반응(inflammatory response) 자극이나 상해에 대한 인체 조직의 반응; 통증, 부종, 발적, 열감을 특징으로 한다.

엽(lobes) 대뇌의 각 반구 내의 구역; 각 뇌엽은 위를 덮고 있는 머리뼈(두개골)의 이름을 따른다.

영양막(trophoblast) 접합체에서 바깥쪽 세포들의 무리로, 태반으로 발달한다.

영양소(nutrients) 탄수화물, 지질, 단백질, 비타민, 무기질, 물.

예르가손 검사(Yergason test) 이두근 힘줄염 여부를 평가하기 위해, 저항에 반해서 아래팔(전완)을 회외시킴.

예비흡기량(inspiratory reserve volume) 강제흡기로 인해 폐로 들어가는 부가적 공기.

오금동맥(슬와동맥, popliteal artery) 무릎에서 넙다리동맥(대퇴동맥)의 연장.

오금정맥(popliteal vein) 전·후 정강정맥(경골정맥)이 무릎에서 합쳐져서 형성된 정맥.

오른림프관(right lymphatic duct) 두 개의 집합관 중에서 더 작은 관; 머리목부(두경부) 우측, 우측 팔(상지), 우측 가슴에서 오는 림프를 받아들인다.

옥시토신(oxytocin) 임신 중 자궁 민무늬근(평활근)의 수축을 일으키고, 수유시 모유 분비를 가능하게 하는 호르몬.

온종아리신경(총비골신경, common peroneal nerve) 종아리의 주요 신경; 외측 종아리와 발등에 감각 및 엉덩관절폄근(고관절 신전근), 무릎 굽힘근(굴곡근), 발등 굽힘근(굴곡근), 발가락 폄근(신전근)에 운동을 지배한다.

왜소증(dwarfism) 성장호르몬 결핍에 의한 발육의 저해.

외근(extrinsic muscles) 부착되는 부위에서 기시하지 않는 근육.

외분비샘(exocrine galnds) 체외로 배출하기 위한 화학물질을 분비하는 샘.

외비공(external nares) 비강에 외측 구멍; 콧구멍.

외세포액[extracellular fluid (ECG)] 세포 밖 액체로, 인체 나트륨 대부분이 있음; 체중의 15%를 차지함.

외세포의(extracellular) 세포막 밖에 위치한 물질.

외안운동(extraocular movements) 다양한 방향으로의 눈의 운동.

외요도공(external urethral orifice) 남성 요도 말단에 좁은 구멍.

외이(external ear) 귀의 세 가지 해부학적 부위 중 하나; 귓바퀴, 바깥귀길(외이도), 고막의 외부를 포함한다.

외이도(ear canal) 외부 대기에서 고막으로 이어지는 공간; external auditory canal.

외이도(external acoustic meatus) 바깥귀길(외이도)이 들어있는 관자뼈(측두골)의 구멍.

외이도(external auditory canal) 음파가 고막으로 전달되기 전에, 귓바퀴가 음파를 받는 부위; ear canal.

외전(abduction) 사지가 정중선으로 부터 멀어지는 방향으로 움직이는 것.

외전신경(abducens nerve) 눈알(안구)의 외직근을 지배하는 6번 뇌신경(외측 운동).

외측 척수시상로(lateral spinothalamic tracts) 통증과 온도에 대한 정보를 뇌로 전달하는 상행로.

외측(lateral) 해부학적 자세에서 정중앙으로부터 멀어지며 위치하는 것.

외측복사(lateral malleolus) 종아리뼈(비골) 원위부 말단; 발목 관절의 외측 벽을 형성.

외포작용(exocytosis) 소포내 축적된 물질을 세포 외부로 방출.

외피(integument) 체표면을 덮고 있는 피부.

외피계(integumentary system) 피부, 손발톱, 모발, 땀샘, 피지샘 등을 포함하는 신체의 외부 표면.

외회전(external rotation) 사지를 정중앙선에서 멀어지는 방향으로 회전.

요골(radius)　아래팔(전완)에서 외측의 짧은 뼈.

요골신경(radial nerve)　위팔(상완)의 주요 신경들 중 하나; 팔꿈치의 신전, 위팔(전완)의 회외, 그리고 손목, 손가락, 엄지의 신전을 담당하는 근육들을 지배한다.

요관(ureters)　콩팥(신장)에서 방광으로 소변을 운반하는 한 쌍의 두꺼운 벽을 가진 관.

요도(urethra)　방광에서 체외로 소변을 배출하는 관 구조.

요도막부분(membranous urethra)　남성 요도의 세 부위 중 하나; 전립선에서 음경 바닥까지 이어진다.

요도염(urethritis)　요도의 세균 감염.

요도해면체(corpus spongiosum)　남성 요도를 감싸는 발기 조직.

요도해면체부분(spongy urethra)　남성 요도의 세 부위 중 하나; 음경의 해면체 내부에 위치하고, 외요도공에서 끝난다.

요붕증(diabetes insipidus)　매우 다량의 희석된 소변의 생성을 일으키는 뇌하수체 질환으로 환자는 극심한 갈증을 호소한다.

요석증(urolithiasis)　콩팥(신장) 결석.

요세관분비(tubular secretion)　세관주위 모세혈관내 혈액에서 신세관으로 물질의 이동 과정.

요세관재흡수(tubular reabsorption)　요세관액에서 세관주위 모세혈관내 혈액으로 물질이 이동하는 과정.

요추(lumbar vertebrae)　허리의 다섯 개 척추.

요추천자(lumbar puncture)　척추관을 통해 지주막하 공간으로 주사바늘을 넣어서 뇌척수액 검체를 얻는 방법.

용골(carina)　기관이 오른쪽과 왼쪽 주기관지 양갈래로 나뉘는 부위에 위치한 기관연골의 능선모양 돌출부.

용질(solutes)　용매(solvent)에 용해된 입자; 예를 들어, 소금.

운동 미로계(kinetic labyrinth system)　위치, 균형, 움직임을 인지하는데 관여하는 두 가지 기전 중 하나로, 머리의 움직임을 감지한다.

운동단위(motor unit)　운동신경세포와 그 세포가 조정하는 근섬유.

운동범위[range of motion (ROM)]　관절이 움직일 수 있는 최대의 거리.

운동성(motility)　소화기를 통한 물질의 이동을 일으키는 움직임.

운동신경(motor nerves)　뇌에서 근육으로 명령을 전달하는 신경; 날신경(원심신경)이라고도 지칭.

운동신경세포(motor neuron)　자극을 근육세포로 전달해서 수축을 일으키는 특수한 신경세포.

운동종말판(motor end plate)　신경 충격을 근육으로 전달하는 운동신경세포의 편평한 말단부.

움(crypts)　주름창자(결장)에 있는 관상샘으로, 점액을 생산하는 술잔세포를 많이 가지고 있다.

원소(elements)　탄소, 수소, 산소처럼 물질을 구성하는 기본 성분.

원위(distal)　몸통으로부터 멀어져서 사지 말단부를 향하는 방향으로 위치하는 것.

원위(신장단위)[distal (nephron)]　콩팥(신장)단위의 두 가지 복합 부위 중 하나; 소변을 집합관으로 보내고, 집합관에 모인 소변은 신배로 이동한다.

원인대(round ligaments)　자궁을 지지하는 몇 개의 인대 중 하나.

원자 번호(atomic number)　원자 핵내 양자의 수.

원자(atoms)　원소의 가장 작은 완전한 구성요소이며, 크기, 무게, 원자간 상호작용에서 다양성을 지닌다.

원자량(atomic weight)　원자 핵 내부의 양자와 중성자의 개수

원주상피(columnar epithelium)　길고 얇은 상피세포의 층.

원형질(protoplasm)　세포내 구조물을 지탱하고 내세포 수송의 매개체를 공급하는 점액성 구조; 세포질(cytoplasm)이라고도 칭한다.

월경주기(menstrual cycle)　월경의 전체 월간 주기로 대략 28일 소요.

위(stomach)　가로막(횡격막) 아래, 복부 좌상 사분역에 위치한 이완될 수 있는 장기.

위빗근(superior oblique muscle)　눈알(안구)의 하방 주시를 조절하는 근육.

위억제 펩타이드(gastric inhibitory peptide)　위 분비와 운동 모두를 억제하는 호르몬.

위염(gastritis)　흔히 벽세포에서 위산의 과다생성에 의해 야

기되는 위의 자극 상태.

위오목(gastric pits) 위 점막에 무수히 분포하는 오목한 부위; 함입이라고도 부름.

위장관계[gastrointestinal (GI) system] 음식불의 섭취, 소화, 배설의 과정에 관여하는 구조 및 장기로 구성된 계통; 소화계 또는 위장관 이라고도 칭함.

월리스고리(circle of Willis) 앞/중간/뒤 대뇌동맥과 앞교통동맥의 상호연결; 대뇌 곁순환의 중요 근원.

유관동(lactiferous sinuses) 유선에서 모유가 저장되는 부위.

유기(organic) 반드시 탄소와 수소 원자를 포함.

유기체(organism) 다양한 기관계로 구성된 하나의 생명체.

유돌기(mastoid process) 귀 뒤쪽 머리뼈(두개골) 기저부에 튀어나온 뼈.

유두(nipple) 유방에서 유륜에 의해 둘러싸인 외부로 돌출된 부위.

유륜(areola) 유두 주변의 색깔을 띠는 고리.

유륜샘(areolar glands) 수유시 유두와 유륜을 보호하는 분비물을 생산하는 샘.

유리체액(vitreous humor) 수정체와 망막사이 후방에 있는 젤리와 같은 물질.

유방(breasts) 모유를 생산하는 기관을 포함하는 구조.

유방암(breast cancer) 유방의 암.

유방인대(mammary ligaments) 유선을 지지하는 구조.

유방조영술 선별검사(mammography screening) 유방암 조기진단을 위한 방사선 선별검사.

유사분열(mitosis) 세포핵내 염색체 분열.

유선(lacteal) 각 융모에 포함된 모세혈관 및 림프의 통로.

유선(mammary glands) 유방에서 모유를 생성하는 기관.

유수신경(myelinated nerves) 슈반세포에 의해 생성된 말이집(수초)에 의해 둘러싸인 축삭.

유전(heredity) 부모에서 자손으로, 주로 DNA와 RNA를 통해서 소질(성향)과 특성이 전달되는 것.

유전상담(genetic counseling) 2세에서 특정 유전질환이 발현될 가능성이 있는 부부를 상담하는 의학적 과정.

유전자(genes) 유전의 기본 단위로 세포를 형성하고 조절하는 기전에 대한 정보를 저장하고 내보낸다.

유전자형(genotype) 타고난 소질(성향)에 대한 유전자의 조성.

유전질환(genetic diseases) 유전자 이상으로 발생하는 질환.

유전체(genomes) 염색체 내용물.

유전학(genetics) 유전에 대해 연구하는 학문.

육안 해부학(gross anatomy) 육안으로 식별되는 신체 부위에 대한 해부학(뼈, 근육, 장기등).

윤상주름(plicae circulares) 소화관의 긴 축에 직각으로 둘러 있는 원형의 주름으로, 흡수를 위한 표면적을 증가시킨다.

윤활낭(bursae) 힘줄과 뼈 사이에 액체로 차있는 작은 주머니로서, 서로 마찰되는 두 표면에 윤활작용을 함.

윤활액(synovial fluid) 윤활기능을 하는 관절내 소량의 액체.

융모(villi) 돌림주름(윤상주름)내에 손가락 모양의 돌출부.

으뜸세포(Chief cells) 음식물 소화에 중요한 효소인 펩시노겐을 생산하는 위점막 세포.

음경 망울(bulb of the penis) 음경 기저부에서 확장되는 해면체의 영역.

음경(penis) 요도가 통과하는 남성 외부생식기.

음경꺼풀(포피, foreskin) 음경귀두를 덮고 있는 피부의 느슨한 주름.

음경다리(crus of the penis) 확장된 해면체에 의해 형성된 음경 기저부의 영역.

음낭(scrotum) 음경 뒤쪽으로, 아래배부위(하복부)에서 늘어진 피부와 피하조직의 주머니.

음낭근(dartos muscle) 음낭 내 피부근층으로 추운 날씨에 수축하여, 피부를 단단하고 주름지게 만든다.

음문(vulva) 여성 외부 생식기; 대음순, 소음순, 음핵, 전정선을 포함한다.

음성 되먹임(negative feedback) 필요한 호르몬 효과에 도달하면, 다시 필요할 때까지는 더이상의 호르몬 생산이 억제되는 것을 말한다; 되먹임 억제라고도 지칭한다.

음이온(anion) 음극성을 띠는 이온.

음핵(clitoris) 여성에서 소음순의 전면 이음부에 위치한 발기 조직과 신경의 작은 원기둥 모양 덩어리; 남성의 음경귀두와 유사하다.

<u>응고</u>(coagulation)　혈액응고; 피떡(혈병)의 생성.

<u>이갈이</u>(bruxism)　위쪽 치아와 아래쪽 치아를 함께 가는 것.

<u>이당분해효소</u>(disaccharidases)　당을 분해하는 효소.

<u>이명</u>(tinnitus)　외부환경의 요인 없이, 속귀(내이)에서 소리를 감지함; 흔히 귀가 울린다고 표현, 으르렁거리거나, 윙윙대거나, 딸깍대는 소리로 들릴 수도 있음.

<u>이배수체</u>(diploid)　23개 염색체를 모두 두 개씩 가지고 있는 세포−아버지와 어머니로 부터 각각 하나씩.

<u>이산화탄소분압</u>[partial pressure of carbon dioxide (Pa CO$_2$)]　혈액내 이산화탄소 비율의 측정값.

<u>이석</u>(otoliths)　속귀(내이) 이석막의 젤라틴 단백질 내의 작은 탄산칼슘으로 만들어진 돌; 움직임의 감지를 돕는다.

<u>이석막</u>(otolithic membrane)　속귀(내이) 내부의 막; 이석을 포함하고 움직임의 감지를 돕는다.

<u>이온</u>(ions)　전자를 얻거나 잃은 원자.

<u>이온통로</u>(ion channels)　세포막을 관통하는 구멍(pore)을 형성하여 전자의 이동을 담당하는 단백질 분자.

<u>이음뼈, 이음구조</u>(girdles)　사지를 몸통에 부착시키는 뼈구조[엉덩관절(고관절), 어깨].

<u>이차기관지</u>(secondary bronchi)　좌, 우 주기관지가 나뉘어져 형성하는 호흡기도.

<u>이차면역반응</u>(secondary immune response)　혈장 내에 항체가 집중되어 나타나는 반응으로, 대개 항원 노출 5~10일 이후 일어난다.

<u>이행상피</u>(transitional epithelium)　장력에 따라 외형이 변하는 조직; 방광, 요관, 상부 요도를 따라 분포.

<u>이형접합</u>(heterozygous)　한 소질에 대해 두 개의 서로 다른 대립유전자를 가지는 유기체.

<u>인대</u>(ligaments)　뼈와 뼈를 연결하는 섬유화 조직의 띠; 관절을 지탱하고 강화함.

<u>인두</u>(pharynx)　입 뒤쪽 공간으로 식도로 연결됨; 목구멍.

<u>인두편도</u>(pharyngeal tonsils)　편도를 구성하는 세 쌍의 림프 기관 중 하나; 코안(비강)의 안쪽 구멍 부근에 위치하여, 입과 코로 유입된 박테리아로부터 인체를 보호한다. 다른 이름은 아데노이드(adenoid).

<u>인슐린</u>(insulin)　대사와 혈중 포도당 수치의 조절에 필수적인 이자(췌장) 호르몬.

<u>인지질</u>(phospholipid)　세포막을 구성하는 지질 분자의 한 유형.

<u>일과성 허혈발작</u>(transient ischemic attack)　24시간 이내로 지속되는 신경학적 손상 상태로, 뇌졸중이 곧 발생한다는 경고 징후이다.

<u>일자궁근육층</u>(myometrium)　자궁벽의 두꺼운 중간 근육층.

<u>일차면역반응</u>(primary immune response)　특정 항원과 반응하도록 특화된 B세포 또는 T세포가 그 항원을 처음 접한 후에 활성화되는 과정으로 수주일 동안 지속된다.

<u>일차호흡성산증</u>(primary respiratory acidosis)　불충분한 호기시 이산화탄소 배출로 인한 혈액내 pH의 감소.

<u>일차호흡성알칼리증</u>(primary respiratory alkalosis)　과도한 호기시 이산화탄소 배출로 인한 혈액내 pH의 증가.

<u>일회박출량</u>(stroke volume)　심실이 한 번 수축할 때 방출되는 혈액의 양.

<u>일회호흡량</u>(tidal volume)　호흡 깊이의 측정치; 일회 호흡주기 동안 들이마시고 내쉰 공기의 양.

<u>임신</u>(gestation)　수정 후 태아 발달의 과정.

<u>임신</u>(pregnancy)　자궁내막에 착상으로 시작하여, 세 단계의 석달(각 3개월씩)로 이루어진다.

<u>입방상피</u>(cuboidal epithelium)　정사각형 모양 상피세포의 층.

<u>입벌림장애</u>(trismus)　입의 불수의적 수축으로 인해 이를 악무는 현상; 발작이나 두부외상에서 나타난다.

<u>입인두</u>(oropharynx)　구강의 뒤쪽을 형성하는 관모양 구조로, 입 뒤쪽부터 식도와 기도까지 연결되어 있다.

<u>자가면역</u>(autoimmunity)　인체가 자기 조직을 공격하는 비정상 면역 반응.

<u>자가분비</u>(autocrine)　하나의 인자와 그에 대한 수용체의 세포내 생성을 통한 자가 자극을 말한다.

<u>자가항체</u>(autoantibodies)　인체 내에서 자기 세포 또는 세포 산물에 반응해서 생성되는 항체.

<u>자궁</u>(uterus)　여성에서 태아가 자라는 근육형 장기; 방광과 곧창자(직장) 사이에 위치함.

<u>자궁경부</u>(cervix)　자궁에서 질로 연결되는 가장 좁은 부위.

자궁관술(fimbriae)　구멍(ostium)을 감싸고 있는 난관 끝에 길고 얇은 손가락 모양 돌기.

자궁내막(endometrium)　자궁벽의 안쪽 층.

자궁외막(perimetrium)　자궁벽 바깥층을 이루는 장막층.

자궁외임신(ectopic pregnancy)　난자가 자궁내막 이외의 부위에 착상하는 임신.

자궁천골인대(uterosacral ligaments)　자궁을 지지하는 몇개의 인대 중 하나.

자발성(automaticity)　심장 세포가 휴지기에 있는 상태로, 세포내 자발적인 자극의 생성을 기다리는 중이다.

자율신경계(autonomic nervous system)　수의적 조절 없이 작용하고, 내부 장기, 샘, 민무늬근(평활근)의 기능을 조절하는 신경계의 한 부분; 교감신경계와 부교감신경계로 구성.

자쪽피부정맥(basilic vein)　팔에 두 개의 주요 정맥 중 하나; 노쪽피부정맥과 결합하여 겨드랑정맥(액와정맥)이 된다.

작용제(agonist)　견인차; 수축해서 원하는 운동의 대부분을 가능하게 하는 근육.

잔기둥(trabeculae)　해면골의 망상 구조를 이루는 뼈 막대; 엉덩뼈(장골)의 체중부하 능력을 증대.

잔기량(residual volume)　최대한의 호기 후에 폐와 호흡기도에 남아있는 공기의 양.

잡음(bruit)　비정상적으로 쉭하는 소리; 좁아진 혈관내 와류를 나타냄; 대개는 목동맥(경동맥)에서 들림.

잡음(murmur)　비정상적인 심장 소리로 쉭하는 소리가 들림; 심장내 혈액의 난류를 나타냄.

장간막 경색증(mesenteric infarction)　창자간막(장간막)동맥 폐색으로 인한 장 일부의 괴사 상태.

장간막 협심증(mesenteric angina)　죽상동맥경화로 인한 창자간막(장간막)동맥의 부분 폐쇄에 기인한 통증.

장간막(mesenteries)　복부 장기를 제자리에 고정하고, 장기로 가는 혈관과 신경의 통로를 제공하는 복막의 일부.

장골(long bones)　넓이보다 길이가 간 뼈의 유형.

장골[ilium (musculoskeletal system)]　골반륜을 이루는 세 개의 뼈 중 하나.

장막(serosa)　장의 가장 바깥쪽 층.

장막(serous membranes)　체강 내벽을 따라 분포하는 막으로 외부로의 통로는 없음.

장막심장막(serous pericardium)　심장막의 내측 막.

장층(visceral layer)　장막심장막의 두 층 중의 하나로 심장에 가까이 붙어 있음; 심외막이라고도 지칭한다.

재분극(repolarization)　이온이 세포벽을 통해 이동하여 분극 상태로 돌아가는 과정.

재형성(remodeling)　일부 세포는 활발하게 분열하고 다른 세포는 죽어서 새로운 세포로 교체되는 지속적인 세포 재생의 과정.

저나트륨혈증(hyponatremia)　혈청 나트륨 수치 135 mEq/L 미만.

저산소증(hypoxia)　조직에 도달하는 산소의 결핍.

저작(mastication)　씹기.

저체온-(증)(hypothermia)　낮은 체온.

저칼륨혈증(hypokalemia)　혈액 내 칼륨 부족.

저칼슘혈증(hypocalcemia)　부갑상샘 기능의 손실로 인한 혈액내 칼슘 수치의 감소 상태로, 심한 경우 생명에 위협을 줄 수 있다.

저혈당(hypoglycemia)　비정상적으로 낮은 혈당 수치.

적응 (특이) 방어 면역[adaptive (specific) defense 면역]　특정 병원체를 표적으로 하고, 선천면역보다 천천히 일어난다.

적혈구(erythrocytes)　조직으로 산소를 수송하는 원반형 세포.

적혈구(red blood cells)　산소를 포함한 기체를 운반하는 세포.

적혈구생성(erythropoiesis)　적혈구가 만들어지는 과정.

적혈구용적률(헤마토크리트, hematocrit)　전체 혈액 중 적혈구가 차지하는 부피.

전경 삼각(anterior triangle)　목빗근(흉쇄유돌근), 목의 전방 정중선, 아래턱뼈(하악골)의 하부 경계선으로 둘러싸인 목의 부위.

전근(ventral root)　척수 신경의 두 근(root) 중 하나로, 6~8개의 세근(잔뿌리)으로 형성된다.

전도율(conductivity)　심장 세포가 전기 자극을 전도하는 능력.

전두골(frontal bone)　이마와 코안(비강) 지붕의 일부를 이루는 뼈.

전두엽(frontal lobe)　수의근 운동과 인격 성향에 중요한 뇌 부위.

전립선(prostate gland)　남성의 요도가 방광에서 나오는 구획을 둘러싸고 있는 작은 샘; 사정액의 일부인 액체를 분비한다.

전립선요도(prostatic urethra)　남성 요도의 세 부위 중 하나; 전립선을 따라 지나간다.

전립선특이항원[prostate-specific antigen (PSA)]　전립선암의 진단에 사용되는 혈액 검사.

전방(anterior chamber)　수정체와 각막 사이, 눈방수로 채워진 눈알(안구)의 전방부 영역.

전방(anterior)　해부학적 자세에서 정면 또는 몸의 앞쪽.

전위 골절(displaced fracture)　뼈조각이 분리되어 해부학적 정렬에서 벗어난 골절.

전이(metastasize)　한 부위에서 다른 부위로 질병이 확산되는 것; 주로 여러 유형의 암에서 볼 수 있다.

전자(electrons)　원자의 핵 궤도를 돌면서 음전하를 띠는 물질.

전정(귀)[vestibule (ear)]　달팽이 뒤쪽, 반고리뼈관 앞쪽의 미로 중앙 부위.

전정(질)[vestibule (regina)]　질과 요도 구멍 사이의 공간.

전정선(vestibular gland)　질 입구 양쪽에 위치하는 두개의 샘 중 하나; 전정으로 점액을 분비하여, 음경의 삽입을 위해 질을 축축하고 매끄럽게 한다.

전정척수로(vestibulospinal tracts)　불수의적 운동에 관여하는 히행로.

전주와(antecubital fossa)　팔꿈치를 구부릴 때 앞쪽 표면.

전층화상(full-thickness burns)　피하조직과 함께 때로는 뼈, 근육, 내부장기까지도 침범하는 화상; 3도 화상.

전하행관상동맥[anterior descending (LAD) coronary artery]　왼심장동맥(좌관상동맥)의 두 가지 중 하나.

전해질(electrolytes)　용매에 용해될때 이온 전도체가 되는 염분 또는 산성 물질; 혈액내 용해된 화학물.

절개(incision)　작은칼(scalpel)과 같은 날카로운 물체를 사용해서 매끈하게 자르는 것.

절구(acetabulum)　외측 골반의 함몰 부위로, 세 개의 뼈가 결합하여 넙다리뼈머리(대퇴골두)와 관절을 형성함.

절단(amputation)　신체 일부과 완전히 잘리거나 떨어져 나가는 것.

절대불응기(absolute refractory period)　세포가 높은 농도의 이온을 포함하여 탈분극되도록 자극될 수 없는 재분극 초기.

점막(mucosa)　소화관 각 부위 내강의 가장 안쪽 층; 샘, 림프조직, 혈관에 풍부하다.

점막하층(submucosa)　위장관계에서 점막의 바로 다음 층으로, 혈관과 림프관을 포함한다.

점액(mucus)　소화와 연관되어, 음식물 입자에 부착되어 연하과정을 매끄럽게 해주는 걸쭉한 액체.

접합체(zygote)　정자와 접촉한 후 형성된 큰 수정란 세포; 자손이 되는 첫번째 세포로, 아버지로부터의 23개의 염색체와 어머니로부터의 23개 염색체를 받는다.

접형골/나비뼈(sphenoid bone)　머리뼈 기저부의 전방 부위.

정관(vas deferens)　고환의 정관.

정관절제술(vasectomy)　양쪽 정관을 외과적으로 잘라서 묶어주는 피임의 형태.

정낭(seminal vesicles)　정자와 정액을 저장하는 주머니로 전립선에서 요도로 연결된다.

정맥(veins)　혈액을 다시 심장으로 되돌리는 혈관.

정맥굴(venous sinuses)　뇌를 감싸는 막들 사이의 공간으로 뇌 정맥 환류의 주요 수단이다.

정맥염(phlebitis)　정맥 벽의 염증; 종종 정맥주사선에 의해 발생하고, 이환된 정맥을 따라서 압통, 발적, 부종의 형태로 나타남.

정삭(spermatic cord)　고환동맥, 정맥얼기, 림프관, 신경, 결합조직, 고환올림근 등으로 구성된 끈 모양의 조직.

정상균무리(normal flora)　위장관, 질, 피부, 입안(구강)과 코안(비강) 등 인체 특정 부위에 서식하는 세균; 항상성 유지를 돕는다.

정세관(seminiferous tubules)　고환의 각 소엽 내부에 무수히 꼬여있는 구조; 정세관은 망상의 통로, 관을 형성하여 부고환으로 합쳐진다.

정액(semen)　음경에서 사정되는 정자를 포함한 액체.

정자(sperm cells)　고환에서 생성되는 남성 생식세포; Spermatozoa.

정자(spermatozoa)　고환에서 생성되는 남성 생식세포; sperm.

정자발생(spermatogenesis)　정자가 형성되는 과정.

정적 미로계(static labyrinth system)　균형과 움직임을 인지하는데 관여하는 두 가지 기전 중 하나로, 중력에 대한 머리의 위치 및 선형 가속/감속을 감지한다.

정적평형(static equilibrium)　머리와 몸이 움직이지 않을 때 균형을 유지하는 것.

정중면(midsagittal plane)　정중선(midline)이라고도 하며, 관상면에 직각으로 배꼽을 관통하는 면.

정중신경(median nerve)　아래팔(전완)의 회내근과 손목, 손가락, 엄지손가락의 굴곡근을 지배하는 팔신경얼기의 신경.

젖산(lactic acid)　산소 없이 대사가 진행될 때, 포도당 분해의 최종 대사산물.

조임근(괄약근, sphincters)　입구를 둘러싸는 근육의 고리.

조직(tissues)　함께 작용하는 일련의 유사한 세포.

조직플라스미노겐활성제(tissue plasminogen activator)　이미 형성된 혈괴의 용해 또는 파괴를 유도하는 섬유소용해계의 중요 성분; 플라스미노겐을 플라스민으로 전환시켜 작용함.

조혈(hematopoiesis)　골수에서 혈액세포를 생성하는 과정.

족근골(tarsals)　발목의 뼈; 안쪽쐐기뼈, 중간쐐기뼈, 가쪽쐐기뼈, 발배뼈(주상골), 입방뼈(입방골), 목말뼈(거골), 발꿈치뼈(종골).

족저근막염(plantar fasciitis)　발꿈치뼈(종골)에서 발허리뼈 머리(중족골두)로 이어지는 결합조직의 염증.

종 저항성(species resistance)　한 종(species)이, 다른 종에게는 영향을 주는 특정 질환에 대해 저항하는 선천(비특이) 방어.

종격(mediastinum)　가슴부위(흉부) 중앙의 양측 폐 사이 공간으로 심장, 기도, 주기관지, 식도 일부, 대혈관을 포함.

종열(세로틈새, longitudinal fissure)　대뇌의 좌, 우 반구를 분리하는 갈라진 틈.

종자층(stratum germinativum)　표피의 가장 안쪽 층.

좌골(ischium)　골반륜을 이루는 세 개의 뼈 중 하나.

좌골신경(sciatic nerve)　온종아리신경(총비골신경)과 정강신경(경골신경)의 조합에 의해 형성된, 인체내 가장 긴 말초신경.

좌골신경통(sciatica)　궁둥신경(좌골신경) 또는 허리신경뿌리(요추신경근)의 자극으로 발생하는 등에서 엉덩이, 다리, 발로 이어지는 통증 및 근력의 약화.

주기관지(mainstem bronchi)　후두 아래쪽 하기도의 일부분, 공기가 폐로 들어가는 부위.

주름(rugae)　위벽의 두꺼운 주름.

주름창자띠(teniae coli)　큰창자벽(대장벽)의 세로 근육층의 일부로, 큰창자(대장)의 둘레를 둘러싼다.

주변분비(paracrine)　호르몬의 효과가 국소적 환경에 제한되는 것.

죽상동맥경화증(atherosclerosis)　동맥 내막에 플라그(대부분 지질과 콜레스테롤) 형성을 특징으로 하는 질환.

중간막(tunica media)　혈관벽 중간의 가장 두꺼운 조직층; 탄력조직과 민무늬근(평활근)세포로 구성되어, 혈압의 변화와 조직의 요구에 따른 혈관의 이완 및 수축을 가능하게 한다.

중격(septum)　좌심방/좌심실을 우심방/우심실과 분리하는 단단한 벽의 구조.

중성자(neutrons)　원자 핵 내부의 전기적으로 중성인 입자.

중쇠뼈(axis)　제 2목뼈(경추), 머리의 회전을 가능하게 하는 지점.

중수골(metacarpals)　손바닥의 뼈.

중심소체(centrioles)　세포분열에 필수적인 세포소기관

중앙 추간판탈출(central disk herniation)　가장 심각한 추간판 파열로서, 추핵이 척추관으로 직접 튀어나와 발생하며, 신경을 압박하여 신경학적 손상을 초래할 가능성이 있음.

중이(middle ear)　귀의 세 가지 해부학적 부위 중 하나; 고막의 내부와 귓속뼈를 포함한다.

중족골(metatarsals)　발바닥의 뼈; 발의 아치를 형성.

중추신경계(central nervous system)　뇌와 척수.

중층상피(stratified epithelium)　한 층 이상의 상피세포로서, 이중 단 한 층만이 기저막과 접하고 있음.

중탄산염 이온(bicarbonate ions)　탄산과 연관된 이온; 이산화탄소 수송 기전에 의해 생성된다.

지방 조직[adipose (fat) tissue]　대량의 지방을 포함하는 결합조직의 한 유형.

지주막(arachnoid)　뇌와 척수를 감싸는 세 가지 뇌막에서 중

간막.

지주막하 공간(subarachnoid space) 연막(연질막)과 거미막(지주막) 사이의 공간으로, 뇌척수액이 들어있다.

지주막하 출혈(subarachnoid hemorrhage) 거미막(지주막) 아래쪽 뇌 조직으로의 출혈.

지지인대(suspensory ligament) 난소를 제자리에 고정하는 두 가지 인대 중 하나.

지질(lipids) 지방, 인지질(phospholipid), 스테로이드, 기름 등으로 체내 에너지를 공급

지질분해효소(리파제, lipases) 지방을 분해하는 이자(췌장) 효소.

지혈(hemostasis) 피덩이의 형성(혈액응고)에 의한 출혈의 통제.

직장(rectum) 큰창자(대장)의 원위부로 항문관에서 끝난다.

직장정맥얼기(hemorrhoidal plexus) 항문관 내부를 덮고 있는 큰 정맥들.

직혈관(vasa recta) 헨레고리를 둘러싸는 일련의 세관주위 모세혈관들; 헨레고리의 하지와 상지를 통과한 수분이 직혈관으로 이동한다.

진폐증(black lung disease) 지속적인 석탄가루 흡입에 의해 발생하는 폐질환.

진피(dermis) 털주머니(모낭), 땀샘, 신경 말단, 혈관등을 포함하는 피부 안쪽 층으로, 피하조직 바로 위에 위치한다.

질(vagina) 자궁에서 외공까지 이어지는 여성 생식계내의 관. 산도의 하부, 또한 월경시 혈액과 성교시 음경의 통로이다.

질염(vaginitis) 감염에 의한 질의 염증.

집합관(collecting ducts) 가슴림프관(흉관)과 오른림프관.

짧은모음근(adductor brevis) 허벅지를 내전시키는 짧은 근육.

찰과상(abrasion) 문지르거나 긁혀서 피부 바깥층 또는 점막이 손실되는 손상.

처녀막(hymen) 질 입구를 부분적으로 덮고 있는 점막의 주름.

척골(ulna) 아래팔(전완)에서 내측에 더 긴 뼈.

척골신경(ulnar nerve) 팔목과 손가락의 굴곡, 손가락과 엄지(모지)의 외전 및 내전을 담당하는 근육을 지배하는 팔신경.

척수(spinal cord) 뇌의 연장으로, 뇌와 몸 전체 사이에서 정보를 전달하는 사실상 모든 신경으로 구성된다; 척주관의 내부에 위치하여 척주관에 의해 보호된다.

척수강(spinal cavity) 등골(척수)을 지니고 있는 척추 또는 척추관.

척수소뇌로(spinocerebellar tracts) 몸의 자세에 대한 정보(고유감각)를 소뇌로 전달하는 상행로.

척수신경(spinal nerves) 중추신경계와 인체 부위 사이에서 감각 및 운동 메시지를 주고 받는 31쌍의 신경.

척주(vertebral column) 척추, 즉 몸의 일차 지지구조; 등골(척수)과 밀초신경이 들어 있음.

척주관(vertebral canal) 척추뼈에 의해 형성된 관으로, 등골(척수)을 품어서 보호한다.

척추반사궁(spinal reflex arcs) 자극에 대한 자동 반응으로, 등골(척수) 내부 신경로에 의해 중개되어 의식적 사고 없이 일어난다.

척추뼈고리(vertebral arch) 척추뼈 후방부로, 뼈 돌기, 관절면, 뿌리를 포함.

척추뼈구멍(vertebral foramen) 등골(척수)에서 척수신경이 통과해서 나가는 구멍.

척추전만(lordosis) 엉덩이 바로위 허리뼈(요추)의 안쪽으로 향하는 곡선; 심한 경우, 척추전만증.

척추천자(spinal tap) 척추관을 통해 지주막히 공간으로 수사바늘을 넣어서 뇌척수액 검체를 얻는 방법.

척추측만증(scoliosis) 척추가 옆으로 구부러진 변형.

척추후만(kyphosis) 등뼈(흉추)의 바깥쪽으로 향하는 곡선.

천골(sacrum) 골반륜을 이루는 세개의 뼈 중 하나; 5개의 천추가 유합되어 형성.

천문, 숫구멍(fontanelles) 영아 머리뼈(두개골)에서 뼈사이 봉합선이 완전히 닫히지 않은 부위.

천식(asthma) 하기도의 만성 염증상태로, 간헐적 천명과 과도한 점액 생성을 일으킨다.

첨판(cusps) 심장 판막을 구성하는 덮개/날개.

체강(body cavities) 장기와 그 계통을 포함하는 인체내 빈 공간.

체세포(somatic cells) 성세포를 제외한 인체내 다른 모든 세포.

체순환(systemic circuit) 산소와 영양소를 체세포로 보내는 동맥과 세동맥.

체신경계(somatic nervous system) 수의적으로 통제되는 활동을 조절하는 신경계의 한 부분.

체액 균형(fluid balance) 액체의 동일한 유입과 유출을 통한 항상성 유지의 과정.

체액면역반응(humoral immune response) 항체가 항원 또는 항원 포함 입자를 파괴하는 면역 반응.

체온조절(thermoregulation) 정상 체온(37℃)의 유지.

체판(cribriform plates) 수평의 뼈로 미세한 구멍이 뚫려있으며, 코안(비강)으로부터 나온 후각신경 미세섬유가 이 구멍을 통과해서 지남.

초경(menarche) 여성 월경 주기의 초기.

초음파(ultrasound) 내부 조직과 장기의 위치 및 모양을 판단하기 위해 음파를 이용하는 특수 장비.

촉각수용기(touch receptors) 촉각을 감지하는 피부 여러 부위의 수용기.

촉매제(catalysts) 스스로는 소비되거나 영구적으로 변화되지 않으면서 화학 반응을 가속화하는 화합물

촉진확산(facilitated diffusion) 수송분자에 의해 고농도에서 저농도로 세포 안팎 물질의 이동이 일어나는 과정.

총폐용량(total lung capacity) 폐활량 + 잔기량.

추간공(intervertebral foramen) 신경이 척주를 빠져나가는 연속되는 척추뼈 사이의 구멍.

추간공(intervertebral foramina) 추체 사이 구멍으로, 등골(척수)에서 나온 척추(말초) 신경이 여기를 통해서 지나감.

추간판(intervertebral disk) 척추의 추체 사이의 섬유화연골 덩어리; 섬유륜과 속질핵으로 구성.

추간판탈출(herniated disk) 섬유륜이 파열되어 속질핵이 빠져나오는 상태로, 흔히 신경근을 압박.

축부(axial region) 머리, 목, 몸통을 포함하는 골격계의 한 부분.

축삭(axons) 신경세포에서 뻗어나가는 길고 얇은 미세섬유로 신경자극을 인접 세포로 전도한다.

충수염(appendicitis) 막창자꼬리(충수)의 염증.

췌장(pancreas) 간과 위 아래에 위치한 편평한 고형 장기로,

이자관(췌장관)을 통해서 샘창자(십이지장)로 소화 효소를 분비하는 소화샘이다; 내분비샘과 외분비샘 두 기능을 가진다.

췌장관(pancreatic duct) 소화 효소가 통과하는 관으로, 온쓸개관(총담관)을 통해서 샘창자(십이지장)의 바터팽대부로 들어간다.

측두골(temporal bones) 머리뼈의 아래쪽과 기저부를 형성하는 뼈.

측두엽(temporal lobe) 청각과 기억에 중요한 역할을 하는 뇌의 일부.

층판(lamellae) 뼈 조직이 구조화되는 얇은 층.

치골(pubis) 골반륜을 이루는 세 개의 뼈 중 하나.

치골궁/두덩활(pubic arch) 두덩뼈(치골)에 의해 형성된 각.

치골근(pectineus muscle) 다리 내측 구획의 심부근육; 허벅지의 내전, 굴곡, 내회전을 담당.

치구(mons pubis) 요도와 질의 입구 전방으로, 두덩결합(치골결합)을 덮고있는 둥근 지방조직.

치밀반(macula densa) 인체 용적 상태를 부분적으로 조절하는 토리(사구체)옆부위의 특수한 관상형 세포들.

치밀뼈(compact bone) 대부분 단단하고 공간이 거의 없는 뼈.

치조궁(alveolar arch) 치아 사이 능선으로, 두꺼운 결합조직과 상피에 의해 덮여 있음; 치조능선(alveolar ridge)이라고도 불림.

치핵(hemorrhoids) 직장정맥얼기내 정맥의 비정상적 확장.

침샘(salivary glands) 타액을 생산하여 구강과 인두를 촉촉하게 유지해주는 샘; 귀밑샘(이하선), 혀밑샘(설하선), 턱밑샘(악하선)을 포함한다.

카르바미노헤모글로빈(carbaminohemoglobin) 이산화탄소와 헤모글로빈의 결합.

카르복시펩티드분해효소(carboxypeptidase) 단백질을 소화시키는 이자(췌장) 효소.

칼로리(열량, calorie) 물 1 g의 온도를 1℃ 올리는데 필요한 열의 양.

칼모듈린(calmodulin) 칼슘과 결합하여 근수축을 일으키는 내세포 단백질.

칼시토닌(calcitonin) 갑상샘의 소포곁세포에 의해 생성되는

호르몬으로, 체내 칼슘 조절에 중요하다.

코눈물관(nasolacrimal duct)　눈물주머니에서 코안(비강) 내로 눈물이 흘러 내려가는 통로.

코르티기관(organ of Corti)　청각의 일차 수용기; 수천 개의 개별 섬모로 이루어지고, 하나의 섬모는 연관된 신경을 각각 가지고 있다.

코르티코스테로이드(corticosteroids)　곁콩팥(부신)에서 분비되는 몇가지 스테로이드.

코인두(nasopharynx)　코안(비강; 입천장 위쪽의 인두); 얼굴뼈들의 조합으로 형성.

코티솔(cortisol)　부신겉질(부신피질)의 다발층에서 분비되는 가장 중요한 코르티코스테로이드; 체내에서 다양한 효과를 가진다.

콘증후군(Conn syndrome)　알도스테론의 과다한 분비를 일으키는 질환으로, 대부분 양성 종양이 원인이다.

콜레시스토키닌(cholecystokinin)　장에서 생성되는 호르몬으로, 이자(췌장) 분비와 쓸개주머니(담낭) 수축을 촉진하고 위 운동을 억제한다.

콜린성(cholinergic)　아세틸콜린을 분비하는 부교감신경계의 섬유를 설명하는 용어.

쿠라레(curare)　신경근 접합부에서 운동신경자극의 전달을 차단하는 물질.

쿠싱증후군(Cushing syndrome)　곁콩팥(부신)에서 코티솔의 과다 생산이 원인인 질환; 비만, 비정상적 모발 성장, 고혈압, 감정 기복, '달덩이 얼굴'이라고 불리는 쿠싱양 얼굴을 특징으로 한다.

크레아틴인산(creatine phosphate)　근수축에 필요한 에너지를 저장하고 공급하는 근조직내 유기 화합물.

큰포식세포(macrophages)　단핵구에서 발달한 세포로 염증 과정에서 제일선 방어를 한다.

키모트립신(chymotrypsin)　단백질을 소화하는 이자(췌장) 효소.

킬로칼로리(kilocalorie)　열 측정의 단위; C로 표기함.

타액 아밀라아제(salivary amylase)　침(타액)의 주효소.

타액(saliva)　침샘에서 생성되는 용액; 녹말과 기타 다당류를 단당으로 분해하고, 입안(구강)을 씻어내며, 세균을 약화시킨다.

타원구멍(foramen ovale)　두 심방 사이 구멍; 태아기에 존재하다가 정상적으로 출생 직후 닫힌다.

타원낭(utricle)　속귀(내이) 막미로의 확장 부위로, 위치와 움직임의 감지를 돕는 특수 조직 판을 가지고 있다.

타원오목(fossa ovalis)　좌, 우 심방 사이 오목하게 들어간 부위; 태아기에 타원구멍이 있던 자리.

타이로글로불린(thyroglobulin)　갑상샘호르몬과 결합하는 단백질.

타이로트로핀(thyrotropin)　갑상샘의 갑상샘호르몬 분비를 조절하는 호르몬; 갑상샘자극호르몬.

타이모신(thymosins)　림프구의 초기 생성 및 분화에 영향을 주는 호르몬.

탄산탈수효소(carbonic anhydrase)　이산화탄소와 물의 반응을 가속화해서 탄산을 생성하는 적혈구내 효소.

탄수화물(carbohydrates)　체세포가 필요로하는 대부분의 에너지를 공급하고 세포 구조의 형성을 돕는 물질(당과 녹말 포함).

탈분극(depolarization)　세포막을 통한 전해질의 급속한 움직임으로, 세포의 전체 전하를 변화시킨다. 전해질과 세포전하의 급격한 변화는 근수축과 신경전달의 주요 촉매제이다.

태반(placenta)　접합체의 영양막세포에서 발달하여, 한쪽은 자궁내막에 부착되고 반대쪽은 배아를 둘러싸는 기관.

태아적혈모구증(erythroblastosis fetalis)　임신한 여성의 혈액형이 태아의 혈액형과 적합하지 않아서, 모체의 항체가 태아의 순환계로 들어가서 태아 적혈구를 파괴할때 발생하는 심각한 질환.

태아청진기(fetoscope)　태아 심음을 청진하는 도구.

탯줄(umbilical cord)　태반과 태아 사이의 연결.

턱관절[temporomandibular joint (TMJ)]　관자뼈(측두골)와 아래턱(하악)의 후방 관절융기 사이의 관절; 턱의 움직임을 가능하게 함.

턱밑샘(submandibular glands)　세 쌍의 침샘 중 한 쌍.

털세움근(arrector pili muscle)　털(모발)의 기저부에 부착된 근육으로, 추위나 위협을 느끼는 상황에서 털(모발)을 피부 표면에 수직 방향으로 당긴다.

테스토스테론(testosterone)　고환에서 생산되는 주요 남성호르몬.

톰슨 검사(Thompson test)　아킬레스건 파열이 의심될 때, 온전성을 평가하기 위해 시행하는 검사.

퇴행성 추간판 질환(degenerative disk disease)　척추사이원반(추간판)의 변형을 가져오는 진행성 관절염.

투명층(stratum lucidum)　표피의 첫 번째 안쪽층으로, 손바닥과 발바닥의 두꺼운 상피에서만 볼 수 있다.

트렌델렌버그 자세(Trendelenburg position)　바로누운(supine) 상태에서 머리가 다리보다 낮게 위치.

트로포닌(troponin)　골격근과 심근의 액틴 미세섬유에 조절 단백질로, 트로포미오신에 부착됨.

트로포미오신(tropomyosin)　근수축과 액틴 관련 다른 역학적 기능을 조절하는 액틴 결합 단백질.

트롬빈(thrombin)　섬유소원을 섬유소로 전환시키는 효소; 혈소판 응괴에 결합하여 최종 성숙 혈괴를 형성한다.

트립신(trypsin)　단백질의 소화를 돕는 이자(췌장) 효소.

틈새이음(gap junctions)　세포들 사이 전도 부위로[예, 내장 민무늬근육(평활근)], 개개의 근육세포들을 서로 연결함.

티록신[tetraiodothyronine (T4)]　갑상샘에서 생산되는 두 가지 주요 호르몬 중 하나; 체내 대사 및 소아의 정상 성장, 발달에 필수적이다.

티록신결합 글로불린(thyroxine-binding globulin)　간에서 합성되어 T3, T4 호르몬에 결합하는 단백질.

파골세포(osteoclasts)　뼈조직을 녹이는 큰 다핵성 세포로서 골 재형성에 주요 역할을 담당.

파울러 체위(Fowler's position)　무릎을 구부리거나 일자로 편 상태에서 바로 앉아있는 자세.

파이어판(peyer patches)　돌창자(회장)에 산발적으로 분포하는 림프절의 판.

팔신경얼기(brachial plexus)　C5-T1으로 이루어진 척수신경 얼기; 어깨와 팔(상지)에 분포한다.

팔이음뼈(pectoral girdle)　어깨뼈(견갑골)와 빗장뼈(쇄골).

팽대(ampulla)　반고리뼈관 말단에 팽대능선을 포함하는 확대된 부위.

팽대(haustra)　주름창자띠의 수축에 의한 주름창자(결장)에 오목한 부분.

팽대(전립선)[ampulla (prostate gland)]　전립선에 정관의 주머니.

팽대능선(crista ampullaris)　동적평형을 돕는 반고리뼈관의 감각기.

펩시노겐(pepsinogen)　위의 으뜸세포에 의해 만들어지는 효소로, 염산에 의해 펩신으로 전환된다.

펩신(pepsin)　위에서 펩시노겐이 위산에 노출되어 생성되는 효소로, 단백질의 초기 분해에 중요하다.

펩티드(peptides)　아미노산의 펩티드 결합(peptide bond)에 의해 형성된 단백질 분자.

펩티드분해효소(peptidases)　단백질 분해 효소.

편도(tonsils)　목구멍과 코인두 뒤쪽에 위치한 세 쌍의 림프 기관-입천장편도(구개편도), 인두편도, 혀편도; 입과 코로 유입된 박테리아로부터 인체를 보호한다.

편모(flagella)　세포를 움직이게 하는 꼬리와 같은 모양을 한 미세소기관.

편타손상(whiplash)　갑작스러운 굴곡 또는 신전과 연관된, 목의 연조직 손상.

편평골(flat bones)　상대적으로 얇고 편평한 뼈의 유형.

편평상피(squamous epithelia)　표피를 구성하는 세포들의 편평한 판.

편평상피(squamous epithelium)　납작한 모양을 가진 상피 세포

평활근(smooth muscle)　소화기관을 통해 음식물을 내려보내고, 동공을 이완하고 수축하는등의 인체 내 자율적 활동 대부분을 수행하는 민무늬근; 불수의근이라고도 불린다.

폐(lungs)　두 개의 주된 호흡기관.

폐경(menopause)　여성 월경 주기의 말기.

폐기종(emphysema)　공기에 의한 조직의 팽창; 폐포의 확장과 폐실질에 파괴성 변화를 특징으로하는 만성폐쇄성폐질환.

폐동맥판(pulmonary valve)　우심실과 폐동맥 사이 혈류를 조절하는 반월판.

폐색전증(pulmonary embolism)　혈괴 또는 외부물질이 폐순환 내에 갇힘.

폐쇄골절(closed fracture)　뼈 말단이 피부 밖으로 노출되지 않은 골절.

폐쇄신경(obturator nerve)　허리엉치 신경얼기에서 나오는

신경으로, 허벅지를 내전 및 내회전하는 근육들에 분포한다.

폐순환(pulmonary circuit) 탈산소화 혈액을 폐로 보내서, 산소를 받고 이산화탄소를 내려놓는 정맥과 세정맥.

폐포(alveoli) 가스교환이 일어나는 폐 조직의 작은 주머니.

폐포관(alveolar ducts) 하기도 호흡세기관지가 분지되어 형성되는 관.

폐포모세혈관막(alveolocapillary membrane) 폐포와 모세혈관 사이에 오직 하나의 세포층으로 구성된 매우 얇은 막으로, 폐포와 혈관사이 호흡교환이 일어나는 부위이다. 폐모세혈관막이라고도 불린다.

폐활량(vital capacity) 최대 흡기와 호기시 폐로 들어오고 나가는 공기의 양.

폐활량계(spirometer) 폐기능 측정에 사용되는 기계; 특정한 시간동안 폐를 출입하는 공기의 양을 측정함.

포경수술(circumcision) 음경 귀두의 포피를 제거하는 수술.

포도당신합성(gluconeogenesis) 간과 신장을 자극하여, 비탄수화물 분자로 부터 포도당을 생성하는 과정.

포식작용(phagocytosis) 세포가 외부물질을 집어삼키어 파괴하는 과정.

포액작용(pinocytosis) 세포가 외세포액과 그 내용물을 삼키는 과정.

표면장력(surface tension) 폐포의 팽창을 어렵게 만드는 효과; 물분자의 인력에 의해 발생한다.

표면활성제(surfactant) 폐포의 붕괴 경향을 줄이고, 폐포 팽창을 원활히 하도록 합성되는 지질과 단백질 복합체.

표재화상(superficial burns) 표피만을 침범한 화상; 1도 화상.

표피(epidermis) 피부 표면 바깥층으로 무수한 혈관이 분포하지만, 신경 말단은 분포하지 않는다; 인체의 첫번째 방어선으로 작용한다.

표현형(phenotype) 유전적 요소와 환경적 요인에 의해 나타나는 유기체의 관찰가능한 특징.

프로게스테론(progesterone) 난소에서 분비되어 월경주기동안 자궁 내막을 자극하는 호르몬; 세 가지 주요 여성호르몬 중 하나.

프로락틴 억제 호르몬(prolactin-inhibiting hormones) 시상하부에서 분비되어 프로락틴 억제에 영향을 주는 호르몬.

프로락틴(prolactin) 여성에서 모유 생산에 중여한 역할을 하는 호르몬.

프로스타글란딘(Prostaglandins) 자궁, 뇌, 콩팥(신장) 등 다양한 인체 조직에서 생산되는 호르몬과 유사한 지방산.

프로트롬빈(prothrombin) 간에서 만들어지는 알파 글로불린; 트롬빈으로 전환된다.

플라스민(plasmin) 자연적으로 생성되는 혈괴 용해 효소; 인체 내에서 대부분 불활성 형태인 플라스미노겐으로 존재함.

피부분절(dermatome) 특정 뇌 또는 척수 신경의 감각분포에 해당하는 피부 영역.

피지(sebum) 피지선에서 생되는 물질로, 지방질과 세포파편의 조합을 포함하고 있다.

피지선(sebaceous glands) 손발바닥을 제외한 몸 전체의 진피에 존재하는 피지를 생성하는 샘.

피질척수로(corticospinal tracts) 운동, 특히 손의 운동을 조정하는 하행로.

피하조직(hypodermis) 진피 바로 아래쪽 조직 층; 피하층(피부밑층)이라고도 부른다.

피하조직의(hypodermic) 피부 아래쪽을 지칭.

피하층(피부밑층, subcutaneous layer) 진피 바로 아래쪽 조직층; 피하조직.

하대정맥(inferior vena cava) 인체내 두 개의 가장 큰 정맥 중 하나; 다리(하지), 골반 및 복부 장기의 혈액을 심장으로 이송한다.

하루주기 리듬(circadian rhythms) 환경적인 낮과 밤의 주기와 연관된다; 이 리듬은 인체가 낮과 밤을 구별하는 것을 돕는다.

하버스계(Haversian systems) 하버스관과 그 주위를 두르는 골판으로 구성된 치밀뼈의 단위.

하부(inferior) 발에 더 가까이 있는 구조.

하비갑개(inferior nasal conchae) 두루마리 모양의 뼈로 외측 코안벽(비강벽)에 부착되어 점막을 지지함.

하악골(mandible) 아래 턱 뼈; 얼굴뼈 중 유일하게 움직임이 가능.

하지(lower limbs) 넙다리뼈(대퇴골), 정강뼈(경골), 종아리뼈(비골), 무릎뼈(슬개골), 발목뼈(족근골), 발허리뼈(중족골), 발가락뼈(지골).

하행결장(descending colon) 주름창자(결장)의 네 부위 중 하나; 지라(비장)굴곡에서 구불창자(S자 결장)까지 이어진다.

하행대동맥(descending aorta) 대동맥의 세 부분 중 하나; 가장 긴 부분으로 가슴부위(흉부)에서 배부위(복부), 골반까지 연장됨.

하행로(descending tracts) 뇌에서 말초신경섬유로 운동 자극을 전달하는 신경섬유; 원심로(efferent tract)라고도 한다.

함입(invaginations) 위 점막에 무수히 분포하는 오목한 부위; 위오목이라고도 부름.

합성 반응(sythesis reactions) 두 개 이상의 반응물(원자)이 결합하여 더욱 복잡한 구조, 즉 반응의 산물을 만드는 것

합성대사 스테로이드(anabolic steroids) 근육량을 증가시키기 위해 사용되는 합성 안드로겐.

합성대사(anabolism) 작은 분자에서 큰 분자를 합성하는 것.

합텐(불완전항원, hapten) 정상적으로는 면역 반응을 자극하지 않지만, 항원과 결합되어 나중에 항체 반응을 일으킨다; 특정 약제들, 먼지 입자, 동물의 비듬, 다양한 화학물질등에서 볼 수 있다.

항문(anus) 소화관의 말단 구멍으로, 대변이 배출되는 곳이다.

항문관(anal canal) 곧창자(직장)의 끝에 작은 관으로 두개의 원형 조임근(괄약근; 내부, 외부)이 있어 대변의 배설을 조절한다.

항문부위(anal triangle) 항문을 포함하는 골반 내 부위.

항상성(homeostasis) 인체 내부환경의 안정성을 유지하려는 경향.

항원(antigens) 인체 내 유입시, 면역반응을 자극하여 특정 보호 단백질(항체) 생성을 유도하는 물질 또는 분자.

항원제시세포(antigen-presenting cell) 보조세포; 큰포식세포, B세포, 또는 표면에서 항원 조각을 가공하는 다른 유형의 세포.

항이뇨호르몬[antidiuretic hormone (ADH)] 뇌하수체 후엽에서 분비되는 호르몬으로, 혈관을 수축하고 혈압을 상승시킨다; 또한 신장 관의 수분 투과도를 증가시켜 소변의 최종 조성을 조절한다; 바소프레신.

항체(antibodies) 면역글로불린; 외부 항원에 대한 저항 반응으로 특정 면역세포에서 분비되는 단백질; 항원과 결합하

여, 면역계가 항원을 더 잘 인지하도록 한다.

해당작용-(glycolysis) 일련의 효소 촉매 반응들을 통해 포도당이 분해되어 젖산과 피루브산을 생산하는 과정.

해면골(cancellous bone) 잔기둥이라 불리는 뼈기둥의 그물(망상) 조직으로 구성된 뼈.

해면체(corpus cavernosus) 음핵과 음경에 있는 발기 조직.

해부학(anatomy) 생체의 구조와 구성에 대한 학문.

해부학적 자세(anatomic position) 환자가 당신을 바라보고 서서, 양팔을 벌리고, 손바닥이 앞을 향하는 자세.

해부학적 평면(anatomic planes) 신체 부위를 표기하기 위해 기준으로 사용하는 가상의 평면.

핵(nucleus) 원형질 내부에 들어가 있는 세포의 신경 중심, 즉 중심체.

핵막(nuclear envelope) 세포핵을 둘러싸고 있는 막.

핵산(nucleic acids) 유전정보를 전달하고 세포내 구조를 형성하는 거대분자(macromolecule). DNA와 RNA를 포함한다.

핵소체(nucleoli) 원형질내 원형의 치밀한 구조로 RNA를 포함하고 단백질을 합성한다.

허리엉치 신경얼기(요천추신경총, lumbosacral plexus) 허리신경얼기(요신경총), 엉치신경얼기(천신경총), 꼬리신경근의 결합체.

허혈(ischemia) 특정 조직에 산소가 불충분한 상태; 흔히 그 부위로 향하는 동맥혈의 폐쇄와 연관되어 발생.

헤파린(heparin) 호염구에서 다량 발견되는 물질로 혈액응고를 억제.

헨레고리(loop of Henle) 토리쪽곱슬세관(근위곡세관)에서 먼쪽곱슬세관(원위곡세관)으로 이어지는 신세뇨관의 U자형 부위.

혀(왼허파혀, lingula) 왼쪽 폐의 작은 부분으로 오른쪽 폐의 중간엽에 해당.

혀밑샘(sublingual glands) 세 쌍의 침샘 중 한 쌍.

혀밑신경(hypoglossal nerve) 혀와 목구멍 근육에 운동기능을 공급하는 12번 뇌신경.

혀인두신경(glossopharyngeal nerve) 인두 근육에 운동섬유와 혀 후방에 미각을 공급하고, 귀밑샘(이하선)에 부교감신경섬유를 전달하는 9번 뇌신경.

혀편도(lingual tonsils) 편도를 구성하는 세 쌍의 림프 기관 중 하나; 혀의 후방 경계면에 위치하여, 입과 코로 유입된 박테리아로부터 인체를 보호한다.

현미경 해부학(microscopic anatomy) 현미경으로만 식별되는 조직이나 세포 구조를 다루는 해부학.

혈관내액(intravascular fluid) 혈관 내 혈액의 비세포 부위; 혈장.

혈관수축(vasoconstriction) 혈관의 수축으로 혈관 직경이 감소.

혈관연축(vasospasm) 작은 혈관이 절단된 후에 일어나는 근육의 수축 활동; 절단된 혈관의 말단을 완전히 닫을 수도 있다.

혈관이완(vasodialtion) 혈관의 이완으로 혈관 직경이 증가.

혈구누출(diapedesis) 백혈구가 혈관에서 벗어나서, 백혈구를 필요로 하는 조직으로 이동하는 과정.

혈색소/헤모글로빈(hemoglobin) 적혈구 내부에 철을 함유한 단백질; 산소 결합력이 있음.

혈소판(platelets) 적혈구나 백혈구 보다 훨씬 작은 원반형의 세포 조각; 지혈 기전인 혈괴의 형성 초기에 필수적 요소.

혈소판(thrombocytes) 혈액 응고에 중요한 불완전 세포.

혈액(blood) 심장에서 방출되어 동맥, 정맥, 모세혈관을 통과하는 액체 조직; 혈장과 구성요소/세포(적혈구, 백혈구, 혈소판)로 구성.

혈액투석(hemodialysis) 혈액을 정화하기 위해서 체외 인공 신장을 이용하는 시술.

혈장(plasma) 혈액세포와 영양소를 이송하고, 세포 노폐물을 배설기관으로 운반하는 끈적끈적한 노란색의 액체; 전체 혈액 부피의 55%를 차지한다.

혈장단백질(plasma proteins) 혈장내 가장 풍부한 용질.

혈전(thrombi) 혈괴.

혈청 삼투질농도(serum osmolality) 혈청내 능동적 삼투성 물질의 수.

혈흉(hemothorax) 외상 후 가슴막안(흉막강내)에 비정상적인 혈액의 축적.

협부(isthmus) 갑상샘의 두 엽을 연결하는 띠 모양 조직.

형질세포(plasma cells) 항원 및 항원포함 입자를 파괴하는 항체(면역글로불린)를 생성하는 세포; 분할/분화 B세포에서 형성된다.

호기(날숨, expiration) 숨을 내 쉬는 것.

호기예비량(expiratory reserve volume) 추가적 공기; 강제 호기에 의해 폐에서 방출되는 부가적 공기.

호르몬 민감성 리파제(hormone-sensitive lipase) 글루카곤에 의해 활성화되는 효소; 트리글리세리드를 지방산과 글리세롤로 분해한다.

호르몬(hormones) 특수 장기 또는 샘에서 생성되어, 다른 장기 및 세포 무리로 운반된다; 대사, 성장, 체온 등의 다양한 인체 기능을 조절한다.

호산구(eosinophils) 알레르기 반응과 천식 기관지수축에 주요한 역할을 하는 백혈구; 백혈구의 1~3%를 차지함.

호염구(basophils) 면역반응시 화학적 매개체를 생성하는 백혈구; 백혈구의 약 1%를 차지함.

호중구(neutrophils) 세 유형의 과립구 중 하나인 백혈구; 야구공 여러 개가 얇은 실에 의해 한 줄로 연결된 듯한 여러 갈래잎 모양의 핵을 가지고 있다; 박테리아, 항원항체복합체, 외부물질을 파괴한다.

호흡계(respiratory system) 호흡 과정에 기여하는 인체 내 모든 구조들; 상기도와 하기도 및 그 구성 부분들을 포함.

호흡막(respiratory membrane) 모세혈관내 혈액과 공기를 분리하는 허파꽈리(폐포)의 층; 혈액과 허파꽈리(폐포)의 공기가 가스를 교환하는 부위; 허파(폐)모세혈관막 또는 허파꽈리(폐포)모세혈관막이라고도 부른다.

호흡세기관지(respiratory bronchioles) 세기관지의 최종 분지에 의해 형성되는 구조.

호흡영역(respiratory areas) 흡기와 호기를 조절하는 뇌의 영역.

호흡용량(respiratory capacities) 두 개 또는 그 이상의 호흡량의 조합에 의해 형성되는 네 가지 용량.

호흡용적(respiratory volumes) 일회호흡량, 예비흡기량, 호기예비량, 잔기량등의 4가지 특징적 용량.

호흡주기(respiratory cycle) 흡기와 호기의 한 주기.

홀로크린선(온분비샘, holocrine glands) 피지를 분비하는 샘; 피지선.

홍채(iris) 각막 뒤쪽 괄약근(조임근)과 주변 조직으로, 눈에 들어오는 빛의 양을 조절해서 동공을 수축, 이완한다; 홍채의 색소는 눈동자 색을 결정한다.

홑배수체(haploid) 23개 염색체를 통해 유전정보를 전달하는 세포.

화상(burns) 피부에 발생한 열손상.

화학(chemistry) 물질과 그 조성에 대한 연구

화학수용기(chemoreceptors) 뇌척수액과 혈액의 산소/이산화탄소/pH 수치를 감지하여 호흡중추에 전달−호흡수와 깊이를 조정.

화학적 소화(chemical digestion) 위와 작은창자(소장)에서 효소에 의한 음식물의 소화.

화학주성(chemotaxis) 화학적 매개체의 분비에 반응해서, 추가 백혈구가 염증 부위로 이동하는 것.

화합물(compounds) 다양하게 결합하는 원자로 구성된 분자.

확산(diffusion) 고농도에서 저농도 영역으로 분자가 이동하는 과정.

환기(ventilation) 허파(폐)와 외부환경 사이에 공기 교환 과정; 흡기와 호기를 포함.

활동전위(action pontentials) 세포막 탈분극과 연관된 전기화학적 작용으로, 부근 세포의 자극은 또다른 세포의 흥분을 유발한다.

활동전위(electrical potential) 세포막을 통한 나트륨과 칼륨의 농도차에 의해 발생하는 전하의 차이.

활성화 에너지(activation energy) 반응을 시작하기위해 필요한 에너지의 양.

황달(jaundice) 혈액내 빌리루빈의 과농축으로, 피부와 눈의 공막이 노란색으로 변하는 현상.

황반(macula) 움직임의 감지를 돕는 타원낭과 소낭 내부의 특수 조직 판.

황체(corpus luteum) 황체호르몬 분비에 의해 비대해진 난포세포에서 만들어지는 일시적 샘 구조.

황체형성호르몬[luteinizing hormone (LH)] 대략 한 달 주기로 뇌하수체에서 분비되어, 하나의 난모세포의 감수분열을 자극한다.

회내(pronation) 손바닥이 아래쪽을 향하도록 사지를 회전.

회맹장 이음부(ileocecal junction) 돌창자(회장)와 큰창자(대장)의 이음부.

회복 자세/좌측면으로 누운자세[recovery position (left lateral recumbent position)] 다 구강내 배액을 원활히하므로 기도 유지를 돕는다.

회외(supination) 손바닥을 위로, 하늘을 향하게 회전.

회음부(perineum) 꼬리근과 항문올림근(항문거근) 아래쪽 부위; 골반 바닥을 형성.

회장[ileum (gastrointestinal system)] 작은창자(소장)의 마지막 부위로 빈창자(공장)에서 큰창자(대장)의 시작부인 돌막창자판막(회맹판막)까지 이어진다.

회전근개(rotator cuff) 위팔뼈(상완골) 근위부 위쪽을 덮고, 위팔뼈(상완골)를 어깨뼈(견갑골)에 부착하는 네 개의 특수한 근육의 그룹; 어깨관절의 회전을 조절.

횡격막(diaphragm) 호흡에 이용되는 커다란 반구형 근육으로, 배안(복강)과 가슴안(흉강) 사이의 경계면을 나타낸다.

횡단면[transverse (axial) plane] 수평선에 평행하게 관통하는 평면으로 몸을 상부와 하부로 나눔.

횡문근형질막(sarcolemma) 가로무늬근육(횡문근)섬유를 둘러싸는 얇고 투명한 막.

효소(enzymes) 화학 반응에 필요한 활성화 에너지(activation energy)를 낮춰줌으로써 반응을 촉진시키는 물질

후각로(olfactory tracts) 냄새 자극이 후각망울(후구)에서 후각겉질(피질)로 지나가는 경로.

후각망울(olfactory bulb) 후각로에 의해 형성된 후각신경의 일부; 벌집뼈(사골)의 체판위에 놓여있으며, 코를 통한 후각 정보를 전달하는 신경섬유가 뚫고 지나간다.

후각신경(olfactory nerve) 후각에 대한 정보를 전달하는 1번 뇌신경.

후각피질(olfactory cortex) 냄새 자극을 수용하여 후각으로 인지하는 전뇌의 영역.

후경삼각(posterior triangle) 림프절, 팔신경얼기(팔신경총), 척수부신경, 빗장밑정맥(쇄골하정맥)의 일부를 포함하는 목의 부위.

후근(dorsal root) 척수 신경의 두 근(root) 중 하나로, 뒤쪽 척수로 지나고 뒤뿌리신경절(후근신경절)을 포함한다.

후근신경절(dorsal root ganglion) 각 척수 신경의 뒤뿌리(후근)에 있는 신경절.

후두(larynx) 후두덮개(후두개), 방패물렁뼈(갑상연골), 반지물렁뼈(윤상연골), 모뿔물렁뼈(피열연골), 잔뿔물렁뼈(소각연골), 쐐기물렁뼈(설상연골)가 형성하는 하나의 완전한 구조물.

후두골(occipital bone) 머리뼈(두개골) 뒤쪽과 기저부를 이루는 뼈.

후두과(occipital condyles) 뒤통수뼈(후두골)의 관절면으로, 머리뼈(두개골)는 여기서 척추의 고리뼈(환추, C1)와 관절결합.

후두덮개(epiglottis) 음식물을 삼키는 동안에 기관 위를 닫아주는 잎사귀 모양의 연골 구조.

후두엽(occipital lobe) 시각 정보를 처리하는 뇌의 영역.

후방(posterior chamber) 수정체와 홍채 사이 안구의 뒤쪽 영역.

후방(posterior) 척추 쪽 또는 손등을 포함한 몸의 뒤쪽을 지칭.

후복막(retroperitoneum) 배막(복막) 뒤쪽 공간.

후복막공간(retroperitoneal space) 벽측복막 후방에 위치하는 공간으로 콩팥(신장), 이자(췌장), 생식기, 샘창자(십이지장), 주요 혈관을 포함한다.

후복막장기(retroperitoneal organs) 후복막공간에 위치하는 장기[콩팥(신장), 이자(췌장), 샘창자(십이지장)]와 주요 혈관.

후부하(afterload) 좌심실이 혈액을 방출할 때 걸리는 대동맥의 압력.

후천면역결핍증(에이즈) [acquired immune deficiency syndrome (AIDS)] 사람면역결핍바이러스(HIV) 감염에 의해 발생하는 질환의 과정.

후천면역결핍증[에이즈, acquired immune deficiency syndrome (AIDS)] 사람면역결핍바이러스(HIV) 감염으로 발생하는 질병의 과정.

휘돌이관상동맥(circumflex coronary artery) 좌주관상동맥의 두개 가지 중 하나.

휴식시 일회호흡량(resting tidal volume) 정상 휴식상태의 일회호흡량(약 500 mL).

흉강(pleural cavity) 가슴우리(흉곽)의 안쪽 경계면과 가로막(횡격막)에 의해 형성되는 공간.

흉골(sternum) 전방 가슴부위(흉부) 중앙의 가슴뼈.

흉곽(thoracic cage) 갈비뼈(늑골), 등뼈(흉추), 복장뼈(흉골).

흉관(thoracic duct) 두 개의 큰 림프관 중 하나; 상대정맥으로 들어간다.

흉막(pleura) 허파(폐)를 덮고있고 가슴안(흉강) 내측면을 감싸고 있는 장막으로, 가슴막안(흉막강)이라는 잠재적 공간을 둘러싼다.

흉막강(pleural space) 내장측흉막 visceral pleura과 벽측흉막 parietal pleura 사이의 잠재적 공간; 정상 상태에서는 닫혀있는 공간이므로 '잠재적'이라고 표현한다.

흉막삼출(pleural effusion) 가슴막안(흉막강) 내부에 과도한 액체의 축적.

흉막액(pleural fluid) 가슴막안(흉막강)을 채우고 있는 소량의 윤활액.

흉추(thoracic vertebrae) 척주 중앙에 12개의 추체로 대개는 갈비뼈(늑골)와 연결.

흑색질(substantia nigra) 중뇌에 위치한 한 층의 회색질.

흡기(들숨, inspiration) 숨을 들이마시는 것.

흡기용적(inspiratory capacity) 일회호흡량 + 예비흡기량.

흡수세포(absorptive cells) 소화효소를 생산하고 소화된 음식을 흡수하는 세포.

흥분성(excitability) 전기적 자극에 반응하는 심장 세포의 특성.

히스속(bundle of His) 심실중격 전기전도계의 일부; 심방심실이음부에서 좌/우 갈래로 탈분극 자극을 전도.

히스타민(histamine) 비만세포에서 발견되는 화학물질; 히스타민이 배출되면 혈관이완, 모세혈관 누출, 세기관지 수축 등이 발생한다.

힘줄/건(tendons) 근육을 뼈에 부착하는 섬유화 결합조직.

힘줄끈(chordae tendinee) 심장 판막에 부착되어 판막의 뒤집힘을 방지하는 얇은 섬유조직막.

1도 화상(First-degree burns) 표피만을 침범한 화상; 표재화상이라고도 한다.

2도 화상(second-degree burns) 표피와 진피의 일부를 침범하는 화상; 부분층 화상.

<u>3도 화상(third-degree burns)</u> 피하조직과 함께 때로는 뼈, 근육, 내부장기까지도 침범하는 화상; 전층화상.

<u>B 림프구(B 세포)[B lymphocytes (B cells)]</u> 외부 항원에 결합하여 파괴하는 항체를 생성, 분비하는 림프구. 혈액, 림프절, 골수, 장내피, 비장에 존재한다.

<u>CD4 항원(CD4 antigen)</u> 보조T세포의 표면에서 발견되는 단백질; HIV에 노출은 CD4 항원에 부정적 영향을 준다.

<u>P 파(P wave)</u> 심전도 복합체에서 첫번째 파형; 심방의 탈분극을 나타낸다.

<u>pH</u> 용액의 산성과 알칼리성 정도.

<u>PR분절(PR segment)</u> P파(심방 탈분극)의 시작과 QRS복합(심실 탈분극)의 시작 사이의 구간; 심방 탈분극과 방실이음부를 통한 흥분 자극의 전도에 필요한 시간을 의미한다.

<u>QRS복합(QRS complex)</u> 심실 탈분극에 의해 생기는 심전도의 굴절.

<u>ST분절(ST segment)</u> QRS복합의 끝과 T파의 시작 사이 구간; 흔히, 심근 허혈이 있을때 등전선에서 올라가거나 내려간다.

<u>T 림프구(T세포)[T lymphocytes (T cells)]</u> 혈액내 순환하는 림프구의 대다수를 차지하는 특수한 림프구; 활성화되면 항원과 직접 작용하여 세포면역반응을 일으킨다; 또한 B세포를 자극하여 항체를 생산한다.

<u>T 파(T wave)</u> 심전도에서 QRS복합에 이어서 보이는 수직이거나 편평하거나 역전된 형태의 파형으로 심실의 재분극을 의미한다.

찾아보기